유형 해결의 법칙

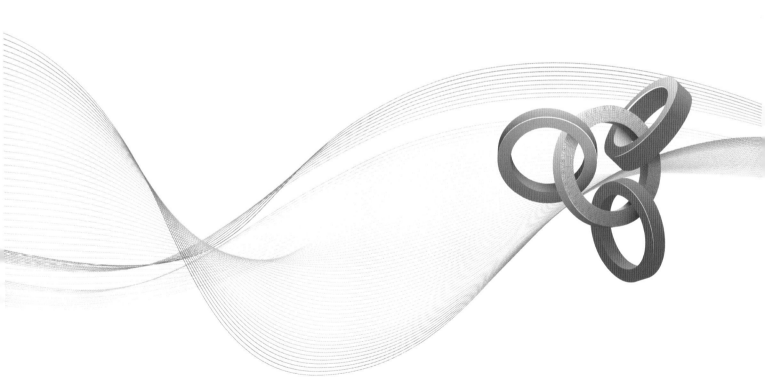

중학 수학 **2-2**

유형 해결의 법칙

이 책을 기획·검토해 주신 245명의 선생님들께 감사드립니다.

기획에 참여하신 선생님								
강지훈	권은경	고수환	공경식	김정태	김지인	서정택	신준우	안우영
위성옥	윤인영	이경은	이동훈	이슬비	이재욱	전은술	정태식	황선영

검토에 참여하신 선생님

서울

강연희	고혜련	기한성	김길수	김명후	김미애	김보미	김슬희	김연수
김용진	김재훈	김정문	김주현	김진위	김진희	김현아	김형수	나종학
박명호	박수견	박용진	박지견	박진선	박진수	서동욱	성은수	손현희
안은해	윤석태	윤혜영	이누리	이명숙	이수아	이영미	이윤배	이정희
이창기	장기헌	장성민	조세환	지은희	채미진	채진영	최송이	

경기

강원우	곽효희	권수빈	권용운	기샛별	김경아	김 란	김세정	김연경
김재빈	김정연	김지송	김지윤	김태현	김혜림	김효진	김희정	맹주현
민동건	박민서	박용철	박재곤	방은선	배수남	백남흥	서정희	신수경
신지영	엄준호	오경미	유기정	유상현	윤금숙	윤혜선	이나경	이다영
이명선	이보미	이보형	이봉주	이신영	이은경	이은지	이재영	이지훈
이진경	이희숙	이희정	임인기	장도훈	정광현	정문숙	정필규	조성민
조은영	조진희	최경희	최다혜	최문정	최선민	최영미	홍가영	

충청

강태원	권경희	권기윤	권용운	김근래	김미정	김선경	김영철	김장훈
김 진	김현진	남궁찬	남철희	라정흠	류현숙	박대권	박영락	박재춘
박진영	박찬웅	방승현	백용현	변애란	신상미	신옥주	안용기	이금수
이문석	이태영	정구환	정선우	정수영	정지영	천은경	최도환	최미선
최종권	최진욱	한미숙	허진형	황용하	황은숙			

경상

강대희	구본희	구영모	권기현	금은희	김미숙	김보영	김수정	김현경
노정은	류민숙	문준호	민희영	박상만	박순정	박승배	박현숙	배두현
배홍재	심경숙	심영란	양선애	오창희	이상준	이언주	이유경	이현준
장수민	전선미	전진철	조현주	추명석	하미애	하희정	한창희	한혜경

전라

고미나	김경남	김대화	김돈오	김 련	김선주	김세현	김우신	김원미
김정희	김지현	나희정	류 민	박명숙	박성미	박성태	박정미	백성주
선재연	성준우	송정권	위효영	유현수	유혜정	이경묵	이상용	이수정
이은순	이재윤	임주미	장민경	장원익	전선재	정명숙	정미경	정연일
정은성	조창영	최상호	홍귀숙					

강원

박상윤	신현숙

제주

이승환

유형 해결의 법칙

개념과 문제를 유형화하여 공부하는 것은
수학 실력 향상의 밑거름입니다.
가장 효율적으로 유형을 나누어 연습하는

최고의 유형 문제집!

STRUCTURE
구성과 특징

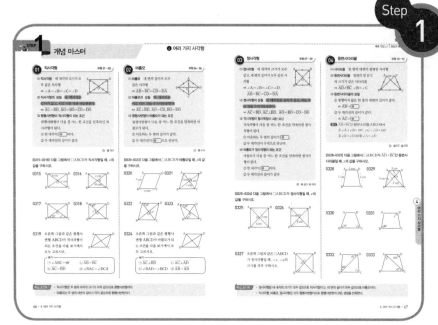

Step 1 개념 마스터

● 개념 정리
교과서의 핵심 개념 및 기본 공식, 정의 등을 정리하고 예, 참고 등의 부가 설명을 통해 보다 쉽게 개념을 이해할 수 있도록 하였습니다.

● 기본 문제
개념과 공식을 바로 적용하여 해결할 수 있는 기본적인 문제를 다루어 개념을 확실하게 익힐 수 있도록 하였습니다.

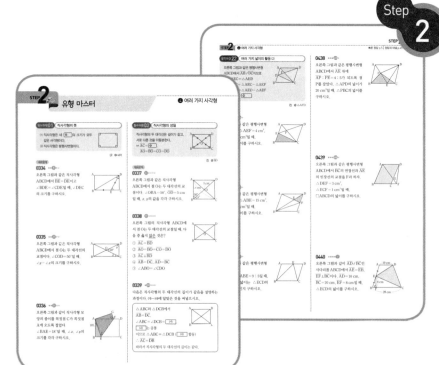

Step 2 유형 마스터

● 필수 유형 & 핵심 개념 정리
중단원의 기출 필수 유형을 선정하고, 그 유형 학습에 필요한 개념 및 대표 문제를 제시하였습니다.

내신 출제율이 높고 꼭 알아두어야 할 유형에 중요 표시를 하였습니다.

대표문제
각 유형에서 시험에 자주 출제되는 문제를 대표문제로 지정하였습니다.

발전유형
발전 유형을 필수 유형과 다른 색으로 표시하여 수준별 학습이 가능하도록 하였습니다.

학교 시험에서 잘 나오는 문제들로 구성하
여 실력을 확인해 볼 수 있도록 하였습니다.

정답과 해설

자세하고 친절한 해설을 수록하였습니다.

전략
문제에 접근할 수 있는 실마리를 제공하였습
니다.

Lecture
풀이를 이해하는데 도움이 되는 내용, 풀이
과정에서 범할 수 있는 실수, 주의할 내용들
을 짚어줍니다.

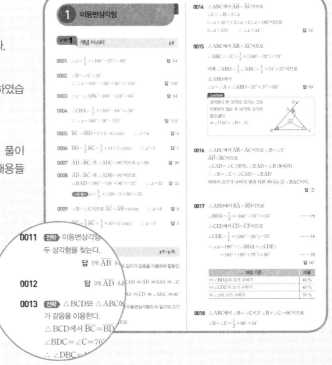

유형 해결의 법칙의 특장과 활용법

특장

1 수학의 모든 유형의 문제를 한 권에 담았습니다.

전국 중학교의 내신 기출 문제를 수집, 분석하여 유형별로 수록하였습니다.

2 내신을 완벽하게 대비하기 위하여 유형을 세분화하였습니다.

놓치는 유형 문제가 없도록 유형을 세분화하고 필수유형부터 발전유형까지 유형 문제를
단계별로 체계적으로 학습할 수 있도록 구성하였습니다.

3 전략을 통한 문제 해결 방법 제시

유형별 해결 전략을 제시하여 핵심 유형을 마스터하고 해결 능력을 스스로 향상시킬 수
있도록 하였습니다.

나만의 오답노트 활용법

오답노트 이제 쓰지 말고 찍어 보자!
(주)천재교육에서 출시된 교재와 연동된 오답노트입니다.
교재의 오답노트 QR을 통해서만 교재를 등록하고 사용할 수 있습니다.
해당 QR이 없는 교재는 연동되어 있지 않으니 참고하세요~

● **오답노트 App 사용법**

1. 표지에 있는 QR을 스캔하여 앱을 설치합니다.

2. 앱을 실행시킨 후 로그인하여 교재를 등록합니다. (천재교육 사이트 회원
   이 아니면 회원가입을 합니다.)

3. 등록된 교재의 오답 문항을 선택하여 등록합니다.

4. 등록된 오답노트를 언제든 열어보고 확인, 인쇄 가능합니다.

● 참고사항 ● wifi 또는 4G, LTE의 무선 네트워크가 연결되어 있어야 실행됩니다.
　　　　　　　안드로이드폰에서만 실행됩니다.

CONTENTS
차례

1 이등변삼각형

개념 마스터

01 이등변삼각형의 성질   유형 01~06

(1) **이등변삼각형**   두 변의 길이가 같은 삼각형

(2) **이등변삼각형에서 사용하는 용어**

① 꼭지각: 길이가 같은 두 변이 이루는 각

② 밑변: 꼭지각의 대변

③ 밑각: 밑변의 양 끝 각

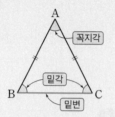

(3) **이등변삼각형의 성질**

① 이등변삼각형의 두 밑각의 크기는 같다.

➡ △ABC에서 $\overline{AB}=\overline{AC}$이면 ∠B= ❶

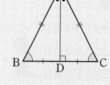

② 이등변삼각형의 꼭지각의 이등분선은 밑변을 수직이등분한다.

➡ △ABC에서 $\overline{AB}=\overline{AC}$이고 $\overline{AD}$가 ∠A의 이등분선이면 $\overline{AD}\perp\overline{BC}$, $\overline{BD}=\overline{CD}$

답 ❶ ∠C

[0001~0004] 다음 그림에서 △ABC는 $\overline{AB}=\overline{AC}$인 이등변삼각형이다. ∠$x$의 크기를 구하시오.

0001

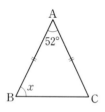

0002

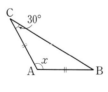

0003

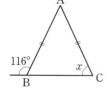

0004

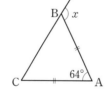

[0005~0008] 다음 그림에서 △ABC는 $\overline{AB}=\overline{AC}$인 이등변삼각형이고 $\overline{AD}$는 ∠A의 이등분선이다. x의 값을 구하시오.

0005

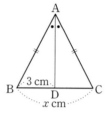

0006

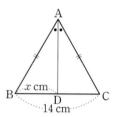

0007

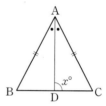

0008

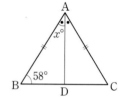

02 이등변삼각형이 되는 조건   유형 07, 08

두 내각의 크기가 같은 삼각형은 이등변삼각형이다.

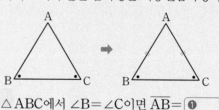

△ABC에서 ∠B=∠C이면 $\overline{AB}$= ❶

답 ❶ $\overline{AC}$

[0009~0010] 다음 그림의 △ABC에서 ∠B=∠C일 때, x의 값을 구하시오.

0009

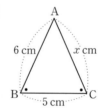

0010

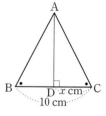

핵심 포인트! • 이등변삼각형의 두 밑각의 크기는 같다.

• 이등변삼각형의 꼭지각의 이등분선은 밑변을 수직이등분한다.

필수유형 **01** 이등변삼각형의 성질에 대한 설명

꼭지각의 이등분선을 긋고 삼각형의 합동 조건을 이용하여 이등변삼각형의 성질을 설명할 수 있다.

대표문제

0011 ●중하●●●

다음은 이등변삼각형의 두 밑각의 크기는 같음을 설명하는 과정이다. (가)~(마)에 알맞은 것을 써넣으시오.

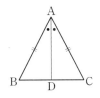

$\overline{AB}=\overline{AC}$인 이등변삼각형 ABC에서 ∠A의 이등분선과 $\overline{BC}$의 교점을 D라 하면 △ABD와 △ACD에서

$\boxed{\text{(가)}}=\overline{AC}$,

∠BAD= $\boxed{\text{(나)}}$,

$\boxed{\text{(다)}}$ 는 공통

따라서 △ABD≡△ACD ($\boxed{\text{(라)}}$ 합동)이므로

∠B= $\boxed{\text{(마)}}$

0012 ●중하●●●

다음은 이등변삼각형의 꼭지각의 이등분선은 밑변을 수직이등분함을 설명하는 과정이다. (가)~(마)에 알맞은 것을 써넣으시오.

$\overline{AB}=\overline{AC}$인 이등변삼각형 ABC에서 ∠A의 이등분선과 $\overline{BC}$의 교점을 D라 하면 △ABD와 △ACD에서

$\overline{AB}=\overline{AC}$, ∠BAD=∠CAD,

$\boxed{\text{(가)}}$ 는 공통이므로

△ABD≡△ACD ($\boxed{\text{(나)}}$ 합동)

∴ $\overline{BD}=$ $\boxed{\text{(다)}}$, ∠ADB= $\boxed{\text{(라)}}$

이때 ∠ADB+∠ADC=180°이므로

∠ADB=∠ADC= $\boxed{\text{(마)}}$ ∴ $\overline{AD}\perp\overline{BC}$

필수유형 **02** 중요 이등변삼각형의 성질 (1)

△ABC에서 $\overline{AB}=\overline{AC}$이면

➡ ∠A= ❶ −2∠B

∠B=∠C= $\dfrac{1}{2}$ × (180°−∠A)

답 ❶ 180°

대표문제

0013 ●중하●●●

오른쪽 그림에서 △ABC는 $\overline{AB}=\overline{AC}$인 이등변삼각형이고 $\overline{BC}=\overline{BD}$이다. ∠C=70°일 때, ∠$x$의 크기를 구하시오.

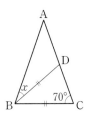

0014 ●중하●●●

오른쪽 그림과 같이 $\overline{AB}=\overline{AC}$인 이등변삼각형 ABC에서 ∠$x$의 크기를 구하시오.

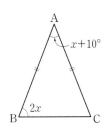

0015 ●중하●●●

오른쪽 그림에서 △ABC는 $\overline{AB}=\overline{AC}$인 이등변삼각형이고 $\overline{BD}$는 ∠B의 이등분선이다. ∠A=32°일 때, ∠x의 크기를 구하시오.

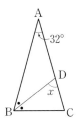

0016 ••중••

오른쪽 그림과 같이 $\overline{AB}=\overline{AC}$인 이등변삼각형 ABC에서 꼭짓점 A를 지나고 $\overline{BC}$에 평행한 반직선 AD를 그었을 때, 다음 중 크기가 나머지 넷과 다른 하나는?

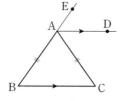

① ∠B   ② ∠C   ③ ∠BAC
④ ∠CAD   ⑤ ∠EAD

0017 ••중•• 서술형

오른쪽 그림과 같은 △ABC에서 $\overline{BA}=\overline{BD}$, $\overline{CD}=\overline{CE}$이고 ∠B=70°, ∠C=30°일 때, ∠$x$의 크기를 구하시오.

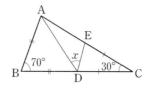

0018 ••중••

오른쪽 그림과 같은 △ABC에서 $\overline{AB}=\overline{AC}$, $\overline{BA}=\overline{BD}$이고 ∠EAC=68°일 때, ∠ADC의 크기를 구하시오.

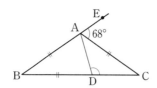

필수유형 **03** 이등변삼각형의 성질 (2)

△ABC에서 $\overline{AB}=\overline{AC}$,
∠BAD=∠CAD이면
(1) ∠ADB=∠ADC= ❶
(2) $\overline{BD}=\overline{CD}=\dfrac{1}{2}\overline{BC}$

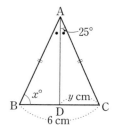

답 ❶ 90°

대표문제

0019 ••중하••

오른쪽 그림과 같이 $\overline{AB}=\overline{AC}$인 이등변삼각형 ABC에서 ∠A의 이등분선과 $\overline{BC}$의 교점을 D라 하자. ∠CAD=25°, $\overline{BC}$=6 cm일 때, $x+y$의 값을 구하시오.

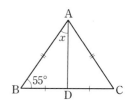

0020 ••중하••

오른쪽 그림과 같이 $\overline{AB}=\overline{AC}$인 이등변삼각형 ABC에서 점 D가 $\overline{BC}$의 중점일 때, ∠x의 크기를 구하시오.

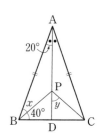

0021 ••중••

오른쪽 그림과 같이 $\overline{AB}=\overline{AC}$인 이등변삼각형 ABC에서 ∠A의 이등분선과 $\overline{BC}$의 교점을 D라 하자. $\overline{AD}$ 위의 점 P에 대하여 ∠BAP=20°, ∠PBD=40°일 때, ∠x+∠y의 크기를 구하시오.

1

이등변삼각형

필수유형04 중요 이등변삼각형의 성질을 이용하여 각의 크기 구하기 (1) – 이웃한 이등변삼각형

오른쪽 그림에서 $\overline{AB}=\overline{AC}=\overline{CD}$
일 때, ∠DCE의 크기 구하기

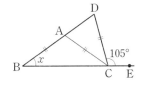

① ∠B=x라 하면
  △ABC에서
  ∠ACB=∠B=∠x
  ∠CAD=∠B+∠ACB=2∠x
② △ACD에서 ∠CDA=∠CAD=2∠x
③ △BCD에서 ∠DCE=∠B+∠BDC= **❶**

目 **❶** 3∠x

대표문제

0022 ••중••

오른쪽 그림에서
$\overline{AB}=\overline{AC}=\overline{CD}$이고
∠DCE=105°일 때,
∠x의 크기를 구하시오.

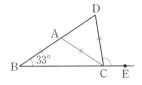

0023 ••중••• 서술형

오른쪽 그림에서
$\overline{AB}=\overline{AC}=\overline{CD}$이고
∠B=33°일 때, ∠DCE의
크기를 구하시오.

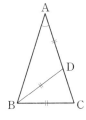

0024 ••중••

오른쪽 그림에서 △ABC는 $\overline{AB}=\overline{AC}$
인 이등변삼각형이다. $\overline{AD}=\overline{BD}=\overline{BC}$
일 때, ∠A의 크기를 구하시오.

0025 ••중•••

다음 그림과 같은 △ABC에서 ∠BAC=120°이고
$\overline{BD}=\overline{DE}=\overline{EA}=\overline{AC}$일 때, ∠B의 크기를 구하시오.

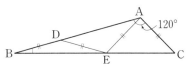

0026 ••중•••

다음 그림과 같은 △ABC에서 ∠B=20°이고
$\overline{BE}=\overline{ED}=\overline{DF}=\overline{FA}=\overline{AC}$일 때, ∠C의 크기를 구하시오.

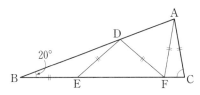

필수유형05 이등변삼각형의 성질을 이용하여 각의 크기 구하기 (2) – 각의 이등분선

△ABC에서 $\overline{AB}=\overline{AC}$이고 점
D가 ∠B의 이등분선과 ∠C의 외
각의 이등분선의 교점일 때,
∠BDC의 크기 구하기

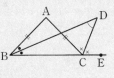

① △ABC에서 ∠ABC=∠ACB=$\frac{1}{2}$×(180°−∠A)
② ∠DBC=$\frac{1}{2}$∠ABC, ∠DCE=$\frac{1}{2}$×(180°−∠ACB)
③ △BCD에서 ∠BDC=∠DCE− **❶**

目 **❶** ∠DBC

대표문제

0027 ••중••

오른쪽 그림과 같이 $\overline{AB}=\overline{AC}$
인 이등변삼각형 ABC에서
∠B의 이등분선과 ∠C의 외각
의 이등분선의 교점을 D라 하
자. ∠A=80°일 때, ∠x의 크기를 구하시오.

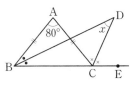

0028 ••중••

오른쪽 그림과 같이 $\overline{AB}=\overline{AC}$ 인 이등변삼각형 ABC에서 ∠B 의 이등분선과 ∠C의 외각의 이 등분선의 교점을 D라 하자. ∠A=32°일 때, ∠x의 크기를 구하시오.

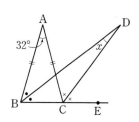

0029 ••중••

오른쪽 그림에서 △ABC와 △BCD는 각각 $\overline{AB}=\overline{AC}$, $\overline{CB}=\overline{CD}$인 이등변삼각형이고 ∠ACD=∠DCE이다. ∠A=40°일 때, ∠x의 크기를 구하시오.

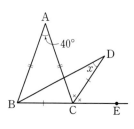

0030 ••중••

오른쪽 그림과 같이 $\overline{AB}=\overline{AC}$ 인 이등변삼각형 ABC에서 ∠ACD=∠DCE, ∠ABD=2∠DBC이다. ∠A=72°일 때, ∠x의 크기를 구하시오.

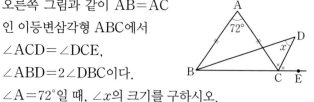

필수유형 **06** **이등변삼각형의 성질을 이용하여 각의 크기 구하기 (3) – 여러 가지 도형**

도형에서 이등변삼각형을 찾고 직사각형의 한 내각의 크기는 ❶ ⬚ 임을 이용한다.

답 ❶ 90°

대표문제
0031 ••중••

오른쪽 그림과 같은 직사각형 ABCD에서 $\overline{BE}=\overline{DE}$이고 ∠BDE=∠CDE일 때, ∠x 의 크기를 구하시오.

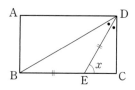

0032 ••중••

오른쪽 그림과 같이 $\overline{AD}\,//\,\overline{BC}$인 사다리꼴 ABCD에서 $\overline{AB}=\overline{AD}$ 이고 ∠DBC=38°일 때, ∠x의 크기를 구하시오.

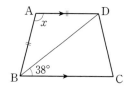

0033 •••상중•

오른쪽 그림에서 사각형 ABCD는 정사각형이고 $\overline{AD}=\overline{AE}$이다. ∠ABE=30°일 때, ∠EDA의 크기 를 구하시오.

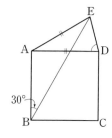

필수유형 07 이등변삼각형이 되는 조건에 대한 설명

두 내각의 크기가 같은 삼각형은 이등변삼각형이다.

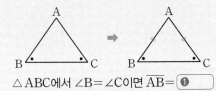

△ABC에서 ∠B=∠C이면 $\overline{AB}$= **❶**

답 **❶** $\overline{AC}$

대표문제

0034 •중하•••

다음은 두 내각의 크기가 같은 삼각형은 이등변삼각형임을 설명하는 과정이다. (개)~(매)에 알맞은 것을 써넣으시오.

∠B=∠C인 삼각형 ABC에서 ∠A
의 이등분선과 $\overline{BC}$의 교점을 D라 하
면 △ABD와 △ACD에서

　(개)　는 공통　　······ ㉠

∠BAD=　(나)　　······ ㉡

∠B=∠C이므로 ∠ADB=　(다)　　······ ㉢

㉠, ㉡, ㉢에 의하여 △ABD≡△ACD (　(라)　 합동)

∴ $\overline{AB}$=　(매)

따라서 △ABC는 이등변삼각형이다.

0035 •중하•••

다음은 오른쪽 그림과 같이
$\overline{AB}=\overline{AC}$인 이등변삼각형 ABC에
서 ∠B, ∠C의 이등분선의 교점을 P
라 할 때, △PBC도 이등변삼각형임
을 설명하는 과정이다. (개)~(다)에 알
맞은 것을 써넣으시오.

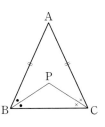

$\overline{AB}=\overline{AC}$이므로 ∠ABC=　(개)

∠PBC=$\frac{1}{2}$∠ABC, ∠PCB=$\frac{1}{2}$∠ACB이므로

∠PBC=　(나)

즉 △PBC의 두 내각의 크기가 같으므로 △PBC는

　(다)　삼각형이다.

필수유형 08 〔중요〕 이등변삼각형이 되는 조건

두 내각의 크기가 같은 삼각형을 찾아 두 변의 길이가 같음을 이용한다.

대표문제

0036 ••중••

오른쪽 그림과 같이 $\overline{AB}=\overline{AC}$인 이등
변삼각형 ABC에서 ∠C의 이등분선이
$\overline{AB}$와 만나는 점을 D라 하자.
∠A=36°, $\overline{BC}$=8 cm일 때, x, y의 값
을 각각 구하시오.

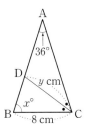

0037 •하••••

오른쪽 그림과 같은 △ABC에서
∠B=∠C일 때, x의 값을 구하시
오.

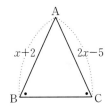

0038 ••중••

오른쪽 그림과 같이
∠C=90°인 직각삼각형
ABC에서 $\overline{AD}=\overline{CD}$이고
∠B=30°, $\overline{AC}$=3 cm일 때,
$\overline{AB}$의 길이를 구하시오.

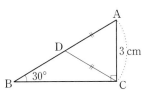

0039 ●●중●●

오른쪽 그림과 같이 $\overline{AB}=\overline{AC}$인 이등변삼각형 ABC에서 ∠A의 이등분선과 $\overline{BC}$의 교점을 D라 하자. $\overline{AD}$ 위의 점 E에 대하여 ∠BEC=90°, $\overline{BC}$=6 cm일 때, $\overline{DE}$의 길이를 구하시오.

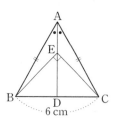

0040 ●●●상중●

오른쪽 그림과 같이 ∠B=∠C인 △ABC의 $\overline{BC}$ 위의 점 P에서 $\overline{AB}$, $\overline{AC}$에 내린 수선의 발을 각각 D, E라 하자. $\overline{AB}$=10 cm이고 △ABC의 넓이가 40 cm²일 때, $\overline{PD}$와 $\overline{PE}$의 길이의 합을 구하시오.

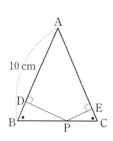

0041 ●●●상중

오른쪽 그림에서 △ABC는 $\overline{AB}=\overline{AC}$인 이등변삼각형이다. $\overline{AB}$ 위에 점 D를 잡아 점 D를 지나고 $\overline{BC}$에 수직인 직선이 $\overline{BC}$, $\overline{AC}$의 연장선과 만나는 점을 각각 E, F라 하자. $\overline{AC}$=9 cm, $\overline{BD}$=3 cm일 때, $\overline{AF}$의 길이를 구하시오.

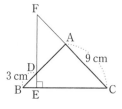

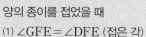
필수유형 09 직사각형 모양의 종이접기

오른쪽 그림과 같이 직사각형 모양의 종이를 접었을 때
(1) ∠GFE=∠DFE (접은 각)
(2) $\overline{AD}$∥$\overline{BC}$이므로
 ∠GEF=∠DFE (엇각)
(3) (1), (2)에서 ∠GFE=∠GEF이므로 △GEF는 $\overline{GE}$=❶ 인 이등변삼각형이다.

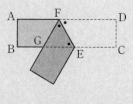

답 ❶ $\overline{GF}$

대표문제
0042 ●●중●●

오른쪽 그림은 직사각형 모양의 종이를 $\overline{FE}$를 접는 선으로 하여 접은 것이다. ∠GEF=56°일 때, ∠x의 크기를 구하시오.

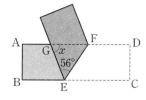

0043 ●●중●●

오른쪽 그림은 직사각형 모양의 종이를 $\overline{EG}$를 접는 선으로 하여 접은 것이다. $\overline{EG}$=8 cm, $\overline{FG}$=12 cm일 때, $\overline{EF}$의 길이를 구하시오.

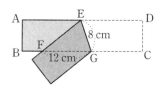

0044 ●●중●●

오른쪽 그림과 같이 직사각형 모양의 종이를 접었을 때, 다음 중 옳지 않은 것은?

① $\overline{PQ}=\overline{PR}$
② $\overline{RP}=\overline{RQ}$
③ ∠APQ=∠PQR
④ ∠APQ=∠RPQ
⑤ ∠RPQ=∠PQR

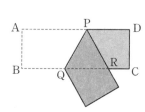

0045 ●●●●상중● 서술형

오른쪽 그림과 같이 폭이
6 cm로 일정한 종이를 접었
다. $\overline{AB}$=8 cm일 때,
△ABC의 넓이를 구하시오.

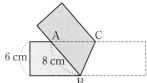

발전유형 11 합동인 삼각형을 찾아 각의 크기 구하기

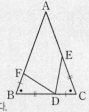

$\overline{AB}=\overline{AC}$인 이등변삼각형 ABC에서
$\overline{BD}=\overline{CE}$, $\overline{BF}=\overline{CD}$일 때,
△BDF와 △CED에서
$\overline{BF}=\overline{CD}$,
$\overline{BD}=\overline{CE}$, ─조건
∠B=∠C ←이등변삼각형의 밑각의 크기는 같다.
∴ △BDF ≡ △CED (SAS 합동)

발전유형 10 이등변삼각형 모양의 종이접기

다음 그림과 같이 $\overline{AB}=\overline{AC}$인 이등변삼각형 모양의 종이를 접었을 때

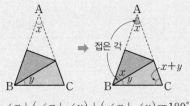

$\angle x+(\angle x+\angle y)+(\angle x+\angle y)=180°$

대표문제

0046 ●●●●상중●

오른쪽 그림은 $\overline{AB}=\overline{AC}$인 이등변삼
각형 모양의 종이를 꼭짓점 A가 꼭짓
점 B에 오도록 접은 것이다.
∠EBC=30°일 때, ∠x의 크기를 구하
시오.

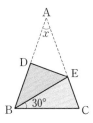

대표문제

0048 ●●●●상중●

오른쪽 그림과 같이 $\overline{AB}=\overline{AC}$인 이등변
삼각형 ABC에서 $\overline{BD}=\overline{CE}$, $\overline{BF}=\overline{CD}$
이고 ∠A=30°일 때, ∠x의 크기를 구하
시오.

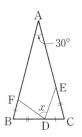

쌍둥이 문제

0049 ●●●●상중●

오른쪽 그림과 같이 $\overline{AB}=\overline{AC}$인
이등변삼각형 ABC에서
$\overline{BD}=\overline{CE}$, $\overline{BF}=\overline{CD}$이고
∠A=72°일 때, ∠x의 크기를
구하시오.

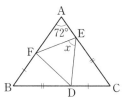

쌍둥이 문제

0047 ●●●●상중●

오른쪽 그림은 $\overline{AB}=\overline{AC}$인 이등변
삼각형 모양의 종이를 꼭짓점 A가
꼭짓점 B에 오도록 접은 것이다.
∠EBC=12°일 때, ∠x의 크기를
구하시오.

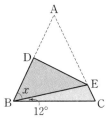

0050 ●●●●상

오른쪽 그림과 같이
$\overline{AB}=\overline{AC}$인 이등변삼각형
ABC에서 $\overline{BA}=\overline{BE}$,
$\overline{CA}=\overline{CD}$이고 ∠DAE=40°
일 때, ∠BAD의 크기를 구하시오.

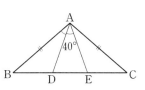

개념 마스터

03 직각삼각형의 합동 조건
유형 12~14

(1) **RHA 합동** 두 직각삼각형의 빗변의 길이와 한 예각의 크기가 각각 같으면 두 삼각형은 합동이다.

➡ $\angle C = \angle F = 90°$, $\overline{AB} = \overline{DE}$ (빗변), $\angle B = \angle E$
이면 $\triangle ABC \equiv \triangle DEF$ (❶ 합동)

(2) **RHS 합동** 두 직각삼각형의 빗변의 길이와 다른 한 변의 길이가 각각 같으면 두 삼각형은 합동이다.

➡ $\angle C = \angle F = 90°$, $\overline{AB} = \overline{DE}$ (빗변), $\overline{BC} = \overline{EF}$
이면 $\triangle ABC \equiv \triangle DEF$ (❷ 합동)

참고 R : Right Angle(직각), H : Hypotenuse(빗변)
A : Angle(각), S : Side(변)

답 ❶ RHA ❷ RHS

[0051~0052] 아래 그림과 같은 두 직각삼각형에 대하여 다음 물음에 답하시오.

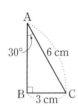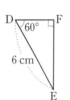

0051 합동인 두 삼각형을 기호로 나타내고, 이때 사용된 직각삼각형의 합동 조건을 말하시오.

0052 $\overline{DF}$의 길이를 구하시오.

[0053~0054] 아래 그림과 같은 두 직각삼각형에 대하여 다음 물음에 답하시오.

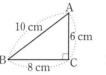

0053 합동인 두 삼각형을 기호로 나타내고, 이때 사용된 직각삼각형의 합동 조건을 말하시오.

0054 $\overline{DE}$의 길이를 구하시오.

04 각의 이등분선의 성질
유형 15, 16

(1) 각의 이등분선 위의 한 점에서 그 각의 두 변에 이르는 거리는 같다.

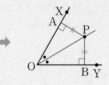

$\angle AOP = \angle BOP$이면 $\overline{PA} = $ ❶

(2) 각의 두 변에서 같은 거리에 있는 점은 그 각의 이등분선 위에 있다.

$\overline{PA} = \overline{PB}$이면 $\angle AOP = $ ❷

답 ❶ $\overline{PB}$ ❷ $\angle BOP$

[0055~0056] 다음 그림에서 x의 값을 구하시오.

0055
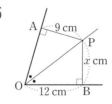

0056
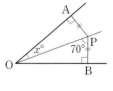

핵심 포인트! • 두 직각삼각형에서 빗변의 길이가 같고 { 한 예각의 크기가 같으면 ➡ RHA 합동
다른 한 변의 길이가 같으면 ➡ RHS 합동

필수유형 12 직각삼각형의 합동 조건

두 직각삼각형에서
(1) 빗변의 길이와 한 예각의 크기가 각각 같으면
➡ ❶ 합동
(2) 빗변의 길이와 다른 한 변의 길이가 각각 같으면
➡ ❷ 합동

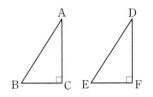

답 ❶RHA ❷RHS

대표문제

0057 ••중••

다음 중 오른쪽 그림과 같은 두 직각삼각형 ABC, DEF가 합동이 되는 경우가 아닌 것은?

① $\overline{AC}=\overline{DF}$, $\overline{BC}=\overline{EF}$

② $\angle A=\angle D$, $\angle B=\angle E$

③ $\angle B=\angle E$, $\overline{AC}=\overline{DF}$

④ $\angle A=\angle D$, $\overline{AB}=\overline{DE}$

⑤ $\overline{AB}=\overline{DE}$, $\overline{BC}=\overline{EF}$

0058 •중하••••

다음은 빗변의 길이와 한 예각의 크기가 각각 같은 두 직각삼각형은 서로 합동임을 설명하는 과정이다. ㈎~㈐에 알맞은 것을 써넣으시오.

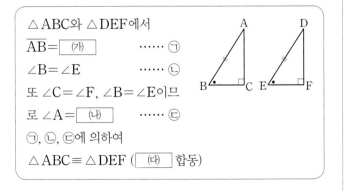

△ABC와 △DEF에서
$\overline{AB}=$ ㈎ ······ ㉠
$\angle B=\angle E$ ······ ㉡
또 $\angle C=\angle F$, $\angle B=\angle E$이므로 $\angle A=$ ㈏ ······ ㉢
㉠, ㉡, ㉢에 의하여
△ABC≡△DEF (㈐ 합동)

0059 •중하•••

다음은 빗변의 길이와 다른 한 변의 길이가 각각 같은 두 직각삼각형은 서로 합동임을 설명하는 과정이다. ㈎~㈐에 알맞은 것을 써넣으시오.

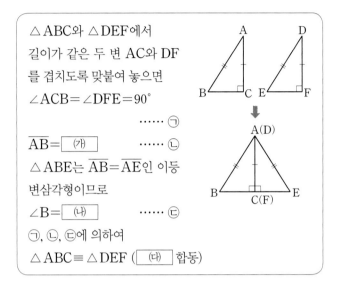

△ABC와 △DEF에서
길이가 같은 두 변 AC와 DF
를 겹치도록 맞붙여 놓으면
$\angle ACB=\angle DFE=90°$
······ ㉠
$\overline{AB}=$ ㈎ ······ ㉡
△ABE는 $\overline{AB}=\overline{AE}$인 이등변삼각형이므로
$\angle B=$ ㈏ ······ ㉢
㉠, ㉡, ㉢에 의하여
△ABC≡△DEF (㈐ 합동)

0060 •중하•••

다음 보기에서 합동인 직각삼각형을 모두 찾아 기호로 나타내고, 이때 사용된 직각삼각형의 합동 조건을 말하시오.

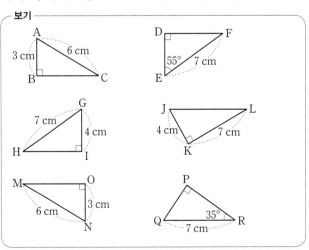

보기

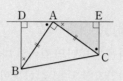

필수유형 **13** 직각삼각형의 합동 조건의 활용 (1)
　　　　　 – RHA 합동

∠A＝90°인 직각이등변삼각형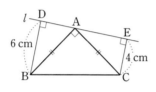
ABC에서 $\overline{BD}\perp\overline{DE}$, $\overline{CE}\perp\overline{DE}$
이면
∠DBA＋∠DAB＝90°,
∠DAB＋∠EAC＝90°이므로 ∠DBA＝∠EAC
∴ △ADB≡△CEA (RHA 합동)

대표문제

0061 ●●●중●●●

오른쪽 그림과 같이
∠A＝90°인 직각이등변삼
각형 ABC의 두 꼭짓점 B,
C에서 꼭짓점 A를 지나는
직선 *l*에 내린 수선의 발을 각각 D, E라 하자.
$\overline{BD}$＝6 cm, $\overline{CE}$＝4 cm일 때, $\overline{DE}$의 길이를 구하시오.

0062 ●●●중●●●

오른쪽 그림과 같이
∠A＝90°인 직각이등변삼각
형 ABC의 두 꼭짓점 B, C에
서 꼭짓점 A를 지나는 직선 *l*
에 내린 수선의 발을 각각 D, E라 하자. $\overline{BD}$＝8 cm,
$\overline{CE}$＝6 cm일 때, 사다리꼴 DBCE의 넓이를 구하시오.

0063 ●●●중●●● **서술형**

오른쪽 그림과 같이
∠B＝90°인 직각이등변삼
각형 ABC의 두 꼭짓점 A,
C에서 꼭짓점 B를 지나는
직선 *l*에 내린 수선의 발을 각각 D, E라 하자.
$\overline{AD}$＝5 cm, $\overline{CE}$＝7 cm일 때, 다음을 구하시오.

(1) $\overline{DE}$의 길이

(2) △ABC의 넓이

0064 ●●●중●●●

오른쪽 그림과 같이 ∠B＝90°인
직각이등변삼각형 ABC의 두
꼭짓점 A, C에서 꼭짓점 B를 지
나는 직선 *l*에 내린 수선의 발을
각각 D, E라 하자.
$\overline{AD}$＝*a*, $\overline{CE}$＝*b*일 때, 다음 중 옳지 <u>않은</u> 것은?

① ∠DAB＝∠EBC　　② ∠BAC＝∠BCE
③ △ADB≡△BEC　　④ $\overline{DE}$＝*a*＋*b*
⑤ (사다리꼴 ADEC의 넓이)＝$\frac{1}{2}(a+b)^2$

0065 ●●●중●●●

오른쪽 그림과 같이 ∠A＝90°인
직각이등변삼각형 ABC의 두 꼭
짓점 B, C에서 꼭짓점 A를 지나
는 직선 *l*에 내린 수선의 발을 각
각 D, E라 하자. $\overline{BD}$＝14 cm,
$\overline{CE}$＝9 cm일 때, $\overline{DE}$의 길이를 구하시오.

0066 ●●●상중●

오른쪽 그림과 같은 △ABC에서
점 M은 $\overline{BC}$의 중점이고, 두 점
D, E는 각각 두 꼭짓점 B, C에서
직선 AM에 내린 수선의 발이다.
$\overline{AM}$＝7 cm, $\overline{CE}$＝4 cm,
$\overline{EM}$＝2 cm일 때, △ABD의 넓
이를 구하시오.

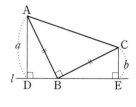

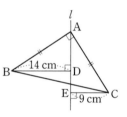

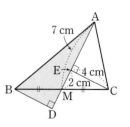

중요
필수유형 14 직각삼각형의 합동 조건의 활용 (2) – RHS 합동

∠C＝90°인 직각삼각형 ABC에서
$\overline{AC}＝\overline{AD}$, $\overline{AB}⊥\overline{ED}$이면
△ADE≡△ACE (❶) 합동)

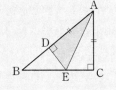

답 ❶ RHS

대표문제

0067 ●중하●●●

오른쪽 그림과 같이 ∠C＝90°
인 직각삼각형 ABC에서
$\overline{AC}＝\overline{AD}$이고 $\overline{AB}⊥\overline{ED}$이다.
∠EAC＝28°일 때, ∠x의 크
기를 구하시오.

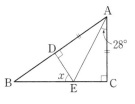

0068 ●●중●●

오른쪽 그림과 같이 ∠C＝90°인
직각이등변삼각형 ABC에서
$\overline{AC}＝\overline{AD}$, $\overline{AB}⊥\overline{ED}$일 때, 다음
중 옳지 않은 것은?

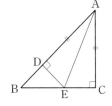

① ∠DAE＝∠CAE
② $\overline{DB}＝\overline{DE}＝\overline{CE}$
③ △ADE≡△ACE
④ $\overline{BE}＝\overline{EC}$
⑤ ∠DEB＝∠BAC

0069 ●●중●● 서술형

오른쪽 그림과 같이 ∠C＝90°인
직각이등변삼각형 ABC에서
$\overline{AB}⊥\overline{DE}$이고 $\overline{BC}＝\overline{BE}$이다.
$\overline{CD}＝4\,cm$일 때, △AED의 넓
이를 구하시오.

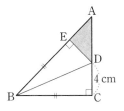

0070 ●●중●●

오른쪽 그림과 같이 △ABC에서
$\overline{BC}$의 중점을 M이라 하고, 점 M
에서 두 변 AB, AC에 내린 수선
의 발을 각각 D, E라 하자.
$\overline{MD}＝\overline{ME}$이고 ∠A＝70°일 때,
∠B의 크기를 구하시오.

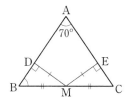

필수유형 15 각의 이등분선의 성질 (1)

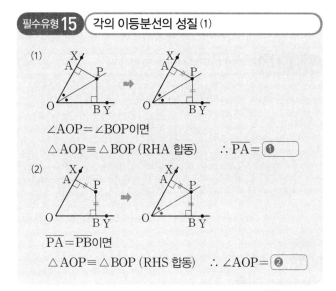

(1)
∠AOP＝∠BOP이면
△AOP≡△BOP (RHA 합동) ∴ $\overline{PA}＝$ ❶

(2)
$\overline{PA}＝\overline{PB}$이면
△AOP≡△BOP (RHS 합동) ∴ ∠AOP＝ ❷

답 ❶ $\overline{PB}$ ❷ ∠BOP

대표문제

0071 ●중하●●●

다음은 ∠AOB의 이등분선 l 위의
한 점 P에서 각의 두 변 OA, OB에
내린 수선의 발을 각각 C, D라 할
때, $\overline{PC}＝\overline{PD}$임을 설명하는 과정이
다. (가)~(라)에 알맞은 것을 써넣으시오.

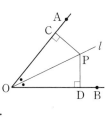

△COP와 △DOP에서

[(가)]＝∠PDO＝90° ⋯⋯ ㉠

[(나)]는 공통 ⋯⋯ ㉡

∠COP＝[(다)] ⋯⋯ ㉢

㉠, ㉡, ㉢에 의하여

△COP≡△DOP ([(라)] 합동)

∴ $\overline{PC}＝\overline{PD}$

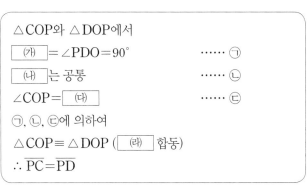

0072 ●●충●●●

오른쪽 그림과 같이 한 점 P에서 각 XOY의 두 변 OX, OY에 내린 수선의 발을 각각 A, B라 할 때, $\overline{PA}=\overline{PB}$이다. 다음 중 옳지 <u>않은</u> 것은?

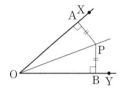

① $\angle APO=\angle BPO$ ② $\angle AOP=\angle BOP$
③ $\overline{AO}=\overline{BO}$ ④ $\overline{OA}+\overline{AP}=\overline{OP}$
⑤ $\triangle AOP\equiv\triangle BOP$

0075 ●●충●●● 서술형

오른쪽 그림과 같이 $\angle B=90°$인 직각삼각형 ABC에서 $\angle C$의 이등분선이 $\overline{AB}$와 만나는 점을 D라 하자. $\overline{AC}=16$ cm이고 $\triangle ADC$의 넓이가 40 cm²일 때, $\overline{BD}$의 길이를 구하시오.

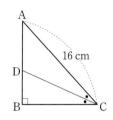

필수유형 16   각의 이등분선의 성질 (2)

$\angle C=90°$인 직각삼각형 ABC에서 $\overline{AD}$는 $\angle A$의 이등분선이고 $\overline{AB}\perp\overline{DE}$ 이면 $\triangle AED\equiv\triangle ACD$ (RHA 합동)
$\therefore \overline{AE}=$ ❶ $\boxed{}$, $\overline{ED}=$ ❷ $\boxed{}$

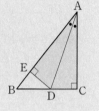

답 ❶ $\overline{AC}$ ❷ $\overline{CD}$

대표문제
0073 ●●중●●●

오른쪽 그림과 같이 $\angle A=90°$인 직각삼각형 ABC에서 $\angle B$의 이등분선이 $\overline{AC}$와 만나는 점을 D라 하자. $\overline{AD}=3$ cm, $\overline{BC}=10$ cm일 때, $\triangle BCD$의 넓이를 구하시오.

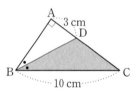

0076 ●●중●●●

오른쪽 그림과 같이 $\angle C=90°$인 직각이등변삼각형 ABC에서 $\overline{AD}$는 $\angle A$의 이등분선이고, 점 D에서 $\overline{AB}$에 내린 수선의 발을 E라 하자. $\overline{CD}=6$ cm일 때, $\triangle BDE$의 넓이를 구하시오.

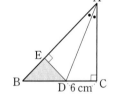

0074 ●중하●●●

오른쪽 그림과 같이 $\angle C=90°$인 직각삼각형 ABC에서 $\overline{AD}$는 $\angle A$의 이등분선이고, 점 D에서 $\overline{AB}$에 내린 수선의 발을 E라 하자. $\overline{AB}=20$ cm, $\overline{CD}=6$ cm일 때, $\triangle ABD$의 넓이를 구하시오.

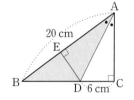

0077 ●●●상중●

오른쪽 그림과 같이 $\angle C=90°$인 직각삼각형 ABC에서 $\overline{AD}$는 $\angle A$의 이등분선이고, 점 D에서 $\overline{AB}$에 내린 수선의 발을 E라 하자. $\overline{AB}=13$ cm, $\overline{BC}=12$ cm, $\overline{CA}=5$ cm일 때, $\triangle BDE$의 둘레의 길이를 구하시오.

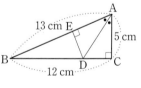

내신 마스터

0078 ●중하●●●

다음은 정삼각형의 세 내각의 크기는
모두 같음을 설명하는 과정이다.
(가)~(다)에 알맞은 것을 써넣으시오.

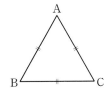

△ABC는 $\overline{AB}=\overline{AC}$인 이등변삼각형이므로

∠B= □(가) ⋯⋯ ㉠

또 △ABC는 $\overline{AC}=\overline{BC}$인 이등변삼각형이므로

∠A= □(나) ⋯⋯ ㉡

㉠, ㉡에서 □(다)

0079 ●중하●●●

오른쪽 그림과 같이
$\overline{AB}=\overline{AC}$인 이등변삼각형
ABC에서 $\overline{BC}$의 연장선 위
에 ∠ADC=30°가 되도록 점
D를 잡았다. ∠B=52°일 때, ∠CAD의 크기는?

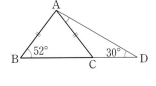

① 20° ② 22° ③ 24°
④ 26° ⑤ 28°

0080 ●●중●● 서술형

오른쪽 그림과 같은 △ABC에
서 $\overline{CA}=\overline{CD}$, $\overline{BD}=\overline{BE}$이고
∠B=40°, ∠C=60°일 때,
∠EDA의 크기를 구하시오.

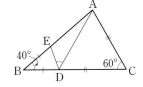

0081 ●●중●●●

오른쪽 그림과 같이 $\overline{AB}=\overline{AC}$인 이
등변삼각형 ABC에서 ∠A의 이등
분선과 $\overline{BC}$의 교점을 D라 하자. $\overline{AD}$
위의 점 P에 대하여 ∠BAP=25°,
∠PCD=50°일 때, ∠x+∠y의 크
기는?

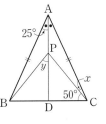

① 49° ② 51° ③ 53°
④ 55° ⑤ 57°

0082 ●●중●●●

오른쪽 그림과 같은 △ABC
에서 ∠ACD=20°이고
$\overline{AC}=\overline{CD}=\overline{BD}$일 때, ∠x의
크기를 구하시오.

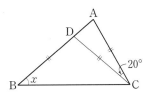

0083 ●●중●●●

오른쪽 그림에서 △ABC와
△BCD는 각각 $\overline{AB}=\overline{AC}$,
$\overline{CB}=\overline{CD}$인 이등변삼각형이다.
∠ACD=∠DCE이고
∠A=52°일 때, ∠x의 크기는?

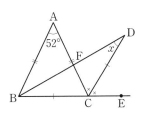

① 25° ② 27° ③ 29°
④ 31° ⑤ 33°

0084 ••• 중 ••• 서술형

오른쪽 그림과 같이 $\overline{AB}=\overline{AC}$인 이등
변삼각형 ABC에서 ∠B의 이등분선이
$\overline{AC}$와 만나는 점을 D라 하자.
∠A=36°이고 $\overline{BC}=10\ cm$일 때, $\overline{AD}$
의 길이를 구하시오.

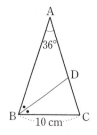

0085 ••• 중 ••

오른쪽 그림은 직사각형 모양
의 종이를 $\overline{EG}$를 접는 선으로
하여 접은 것이다.
$\overline{EG}=6\ cm$, $\overline{FG}=4\ cm$일 때,
△EFG의 둘레의 길이를 구
하시오.

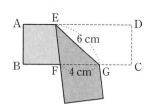

0086 ••• 상중

오른쪽 그림은 $\overline{AB}=\overline{AC}$인 이
등변삼각형 모양의 종이를 꼭
짓점 A가 꼭짓점 C에 오도록
접은 것이다. ∠BCD=24°일
때, ∠x의 크기는?

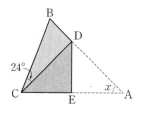

① 36°   ② 38°   ③ 40°
④ 42°   ⑤ 44°

0087 •• 중 ••

오른쪽 그림과 같이 $\overline{AB}=\overline{AC}$
인 이등변삼각형 ABC에서
$\overline{BD}=\overline{CE}$이고 ∠ADE=75°일
때, ∠DAE의 크기를 구하시오.

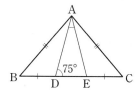

0088 ••• 상중 •

오른쪽 그림의 △ABC는
∠A=52°이고 $\overline{AB}=\overline{AC}$인 이등
변삼각형이다. $\overline{AD}=\overline{AE}$이고
∠ABE=36°일 때, ∠x의 크기는?

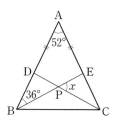

① 48°   ② 50°
③ 52°   ④ 56°
⑤ 58°

0089 •••• 상

오른쪽 그림과 같은 △ABC에서
$\overline{AD}=\overline{AE}$, $\overline{CE}=\overline{CF}$이다.
∠B=80°일 때, ∠x의 크기를
구하시오.

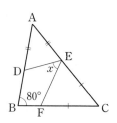

0090 ●●중하●●●

다음 중 아래 그림과 같은 두 직각삼각형 ABC, DEF가 합동이 되는 경우를 모두 고르면? (정답 2개)

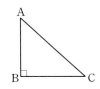 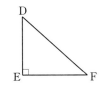

① $\overline{AB}=\overline{DE}$, $\angle A=\angle F$

② $\overline{AB}=\overline{DF}$, $\angle A=\angle D$

③ $\overline{AC}=\overline{DF}$, $\angle C=\angle F$

④ $\overline{AC}=\overline{DF}$, $\overline{AB}=\overline{DE}$

⑤ $\angle A=\angle D$, $\angle C=\angle F$

0091 ●●중●●●

오른쪽 그림과 같이 $\angle A=90°$인 직각이등변삼각형 ABC의 두 꼭짓점 B, C에서 점 A를 지나는 직선 l에 내린 수선의 발을 각각 D, E라 하자. $\overline{AD}=10$ cm, $\overline{AE}=4$ cm일 때, △ABC의 넓이를 구하시오.

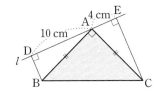

0092 ●●●상중●● 서술형

오른쪽 그림과 같이 $\angle C=90°$인 직각삼각형 ABC에서 $\overline{AB}\perp\overline{DE}$, $\overline{AC}=\overline{AE}$일 때, 다음 물음에 답하시오.

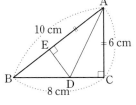

(1) △AED와 합동인 삼각형을 찾고, 이때 사용된 합동 조건을 말하시오.

(2) $\overline{BE}$의 길이를 구하시오.

(3) △BDE의 둘레의 길이를 구하시오.

0093 ●●중●●●

오른쪽 그림과 같이 △ABC에서 $\overline{BC}$의 중점을 M이라 하자. 점 M에서 두 변 AB, AC에 내린 수선의 발을 각각 P, Q라 하면 $\overline{MP}=\overline{MQ}$이다. $\angle A=65°$일 때, $\angle B$의 크기를 구하시오.

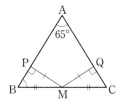

0094 ●●●●상 창의력

오른쪽 그림과 같이 $\angle C=90°$인 직각삼각형 ABC에서 $\angle A$의 이등분선이 $\overline{BC}$와 만나는 점을 D, 점 D에서 $\overline{AB}$에 내린 수선의 발을 E라 하자. $\overline{AE}=\overline{BE}$일 때, 다음 중 옳지 않은 것은?

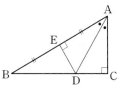

① $\overline{BE}=\overline{AC}$

② $\overline{BD}=\overline{AD}$

③ $\overline{AE}=\overline{BD}$

④ $\angle BAC=\angle ADC$

⑤ $\angle B+\angle ADC=90°$

0095 ●●●●상 융합형

오른쪽 그림과 같이 $\overline{AB}=\overline{AC}$인 이등변삼각형 ABC에서 $\angle A$의 이등분선과 $\overline{BC}$의 교점을 D라 하자. $\overline{AB}$ 위의 점 E에 대하여 $\overline{AE}=\frac{1}{3}\overline{AB}$이고 $\overline{BD}+\overline{AC}=30$ cm, $\overline{AE}+\overline{BC}=20$ cm일 때, $\overline{BC}$의 길이를 구하시오.

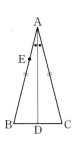

2 삼각형의 외심과 내심

STEP 1 개념 마스터

❷ 삼각형의 외심과 내심

01 삼각형의 외심　　유형 01~03

(1) **외접**　삼각형의 세 꼭짓점이 한 원 위에 있을 때, 이 원은 삼각형에 외접한다고 한다.

(2) **삼각형의 외접원**　삼각형의 세 꼭짓점을 지나는 원

(3) **삼각형의 외심**　삼각형의 외접원의 중심

(4) **삼각형의 외심의 성질**

① 삼각형의 세 변의 수직이등분선은 한 점(외심)에서 만난다.

② 삼각형의 외심에서 세 꼭짓점에 이르는 거리는 같다.

➡ $\overline{OA}=\overline{OB}=\overline{OC}=$ (외접원 O의 **❶** 의 길이)

(5) **삼각형의 외심의 위치**

① 예각삼각형　② 직각삼각형　③ 둔각삼각형

답 **❶** 반지름

[0096~0100] 오른쪽 그림에서 점 O 는 △ABC의 외심이다. 다음 중 옳은 것에는 ○표, 옳지 않은 것에는 ×표를 ( ) 안에 써넣으시오.

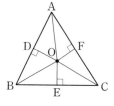

0096 $\overline{OA}=\overline{OB}=\overline{OC}$　　( )

0097 $\overline{OD}=\overline{OE}=\overline{OF}$　　( )

0098 $\overline{AD}=\overline{AF}$　　( )

0099 $\overline{BE}=\overline{CE}$　　( )

0100 $\angle DAO=\angle FAO$　　( )

[0101~0102] 다음 그림에서 점 O가 △ABC의 외심일 때, x의 값을 구하시오.

0101

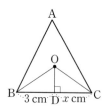

0102

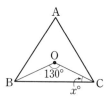

02 삼각형의 외심의 활용　　유형 04, 05

점 O가 △ABC의 외심일 때

(1)

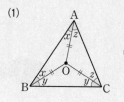 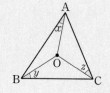

$\angle x+\angle y+\angle z=$ **❶**

(2)

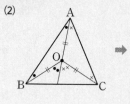 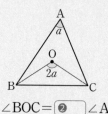

$\angle BOC=$ **❷** $\angle A$

답 **❶** 90° **❷** 2

[0103~0104] 다음 그림에서 점 O가 △ABC의 외심일 때, $\angle x$의 크기를 구하시오.

0103

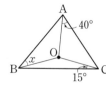

0104

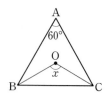

핵심 포인트 ! ・직각삼각형의 외심은 빗변의 중점과 일치한다.

➡ (직각삼각형의 외접원의 반지름의 길이)$=\dfrac{1}{2}\times$(빗변의 길이)

필수유형 01 삼각형의 외심

점 O가 △ABC의 외심일 때

(1) 점 O는 세 변의 ❶ [   ]의 교점
이다.

(2) $\overline{OA}=\overline{OB}=\overline{OC}$
= (외접원 O의 반지름의 길이)

(3) △OAD ≡ △OBD, △OBE ≡ △OCE,
△OCF ≡ △OAF

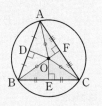

답 ❶ 수직이등분선

대표문제

0105 ●중하●●●

오른쪽 그림에서 점 O가 △ABC
의 외심일 때, 다음 중 옳지 <u>않은</u> 것
은?

① $\overline{OA}=\overline{OB}=\overline{OC}$

② $\overline{AF}=\overline{CF}$

③ $\overline{OD}=\overline{OF}$

④ ∠OBC = ∠OCB

⑤ △OAD ≡ △OBD

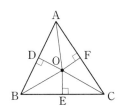

0106 ●하●●●●

다음 중 점 O가 △ABC의 외심인 것을 모두 고르면?

(정답 2개)

① 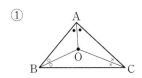 ②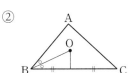

③ 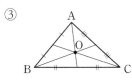 ④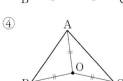

⑤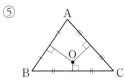

0107 ●중하●●●

오른쪽 그림에서 점 O는
△ABC의 외심이다.
∠AOD=38°일 때, ∠OBD의
크기를 구하시오.

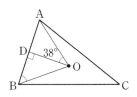

0108 ●●중●●● 서술형

오른쪽 그림에서 점 O는
△ABC의 외심이다.
$\overline{AC}$=8 cm이고 △AOC의 둘레
의 길이가 20 cm일 때, △ABC
의 외접원의 넓이를 구하시오.

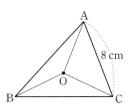

0109 ●●●상중●

오른쪽 그림에서 점 O는
△ABC의 외심이다.
$\overline{AF}$=4 cm, $\overline{OF}$=3 cm이고
△OBD와 △OBE의 넓이의 합
이 13 cm²일 때, △ABC의 넓이
를 구하시오.

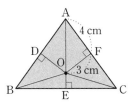

필수유형 **02** 직각삼각형의 외심 (1)

직각삼각형의 외심은 빗변의 ❶ 과
일치한다.

➡ (외접원 O의 반지름의 길이)

$$=\overline{OA}=\overline{OB}=\overline{OC}$$

$$=\frac{1}{2}\overline{AC}$$

답 ❶중점

대표문제

0110 ●중하●●●

오른쪽 그림과 같이 ∠B=90°
인 직각삼각형 ABC에서
$\overline{AB}=6$ cm, $\overline{BC}=8$ cm,
$\overline{CA}=10$ cm일 때, △ABC의
외접원의 넓이를 구하시오.

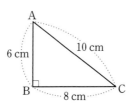

0111 ●●중●●●

오른쪽 그림과 같이
∠C=90°인 직각삼각형
ABC에서 $\overline{BC}=12$ cm,
$\overline{CA}=5$ cm이고 △ABC의
둘레의 길이가 30 cm일 때, △ABC의 외접원의 둘레의
길이를 구하시오.

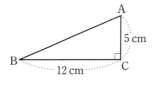

0112 ●●중●●

오른쪽 그림과 같이
∠B=90°인 직각삼각형
ABC에서 점 O는 △ABC의
외심이다. $\overline{AB}=8$ cm,
$\overline{BC}=15$ cm일 때, △OBC의 넓이를 구하시오.

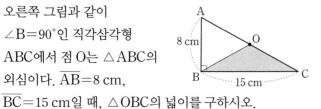

필수유형 **03** 직각삼각형의 외심 (2)

∠A=90°인 직각삼각형 ABC
에서 점 M이 빗변의 중점일 때

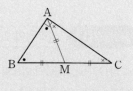

(1) ❶ =$\overline{MB}=\overline{MC}$

(2) ∠MAB=∠B

(3) ∠MAC=∠C

답 ❶$\overline{MA}$

대표문제

0113 ●중하●●●

오른쪽 그림에서 점 M은
∠B=90°인 직각삼각형 ABC의
빗변 AC의 중점이다.
∠AMB=58°일 때, ∠x의 크기
를 구하시오.

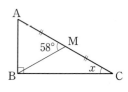

0114 ●중하●●●

오른쪽 그림에서 점 M은 ∠C=90°인 직
각삼각형 ABC의 빗변 AB의 중점이다.
∠A=30°일 때, ∠BMC의 크기를 구하
시오.

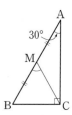

0115 ●●중●●

오른쪽 그림에서 점 M은
∠A=90°인 직각삼각형 ABC
의 빗변 BC의 중점이다.
∠B : ∠C=2 : 3일 때,
∠AMC의 크기를 구하시오.

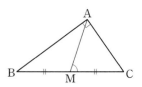

0116 ●●충●●

오른쪽 그림과 같이 ∠A=90°
인 직각삼각형 ABC에서 점 O
는 △ABC의 외심이고, 점 A
에서 $\overline{BC}$에 내린 수선의 발을
H라 하자. ∠C=36°일 때, ∠OAH의 크기를 구하시오.

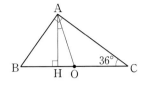

0119 ●●충●●

오른쪽 그림에서 점 O는
△ABC의 외심이다.
∠BOC=120°, ∠OCA=42°일
때, ∠OAB의 크기를 구하시오.

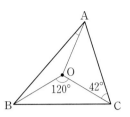

2

필수유형 04 삼각형의 외심의 활용(1)

점 O가 △ABC의 외심일 때
∠x+∠y+∠z= **❶**

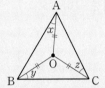

🔖 ❶ 90°

0120 ●●충●●

오른쪽 그림에서 점 O는
△ABC의 외심이다.
∠OAB=35°, ∠OBC=26°일 때,
∠ACB의 크기를 구하시오.

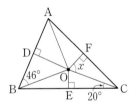

대표문제

0117 ●충하●●

오른쪽 그림에서 점 O는
△ABC의 외심이다.
∠OAB=20°, ∠OCA=50°일
때, ∠x의 크기를 구하시오.

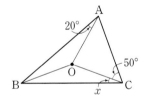

0121 ●●충●●

오른쪽 그림에서 점 O는
△ABC의 외심이다.
∠OBD=46°, ∠OCE=20°일
때, ∠x의 크기를 구하시오.

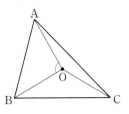

0118 ●충하●●

오른쪽 그림에서 점 O는
△ABC의 외심이다.
∠OAB=4∠x, ∠OBC=2∠x,
∠OCA=3∠x일 때, ∠x의 크
기를 구하시오.

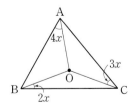

0122 ●●충●● 서술형

오른쪽 그림에서 점 O는 △ABC
의 외심이다.
∠OAB : ∠OBC : ∠OCA
=3 : 2 : 1일 때, ∠AOB의 크기
를 구하시오.

삼각형의 외심과 내심

0123 ●●●상중●

오른쪽 그림에서 점 O는 △ABC
의 외심이다. ∠OCA=40°,
∠OCB=35°일 때, ∠A−∠B의
크기를 구하시오.

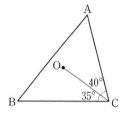

필수유형 05 중요 삼각형의 외심의 활용(2)

점 O가 △ABC의 외심일 때
∠BOC=2 **❶**

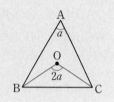

🔑 **❶** ∠A

대표문제

0124 ●중하●●●

오른쪽 그림에서 점 O는
△ABC의 외심이다.
∠OBC=25°, ∠OCA=30°일
때, ∠AOB의 크기를 구하시오.

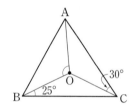

0125 ●중하●●●

오른쪽 그림에서 점 O는 △ABC의
외심이다. ∠BOC=100°일 때,
∠x+∠y의 크기를 구하시오.

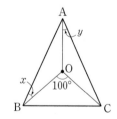

0126 ●중하●●●

오른쪽 그림에서 점 O는 △ABC
의 외심이다. ∠B=64°일 때,
∠x의 크기를 구하시오.

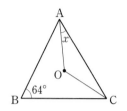

0127 ●●중●●● 서술형

오른쪽 그림에서 점 O는 △ABC의
외심이다. ∠A=48°일 때, ∠x의 크
기를 구하시오.

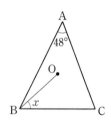

0128 ●●중●●

오른쪽 그림에서 원 O는 △ABC의
외접원이다. ∠OCB=40°일 때,
∠BAC의 크기를 구하시오.

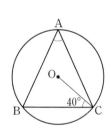

0129 ●●중●●

오른쪽 그림에서 점 O는
△ABC의 외심이다.
∠AOB : ∠BOC : ∠COA
=2 : 3 : 4일 때, ∠BAC의 크기
를 구하시오.

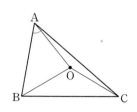

0130 ●●●중●●

오른쪽 그림에서 점 O는
△ABC의 외심이다.
∠OBA=28°, ∠OCA=42°일
때, ∠x+∠y의 크기를 구하시
오.

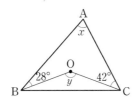

발전유형06 삼각형의 외심의 활용(3)

점 O가 둔각삼각형 ABC의 외
심일 때
(1) $\overline{OA}=\overline{OB}=\overline{OC}$
(2) △OAB, △OBC, △OCA
　는 ❶　　삼각형이다.
(3) ∠OAB=∠OBA, ∠OBC=∠OCB, ∠OAC=∠OCA

답 ❶이등변

대표문제

0133 ●●●상중●

오른쪽 그림에서 점 O는
△ABC의 외심이다.
∠ABC=30°, ∠OBC=10°일
때, ∠BAC의 크기를 구하시오.

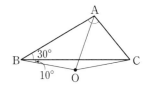

0131 ●●●상중●

오른쪽 그림에서 원 O는 △ABC의
외접원이다. ∠OBA=20°,
∠OCA=25°이고 $\overline{OB}$=4 cm일 때,
부채꼴 BOC의 넓이를 구하시오.

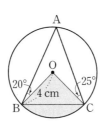

쌍둥이 문제

0134 ●●●상중●

오른쪽 그림에서 점 O는
△ABC의 외심이다.
∠ACB=35°, ∠OCB=15°일
때, ∠ABC의 크기를 구하시오.

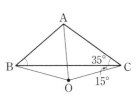

0132 ●●●상중●

오른쪽 그림에서 점 O는
△ABC의 외심이고, 점 O'은
△AOC의 외심이다.
∠B=35°일 때, ∠OO'C의 크
기를 구하시오.

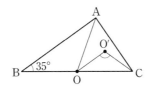

0135 ●●●●상●

오른쪽 그림에서 점 O는
△ABC와 △ACD의 외심이다.
∠B=70°일 때, ∠D의 크기를 구
하시오.

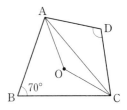

03 접선과 접점

(1) 원과 직선이 한 점에서 만날 때, 이 직선은 원에 **접한** 다고 한다.

(2) **접선** 원과 한 점에서 만나는 직선

(3) **접점** 원과 접선이 만나는 점

(4) 원의 접선은 그 접점을 지나는 반지름에 **❶** 이다.

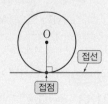

접선

접점

🔲 ❶수직

0136 오른쪽 그림과 같이 직선 PA와 원 O가 한 점 A에서 만날 때, ∠x의 크기를 구하시오.

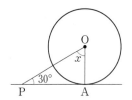

04 삼각형의 내심

유형 07, 12

(1) **내접** 삼각형의 세 변이 한 원에 접할 때, 이 원은 삼각형에 내접한다고 한다.

(2) **삼각형의 내접원** 삼각형의 세 변에 접하는 원

(3) **삼각형의 내심** 삼각형의 내접원의 중심

(4) **삼각형의 내심의 성질**

① 삼각형의 세 내각의 이등분선은 한 점(내심)에서 만난다.

② 삼각형의 내심에서 세 변에 이르는 거리는 같다.

➡ $\overline{ID}=\overline{IE}=\overline{IF}=$ (내접원 I의 **❶** 의 길이)

(5) **삼각형의 내심의 위치** 모든 삼각형의 내심은 삼각형의 내부에 있다.

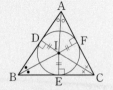

🔲 ❶반지름

[0137~0141] 오른쪽 그림에서 점 I는 △ABC의 내심이다. 다음 중 옳은 것에는 ○표, 옳지 않은 것에는 ×표를 ( ) 안에 써넣으시오.

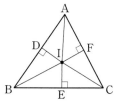

0137 $\overline{IA}=\overline{IB}=\overline{IC}$ ( )

0138 $\overline{ID}=\overline{IE}=\overline{IF}$ ( )

0139 $\overline{BD}=\overline{BE}$ ( )

0140 $\angle IBD=\angle IBE$ ( )

0141 $\angle ICF=\angle IAF$ ( )

[0142~0144] 다음 그림에서 점 I가 △ABC의 내심일 때, ∠x의 크기를 구하시오.

0142

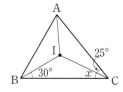

0143

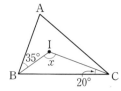

0144

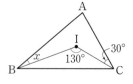

핵심 포인트! • 이등변삼각형의 외심과 내심은 꼭지각의 이등분선 위에 있다.
• 정삼각형의 외심과 내심은 일치한다.

05 삼각형의 내심의 활용(1)　　유형 08, 09, 13

점 I가 △ABC의 내심일 때

(1)

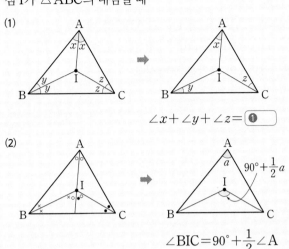

$$\angle x + \angle y + \angle z = \boxed{1}$$

(2)

$$\angle BIC = 90° + \frac{1}{2}\angle A$$

답 **①** 90°

[0145~0148] 다음 그림에서 점 I가 △ABC의 내심일 때, $\angle x$ 의 크기를 구하시오.

0145

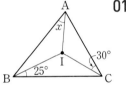

0146

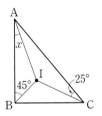

0147

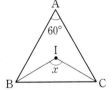

0148

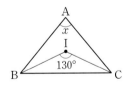

06 삼각형의 내심의 활용(2)　　유형 10, 11, 14

(1) △ABC의 내접원 I가 $\overline{AB}$, $\overline{BC}$, $\overline{CA}$와 만나는 점을 각 각 D, E, F라 하면 $\overline{AD}=\overline{AF}$, $\overline{BD}=\overline{BE}$, $\overline{CE}=\boxed{1}$

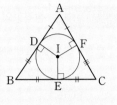

(2) △ABC의 세 변의 길이가 각각 a, b, c이고, 내접원 I의 반지름의 길이가 r일 때 △ABC
$= \triangle IBC + \triangle ICA + \triangle IAB$
$= \frac{1}{2}\boxed{2}(a+b+c)$

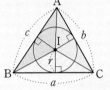

답 **①** $\overline{CF}$　**②** r

[0149~0150] 다음 그림에서 점 I는 △ABC의 내심이고, 세 점 D, E, F는 접점일 때, $\overline{AD}$의 길이를 구하시오.

0149

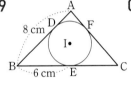

0150

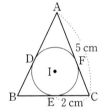

0151 오른쪽 그림에서 점 I 는 △ABC의 내심이 고, 내접원 I의 반지 름의 길이는 3 cm이 다. $\overline{AB}=8$ cm, $\overline{BC}=17$ cm, $\overline{CA}=15$ cm일 때, △ABC의 넓이를 구하시오.

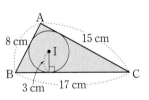

핵심 포인트!

점 O가 △ABC의 외심일 때		점 I가 △ABC의 내심일 때	
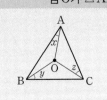	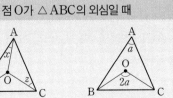		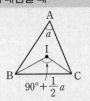
$\angle x + \angle y + \angle z = 90°$	$\angle BOC = 2\angle A$	$\angle x + \angle y + \angle z = 90°$	$\angle BIC = 90° + \frac{1}{2}\angle A$

필수유형 07 삼각형의 내심

점 I가 △ABC의 내심일 때
(1) 점 I는 세 내각의 ❶◻◻◻◻◻의 교점이다.
(2) $\overline{ID}=\overline{IE}=\overline{IF}$
  =(내접원 I의 반지름의 길이)
(3) △IAD≡△IAF, △IBD≡△IBE, △ICE≡△ICF

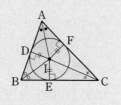

📝 ❶이등분선

대표문제

0152 ●중하●●●

오른쪽 그림에서 점 I가 △ABC의 내심이고, 점 I에서 세 변에 내린 수선의 발을 각각 D, E, F라 할 때, 다음 중 옳지 <u>않은</u> 것은?

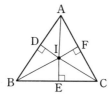

① $\overline{ID}=\overline{IE}=\overline{IF}$
② ∠ICE=∠ICF
③ $\overline{AD}=\overline{AF}$
④ $\overline{BE}=\overline{CE}$
⑤ △IBD≡△IBE

0153 ●하●●●●

다음 중 점 I가 △ABC의 내심인 것을 모두 고르면?

(정답 2개)

①
②
③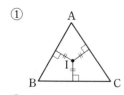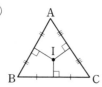
④
⑤

0154 ●중하●●●

오른쪽 그림에서 점 I는 △ABC의 내심이다. ∠BIC=110°, ∠ICB=30°일 때, ∠IBA의 크기를 구하시오.

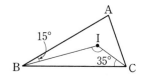

0155 ●중하●●●

오른쪽 그림에서 점 I는 △ABC의 내심이다. ∠IBA=15°, ∠ICB=35°일 때, ∠BIC의 크기를 구하시오.

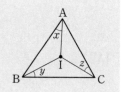

필수유형 08 삼각형의 내심의 활용(1)

점 I가 △ABC의 내심일 때
$∠x+∠y+∠z=$ ❶◻◻◻◻

📝 ❶90°

대표문제

0156 ●●중●●

오른쪽 그림에서 점 I는 △ABC의 내심이다. ∠A=70°, ∠ACI=25°일 때, ∠x의 크기를 구하시오.

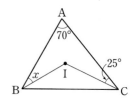

0157 ●●중하●●●

오른쪽 그림에서 점 I는
△ABC의 내심이다.
∠IAB=45°, ∠ICA=20°일
때, ∠x의 크기를 구하시오.

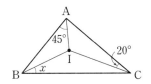

0158 ●●중●●●

오른쪽 그림에서 점 I는
△ABC의 내심이다.
∠IBA=20°, ∠ICB=30°일
때, ∠x의 크기를 구하시오.

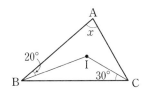

필수유형09 **삼각형의 내심의 활용(2)**

점 I가 △ABC의 내심일 때
∠BIC= ❶ +$\frac{1}{2}$∠A

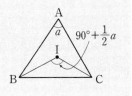

답 ❶90°

대표문제
0159 ●●중하●●●

오른쪽 그림에서 점 I는 △ABC의
내심이다. ∠IAB=23°일 때, ∠BIC
의 크기를 구하시오.

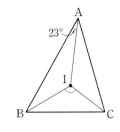

0160 ●●중●●● 서술형

오른쪽 그림에서 점 I는 △ABC
의 내심이다. ∠BIC=122°,
∠ICA=30°일 때, ∠x+∠y의
크기를 구하시오.

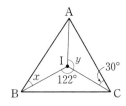

0161 ●●중●●●

오른쪽 그림에서 점 I는
△ABC의 세 내각의 이등분
선의 교점이다.
∠BAC : ∠ABC : ∠ACB
=5 : 3 : 2일 때, ∠BIC의 크기를 구하시오.

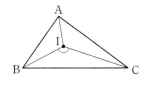

0162 ●●중●●●

오른쪽 그림에서 점 I는 △ABC의
내심이고, 점 I'은 △IBC의 내심이
다. ∠A=52°일 때, ∠BI'C의 크기
를 구하시오.

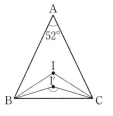

필수유형 **10** 삼각형의 내접원과 접선의 길이

원 I가 △ABC의 내접원일 때

(1) △IAD≡△IAF이므로
   $\overline{AD}=\overline{AF}$
(2) △IBD≡△IBE이므로
   $\overline{BD}=\overline{BE}$
(3) △ICE≡△ICF이므로
   $\overline{CE}=\overline{CF}$

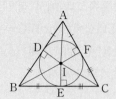

대표문제

0163 ••중••

오른쪽 그림에서 원 I는 △ABC 의 내접원이고, 세 점 D, E, F 는 접점이다. $\overline{AB}$=5 cm, $\overline{BC}$=8 cm, $\overline{CA}$=7 cm일 때, $\overline{AD}$의 길이를 구하시오.

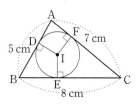

0164 ••중••

오른쪽 그림에서 원 I는 △ABC 의 내접원이고, 세 점 D, E, F는 접점이다. $\overline{AD}$=2 cm, $\overline{DB}$=5 cm, $\overline{AC}$=6 cm일 때, $\overline{BC}$의 길이를 구하시오.

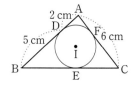

0165 ••중••

오른쪽 그림에서 점 I는 ∠C=90°인 직각삼각형 ABC의 내심이고, 세 점 D, E, F는 접점이다.
$\overline{AB}$=26 cm, $\overline{CA}$=10 cm이고 △ABC의 내접원의 반 지름의 길이가 4 cm일 때, $\overline{BC}$의 길이를 구하시오.

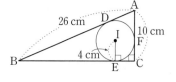

필수유형 **11** 삼각형의 내접원의 반지름의 길이와 삼각형의 넓이

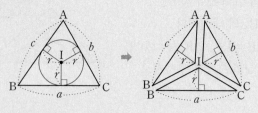

$$\triangle ABC = \triangle IAB + \triangle IBC + \triangle ICA$$
$$= \frac{1}{2} \times c \times r + \frac{1}{2} \times a \times r + \frac{1}{2} \times b \times r$$
$$= \frac{1}{2} \boxed{①} (a+b+c)$$

답 ❶ r

대표문제

0166 ••중••

오른쪽 그림에서 점 I는 △ABC 의 내심이다. △ABC의 넓이가 84 cm²일 때, 내접원 I의 반지름 의 길이를 구하시오.

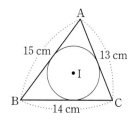

0167 ••중••

오른쪽 그림에서 점 I는 △ABC 의 내심이고, 내접원 I의 반지름 의 길이는 4 cm이다. △ABC의 넓이가 60 cm²일 때, △ABC의 둘레의 길이를 구하시오.

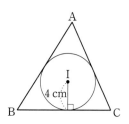

0168 ••중••

오른쪽 그림에서 점 I는 △ABC 의 내심이다. △ABC의 넓이가 48 cm²일 때, △IBC의 넓이를 구하시오.

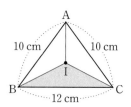

0169 ••중•• 서술형

오른쪽 그림에서 점 I는 $\angle C = 90°$인 직각삼각형 ABC의 내심이다. $\overline{AB} = 10$ cm, $\overline{BC} = 8$ cm, $\overline{CA} = 6$ cm일 때, $\triangle IAB$의 넓이를 구하시오.

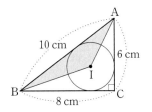

0170 •••상중•

오른쪽 그림에서 점 I는 $\angle B = 90°$인 직각삼각형 ABC의 내심이다. 내접원의 반지름의 길이가 3 cm이고 빗변의 길이가 15 cm일 때, $\triangle ABC$의 넓이를 구하시오.

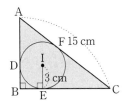

0171 •••상중•

오른쪽 그림에서 점 I는 $\angle C = 90°$인 직각삼각형 ABC의 내심이다. $\overline{AB} = 17$ cm, $\overline{BC} = 8$ cm, $\overline{CA} = 15$ cm일 때, 색칠한 부분의 넓이를 구하시오.

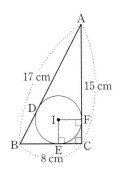

필수유형 **12** 삼각형의 내심과 평행선

점 I가 $\triangle ABC$의 내심이고 $\overline{DE} \,/\!/\, \overline{BC}$일 때
(1) $\angle DBI = \angle IBC = \angle DIB$,
    $\angle ECI = \angle ICB = \angle EIC$
(2) $\overline{DI} = \overline{DB}$, $\overline{EI} = \overline{EC}$
(3) ($\triangle ADE$의 둘레의 길이) $= \overline{AB} + $ ❶

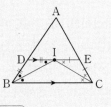

답 ❶ $\overline{AC}$

대표문제

0172 ••중••

오른쪽 그림에서 점 I는 $\triangle ABC$의 내심이고 $\overline{DE} \,/\!/\, \overline{BC}$이다. $\overline{AB} = 9$ cm, $\overline{BC} = 10$ cm, $\overline{CA} = 8$ cm일 때, $\triangle ADE$의 둘레의 길이를 구하시오.

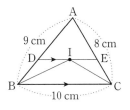

0173 ••중••

오른쪽 그림에서 점 I는 $\triangle ABC$의 내심이고 $\overline{DE} \,/\!/\, \overline{BC}$이다. $\overline{AB} = 12$ cm, $\overline{BC} = 10$ cm, $\overline{CA} = 8$ cm일 때, 다음 중 옳지 않은 것은?

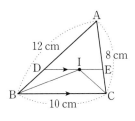

① $\overline{DB} = \overline{DI}$
② $\overline{EC} = \overline{EI}$
③ $\angle EIC = \angle ECI$
④ $\angle IBC = \angle DIB$
⑤ $\overline{AD} + \overline{DE} + \overline{EA} = 22$ cm

0174 ••중••

오른쪽 그림에서 점 I는 $\triangle ABC$의 내심이고 $\overline{DE} \,/\!/\, \overline{BC}$이다. $\overline{AD} = 8$ cm, $\overline{DB} = 4$ cm, $\overline{AE} = 6$ cm, $\overline{EC} = 3$ cm일 때, $\overline{DE}$의 길이를 구하시오.

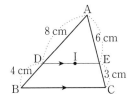

0175 ••중••

오른쪽 그림에서 점 I는 △ABC의
내심이고 $\overline{DE}$∥$\overline{AC}$이다.
$\overline{AC}$=9 cm이고 △DBE의 둘레의
길이가 13 cm일 때, △ABC의 둘
레의 길이를 구하시오.

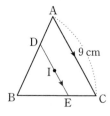

0178 ••중••

오른쪽 그림에서 점 O와 점 I는 각
각 △ABC의 외심과 내심이다.
∠OBC=40°일 때, ∠BIC의 크기
를 구하시오.

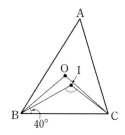

필수유형 13 삼각형의 외심과 내심(1)

점 O와 점 I가 각각 △ABC의 외심과
내심일 때
(1) ∠BOC=2∠A
(2) ∠BIC=[❶]+$\frac{1}{2}$∠A

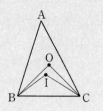

답 ❶ 90°

0179 ••중••

오른쪽 그림에서 점 O와 점 I는
각각 △ABC의 외심과 내심이
다. ∠ABC=44°, ∠ACB=60°
일 때, ∠BOC+∠BIC의 크기
를 구하시오.

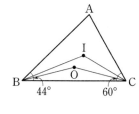

대표문제

0176 •중하•••

오른쪽 그림에서 점 O와 점 I는 각
각 △ABC의 외심과 내심이다.
∠A=50°일 때, ∠BIC−∠BOC
의 크기를 구하시오.

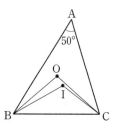

0180 ••중•• 서술형

오른쪽 그림에서 점 O와 점 I는 각각
$\overline{AB}$=$\overline{AC}$인 이등변삼각형 ABC의
외심과 내심이다. ∠A=44°일 때, 다
음을 구하시오.

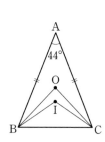

(1) ∠OBC의 크기

(2) ∠IBC의 크기

0177 ••중••

오른쪽 그림에서 점 O와 점 I
는 각각 △ABC의 외심과 내
심이다. ∠BIC=130°일 때,
∠BOC의 크기를 구하시오.

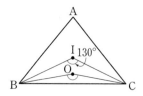

(3) ∠OBI의 크기

필수유형 14 (중요) **직각삼각형의 외심과 내심**

∠C=90°인 직각삼각형 ABC에서

(1) 외접원 O의 반지름의 길이는

$$\frac{1}{2}\overline{AB}=\frac{1}{2}c$$

(2) 내접원 I의 반지름의 길이를 r라 하면

$$\frac{1}{2}ab=\frac{1}{2}r(a+b+c)$$

대표문제

0181 ●●●(상중)●

오른쪽 그림과 같이 ∠A=90°인 직각삼각형 ABC에서 점 O와 점 I는 각각 외심과 내심이다. $\overline{AB}$=6 cm, $\overline{BC}$=10 cm, $\overline{CA}$=8 cm일 때, 색칠한 부분의 넓이를 구하시오.

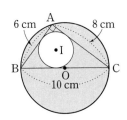

0182 ●●●(상중)●

오른쪽 그림의 삼각형 ABC는 ∠B=90°인 직각삼각형이다. $\overline{AB}$=4 cm, $\overline{BC}$=3 cm, $\overline{CA}$=5 cm 일 때, 삼각형 ABC의 외접원과 내접원의 반지름의 길이의 합을 구하시오.

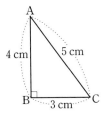

0183 ●●●●(상)

오른쪽 그림에서 $\overline{AB}$는 원 O의 지름이고, 원 O는 △ABC의 외접원, 원 I는 △ABC의 내접원이다. 두 원 O, I의 반지름의 길이가 각각 3 cm, 1 cm일 때, △ABC의 넓이를 구하시오.

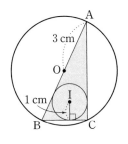

발전유형 15 (중요) **삼각형의 내심의 활용(3)**

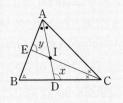

점 I가 △ABC의 내심일 때

(1) △ABD에서

∠x=●+△

(2) △EBC에서 ∠y=×+△

(3) △ABC에서

2●+2×+△= **①**

답 **①** 180°

대표문제

0184 ●●●●(상)

오른쪽 그림에서 점 I는 △ABC의 내심이고, $\overline{AI}$, $\overline{BI}$의 연장선이 $\overline{BC}$, $\overline{AC}$와 만나는 점을 각각 D, E라 하자. ∠C=40°일 때, ∠x+∠y의 크기를 구하시오.

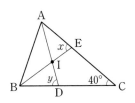

쌍둥이 문제

0185 ●●●●(상)

오른쪽 그림에서 점 I는 △ABC의 내심이고, $\overline{AI}$, $\overline{BI}$의 연장선이 $\overline{BC}$, $\overline{AC}$와 만나는 점을 각각 D, E라 하자. ∠C=70°일 때, ∠x+∠y의 크기를 구하시오.

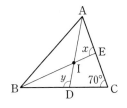

0186 ●●●(상중)●

오른쪽 그림에서 점 I는 △ABC의 내심이고, 점 D는 $\overline{BI}$의 연장선과 $\overline{AC}$의 교점이다. 점 I′이 △DBC의 내심이고 ∠A=54°, ∠ABD=32°일 때, ∠II′B의 크기를 구하시오.

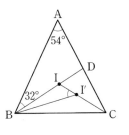

0187 •••••상

오른쪽 그림에서 점 I, I′은 각각 △DBC, △ADC의 내심이고, $\overline{BI}$ 와 $\overline{AI'}$의 연장선의 교점을 P라 하자. $\overline{DA}=\overline{DC}$이고 ∠ABC=48°, ∠BDC=80°일 때, ∠IPI′의 크기를 구하시오.

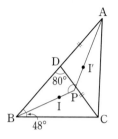

0188 ••••상

오른쪽 그림에서 점 I는 △ABC의 내심이고, $\overline{AI}$, $\overline{BI}$의 연장선이 $\overline{BC}$, $\overline{AC}$와 만나는 점을 각각 D, E라 하자. ∠AEB=88°, ∠ADB=86°일 때, ∠C의 크기를 구하시오.

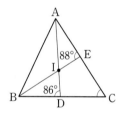

0189 ••••상

오른쪽 그림에서 △ABC는 한 변의 길이가 9 cm인 정삼각형이고 점 I는 △ABC의 내심이다. $\overline{AB}/\!/\overline{ID}$, $\overline{AC}/\!/\overline{IE}$일 때, $\overline{DE}$의 길이를 구하시오.

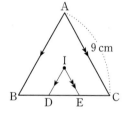

발전유형 **16** 삼각형의 외심과 내심⑵

두 점 O, I가 각각 △ABC의 외심, 내심일 때
(1) ∠OBC= ❶
(2) ∠ABI=∠IBC, ∠ACI=∠ICB

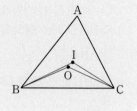

답 ❶ ∠OCB

대표문제
0190 •••상중●

오른쪽 그림에서 두 점 O, I는 각각 ∠B=90°인 직각삼각형 ABC의 외심, 내심이다. 점 P가 $\overline{BO}$와 $\overline{CI}$의 교점이고 ∠A=60°일 때, ∠BPC의 크기를 구하시오.

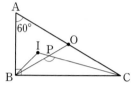

쌍둥이 문제
0191 •••상중●

오른쪽 그림에서 두 점 O, I는 각각 ∠B=90°인 직각삼각형 ABC의 외심, 내심이다. 점 P가 $\overline{BO}$와 $\overline{CI}$의 교점이고 ∠A=50°일 때, ∠OPC의 크기를 구하시오.

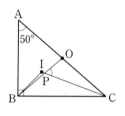

0192 ••••상

오른쪽 그림에서 두 점 O, I는 각각 △ABC의 외심, 내심이고, $\overline{AO}$의 연장선과 $\overline{AI}$의 연장선이 $\overline{BC}$와 만나는 점을 각각 D, E라 하자. ∠BAD=25°, ∠CAE=40°일 때, ∠x의 크기를 구하시오.

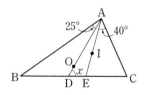

0193

오른쪽 그림에서 점 O가 △ABC
의 외심일 때, 다음 중 옳지 <u>않은</u>
것은?

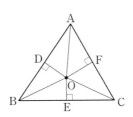

① ∠OAD=∠OBD

② ∠OBE=∠OCE

③ ∠OCF=∠OAF

④ $\overline{OA}=\overline{OB}=\overline{OC}$

⑤ △ODB≡△OEB

0194

오른쪽 그림과 같이 ∠A=90°인
직각삼각형 ABC에서 점 O는
$\overline{BC}$의 중점이다.
∠OAB : ∠OAC=2 : 1일 때,
∠AOC의 크기를 구하시오.

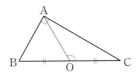

0195

오른쪽 그림에서 점 O는
△ABC의 외심이다.
∠OBA=30°, ∠OBC=15°일
때, ∠C의 크기는?

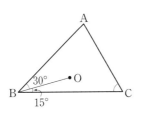

① 60°　　② 65°

③ 70°　　④ 75°

⑤ 80°

0196

오른쪽 그림에서 점 O는
△ABC의 외심이다.
∠OAB : ∠OBC : ∠OCA
=5 : 2 : 3일 때, ∠BOC의
크기는?

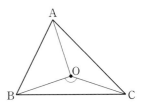

① 136°　　② 138°　　③ 140°

④ 142°　　⑤ 144°

0197 서술형

오른쪽 그림에서 점 O는 △ABC
의 외심이다. ∠OAC=20°,
∠OBC=30°일 때, ∠x의 크기를
구하시오.

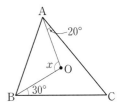

0198

오른쪽 그림에서 점 O는
△ABC의 외심이고, 점 O′은
△AOC의 외심이다.
∠O′CO=40°일 때, ∠B의 크
기를 구하시오.

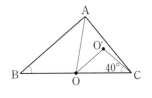

0199 ●●●상중

오른쪽 그림에서 점 O는 △ABC의 외심이다. ∠ACB=30°, ∠OCB=20°일 때, ∠A의 크기를 구하시오.

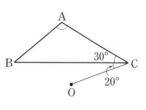

0200 ●●중●●

오른쪽 그림에서 점 I가 △ABC의 내심일 때, 다음 중 옳은 것은?

① $\overline{BD}=\overline{AD}$
② $\overline{IA}=\overline{IB}=\overline{IC}$
③ $\overline{ID}=\overline{IE}=\overline{IF}$
④ ∠IBD=∠IAD
⑤ △IAF≡△ICF

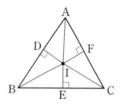

0201 ●●중●● 서술형

오른쪽 그림에서 점 I는 △ABC의 내심이다. ∠C=60°, ∠IAC=25°일 때, ∠x+∠y의 크기를 구하시오.

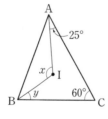

0202 ●●중●●

오른쪽 그림에서 점 I는 △ABC의 내심이고, 내접원 I의 반지름의 길이는 2 cm이다. △ABC의 넓이가 16 cm²일 때, △ABC의 둘레의 길이는?

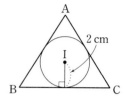

① 12 cm　　② 16 cm　　③ 18 cm
④ 20 cm　　⑤ 24 cm

0203 ●●중●●

오른쪽 그림에서 점 I는 △ABC의 내심이다. $\overline{AB}=8$ cm, $\overline{BC}=5$ cm, $\overline{CA}=7$ cm일 때, △ABI와 △ABC의 넓이의 비는?

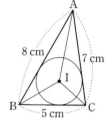

① 1 : 2　　② 2 : 3
③ 2 : 5　　④ 3 : 4
⑤ 3 : 5

0204 ●●●상중

오른쪽 그림에서 점 I는 ∠A=90°인 직각삼각형 ABC의 내심이다. $\overline{AB}=8$ cm, $\overline{BC}=10$ cm, $\overline{CA}=6$ cm일 때, 색칠한 부채꼴의 넓이는?

① $\dfrac{3}{4}\pi$ cm²　　② π cm²　　③ $\dfrac{5}{4}\pi$ cm²
④ $\dfrac{3}{2}\pi$ cm²　　⑤ $\dfrac{7}{4}\pi$ cm²

0205 ••중••

오른쪽 그림에서 점 I는 △ABC
의 내심이고 $\overline{DE} /\!/ \overline{BC}$이다.
$\overline{AB}=10$ cm, $\overline{AC}=9$ cm일 때,
△ADE의 둘레의 길이를 구하시
오.

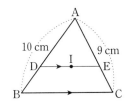

0206 ••중•• 서술형

오른쪽 그림에서 점 O와 점 I는 각각
$\overline{AB}=\overline{AC}$인 이등변삼각형 ABC의 외심
과 내심이다. ∠A=30°일 때, ∠x의 크기
를 구하시오.

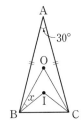

0207 •••상중

오른쪽 그림에서 점 O와 점 I는
각각 ∠B=90°인 직각삼각형
ABC의 외심과 내심이다.
$\overline{AB}=3$ cm, $\overline{BC}=4$ cm,
$\overline{CA}=5$ cm일 때, 색칠한 부분의
넓이를 구하시오.

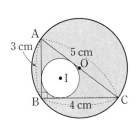

0208 •••상중

오른쪽 그림에서 점 I는
△ABC의 내심이고, $\overline{AI}$, $\overline{BI}$
의 연장선이 $\overline{BC}$, $\overline{AC}$와 만나
는 점을 D, E라 하자.
∠AEB=90°, ∠ADB=105°
일 때, ∠x의 크기를 구하시오.

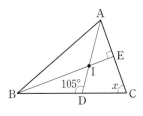

0209 ••••상 창의+융합

오른쪽 그림에서 점 I는 ∠C=90°
인 직각삼각형 ABC의 내심이고,
$\overline{AI}$의 연장선과 $\overline{BC}$의 교점을 D
라 하자. $\overline{AB}=10$ cm, $\overline{BD}=5$ cm
이고 △ABD의 넓이가 15 cm²일
때, △ABC의 넓이를 구하시오.

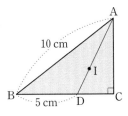

0210 ••••상 융합형

오른쪽 그림과 같이 세 점
O(0, 0), A(0, 6), B(8, 0)을
꼭짓점으로 하는 삼각형 AOB
의 내접원의 중심을 C라 하자.
$\overline{AB}=10$일 때, 두 점 O, C를 지
나는 직선을 그래프로 하는 일
차함수의 식을 구하시오.

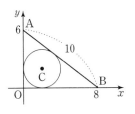

3
평행사변형

유클리드

평행사변형은 두 쌍의 대변이 각각 평행한 사각형을 말해.

두 쌍의 대각의 크기가 각각 같아요.

두 대각선은 서로 다른 것을 이등분해요.

두 쌍의 대변의 길이가 각각 같아요.

01 평행사변형의 뜻과 성질   유형 01~06

(1) **평행사변형**   두 쌍의 대변이

각각 ❶ [　　] 한 사각형

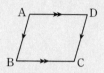

➡ $\overline{AB} /\!/ \overline{DC}$, $\overline{AD} /\!/ \overline{BC}$

참고 평행사변형은 두 쌍의 대변이 각각 평행하므로 이웃
하는 두 내각의 크기의 합은 180°이다.
➡ ∠A+∠B=∠B+∠C=∠C+∠D
   =∠D+∠A=180°

(2) **평행사변형의 성질**

① 두 쌍의 대변의 길이가 각
각 같다.
➡ $\overline{AB}=\overline{DC}$, $\overline{AD}=\overline{BC}$

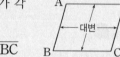

② 두 쌍의 대각의 크기가 각
각 같다.
➡ ∠A=∠C, ∠B=∠D

③ 두 대각선이 서로 다른 것
을 이등분한다.
➡ $\overline{OA}=\overline{OC}$, $\overline{OB}=\overline{OD}$

답 ❶ 평행

[0211~0212] 다음 그림과 같은 평행사변형 ABCD에서 ∠x,
∠y의 크기를 각각 구하시오.

(단, 점 O는 두 대각선의 교점이다.)

0211

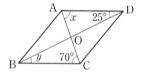

0212

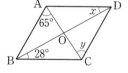

[0213~0216] 다음 그림과 같은 평행사변형 ABCD에서 x, y
의 값을 각각 구하시오. (단, 점 O는 두 대각선의 교점이다.)

0213

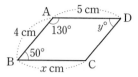

0214

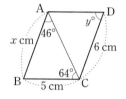

0215

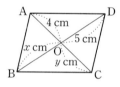

0216

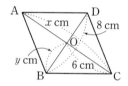

0217 오른쪽 그림과 같은 평행사
변형 ABCD에 대한 설명
으로 옳은 것을 다음 보기
에서 모두 고르시오.

(단, 점 O는 두 대각선의 교점이다.)

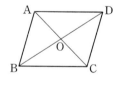

┌ **보기** ─────────────────────────
│ ㉠ $\overline{AB}=\overline{BC}$ ㉡ $\overline{OA}=\overline{OC}$
│ ㉢ ∠OAB=∠OCD   ㉣ ∠BAC=∠DAC
│ ㉤ △OAB≡△OAD   ㉥ △OBC≡△ODA
└──────────────────────────────────

핵심 포인트!

· 평행사변형의 성질 ➡
① 두 쌍의 대변의 길이가 각각 같다.
② 두 쌍의 대각의 크기가 각각 같다.
③ 두 대각선이 서로 다른 것을 이등분한다.

02 평행사변형이 되는 조건　유형 07, 08

□ABCD가 다음 중 어느 한 조건을 만족하면 평행사변형이 된다.　→ 평행사변형의 뜻

(1) 두 쌍의 대변이 각각 평행하다.
　➡ $\overline{AB}\,/\!/\,\overline{DC}$, $\overline{AD}\,/\!/\,\overline{BC}$

(2) 두 쌍의 대변의 길이가 각각 같다.
　➡ $\overline{AB}=\overline{DC}$, $\overline{AD}=\overline{BC}$

(3) 두 쌍의 대각의 크기가 각각 같다.
　➡ $\angle A=\angle C$, $\angle B=\angle D$

(4) 두 대각선이 서로 다른 것을 이등분한다.
　➡ $\overline{OA}=\overline{OC}$, $\overline{OB}=\overline{OD}$

(5) 한 쌍의 대변이 평행하고 그 길이가 같다.
　➡ $\overline{AD}\,/\!/\,\overline{BC}$, $\overline{AD}=$ ❶

답 ❶ $\overline{BC}$

[0218~0222] 다음은 오른쪽 그림과 같은 □ABCD가 평행사변형이 되는 조건이다. □ 안에 알맞은 것을 써넣으시오. (단, 점 O는 두 대각선의 교점이다.)

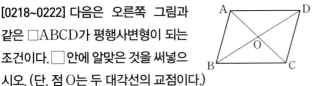

0218 $\overline{AB}\,/\!/$ [　　], $\overline{AD}\,/\!/$ [　　]

0219 $\overline{AB}=$ [　　], $\overline{AD}=$ [　　]

0220 $\angle BAD=$ [　　], $\angle ABC=$ [　　]

0221 $\overline{OA}=$ [　　], $\overline{OB}=$ [　　]

0222 $\overline{AB}\,/\!/$ [　　], $\overline{AB}=$ [　　]

03 평행사변형이 되는 조건의 활용　유형 09, 10

□ABCD가 평행사변형일 때, 다음 조건을 만족하는 □EBFD는 모두 평행사변형이다.

(1) $\angle ABE=\angle EBF$, $\angle EDF=\angle FDC$이면
　$\angle EBF=\angle EDF$,
　$\angle BED=\angle BFD$
　➡ 두 쌍의 대각의 크기가 각각 같다.

(2) $\overline{OE}=\overline{OF}$이면
　$\overline{OE}=\overline{OF}$, $\overline{OB}=\overline{OD}$
　➡ 두 대각선이 서로 다른 것을 이등분한다.

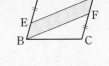

(3) $\overline{AE}=\overline{CF}$이면
　$\overline{EB}\,/\!/\,\overline{DF}$, $\overline{EB}=\overline{DF}$
　➡ 한 쌍의 대변이 평행하고 그 길이가 같다.

(4) $\angle AEB=\angle CFD=90°$이면
　$\overline{EB}\,/\!/\,\overline{DF}$, $\overline{EB}=\overline{DF}$
　➡ 한 쌍의 대변이 평행하고 그 길이가 같다.

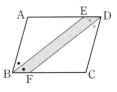

0223 다음은 평행사변형 ABCD에서 $\overline{BE}$, $\overline{DF}$가 각각 $\angle B$, $\angle D$의 이등분선일 때, □EBFD가 평행사변형임을 설명하는 과정이다. ㈎~㈐에 알맞은 것을 써넣으시오.

$\angle EBF=\dfrac{1}{2}\angle B=\dfrac{1}{2}\angle D=\angle EDF$ ······ ㉠
$\angle AEB=$ [㈎] (엇각),
$\angle DFC=$ [㈏] (엇각)이므로
$\angle AEB=\angle DFC$
$\therefore\ \angle BED=$ [㈐] ······ ㉡
㉠, ㉡에서 □EBFD는 두 쌍의 대각의 크기가 각각 같으므로 평행사변형이다.

핵심 포인트 !　• 어떤 사각형이 평행사변형임을 보이려면 평행사변형이 되는 5가지 조건 중 하나가 성립함을 보이면 된다.

0224 다음은 평행사변형 ABCD에서 $\overline{AE}=\overline{CF}$일 때, □EBFD가 평행사변형임을 설명하는 과정이다. ㈎, ㈏에 알맞은 것을 써넣으시오.

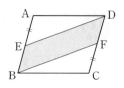

> $\overline{AB}/\!/\overline{DC}$이므로 $\overline{EB}/\!/$ ㉠ $\boxed{㈎}$ ...... ㉠
> $\overline{AB}=\overline{DC}$이므로
> $\overline{EB}=\overline{AB}-\overline{AE}$
> $\quad=\overline{DC}-\overline{CF}=\boxed{㈏}$ ...... ㉡
> ㉠, ㉡에서 □EBFD는 한 쌍의 대변이 평행하고 그 길이가 같으므로 평행사변형이다.

0225 다음은 평행사변형 ABCD의 대각선 BD 위에 $\overline{BE}=\overline{DF}$가 되도록 두 점 E, F를 잡을 때, □AECF가 평행사변형임을 설명하는 과정이다. ㈎~㈐에 알맞은 것을 써넣으시오.

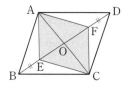

> 점 O는 평행사변형 ABCD의 두 대각선의 교점 이므로
> $\overline{OA}=\boxed{㈎}$, $\overline{OB}=\boxed{㈏}$ ...... ㉠
> 이때 $\overline{BE}=\overline{DF}$이므로
> $\overline{OE}=\overline{OB}-\boxed{㈐}$
> $\quad=\overline{OD}-\boxed{㈑}=\boxed{㈒}$
> 즉 $\overline{OE}=\boxed{㈒}$ ...... ㉡
> ㉠, ㉡에서 □AECF는 두 대각선이 서로 다른 것을 이등분하므로 평행사변형이다.

---

04 평행사변형과 넓이   유형 11, 12

(1) 평행사변형 ABCD에서 두 대각선의 교점을 O라 하면

① △ABC = △BCD
    = △CDA = △DAB

② △OAB = △OBC = △OCD = △ODA

(2) 평행사변형 ABCD의 내부의 한 점 P에 대하여

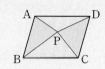

△PAB + △PCD
= △PDA + △PBC
= $\frac{1}{2}$ ❶

답 ❶ □ABCD

[0226~0227] 아래 그림의 평행사변형 ABCD에서 점 O가 두 대각선의 교점일 때, 다음을 구하시오.

0226 △ODA = 20 cm²일 때, □ABCD의 넓이

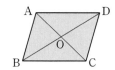

0227 □ABCD = 100 cm²일 때, △OAB의 넓이

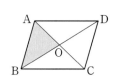

[0228~0229] 아래 그림의 평행사변형 ABCD에서 점 P가 내부의 한 점일 때, 다음을 구하시오.

0228 □ABCD = 36 cm²일 때, △PAB와 △PCD의 넓이의 합

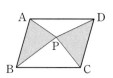

0229 □ABCD = 100 cm², △PDA = 20 cm²일 때, △PBC의 넓이

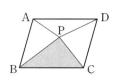

핵심 포인트 !
• 평행사변형의 넓이는 두 대각선에 의해 사등분된다.

필수유형 **01** 평행사변형

평행사변형 ABCD에서

(1) $\overline{AB} /\!\!/ \overline{DC}$이므로

  ∠ABD=∠BDC (엇각),

  ∠BAC= **❶** (엇각)

(2) $\overline{AD} /\!\!/ \overline{BC}$이므로

  ∠ADB=∠DBC (엇각), ∠DAC= **❷** (엇각)

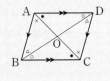

답 ❶ ∠ACD ❷ ∠ACB

대표문제

0230 하

오른쪽 그림과 같은 평행사변형 ABCD에서 점 O는 두 대각선의 교점이다. ∠ADB=35°, ∠ACB=60°일 때, ∠AOD의 크기를 구하시오.

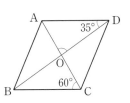

0231 중하

오른쪽 그림과 같은 평행사변형 ABCD에서 점 O는 두 대각선의 교점이다. ∠DBC=35°, ∠BDC=40°일 때, ∠x+∠y의 크기를 구하시오.

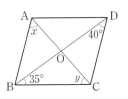

0232 중하

오른쪽 그림과 같은 평행사변형 ABCD에서 점 O는 두 대각선의 교점이다. ∠ADB=30°, ∠COD=68°일 때, ∠x-∠y의 크기를 구하시오.

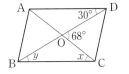

필수유형 **02** 평행사변형의 성질의 설명

평행사변형의 성질을 설명하는 데 이용되는 성질

(1) 평행사변형의 뜻 → 두 쌍의 대변이 각각 평행하다.

(2) 삼각형의 합동 조건 → SSS 합동, SAS 합동, ASA 합동

(3) 평행선의 성질 → 평행한 두 직선이 다른 한 직선과 만날 때, 엇각(동위각)의 크기는 서로 같다.

대표문제

0233 중하

다음은 평행사변형의 두 쌍의 대변의 길이는 각각 같음을 설명하는 과정이다. ㈎~㈒에 알맞은 것을 써넣으시오.

> 평행사변형 ABCD에서 대각선 AC를 그으면
>
> △ABC와 △CDA에서
>
> ∠BAC= ㈎ (엇각),
>
> ∠BCA= ㈏ (엇각), $\overline{AC}$는 공통이므로
>
> △ABC≡ ㈐ (ASA 합동)
>
> ∴ $\overline{AB}$= ㈑ , $\overline{BC}$= ㈒

0234 중하

다음은 평행사변형의 두 쌍의 대각의 크기는 각각 같음을 설명하는 과정이다. ㈎~㈒에 알맞은 것을 써넣으시오.

> 평행사변형 ABCD에서 대각선 BD를 그으면
>
> △ABD와 △CDB에서
>
> ∠ABD= ㈎ (엇각),
>
> ∠ADB=∠CBD (엇각), ㈏ 는 공통이므로
>
> △ABD≡△CDB (㈐ 합동)
>
> ∴ ∠A= ㈑
>
> $\overline{AC}$를 그어 △ABC와 △CDA에서 같은 방법으로 하면
>
> ∠B=∠D

0235 ●중하●●●

다음은 평행사변형의 두 대각선은 서로 다른 것을 이등분함을 설명하는 과정이다. ㈎~㈏에 알맞은 것을 써넣으시오.

평행사변형 ABCD에서 두 대각선의 교점을 O라 하면
△OAB와 △OCD에서
∠OAB= ㈎ (엇각),
∠OBA=∠ODC (엇각), $\overline{AB}=$ ㈏ 이므로
△OAB≡△OCD (㈐ 합동)
∴ $\overline{OA}=$ ㈑ , $\overline{OB}=$ ㈒

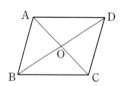

필수유형03 중요 평행사변형의 성질

(1) 두 쌍의 대변의 길이가 각각 같다.

(2) 두 쌍의 대각의 크기가 각각 같다.

(3) 두 ❶ 이 서로 다른 것을 이등분한다.

📖 ❶ 대각선

대표문제

0236 ●중하●●●

오른쪽 그림과 같은 평행사변형 ABCD에서 두 대각선의 교점을 O라 할 때, 다음 중 옳지 <u>않은</u> 것은?

① $\overline{AD}=\overline{BC}$
② ∠BAD=∠BCD
③ $\overline{OB}=\overline{OD}$
④ ∠ABD=∠CBD
⑤ ∠ABC+∠BCD=180°

0237 ●중하●●● 서술형

오른쪽 그림과 같은 평행사변형 ABCD에서 점 O는 두 대각선의 교점이고 $\overline{AB}=12$ cm, ∠BAC=48°, ∠BDC=44°일 때, $x-y$의 값을 구하시오.

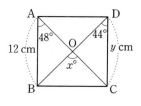

0238 ●중하●●●

오른쪽 그림과 같은 평행사변형 ABCD에서 $\overline{AD}$의 길이를 구하시오.

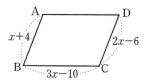

0239 ●중하●●●

오른쪽 그림과 같은 평행사변형 ABCD에서 ∠B=80°, ∠DCE=50°일 때, ∠DEC의 크기를 구하시오.

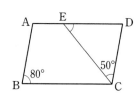

0240 ●중하●●●

오른쪽 그림과 같은 평행사변형 ABCD에서 점 O가 두 대각선의 교점일 때, $\overline{AC}$의 길이를 구하시오.

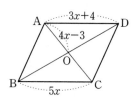

필수유형 04 평행사변형의 성질의 활용 (1) – 변의 길이

오른쪽 그림의 평행사변형 ABCD에서 $\overline{AF}$가 ∠A의 이등분선일 때

∠DFA=∠BAF (엇각)

∠BAF=∠DAF이므로

∠DFA=∠DAF

따라서 $\overline{DA}=$ **❶**　　 이다.

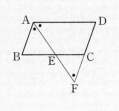

답 **❶** $\overline{DF}$

대표문제

0241 ••중••

오른쪽 그림과 같은 평행사변형 ABCD에서 ∠A의 이등분선이 $\overline{BC}$, $\overline{DC}$의 연장선과 만나는 점을 각각 E, F라 하자.

$\overline{AB}=3$ cm, $\overline{AD}=5$ cm일 때, $\overline{CF}$의 길이를 구하시오.

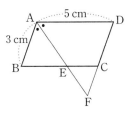

0242 ••중••

오른쪽 그림과 같은 평행사변형 ABCD에서 ∠D의 이등분선이 $\overline{BC}$와 만나는 점을 E라 하자. $\overline{AB}=6$ cm, $\overline{AD}=10$ cm일 때, $\overline{BE}$의 길이를 구하시오.

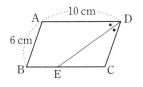

0243 ••중••

오른쪽 그림과 같은 평행사변형 ABCD에서 ∠B의 이등분선이 $\overline{AD}$와 만나는 점을 E라 하자. $\overline{BC}=12$ cm, $\overline{ED}=3$ cm일 때, $\overline{AB}$의 길이를 구하시오.

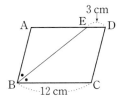

0244 ••중••

오른쪽 그림과 같은 평행사변형 ABCD에서 ∠B의 이등분선이 $\overline{AD}$, $\overline{CD}$의 연장선과 만나는 점을 각각 E, F라 하자.

$\overline{AB}=4$ cm, $\overline{BC}=5$ cm일 때, $\overline{DE}$와 $\overline{DF}$의 길이의 합을 구하시오.

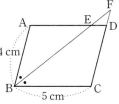

0245 •••상중•

오른쪽 그림과 같은 평행사변형 ABCD에서 변 BC의 중점을 E, $\overline{AE}$의 연장선이 $\overline{DC}$의 연장선과 만나는 점을 F라 하자. $\overline{AD}=15$ cm, $\overline{DF}=18$ cm일 때, $\overline{CF}$의 길이를 구하시오.

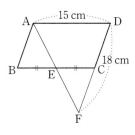

0246 •••상중•

오른쪽 그림과 같은 평행사변형 ABCD에서 ∠A, ∠D의 이등분선이 $\overline{BC}$와 만나는 점을 각각 E, F라 하자.

$\overline{AB}=5$ cm, $\overline{AD}=8$ cm일 때, $\overline{FE}$의 길이를 구하시오.

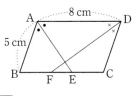

0247 •••상중•

오른쪽 그림과 같은 평행사변형 ABCD에서 ∠A, ∠B의 이등분선이 $\overline{CD}$의 연장선과 만나는 점을 각각 E, F라 하자. $\overline{AB}$=12 cm, $\overline{AD}$=15 cm일 때, $\overline{EF}$의 길이를 구하시오.

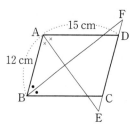

0250 ••중••

오른쪽 그림과 같은 평행사변형 ABCD에서 $\overline{AE}$는 ∠A의 이등분선이고 ∠AEC=122°일 때, ∠D의 크기를 구하시오.

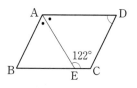

필수유형 **05** 중요 평행사변형의 성질의 활용 (2) – 각의 크기

평행사변형 ABCD에서
(1) ∠A=∠C, ∠B=∠D
(2) ∠A+∠B=180°,
∠A+∠D=❶

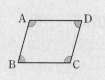

답 ❶ 180°

대표문제

0248 •중하•••

오른쪽 그림과 같은 평행사변형 ABCD에서 ∠A : ∠B=5 : 4일 때, ∠C의 크기를 구하시오.

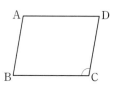

0251 ••중••

오른쪽 그림과 같은 평행사변형 ABCD에서 ∠D의 이등분선이 $\overline{AB}$의 연장선과 만나는 점을 E라 하자. ∠E=31°일 때, ∠x의 크기를 구하시오.

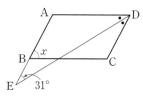

0249 •중하•••

오른쪽 그림과 같은 평행사변형 ABCD에서 ∠A=100°이고 $\overline{DC}=\overline{EC}$일 때, ∠AEC의 크기를 구하시오.

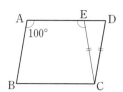

0252 ••중••

오른쪽 그림과 같은 평행사변형 ABCD에서 $\overline{DE}$는 ∠D의 이등분선이고 $\overline{AF}\perp\overline{DE}$이다. ∠B=80°일 때, ∠$x$의 크기를 구하시오.

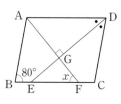

0253 ••중•• 서술형

오른쪽 그림과 같은 평행사변형 ABCD에서 ∠DAC의 이등분선이 $\overline{BC}$의 연장선과 만나는 점을 E라 하자.

∠B=70°, ∠E=30°일 때, ∠x의 크기를 구하시오.

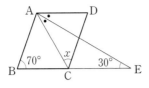

0254 ••중••

오른쪽 그림과 같은 평행사변형 ABCD에서 ∠B=45°, ∠AED=75°이고 ∠ADE : ∠CDE=2 : 1일 때, ∠x의 크기를 구하시오.

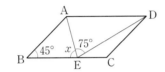

0255 ••중••

오른쪽 그림과 같은 평행사변형 ABCD에서 ∠A의 이등분선이 $\overline{BC}$와 만나는 점을 E, ∠B의 이등분선이 $\overline{AD}$와 만나는 점을 F라 하자. ∠BFD=160°일 때, ∠x의 크기를 구하시오.

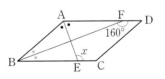

0256 ••중••

오른쪽 그림과 같은 평행사변형 ABCD에서 $\overline{DE}$는 ∠D의 이등분선이고 $\overline{AF}\perp\overline{DE}$이다. ∠B=56°일 때, ∠$x$의 크기를 구하시오.

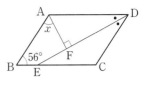

0257 •••상중•

오른쪽 그림과 같은 평행사변형 ABCD에서 $\overline{AF}\perp\overline{BE}$이고 ∠EBC=30°일 때, ∠$x$의 크기를 구하시오.

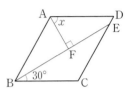

필수유형 **06** 평행사변형의 성질의 활용 (3) – 대각선

평행사변형 ABCD에서 두 대각선의 교점을 O라 하면

(1) $\overline{OA}=\overline{OC}=\dfrac{1}{2}\overline{AC}$

$\overline{OB}=\overline{OD}=\dfrac{1}{2}\overline{BD}$

(2) △OAB≡△OCD, △ODA≡ **❶**

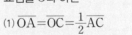

답 ❶ △OBC

대표문제

0258 ••중하•••

오른쪽 그림과 같은 평행사변형 ABCD에서 두 대각선의 교점을 O라 하자. $\overline{AB}$=12 cm, $\overline{BD}$=16 cm, $\overline{OA}$=7 cm일 때, △OCD의 둘레의 길이를 구하시오.

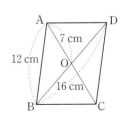

0259 ●중하●●●

오른쪽 그림과 같은 평행사변형 ABCD에서 두 대각선의 교점을 O라 하자. $\overline{AB}=3$ cm이고 두 대각선의 길이의 합이 10 cm일 때, △OAB의 둘레의 길이를 구하시오.

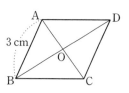

0260 ●●중●●

오른쪽 그림과 같은 평행사변형 ABCD에서 두 대각선의 교점 O 를 지나는 직선이 $\overline{AD}$, $\overline{BC}$와 만나는 점을 각각 P, Q라 할 때, 다음 중 옳지 <u>않은</u> 것은?

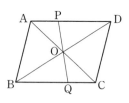

① $\overline{OA}=\overline{OC}$　　　② $\overline{OB}=\overline{OC}$

③ $\overline{OP}=\overline{OQ}$　　　④ $\overline{OD}=\overline{OB}$

⑤ △AOP≡△COQ

0261 ●●중●●

오른쪽 그림과 같은 평행사변형 ABCD에서 두 대각선의 교점 O를 지나는 직선이 $\overline{AB}$, $\overline{DC}$와 만나는 점을 각각 E, F라 하자. ∠OFC=90°이고 $\overline{AB}=6$ cm, $\overline{OF}=4$ cm, $\overline{CF}=2$ cm 일 때, △OEB의 넓이를 구하시오.

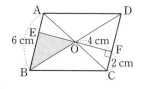

다음 중 어느 한 조건을 만족하는 사각형은 평행사변형이다.

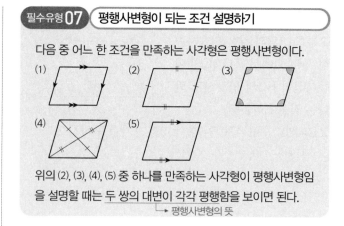

위의 (2), (3), (4), (5) 중 하나를 만족하는 사각형이 평행사변형임을 설명할 때는 두 쌍의 대변이 각각 평행함을 보이면 된다.
└▶ 평행사변형의 뜻

대표문제

0262 ●중하●●●

다음은 한 쌍의 대변이 평행하고 그 길이가 같은 사각형은 평행사변형임을 설명하는 과정이다. (개)~(매)에 알맞은 것을 써넣으시오.

□ABCD에서 대각선 AC를 그 으면 △ABC와 △CDA에서
$\overline{BC}=$ [(개)], $\overline{AC}$는 공통,
∠ACB= [(내)] (엇각)
따라서 △ABC≡△CDA ([(대)] 합동)이므로
∠BAC= [(라)]　∴ $\overline{AB}$∥[(매)]　‥‥‥ ㉠
주어진 조건에서 $\overline{AD}$∥$\overline{BC}$　‥‥‥ ㉡
㉠, ㉡에서 □ABCD는 평행사변형이다.

0263 ●중하●●● 서술형

오른쪽 그림과 같은 □ABCD에서 $\overline{AB}=\overline{DC}$, $\overline{AD}=\overline{BC}$일 때, □ABCD는 평행사변형임을 설명하려고 한다. 다음 물음에 답하시오.

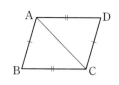

(1) △ABC와 △CDA가 합동임을 설명하시오.

(2) (1)의 결과를 이용하여 □ABCD가 평행사변형임을 설명하시오.

0264 ●중하●●●

다음은 두 쌍의 대각의 크기가 각각 같은 사각형은 평행사변형임을 설명하는 과정이다. ㈎~㈏에 알맞은 것을 써넣으시오.

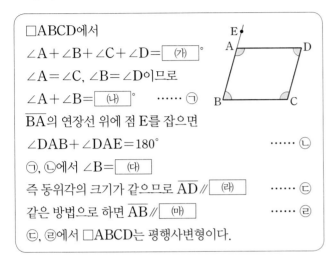

□ABCD에서

$\angle A+\angle B+\angle C+\angle D=$ ㈎ °

$\angle A=\angle C$, $\angle B=\angle D$이므로

$\angle A+\angle B=$ ㈏ ° ······ ㉠

$\overline{BA}$의 연장선 위에 점 E를 잡으면

$\angle DAB+\angle DAE=180°$ ······ ㉡

㉠, ㉡에서 $\angle B=$ ㈐

즉 동위각의 크기가 같으므로 $\overline{AD}$ // ㈑ ······ ㉢

같은 방법으로 하면 $\overline{AB}$ // ㈒ ······ ㉣

㉢, ㉣에서 □ABCD는 평행사변형이다.

0265 ●중하●●●

다음은 두 대각선이 서로 다른 것을 이등분하는 사각형은 평행사변형임을 설명하는 과정이다. ①~⑤에 들어갈 것으로 옳지 <u>않은</u> 것은?

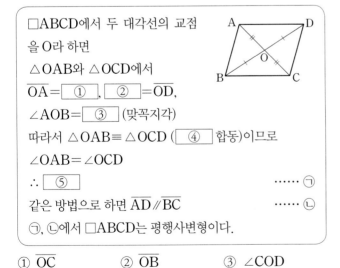

□ABCD에서 두 대각선의 교점을 O라 하면

△OAB와 △OCD에서

$\overline{OA}=$ ① , ② $=\overline{OD}$,

$\angle AOB=$ ③ (맞꼭지각)

따라서 △OAB≡△OCD (④ 합동)이므로

$\angle OAB=\angle OCD$

∴ ⑤ ······ ㉠

같은 방법으로 하면 $\overline{AD}$ // $\overline{BC}$ ······ ㉡

㉠, ㉡에서 □ABCD는 평행사변형이다.

① $\overline{OC}$ ② $\overline{OB}$ ③ $\angle COD$

④ SAS   ⑤ $\overline{AB}=\overline{DC}$

필수유형08 평행사변형이 되는 조건

다음 중 어느 한 조건을 만족하는 사각형은 평행사변형이다.

(1) 두 쌍의 대변이 각각 ❶ 하다.

(2) 두 쌍의 대변의 길이가 각각 같다.

(3) 두 쌍의 대각의 크기가 각각 같다.

(4) 두 대각선이 서로 다른 것을 이등분한다.

(5) 한 쌍의 대변이 평행하고 그 길이가 같다.

답 ❶ 평행

대표문제

0266 ●중하●●●

다음 중 □ABCD가 평행사변형인 것은?

(단, 점 O는 두 대각선 AC와 BD의 교점이다.)

① $\angle A=100°$, $\angle B=80°$, $\angle C=100°$

② $\overline{AB}$ // $\overline{DC}$, $\overline{AB}=5$ cm, $\overline{AD}=5$ cm

③ $\overline{OA}=5$ cm, $\overline{OB}=5$ cm, $\overline{OC}=6$ cm, $\overline{OD}=6$ cm

④ $\overline{AB}=4$ cm, $\overline{DC}=4$ cm, $\overline{AD}$ // $\overline{BC}$

⑤ $\angle B=\angle C$, $\overline{AB}=6$ cm, $\overline{DC}=6$ cm

0267 ●하●●●●

다음 중 □ABCD가 평행사변형이 <u>아닌</u> 것은?

(단, 점 O는 두 대각선 AC와 BD의 교점이다.)

① 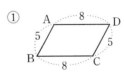   ②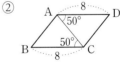

③ 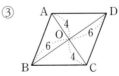   ④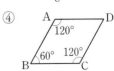

⑤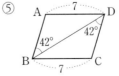

0268 ●중하●●●

다음 중 오른쪽 그림과 같은 □ABCD가 평행사변형이 되는 조건이 <u>아닌</u> 것은? (단, 점 O는 두 대각선의 교점이다.)

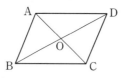

① ∠A=∠C, ∠B=∠D
② $\overline{AB}$∥$\overline{DC}$, $\overline{AD}$∥$\overline{BC}$
③ $\overline{AB}$∥$\overline{DC}$, $\overline{AD}$=$\overline{BC}$
④ $\overline{OA}$=$\overline{OC}$, $\overline{OB}$=$\overline{OD}$
⑤ △AOD≡△COB

0269 ●중하●●●

다음 중 오른쪽 그림과 같은 □ABCD가 평행사변형이 되는 조건으로 옳은 것은? (단, 점 O는 두 대각선의 교점이다.)

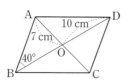

① $\overline{OB}$=7 cm, $\overline{OC}$=10 cm
② $\overline{OB}$=10 cm, $\overline{OC}$=7 cm
③ ∠ODC=40°
④ ∠OBC=40°
⑤ ∠ODA=∠ODC

0270 ●중하●●●

오른쪽 그림과 같은 □ABCD가 평행사변형이 되도록 하는 x, y의 값을 각각 구하시오.

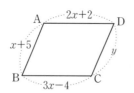

0271 ●중하●●● 서술형

오른쪽 그림과 같은 □ABCD가 평행사변형이 되도록 하는 x, y에 대하여 $x+y$의 값을 구하시오.

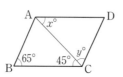

주어진 평행사변형의 성질과 평행사변형이 되는 조건을 이용하여 새로운 사각형이 평행사변형임을 설명한다.

대표문제
0272 ●중하●●●

다음은 평행사변형 ABCD의 두 꼭짓점 B, D에서 대각선 AC에 내린 수선의 발을 각각 E, F라 할 때, □EBFD가 평행사변형임을 설명하는 과정이다. ㈎~㈒에 알맞은 것을 써넣으시오.

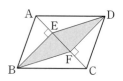

∠BEF=∠DFE (엇각)이므로
$\overline{BE}$∥ ㈎ ······ ㉠
△ABE와 △CDF에서
∠AEB=∠CFD=90°, $\overline{AB}$= ㈏ ,
∠BAE= ㈐ (엇각)
따라서 △ABE≡△CDF (㈑ 합동)이므로
$\overline{BE}$= ㈒ ······ ㉡
㉠, ㉡에서 □EBFD는 평행사변형이다.

0273 ●중하●●●

다음은 평행사변형 ABCD의 네 변의 중점을 각각 P, Q, R, S라 하고, $\overline{AQ}$와 $\overline{CP}$의 교점을 E, $\overline{AR}$와 $\overline{CS}$의 교점을 F라 할 때, □AECF가 평행사변형임을 설명하는 과정이다. ㈎~㈒에 알맞은 것을 써넣으시오.

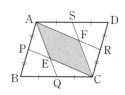

□AQCS에서 $\overline{AS}$∥ ㈎ , $\overline{AS}$= ㈏ 이므로
□AQCS는 평행사변형이다.
∴ $\overline{AE}$∥ ㈐ ······ ㉠
□APCR에서 $\overline{AP}$∥ ㈑ , $\overline{AP}$= ㈒ 이므로
□APCR는 평행사변형이다.
∴ $\overline{AF}$∥ ㈓ ······ ㉡
㉠, ㉡에서 □AECF는 평행사변형이다.

0274 ●중하●●●

다음은 평행사변형 ABCD에서
$\overline{AE}=\overline{BF}=\overline{CG}=\overline{DH}$일 때,
□EFGH가 평행사변형임을 설명
하는 과정이다. ㈎~㈤에 알맞은
것을 써넣으시오.

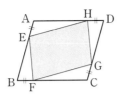

△AEH와 △CGF에서
$\overline{AE}=\overline{CG}$,
$\overline{AH}=\overline{AD}-\overline{DH}=\overline{BC}-\overline{BF}=$ ㈎ ,
$\angle A=\angle C$
따라서 △AEH≡△CGF (㈏ 합동)이므로
$\overline{EH}=$ ㈐   ······ ㉠
같은 방법으로 하면
△BFE≡△DHG (㈑ 합동)이므로
$\overline{EF}=$ ㈒   ······ ㉡
㉠, ㉡에서 □EFGH는 평행사변형이다.

0275 ●●중●●●

오른쪽 그림과 같은 평행사변형
ABCD에서 두 대각선 AC, BD
위에 $\overline{AP}=\overline{CR}$, $\overline{BQ}=\overline{DS}$가 되
도록 네 점 P, Q, R, S를 잡을 때,
다음 중 □PQRS가 평행사변형이 되는 조건으로 가장 알
맞은 것은?

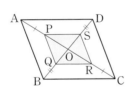

① 두 쌍의 대변이 각각 평행하다.
② 두 쌍의 대변의 길이가 각각 같다.
③ 두 쌍의 대각의 크기가 각각 같다.
④ 두 대각선이 서로 다른 것을 이등분한다.
⑤ 한 쌍의 대변이 평행하고 그 길이가 같다.

필수유형 **10** 평행사변형이 되는 조건의 활용 ⑵

다음 그림에서 □ABCD가 평행사변형일 때, □EBFD도 평
행사변형이다.

⑴ 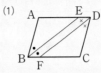   ⑵

⑶ 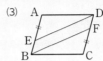   ⑷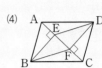

대표문제

0276 ●●중●●●

오른쪽 그림과 같은 평행사변형
ABCD에서 ∠B와 ∠D의 이등분
선이 $\overline{AD}$, $\overline{BC}$와 만나는 점을 각각
E, F라 할 때, 다음 중 옳지 않은
것은?

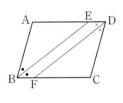

① $\overline{AB}=\overline{AE}$ ② $\overline{BE}=\overline{CF}$
③ $\overline{ED}=\overline{BF}$ ④ $\angle AEB=\angle DFC$
⑤ $\angle ABE=\angle FDC$

0277 ●중하●●●

오른쪽 그림과 같은 평행사변형
ABCD에서 두 변 AD, BC 위에
$\overline{AE}=\overline{CF}$가 되도록 두 점 E, F를
잡았다. ∠DEC=72°일 때,
∠x의 크기를 구하시오.

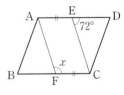

0278 ●●중●●●

오른쪽 그림과 같이 평행사변형
ABCD의 꼭짓점 B, D에서 대각
선 AC에 내린 수선의 발을 각각
E, F라 하자. ∠DEF=50°일 때,
∠EBF의 크기를 구하시오.

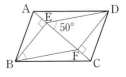

3

평행사변형

0279 ●●중●●

오른쪽 그림과 같은 평행사변형 ABCD에서 두 대각선의 교점을 O라 하고, $\overline{OB}$, $\overline{OD}$의 중점을 각각 E, F라 할 때, 다음 중 옳지 <u>않은</u> 것은?

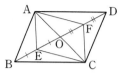

① $\overline{AE}=\overline{AF}$ ② $\overline{AE}=\overline{CF}$

③ $\overline{AF}=\overline{CE}$ ④ $\angle OEA=\angle OFC$

⑤ $\angle OEC=\angle OFA$

0280 ●●중●●

오른쪽 그림과 같은 평행사변형 ABCD에서 $\overline{AD}$, $\overline{BC}$의 중점을 각각 M, N이라 할 때, 다음 중 옳지 <u>않은</u> 것은?

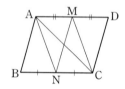

① $\overline{AM}=\overline{NC}$ ② $\overline{AC}=\overline{MN}$

③ $\overline{AN}\,/\!/\,\overline{MC}$ ④ $\angle MAN=\angle NCM$

⑤ $\angle AMC+\angle MCN=180°$

0281 ●●●상중●

오른쪽 그림에서 점 O는 $\overline{AC}$의 중점이고 □ABCD, □OCDE는 모두 평행사변형이다.
$\overline{AB}=6$ cm, $\overline{BC}=8$ cm일 때, $\overline{AF}$와 $\overline{OF}$의 길이의 합을 구하시오.

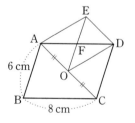

필수유형 **11** 평행사변형과 넓이 (1)

평행사변형 ABCD에서 두 대각선의 교점을 O라 할 때

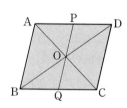

(1) △ABC=△BCD=△CDA
    =△DAB
    = ❶ □ABCD

(2) △OAB=△OBC=△OCD=△ODA
    = ❷ □ABCD

답 ❶ $\dfrac{1}{2}$ ❷ $\dfrac{1}{4}$

대표문제

0282 ●●중●●

오른쪽 그림과 같은 평행사변형 ABCD에서 두 대각선의 교점 O를 지나는 직선이 $\overline{AD}$, $\overline{BC}$와 만나는 점을 각각 P, Q라 하자.
△OPA와 △OBQ의 넓이의 합이 7 cm²일 때, □ABCD의 넓이를 구하시오.

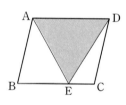

0283 ●●중하●●●

오른쪽 그림과 같은 평행사변형 ABCD에서 $\overline{BC}$ 위에 점 E를 잡았다. □ABCD의 넓이가 70 cm²일 때, △AED의 넓이를 구하시오.

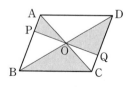

0284 ●●중●● **서술형**

오른쪽 그림과 같은 평행사변형 ABCD에서 두 대각선의 교점 O를 지나는 직선이 $\overline{AB}$, $\overline{DC}$와 만나는 점을 각각 P, Q라 하자.
□ABCD의 넓이가 72 cm²일 때, 색칠한 부분의 넓이를 구하시오.

0285 ●●●중●●

오른쪽 그림과 같은 평행사변형 ABCD에서 두 대각선의 교점을 O라 하고 꼭짓점 D에서 $\overline{BC}$의 연장선에 내린 수선의 발을 E라 하자.

두 점 M, N은 각각 $\overline{OB}$, $\overline{OD}$의 중점이고 $\overline{BC}=8$ cm, $\overline{DE}=6$ cm일 때, $\triangle AMN$의 넓이를 구하시오.

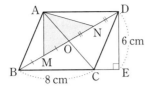

0286 ●●●중●●

오른쪽 그림과 같은 평행사변형 ABCD에서 두 점 M, N은 각각 $\overline{AD}$, $\overline{BC}$의 중점이다. □MPNQ의 넓이가 40 cm²일 때, □ABCD의 넓이를 구하시오.

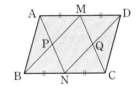

0287 ●●●중●●

오른쪽 그림과 같은 평행사변형 ABCD에서 $\overline{BC}$, $\overline{DC}$의 연장선 위에 $\overline{BC}=\overline{CE}$, $\overline{DC}=\overline{CF}$가 되도록 두 점 E, F를 잡았다.
$\triangle ABC$의 넓이가 12 cm²일 때, □BFED의 넓이를 구하시오.

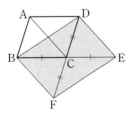

필수유형 12 | 평행사변형과 넓이 (2)

평행사변형 ABCD의 내부의 한 점 P를 지나고 $\overline{AB}$, $\overline{BC}$에 평행한 직선을 각각 그으면

$\triangle PAB + \triangle PCD$
$= ㉠ + ㉡ + ㉢ + ㉣ = \triangle PDA + \triangle PBC$
$= \boxed{●}$ □ABCD

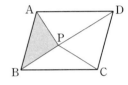

달 ● $\frac{1}{2}$

대표문제

0288 ●●중하●●

오른쪽 그림과 같은 평행사변형 ABCD의 내부의 한 점 P에 대하여 $\triangle PBC=13$ cm²,
$\triangle PCD=17$ cm²,
$\triangle PDA=18$ cm²일 때, $\triangle PAB$의 넓이를 구하시오.

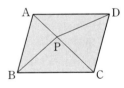

0289 ●●중하●●

오른쪽 그림과 같은 평행사변형 ABCD의 내부의 한 점 P에 대하여 $\triangle PAB=12$ cm²,
$\triangle PCD=23$ cm²일 때, □ABCD의 넓이를 구하시오.

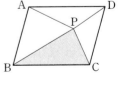

0290 ●●중하●● 서술형

오른쪽 그림과 같은 평행사변형 ABCD의 내부의 한 점 P에 대하여 $\triangle PDA=25$ cm²이고 □ABCD=120 cm²일 때, $\triangle PBC$의 넓이를 구하시오.

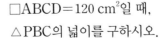

0291 ••중••

오른쪽 그림과 같은 평행사변형 ABCD에서 점 P는 대각선 AC 위의 점이다. $\triangle PAB = 24 \text{ cm}^2$, $\square ABCD = 126 \text{ cm}^2$일 때, $\triangle PDA$의 넓이를 구하시오.

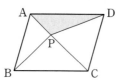

0292 ••중••

오른쪽 그림과 같이 평행사변형 ABCD의 꼭짓점 D에서 $\overline{BC}$의 연장선에 내린 수선의 발을 E라 하자.
$\overline{BC} = 7 \text{ cm}$, $\overline{DE} = 4 \text{ cm}$이고 $\triangle PBC = 5 \text{ cm}^2$일 때, $\triangle PDA$의 넓이를 구하시오.

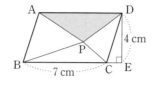

0293 ••중••

오른쪽 그림과 같은 평행사변형 ABCD의 넓이가 168 cm^2이고 $\triangle PAB : \triangle PCD = 3 : 1$일 때, $\triangle PAB$의 넓이를 구하시오.

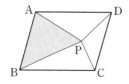

발전유형 **13** 여러 가지 심화 문제

0294 •••상중•

오른쪽 그림과 같이 평행사변형 ABCD를 대각선 BD를 접는 선으로 하여 접었다. $\overline{DE}$, $\overline{BA}$의 연장선의 교점을 F라 하고 $\angle BDC = 42°$일 때, $\angle x$의 크기를 구하시오.

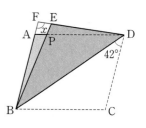

0295 ••••상

오른쪽 그림과 같은 $\triangle ABC$의 각 변을 한 변으로 하는 $\triangle ADB$, $\triangle BCE$, $\triangle ACF$는 모두 정삼각형이다. 다음 물음에 답하시오.

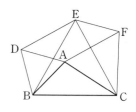

⑴ $\triangle ABC$와 합동인 삼각형을 모두 찾아 기호로 나타내고, 그때의 합동 조건을 말하시오.

⑵ ⑴의 결과를 이용하여 $\square AFED$가 평행사변형이 되는 조건을 말하시오.

⑶ $\angle BAC = 104°$일 때, $\angle DEF$의 크기를 구하시오.

0296 ••••상

오른쪽 그림과 같은 평행사변형 ABCD에서 $\overline{DC}$의 중점을 E라 하고, 꼭짓점 A에서 $\overline{BE}$에 내린 수선의 발을 H라 하자. $\angle ABH = 55°$, $\angle CBE = 25°$, $\angle C = 100°$일 때, $\angle x$의 크기를 구하시오.

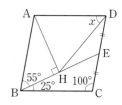

0297 ●중하●●●

오른쪽 그림과 같은 평행사변형 ABCD에서 $\angle ABD = 41°$, $\angle ACD = 55°$일 때, $\angle x + \angle y$의 크기를 구하시오.

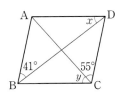

0298 ●●중●●

오른쪽 그림과 같은 평행사변형 ABCD의 둘레의 길이가 48 cm 이고 $\overline{AB} : \overline{AD} = 3 : 5$일 때, $\overline{CD}$의 길이는?

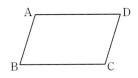

① 5 cm   ② 6 cm   ③ 9 cm

④ 12 cm   ⑤ 15 cm

0299 ●●●상중● 서술형

오른쪽 그림과 같은 평행사변형 ABCD에서 $\angle A$, $\angle D$의 이등분선이 $\overline{BC}$와 만나는 점을 각각 E, F라 하자. $\overline{AB} = 5$ cm, $\overline{AD} = 7$ cm일 때, 다음 물음에 답하시오.

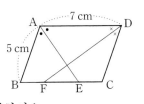

(1) $\overline{BE}$의 길이를 구하시오.

(2) $\overline{CF}$의 길이를 구하시오.

(3) $\overline{FE}$의 길이를 구하시오.

0300 ●중하●●●

오른쪽 그림과 같은 평행사변형 ABCD에서 $\overline{AD} /\!/ \overline{EF}$, $\overline{AB} /\!/ \overline{GH}$일 때, $x + y$의 값은?

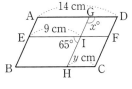

① 110   ② 115

③ 120   ④ 125   ⑤ 130

0301 ●중하●●●

오른쪽 그림과 같은 평행사변형 ABCD에서 $\angle A : \angle B = 3 : 2$일 때, $\angle D$의 크기는?

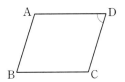

① 54°   ② 60°

③ 66°   ④ 72°   ⑤ 78°

0302 ●●중●●

오른쪽 그림과 같은 평행사변형 ABCD에서 $\overline{BE}$, $\overline{CF}$는 각각 $\angle B$, $\angle C$의 이등분선이고, 점 H는 $\overline{BA}$, $\overline{CF}$의 연장선의 교점이다. $\angle AHF = 54°$일 때, $\angle x$의 크기를 구하시오.

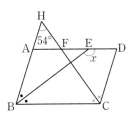

0303 하••••

다음 보기에서 □ABCD가 평행사변형인 것을 모두 고른 것은? (단, 점 O는 두 대각선의 교점이다.)

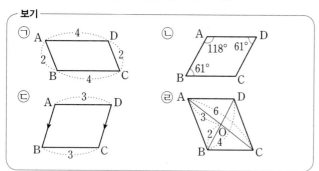

① ㉠, ㉡   ② ㉠, ㉢   ③ ㉠, ㉣

④ ㉠, ㉡, ㉣   ⑤ ㉡, ㉢, ㉣

0304 •중하•••

다음 중 □ABCD가 평행사변형이 <u>아닌</u> 것은?
(단, 점 O는 두 대각선 AC와 BD의 교점이다.)

① $\overline{AB}=4$ cm, $\overline{BC}=6$ cm, $\overline{CD}=4$ cm, $\overline{DA}=6$ cm

② $\angle A=105°$, $\angle B=75°$, $\angle C=105°$, $\angle D=75°$

③ $\overline{AB}\,/\!/\,\overline{DC}$, $\overline{AB}=5$ cm, $\overline{BC}=5$ cm, $\overline{DC}=7$ cm

④ $\overline{OA}=4$ cm, $\overline{OB}=3$ cm, $\overline{OC}=4$ cm, $\overline{OD}=3$ cm

⑤ $\overline{AD}\,/\!/\,\overline{BC}$, $\overline{AB}=7$ cm, $\overline{BC}=9$ cm, $\overline{AD}=9$ cm

0305 ••중••

오른쪽 그림과 같은 평행사변형 ABCD의 두 꼭짓점 B, D에서 대각선 AC에 내린 수선의 발을 각각 P, Q라 할 때, 다음 중 옳지 <u>않은</u> 것은?

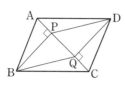

① $\overline{AP}=\overline{CQ}$ ② $\overline{BP}=\overline{DQ}$

③ $\angle ABP=\angle CDQ$ ④ $\overline{PC}=\overline{AQ}$

⑤ $\angle PBC=\angle PCB$

0306 ••중••

오른쪽 그림과 같은 평행사변형 ABCD의 네 변의 중점을 각각 P, Q, R, S라 하고 $\overline{DP}$와 $\overline{BS}$의 교점을 E, $\overline{BR}$와 $\overline{DQ}$의 교점을 F라 할 때, 다음 중 □EBFD가 평행사변형이 되는 조건으로 가장 알맞은 것은?

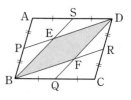

① 두 쌍의 대변이 각각 평행하다.

② 두 쌍의 대변의 길이가 각각 같다.

③ 두 쌍의 대각의 크기가 각각 같다.

④ 두 대각선이 서로 다른 것을 이등분한다.

⑤ 한 쌍의 대변이 평행하고 그 길이가 같다.

0307 ••중••

오른쪽 그림과 같은 평행사변형 ABCD에서 ∠A와 ∠C의 이등분선이 $\overline{BC}$, $\overline{AD}$와 만나는 점을 각각 E, F라 하자. $\overline{AB}=11$ cm, $\overline{AD}=16$ cm, $\overline{CF}=12$ cm일 때, $\overline{AE}$와 $\overline{AF}$의 길이의 합은?

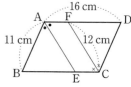

① 10 cm   ② 13 cm   ③ 15 cm

④ 17 cm   ⑤ 20 cm

0308 ••중•• 서술형

오른쪽 그림과 같은 평행사변형 ABCD에서 $\overline{BE}=\overline{DF}$이고 ∠OAE=30°, ∠OCE=25°일 때, ∠AFC의 크기를 구하시오.
(단, 점 O는 두 대각선의 교점이다.)

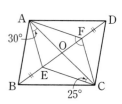

0309 ●●중●●

오른쪽 그림과 같은 평행사변형 ABCD에서 두 점 E, F는 각각 $\overline{AD}$, $\overline{BC}$의 중점이다. $\overline{AF}$와 $\overline{BE}$의 교점을 G, $\overline{CE}$와 $\overline{DF}$의 교점을 H라 하고, $\angle EAG = 60°$, $\angle GBF = 50°$일 때, $\angle EHF$의 크기는?

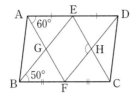

① 85°   ② 90°   ③ 95°
④ 105°   ⑤ 110°

0310 ●●●●상 창의력

다음 그림과 같이 평행사변형 ABCD에서 두 변 BC, DC의 연장선 위에 $\overline{BC} = \overline{CE}$, $\overline{DC} = \overline{CF}$가 되도록 점 E, F를 잡을 때, 평행사변형을 모두 찾고 평행사변형이 되는 이유를 각각 말하시오. (단, □ABCD는 답에서 제외한다.)

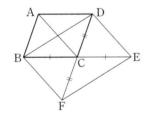

0311 ●●●상중 창의+융합

오른쪽 그림에서 △ABC는 $\overline{AB} = \overline{AC}$인 이등변삼각형이다. $\overline{AF} /\!/ \overline{DE}$, $\overline{AD} /\!/ \overline{FE}$이고 $\overline{AB} = 16$ cm일 때, □ADEF의 둘레의 길이를 구하시오.

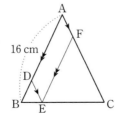

0312 ●●중●● 서술형

오른쪽 그림과 같은 평행사변형 ABCD의 넓이가 84 cm²일 때, 색칠한 부분의 넓이를 구하시오. (단, 점 O는 두 대각선의 교점이다.)

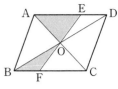

0313 ●●중●●

오른쪽 그림과 같은 평행사변형 ABCD의 넓이가 140 cm²이고 △PDA : △PBC = 3 : 4일 때, △PDA의 넓이는?

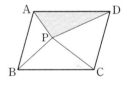

① 20 cm²   ② 25 cm²   ③ 30 cm²
④ 35 cm²   ⑤ 40 cm²

0314 ●●●상중●

오른쪽 그림과 같은 평행사변형 ABCD에서 $\overline{AB} = \overline{AE}$가 되도록 $\overline{AB}$의 연장선 위에 점 E를 잡고 $\overline{AD}$와 $\overline{CE}$가 만나는 점을 F라 하자. □ABCD의 넓이가 16 cm²일 때, △CDF의 넓이는?

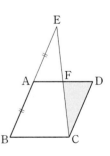

① 4 cm²   ② 5 cm²
③ 6 cm²   ④ 7 cm²
⑤ 8 cm²

4
여러 가지 사각형

01 직사각형   유형 01~03

(1) **직사각형**   네 내각의 크기가 모두 같은 사각형

➡ ∠A=∠B=∠C=∠D

(2) **직사각형의 성질**   두 대각선은 길이가 같고, 서로 다른 것을 이등분한다.

➡ $\overline{AC}=\overline{BD}$, $\overline{AO}=\overline{BO}=\overline{CO}=\overline{DO}$

(3) **평행사변형이 직사각형이 되는 조건**

평행사변형이 다음 중 어느 한 조건을 만족하면 직사각형이 된다.

① 한 내각이 ❶ 이다.

② 두 대각선의 길이가 같다.

답 ❶직각

02 마름모   유형 04~06

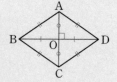

(1) **마름모**   네 변의 길이가 모두 같은 사각형

➡ $\overline{AB}=\overline{BC}=\overline{CD}=\overline{DA}$

(2) **마름모의 성질**   두 대각선은 서로 다른 것을 수직이등분한다.

➡ $\overline{AC}\perp\overline{BD}$, $\overline{AO}=\overline{CO}$, $\overline{BO}=\overline{DO}$

(3) **평행사변형이 마름모가 되는 조건**

평행사변형이 다음 중 어느 한 조건을 만족하면 마름모가 된다.

① 이웃하는 두 변의 길이가 같다.

② 두 대각선이 ❶ 으로 만난다.

답 ❶수직

[0315~0318] 다음 그림에서 □ABCD가 직사각형일 때, x의 값을 구하시오.

0315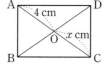

0316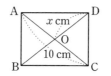

0317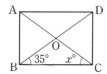

0318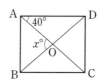

0319 오른쪽 그림과 같은 평행사변형 ABCD가 직사각형이 되는 조건을 다음 보기에서 모두 고르시오.

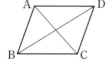

┌ 보기 ─────────────
ㄱ. ∠ABC=90°   ㄴ. $\overline{AB}=\overline{BC}$
ㄷ. $\overline{AC}=\overline{BD}$ ㄹ. ∠BAC=∠DCA
└──────────────────

[0320~0323] 다음 그림에서 □ABCD가 마름모일 때, x의 값을 구하시오.

0320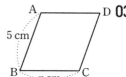

0321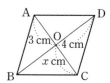

0322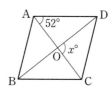

0323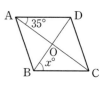

0324 오른쪽 그림과 같은 평행사변형 ABCD가 마름모가 되는 조건을 다음 보기에서 모두 고르시오.

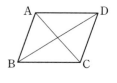

┌ 보기 ─────────────
ㄱ. $\overline{AC}\perp\overline{BD}$ ㄴ. $\overline{AC}\perp\overline{AD}$
ㄷ. ∠BAD=∠BCD   ㄹ. $\overline{AB}=\overline{AD}$
└──────────────────

핵심 포인트!   • 직사각형은 두 쌍의 대각의 크기가 각각 같으므로 평행사변형이다.
        • 마름모는 두 쌍의 대변의 길이가 각각 같으므로 평행사변형이다.

03 정사각형
유형 07~09

(1) **정사각형** 네 내각의 크기가 모두 같고, 네 변의 길이가 모두 같은 사각형

➡ ∠A=∠B=∠C=∠D,
$\overline{AB}=\overline{BC}=\overline{CD}=\overline{DA}$

(2) **정사각형의 성질** 두 대각선은 길이가 같고, 서로 다른 것을 수직이등분한다.

➡ $\overline{AC}=\overline{BD}$, $\overline{AC}\perp\overline{BD}$, $\overline{AO}=\overline{BO}=\overline{CO}=\overline{DO}$

(3) **직사각형이 정사각형이 되는 조건**
직사각형이 다음 중 어느 한 조건을 만족하면 정사각형이 된다.
① 이웃하는 두 변의 길이가 (**1**).
② 두 대각선이 수직으로 만난다.

(4) **마름모가 정사각형이 되는 조건**
마름모가 다음 중 어느 한 조건을 만족하면 정사각형이 된다.
① 한 내각이 (**2**)이다.
② 두 대각선의 길이가 같다.

답 **1** 같다 **2** 직각

[0325~0326] 다음 그림에서 □ABCD가 정사각형일 때, x의 값을 구하시오.

0325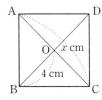

0326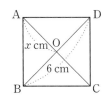

0327 오른쪽 그림과 같은 □ABCD가 정사각형일 때, ∠x, ∠y의 크기를 각각 구하시오.

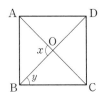

04 등변사다리꼴
유형 10~12

(1) **사다리꼴** 한 쌍의 대변이 평행한 사각형
(2) **등변사다리꼴** 밑변의 양끝각의 크기가 같은 사다리꼴

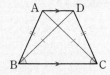

➡ $\overline{AD}\,/\!/\,\overline{BC}$, ∠B=∠C

(3) **등변사다리꼴의 성질**
① 평행하지 않은 한 쌍의 대변의 길이가 같다.
➡ $\overline{AB}=$ (**1**)
② 두 대각선의 길이가 같다.
➡ $\overline{AC}=$ (**2**)

참고 $\overline{AD}\,/\!/\,\overline{BC}$인 등변사다리꼴 ABCD에서
① ∠A+∠B=180°, ∠C+∠D=180°
② ∠B=∠C이므로 ∠A=∠D

답 **1** $\overline{DC}$ **2** $\overline{DB}$

[0328~0333] 다음 그림에서 □ABCD가 $\overline{AD}\,/\!/\,\overline{BC}$인 등변사다리꼴일 때, x의 값을 구하시오.

0328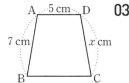

0329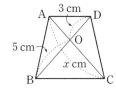

0330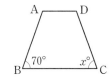

0331

0332

0333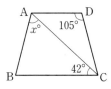

핵심 포인트! · 정사각형은 네 내각의 크기가 모두 같으므로 직사각형이고, 네 변의 길이가 모두 같으므로 마름모이다.
· 직사각형, 마름모, 정사각형은 모두 평행사변형이므로 평행사변형의 모든 성질을 만족한다.

4 여러 가지 사각형

필수유형 01 직사각형의 뜻

(1) 직사각형은 네 **❶** 의 크기가 모두 같은 사각형이다.

(2) 직사각형은 평행사변형이다.

답 ❶ 내각

대표문제

0334 ••중••

오른쪽 그림과 같은 직사각형 ABCD에서 $\overline{BE}=\overline{DE}$이고 ∠BDE=∠CDE일 때, ∠DEC 의 크기를 구하시오.

0335 ••중••

오른쪽 그림과 같은 직사각형 ABCD에서 점 O는 두 대각선의 교점이다. ∠COD=50°일 때, ∠y−∠x의 크기를 구하시오.

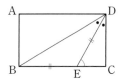

0336 ••중••

오른쪽 그림과 같이 직사각형 모양의 종이를 꼭짓점 C가 꼭짓점 A에 오도록 접었다. ∠BAE=18°일 때, ∠x, ∠y의 크기를 각각 구하시오.

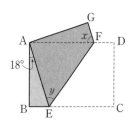

필수유형 02 직사각형의 성질

직사각형의 두 대각선은 길이가 같고, 서로 다른 것을 이등분한다.

➡ $\overline{AC}=$ **❶** ,

$\overline{AO}=\overline{BO}=\overline{CO}=\overline{DO}$

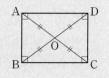

답 ❶ $\overline{BD}$

대표문제

0337 하••••

오른쪽 그림과 같은 직사각형 ABCD에서 점 O는 두 대각선의 교점이다. ∠OBA=50°, $\overline{OD}=5$ cm 일 때, x, y의 값을 각각 구하시오.

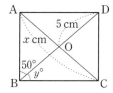

0338 하••••

오른쪽 그림의 직사각형 ABCD에서 점 O는 두 대각선의 교점일 때, 다음 중 옳지 <u>않은</u> 것은?

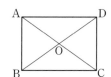

① $\overline{AC}=\overline{BD}$

② $\overline{AO}=\overline{BO}=\overline{CO}=\overline{DO}$

③ $\overline{AC}\perp\overline{BD}$

④ $\overline{AB}=\overline{DC}$, $\overline{AD}=\overline{BC}$

⑤ ∠ABO=∠CDO

0339 •중하•••

다음은 직사각형의 두 대각선의 길이가 같음을 설명하는 과정이다. (가)~(다)에 알맞은 것을 써넣으시오.

△ABC와 △DCB에서

$\overline{AB}=\overline{DC}$,

∠ABC=∠DCB= (가) ,

(나) 는 공통

이므로 △ABC≡△DCB ((다) 합동)

∴ $\overline{AC}=\overline{DB}$

따라서 직사각형의 두 대각선의 길이는 같다.

0340 ●중하●●●● 서술형

오른쪽 그림과 같은 직사각형 ABCD에서 점 O가 두 대각선의 교점일 때, $\overline{BD}$의 길이를 구하시오.

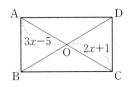

0341 ●중하●●●●

오른쪽 그림과 같은 직사각형 ABCD에서 점 O는 두 대각선의 교점이다. ∠OAB=55°일 때, ∠AOD의 크기를 구하시오.

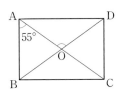

필수유형03 평행사변형이 직사각형이 되는 조건

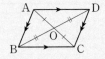
∠A=90°
또는 $\overline{AC}=\overline{BD}$
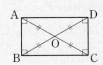

대표문제

0342 ●●중●●●

다음 중 오른쪽 그림과 같은 평행사변형 ABCD가 직사각형이 되는 조건이 아닌 것은?
(단, 점 O는 두 대각선의 교점이다.)

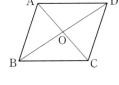

① $\overline{AC}=\overline{BD}$　　　　② ∠BAD=∠ADC
③ $\overline{DO}=\overline{CO}$　　　　④ $\overline{AC}\perp\overline{BD}$
⑤ ∠ABC=90°

0343 ●중하●●●

오른쪽 그림과 같은 평행사변형 ABCD에서 ∠BAD=∠ABC일 때, 다음 중 길이가 나머지 넷과 다른 하나는?

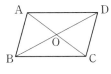

① $\overline{AO}$　　　② $\overline{BO}$　　　③ $\overline{CO}$
④ $\overline{DO}$　　　⑤ $\overline{DC}$

0344 ●●중●●●

오른쪽 그림과 같은 평행사변형 ABCD에서 점 O는 두 대각선의 교점이다. $\overline{AD}=5\,\text{cm}$, $\overline{BD}=8\,\text{cm}$일 때, 다음 중 □ABCD가 직사각형이 되는 조건을 모두 고르면? (정답 2개)

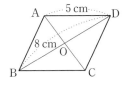

① $\overline{AB}=5\,\text{cm}$　　② $\overline{BO}=4\,\text{cm}$　　③ $\overline{AC}=8\,\text{cm}$
④ ∠BOC=90°　　⑤ ∠ABC=90°

0345 ●●중●●●

다음은 두 대각선의 길이가 같은 평행사변형은 직사각형임을 설명하는 과정이다. (가)~(마)에 알맞은 것을 써넣으시오.

△ABC와 △DCB에서
$\overline{AB}=$ [(가)],
$\overline{AC}=\overline{DB}$,
$\overline{BC}$는 공통
이므로 △ABC≡△DCB ([(나)] 합동)
∴ ∠ABC= [(다)]　　　……㉠
이때 □ABCD는 평행사변형이므로
∠ABC= [(라)], ∠BCD= [(마)]　　……㉡
㉠, ㉡에서 ∠ABC=∠BCD=∠CDA=∠DAB
따라서 □ABCD는 직사각형이다.

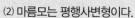

필수유형 04 마름모의 뜻

(1) 마름모는 네 ❶ 의 길이가 모두
   같은 사각형이다.

(2) 마름모는 평행사변형이다.

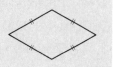

답 ❶변

대표문제

0346 하••••

오른쪽 그림과 같은 마름모
ABCD에서 ∠DCA=60°이고
$\overline{BC}$=20 cm일 때, $x+y$의 값을
구하시오.

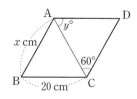

0347 하••••

오른쪽 그림과 같은 마름모
ABCD에서 ∠ABD=32°일 때,
∠C의 크기를 구하시오.

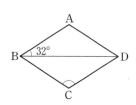

0348 ••중••

오른쪽 그림과 같이 마름모
ABCD의 꼭짓점 A에서 $\overline{BC}$
에 내린 수선의 발을 H라 하자.
$\overline{BH}=\overline{CH}$일 때, ∠D의 크기를
구하시오.

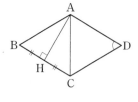

0349 ••중••

오른쪽 그림과 같이 마름모
ABCD의 꼭짓점 A에서 $\overline{BC}$,
$\overline{CD}$에 내린 수선의 발을 각각
P, Q라 하자. ∠B=50°일 때,
∠x의 크기를 구하시오.

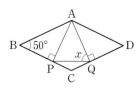

0350 •••상중•

오른쪽 그림과 같은 마름모
ABCD에서 △ABE는 정삼각
형이고 ∠ABC=84°일 때,
∠x＋∠y의 크기를 구하시오.

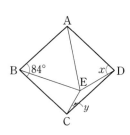

필수유형 05 마름모의 성질

마름모는 두 대각선이 서로 다른
것을 수직이등분한다.
➡ $\overline{AC}$⊥ ❶ ,
   $\overline{AO}=\overline{CO}, \overline{BO}=\overline{DO}$

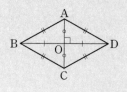

답 ❶ $\overline{BD}$

대표문제

0351 •중하•••

오른쪽 그림과 같은 마름모
ABCD에서 점 O는 두 대각선
의 교점이다. ∠OAD=60°이
고 $\overline{OD}$=6 cm일 때, $x+y$의 값
을 구하시오.

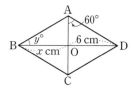

0352

다음은 마름모의 두 대각선은 서로 수직임을 설명하는 과정이다. ㈎~㈑에 알맞은 것을 써넣으시오.

> 마름모 ABCD에서 두 대각선
> 의 교점을 O라 하면
> △ABO와 △ADO에서
> $\overline{AO}$는 공통, $\overline{AB}=$ ㈎ ,
> ㈏ $=\overline{DO}$
> 따라서 △ABO≡△ADO (㈐ 합동)이므로
> ∠AOB=∠AOD
> 이때 ∠AOB+∠AOD=180°이므로
> ∠AOB=∠AOD= ㈑
> 따라서 마름모의 두 대각선은 서로 수직이다.

0353

오른쪽 그림과 같은 마름모 ABCD에서 점 O는 두 대각선의 교점일 때, 다음 중 옳지 <u>않은</u> 것은?

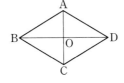

① $\overline{AC}\perp\overline{BD}$
② $\overline{AO}=\overline{BO}=\overline{CO}=\overline{DO}$
③ $\overline{AB}=\overline{BC}=\overline{CD}=\overline{DA}$
④ △ABO≡△CBO
⑤ $\overline{BD}$는 ∠B의 이등분선이다.

0354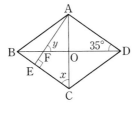

오른쪽 그림과 같은 마름모 ABCD에서 점 O는 두 대각선의 교점이고 $\overline{AE}\perp\overline{BC}$이다. ∠ADO=35°일 때, ∠x+∠y 의 크기를 구하시오.

필수유형 **06** 평행사변형이 마름모가 되는 조건

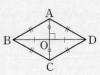

$$\overline{AB}=\overline{BC}$$
$$\text{또는 } \overline{AC}\perp\overline{BD}$$

대표문제

0355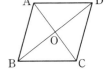

오른쪽 그림과 같은 평행사변형 ABCD가 마름모가 되는 조건을 다음 보기에서 모두 고르시오.
(단, 점 O는 두 대각선의 교점이다.)

┌ 보기 ─────────────────
㉠ $\overline{AB}=\overline{AD}$　　　　㉡ $\overline{BC}=\overline{AD}$
㉢ ∠BAD=90°　　　㉣ ∠AOB=90°
㉤ ∠ABO=∠CBO　　㉥ ∠BAO=∠ABO
㉦ $\overline{OB}=\overline{OD}$　　　　㉧ $\overline{OA}=\overline{OC}$
└──────────────────────

0356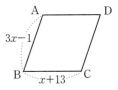

오른쪽 그림과 같은 평행사변형 ABCD가 마름모가 되도록 하는 $\overline{CD}$의 길이를 구하시오.

$3x-1$

$x+13$

0357 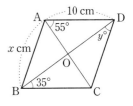 서술형

오른쪽 그림과 같은 평행사변형 ABCD에서 점 O는 두 대각선의 교점이다. ∠OAD=55°, ∠OBC=35°, $\overline{AD}=10$ cm일 때, x, y의 값을 각각 구하시오.

10 cm
55°
x cm
$y°$
35°

필수유형**07** 정사각형의 뜻

(1) 정사각형은 네 ❶ 의 크기가 모두 같고, 네 ❷ 의 길이가 모두 같은 사각형이다.

(2) 정사각형은 직사각형이고 마름모이다.

답 ❶ 내각 ❷ 변

대표문제

0358 ••중••

오른쪽 그림과 같은 정사각형 ABCD에서 대각선 BD 위의 점 P에 대하여 ∠DAP=22°일 때, ∠x의 크기를 구하시오.

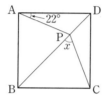

0359 ••중•• **서술형**

오른쪽 그림과 같은 정사각형 ABCD에서 $\overline{BD}=\overline{BE}$이고 ∠EBD=38°일 때, ∠x+∠y의 크기를 구하시오.

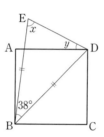

0360 ••중••

오른쪽 그림과 같은 정사각형 ABCD에서 $\overline{AD}=\overline{AE}$이고 ∠ABE=30°일 때, ∠ADE의 크기를 구하시오.

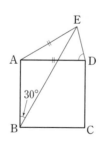

0361 ••중••

오른쪽 그림과 같은 정사각형 ABCD에서 $\overline{AD}=\overline{AE}$이고 ∠ABE=72°일 때, ∠DFB의 크기를 구하시오.

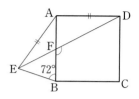

0362 ••중••

오른쪽 그림과 같은 정사각형 ABCD에서 $\overline{BC}$를 한 변으로 하는 정삼각형 PBC를 그렸다. 이때 ∠PAD의 크기를 구하시오.

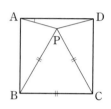

0363 ••중••

오른쪽 그림과 같이 정사각형 ABCD의 대각선 BD 위에 점 E를 잡고 $\overline{AE}$의 연장선과 $\overline{BC}$의 연장선의 교점을 F라 하자.

∠F=28°일 때, ∠x의 크기를 구하시오.

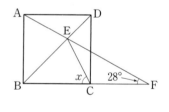

0364 •••상중•

오른쪽 그림과 같은 정사각형 ABCD에서 $\overline{BE}=\overline{CF}$이고 $\overline{AE}$와 $\overline{BF}$의 교점을 G라 할 때, ∠AGF의 크기를 구하시오.

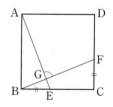

필수유형 08 정사각형의 성질

정사각형의 두 대각선은 길이가 같고,
서로 다른 것을 수직이등분한다.
➡ $\overline{AC}=$ ❶ , $\overline{AC}\perp\overline{BD}$,
$\overline{AO}=\overline{BO}=\overline{CO}=\overline{DO}$

답 ❶ $\overline{BD}$

대표문제

0365 하●●●●

오른쪽 그림과 같은 정사각형 ABCD
에서 점 O가 두 대각선의 교점일 때,
다음 보기에서 옳은 것을 모두 고르시
오.

보기
㉠ $\overline{AB}=\overline{AD}$ ㉡ $\overline{AD}=\overline{DO}$
㉢ $\overline{AO}=\overline{DO}$ ㉣ $\angle AOD=90°$

0366 ●중하●●●

오른쪽 그림과 같은 정사각형
ABCD에서 점 O는 두 대각선의 교
점이고 $\overline{BD}=6$ cm일 때, □ABCD
의 넓이를 구하시오.

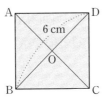

0367 ●●중●●

오른쪽 그림에서 □ABCD와
□OEFG는 서로 합동인 정사
각형이다. 점 O가 $\overline{AC}$와 $\overline{BD}$의
교점이고 $\overline{AB}=8$ cm일 때,
□OPCQ의 넓이를 구하시오.

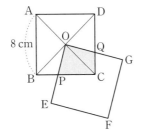

필수유형 09 정사각형이 되는 조건

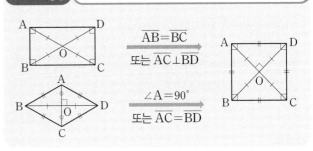

대표문제

0368 ●●중●●

다음 중 오른쪽 그림과 같은 평행사
변형 ABCD가 정사각형이 되는 조
건을 모두 고르면? (단, 점 O는 두
대각선의 교점이다.) (정답 2개)

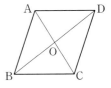

① $\angle ABC=90°$, $\overline{AC}=\overline{BD}$
② $\angle ADC=90°$, $\overline{AC}\perp\overline{BD}$
③ $\angle AOD=90°$, $\overline{BC}=\overline{CD}$
④ $\overline{AB}=\overline{BC}$, $\overline{OA}=\overline{OB}$
⑤ $\overline{OA}=\overline{OC}$, $\angle BAO=\angle DCO$

0369 ●●중●●

다음 중 오른쪽 그림과 같은 직사각
형 ABCD가 정사각형이 되는 조건
을 모두 고르면? (단, 점 O는 두 대
각선의 교점이다.) (정답 2개)

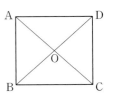

① $\overline{AB}=\overline{BC}$ ② $\overline{AC}=\overline{BD}$
③ $\angle AOD=\angle BOC$ ④ $\angle AOB=\angle AOD$
⑤ $\overline{AO}=\overline{CO}$

0370 ●●중●●

다음 중 오른쪽 그림과 같은 마름
모 ABCD가 정사각형이 되는 조
건을 모두 고르면? (단, 점 O는 두
대각선의 교점이다.) (정답 2개)

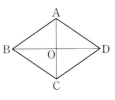

① $\overline{AO}=\overline{CO}$ ② $\overline{AO}=\overline{BO}$
③ $\angle BAO=\angle DAO$ ④ $\angle ABO=\angle CBO$
⑤ $\angle DAB=\angle ABC$

4
여러 가지 사각형

필수유형 **10** 등변사다리꼴의 뜻

(1) 사다리꼴은 한 쌍의 대변이 평행한 사각형이다.

(2) 등변사다리꼴은 밑변의 양 **❶** 의 크기가 같은 사다리꼴이다.

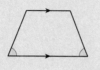

답 **❶**끝 각

대표문제

0371 ●중하●●●

오른쪽 그림과 같이 $\overline{AD} /\!/ \overline{BC}$인 등변사다리꼴 ABCD에서 ∠DAC=28°, ∠B=64°일 때, ∠x−∠y의 크기를 구하시오.

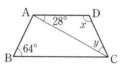

0372 ●중하●●●

다음 사각형 중 등변사다리꼴인 것을 모두 고르면?

(정답 2개)

① 평행사변형 　② 직사각형 　③ 마름모

④ 정사각형 　⑤ 사다리꼴

0373 ●●중●●

오른쪽 그림과 같이 $\overline{AD} /\!/ \overline{BC}$인 등변사다리꼴 ABCD에서 $\overline{AB}=\overline{AD}$이고 ∠ADB=34°일 때, ∠$x$의 크기를 구하시오.

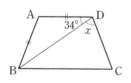

필수유형 **11** (중요) 등변사다리꼴의 성질

(1) 등변사다리꼴은 평행하지 않은 한 쌍의 대변의 길이가 같다.
➡ $\overline{AB}=$ **❶**

(2) 등변사다리꼴은 두 대각선의 길이가 같다. ➡ $\overline{AC}=\overline{DB}$

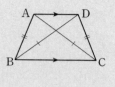

답 **❶**$\overline{DC}$

대표문제

0374 ●●중●●

오른쪽 그림과 같이 $\overline{AD} /\!/ \overline{BC}$인 등변사다리꼴 ABCD에서 두 대각선의 교점을 O라 할 때, 다음 중 옳지 <u>않은</u> 것은?

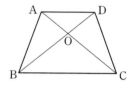

① $\overline{OA}=\overline{OC}$ 　　② $\overline{AC}=\overline{DB}$

③ ∠BAD=∠CDA 　④ ∠ACB=∠DBC

⑤ △ABD≡△DCA

0375 ●중하●●●

오른쪽 그림과 같이 $\overline{AD} /\!/ \overline{BC}$인 등변사다리꼴 ABCD에서 $\overline{AD}$의 길이를 구하시오.

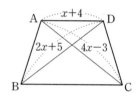

0376 ●중하●●●

다음은 등변사다리꼴의 평행하지 않은 한 쌍의 대변의 길이가 같음을 설명하는 과정이다. ㈎~㈑에 알맞은 것을 써넣으시오.

$\overline{AD} /\!/ \overline{BC}$인 등변사다리꼴 ABCD에서 꼭짓점 D를 지나고 $\overline{AB}$에 평행한 직선을 그어 $\overline{BC}$와 만나는 점을 E라 하면

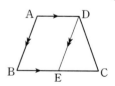

$\overline{AB}=$ ㈎

$\overline{AB} /\!/ \overline{DE}$이므로 ∠B= ㈏ (동위각)

따라서 ∠C=∠DEC이므로 △DEC는 $\overline{DE}=$ ㈐ 인 ㈑ 이다.

∴ $\overline{AB}=\overline{DC}$

0377 ●●중●●

다음은 등변사다리꼴의 두 대각선의 길이가 같음을 설명하는 과정이다. (가)~(마)에 알맞은 것을 써넣으시오.

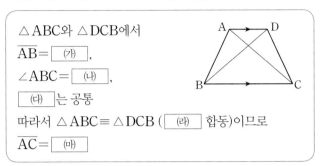

△ABC와 △DCB에서
$\overline{AB}=$ [(가)],
∠ABC= [(나)],
[(다)] 는 공통
따라서 △ABC≡△DCB ([(라)] 합동)이므로
$\overline{AC}=$ [(마)]

0378 ●●중●●

오른쪽 그림과 같이 $\overline{AD} /\!/ \overline{BC}$인 등변사다리꼴 ABCD에서 $\overline{AC} /\!/ \overline{DE}$가 되도록 $\overline{BC}$의 연장선 위에 점 E를 잡았다. ∠DBC=35°일 때, ∠x의 크기를 구하시오.

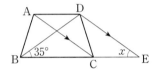

필수유형 12 등변사다리꼴의 성질의 활용 중요

$\overline{AD} /\!/ \overline{BC}$인 등변사다리꼴 ABCD에서

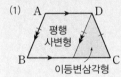 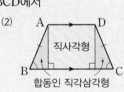

(1) 평행사변형 / 이등변삼각형
(2) 직사각형 / 합동인 직각삼각형

대표문제
0379 ●●중●●

오른쪽 그림과 같이 $\overline{AD} /\!/ \overline{BC}$인 등변사다리꼴 ABCD에서 $\overline{AB}=7$ cm, $\overline{AD}=5$ cm이고 ∠A=120°일 때, $\overline{BC}$의 길이를 구하시오.

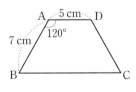

0380 ●●중●●

오른쪽 그림과 같이 $\overline{AD} /\!/ \overline{BC}$인 등변사다리꼴 ABCD에서 ∠B=60°이고 $\overline{AB}=20$ cm, $\overline{BC}=30$ cm일 때, $\overline{AD}$의 길이를 구하시오.

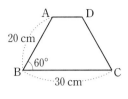

0381 ●●중●●

오른쪽 그림과 같이 $\overline{AD} /\!/ \overline{BC}$인 등변사다리꼴 ABCD의 꼭짓점 D에서 $\overline{BC}$에 내린 수선의 발을 E라 하자. $\overline{AD}=8$ cm, $\overline{BC}=16$ cm일 때, $\overline{EC}$의 길이를 구하시오.

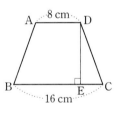

0382 ●●중●● 서술형

오른쪽 그림과 같이 $\overline{AD} /\!/ \overline{BC}$인 등변사다리꼴 ABCD에서 $\overline{AB}=\overline{AD}=\overline{DC}$, $\overline{BC}=2\overline{AD}$일 때, ∠C의 크기를 구하시오.

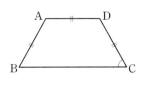

05 여러 가지 사각형 사이의 관계 _{유형 13~16}

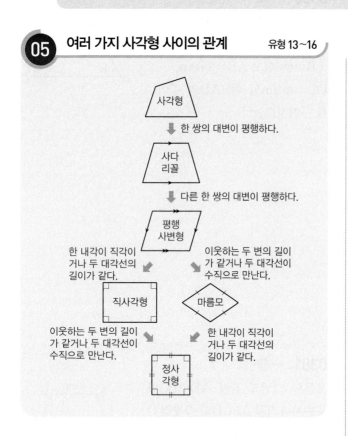

[0383~0388] 다음은 여러 가지 사각형의 성질을 표로 나타낸 것이다. 옳은 것에는 ○표, 옳지 않은 것에는 ×표를 하시오.

사각형의 종류 / 사각형의 성질	사다 리꼴	평행 사변형	직사 각형	마름모	정사 각형
0383 한 쌍의 대변이 평행하다.					
0384 두 쌍의 대변이 각각 평행하다.					
0385 네 변의 길이가 모두 같다.					
0386 네 내각의 크기 가 모두 같다.					
0387 두 대각선의 길 이가 같다.					
0388 두 대각선이 서 로 수직이다.					

06 평행선과 삼각형의 넓이 _{유형 17~21}

(1) $l /\!/ m$이면

$$\triangle ABC = \triangle DBC$$
$$= \triangle EBC$$
$$= \frac{1}{2} ah$$

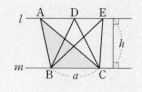

(2) $\overline{BC} : \overline{CD} = m : n$이면

$$\triangle ABC : \triangle ACD$$
$$= m : \boxed{①}$$

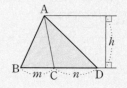

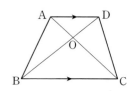

답 **①** n

[0389~0391] 오른쪽 그림과 같이 $\overline{AD} /\!/ \overline{BC}$인 사다리꼴 ABCD에서 두 대각선의 교점을 O라 할 때, 다음을 구하시오.

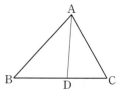

0389 △ABC와 넓이가 같은 삼각형

0390 △ABD와 넓이가 같은 삼각형

0391 △OAB와 넓이가 같은 삼각형

[0392~0393] 오른쪽 그림과 같은 △ABC에서 $\overline{BD} : \overline{DC} = 4 : 3$이고 △ADC의 넓이가 30 cm^2일 때, 다음을 구하시오.

0392 △ABD의 넓이

0393 △ABC의 넓이

핵심 포인트! (1) 두 대각선이 서로 다른 것을 이등분한다. ➡ 평행사변형, 직사각형, 마름모, 정사각형
(2) 두 대각선의 길이가 같다. ➡ 직사각형, 정사각형, 등변사다리꼴
(3) 두 대각선이 서로 수직이다. ➡ 마름모, 정사각형

필수유형 13 여러 가지 사각형

이미 알고 있는 여러 가지 사각형의 뜻과 성질, 삼각형의 합동 조건 등을 이용하여 주어진 사각형이 어떤 사각형인지 알아낸다.

대표문제

0394 ••중••

오른쪽 그림과 같이 평행사변형 ABCD의 네 내각의 이등분선의 교점을 각각 E, F, G, H라 할 때, 다음 중 □EFGH에 대한 설명으로 옳지 <u>않은</u> 것은?

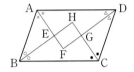

① 두 대각선의 길이가 같다.

② 두 쌍의 대변의 길이가 각각 같다.

③ 두 대각선이 수직으로 만난다.

④ 한 쌍의 대각의 크기의 합은 180°이다.

⑤ 두 대각선이 서로 다른 것을 이등분한다.

0395 ••중••

오른쪽 그림과 같은 평행사변형 ABCD에서 $\overline{AP} \perp \overline{BC}$, $\overline{AQ} \perp \overline{CD}$이고 $\overline{AP} = \overline{AQ}$일 때, □ABCD는 어떤 사각형인지 말하시오.

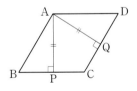

0396 ••중••

오른쪽 그림과 같은 평행사변형 ABCD에서 점 M은 $\overline{AD}$의 중점이다. $\overline{BM} = \overline{CM}$일 때, □ABCD는 어떤 사각형이 되는지 말하시오.

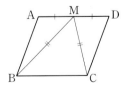

0397 ••중•• 서술형

오른쪽 그림과 같은 직사각형 ABCD에서 $\overline{AC} \perp \overline{EF}$이고 $\overline{OA} = \overline{OC}$이다. $\overline{BC} = 10$ cm, $\overline{FD} = 3$ cm일 때, 다음 물음에 답하시오.

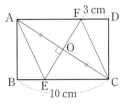

(1) □AECF는 어떤 사각형인지 말하시오.

(2) $\overline{AE}$의 길이를 구하시오.

0398 ••중••

오른쪽 그림과 같은 정사각형 ABCD에서 $\overline{BE} = \overline{CF} = \overline{DG} = \overline{AH}$가 되도록 각 변 위에 점 E, F, G, H를 잡을 때, □EFGH는 어떤 사각형인지 말하시오.

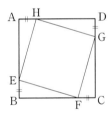

0399 ••중••

오른쪽 그림과 같은 평행사변형 ABCD에서 ∠A, ∠B의 이등분선이 $\overline{BC}$, $\overline{AD}$와 만나는 점을 각각 E, F라 할 때, 다음 중 □ABEF에 대한 설명으로 옳지 <u>않은</u> 것을 모두 고르면? (정답 2개)

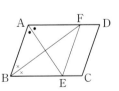

① $\overline{AB} = \overline{AF}$ ② $\overline{AF} = \overline{BE}$ ③ ∠A = 90°

④ $\overline{AE} \perp \overline{BF}$ ⑤ $\overline{AE} = \overline{BF}$

중요

필수유형 14 여러 가지 사각형 사이의 관계

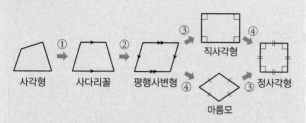

① 한 쌍의 대변이 평행하다.
② 다른 한 쌍의 대변이 평행하다.
③ 한 내각의 크기가 90°이거나 두 대각선의 길이가 같다.
④ 이웃하는 두 변의 길이가 같거나 두 대각선이 서로 ❶
  이다.

🔁 ❶수직

대표문제

0400 ●●중●●

오른쪽 그림과 같은 평행사변형 ABCD가 다음 조건을 만족할 때, 어떤 사각형이 되는지 연결한 것으로 옳지 <u>않은</u> 것을 모두 고르면? (정답 2개)

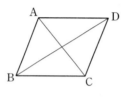

① $\overline{AC}=\overline{BD}$ ➡ 마름모
② $\angle A=90°$, $\overline{AC}\perp\overline{BD}$ ➡ 정사각형
③ $\angle A=90°$ ➡ 직사각형
④ $\overline{AC}\perp\overline{BD}$ ➡ 마름모
⑤ $\overline{AB}=\overline{BC}$ ➡ 정사각형

0401 ●●중●●

다음 중 옳지 <u>않은</u> 것은?

① 두 대각선의 길이가 같은 평행사변형은 직사각형이다.
② 두 대각선이 서로 수직인 직사각형은 정사각형이다.
③ 한 내각의 크기가 90°인 마름모는 정사각형이다.
④ 이웃하는 두 변의 길이가 같은 평행사변형은 정사각형이다.
⑤ 한 내각의 크기가 90°인 평행사변형은 직사각형이다.

0402 ●●중●●

다음 중 여러 가지 사각형 사이의 관계로 옳지 <u>않은</u> 것은?

① 평행사변형은 사다리꼴이다.
② 직사각형은 평행사변형이다.
③ 정사각형은 직사각형이다.
④ 마름모는 평행사변형이다.
⑤ 마름모는 직사각형이다.

필수유형 15 여러 가지 사각형의 대각선의 성질

(1) 평행사변형 ➡ 두 대각선이 서로 다른 것을 이등분한다.
(2) 직사각형 ➡ 두 대각선의 길이가 같고, 서로 다른 것을 ❶ 한다.
(3) 마름모 ➡ 두 대각선이 서로 다른 것을 ❷ 한다.
(4) 정사각형 ➡ 두 대각선의 길이가 같고, 서로 다른 것을 수직이등분한다.
(5) 등변사다리꼴 ➡ 두 대각선의 길이가 같다.

🔁 ❶이등분 ❷수직이등분

대표문제

0403 ●하●●●●

다음 중 두 대각선의 길이가 같은 사각형을 모두 고르면? (정답 2개)

① 사다리꼴   ② 평행사변형   ③ 직사각형
④ 마름모   ⑤ 정사각형

0404 ●중하●●●

다음 보기에서 두 대각선이 서로 다른 것을 수직이등분하는 사각형을 모두 고르시오.

보기
㉠ 등변사다리꼴   ㉡ 평행사변형
㉢ 직사각형   ㉣ 마름모
㉤ 정사각형   ㉥ 사다리꼴

필수유형16 사각형의 각 변의 중점을 연결하여 만든 사각형

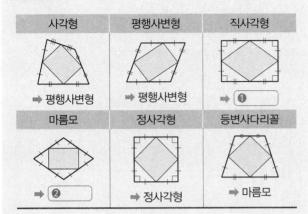

사각형	평행사변형	직사각형
➡ 평행사변형	➡ 평행사변형	➡ ❶
마름모	정사각형	등변사다리꼴
➡ ❷	➡ 정사각형	➡ 마름모

답 ❶마름모 ❷직사각형

대표문제

0405 ●중하●●●

다음은 사각형과 그 사각형의 각 변의 중점을 연결하여 만든 사각형을 짝 지은 것이다. 옳지 <u>않은</u> 것은?

① 사각형 ➡ 평행사변형　② 평행사변형 ➡ 마름모
③ 마름모 ➡ 직사각형　④ 정사각형 ➡ 정사각형
⑤ 등변사다리꼴 ➡ 마름모

0406 ●중하●●●

다음 중 각 변의 중점을 연결하여 만든 사각형이 마름모인 것을 모두 고르면? (정답 2개)

① 평행사변형　② 직사각형　③ 마름모
④ 사다리꼴　⑤ 등변사다리꼴

0407 ●●중●●

다음 중 등변사다리꼴의 각 변의 중점을 연결하여 만든 사각형의 성질이 <u>아닌</u> 것은?

① 두 쌍의 대변이 각각 평행하다.
② 이웃하는 두 변의 길이가 같다.
③ 두 대각선의 길이가 같다.
④ 두 대각선이 서로 수직이다.
⑤ 두 대각선은 서로 다른 것을 이등분한다.

0408 ●●중●●● (서술형)

오른쪽 그림과 같이 □ABCD의 각 변의 중점을 E, F, G, H라 하자. ∠HEF=80°, $\overline{EF}$=7 cm, $\overline{FG}$=6 cm일 때, 다음 물음에 답하시오.

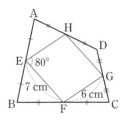

(1) □EFGH는 어떤 사각형인지 말하시오.

(2) $\overline{HG}$의 길이를 구하시오.

(3) ∠EFG의 크기를 구하시오.

0409 ●●중●●

오른쪽 그림과 같이 $\overline{AD}$ ∥ $\overline{BC}$인 등변사다리꼴 ABCD의 각 변의 중점을 E, F, G, H라 하자. $\overline{EH}$=5 cm일 때, □EFGH의 둘레의 길이를 구하시오.

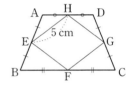

0410 ●●중●●

오른쪽 그림과 같이 직사각형 ABCD의 각 변의 중점을 E, F, G, H라 할 때, 다음 중 옳은 것을 모두 고르면? (정답 2개)

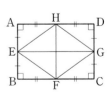

① $\overline{EF}$=$\overline{EH}$　② $\overline{EG}$=$\overline{HF}$
③ $\overline{EG}$⊥$\overline{HF}$　④ ∠FEG=∠EHF
⑤ ∠EHG=∠FGH

필수유형 **17** 평행선과 삼각형의 넓이

오른쪽 그림에서 $\overline{AC} \parallel \overline{DE}$이면
(1) $\triangle ACD = \triangle ACE$
(2) $\square ABCD = \triangle ABC + \triangle ACD$
$= \triangle ABC + \triangle ACE$
$= \boxed{❶}$

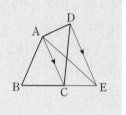

🔲 ❶ △ABE

대표문제

0411 ••중••

오른쪽 그림과 같이 $\square ABCD$의 꼭짓점 D를 지나고 $\overline{AC}$에 평행한 직선이 $\overline{BC}$의 연장선과 만나는 점을 E라 하자. $\overline{AH}=6$ cm, $\overline{BC}=8$ cm, $\overline{CE}=4$ cm일 때, $\square ABCD$의 넓이를 구하시오.

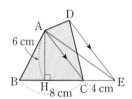

0412 ••중••

오른쪽 그림에서 $\overline{AC} \parallel \overline{DE}$일 때, 다음 중 옳지 <u>않은</u> 것은?

① $\triangle ACD = \triangle ACE$
② $\triangle DCE = \triangle DAE$
③ $\triangle AED = \triangle ACD$
④ $\triangle ODA = \triangle OCE$
⑤ $\square ABCD = \triangle ABE$

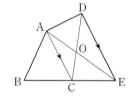

0413 ••중••

오른쪽 그림에서 $\overline{AC} \parallel \overline{DE}$이고 $\triangle ABC=40$ cm^2, $\triangle ABE=25$ cm^{2}일 때, $\triangle ADC$의 넓이를 구하시오.

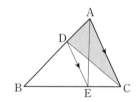

0414 ••중•• 서술형

오른쪽 그림과 같이 $\square ABCD$의 꼭짓점 D를 지나고 $\overline{AC}$에 평행한 직선이 $\overline{BC}$의 연장선과 만나는 점을 E라 하자. $\square ABCD=40$ cm^2, $\triangle ABC=24$ cm^{2}일 때, 다음 물음에 답하시오.

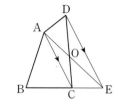

(1) $\triangle ACD$와 넓이가 같은 삼각형을 말하고, 그 삼각형의 넓이를 구하시오.

(2) $\triangle ABE$의 넓이를 구하시오.

0415 ••중••

오른쪽 그림과 같이 $\square ABCD$의 꼭짓점 D를 지나고 $\overline{AC}$에 평행한 직선이 $\overline{BC}$의 연장선과 만나는 점을 E라 하자. $\overline{AB}=5$ cm, $\overline{BE}=8$ cm이고 $\triangle ACD$의 넓이가 9 cm^{2}일 때, $\triangle ABC$의 넓이를 구하시오.

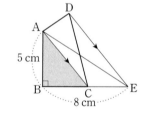

0416 •••상중••

오른쪽 그림과 같이 반지름의 길이가 6 cm인 원 O에서 $\overline{AB}$는 지름이고 $\overline{AB} \parallel \overline{CD}$이다. $\angle COD=60°$일 때, 색칠한 부분의 넓이를 구하시오.

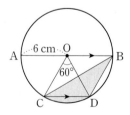

필수유형18 높이가 같은 두 삼각형의 넓이

(1) $\overline{BD} : \overline{DC} = m : n$이면
  $\triangle ABD : \triangle ADC = m : n$
(2) $\overline{BD} = \overline{DC}$이면
  $\triangle ABD = $ ❶

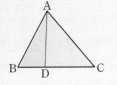

답 ❶ △ADC

대표문제

0417 ●●중●●

오른쪽 그림과 같은 △ABC에서
$\overline{AD} : \overline{DC} = 3 : 2$,
$\overline{BE} : \overline{EC} = 1 : 2$이다. △ABC의
넓이가 $60 \, cm^2$일 때, △DEC의
넓이를 구하시오.

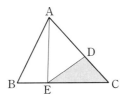

0418 ●●중●●

오른쪽 그림과 같은 △ABC에
서 $\overline{BC}$의 중점을 M이라 하고,
$\overline{AM}$의 삼등분점을 각각 D, E라
하자. △DBE의 넓이가 $7 \, cm^2$
일 때, △ABC의 넓이를 구하
시오.

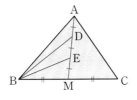

0419 ●●중●●

오른쪽 그림과 같은 △ABC에서
$\overline{AE} : \overline{EC} = 3 : 4$,
$\overline{BO} : \overline{OE} = 3 : 2$이다. △ABC의
넓이가 $35 \, cm^2$일 때, △OCE의
넓이를 구하시오.

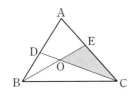

0420 ●●●상중●

오른쪽 그림과 같은 △ABC에서
$\overline{AC} /\!/ \overline{DE}$이고 $\overline{BF} : \overline{FC} = 3 : 4$
이다. △DBF의 넓이가 $9 \, cm^2$일
때, □ADFE의 넓이를 구하시오.

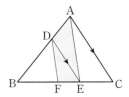

필수유형19 평행사변형에서 높이가 같은 두 삼각형의 넓이

오른쪽 그림의 평행사변형 ABCD
에서 $\overline{AC} /\!/ \overline{EF}$이면
  $\triangle ABE = \triangle ACE$
    $= \triangle ACF$
    $= $ ❶

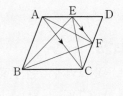

답 ❶ △BCF

대표문제

0421 ●●중●●

오른쪽 그림과 같은 평행사변형
ABCD에서 $\overline{BD} /\!/ \overline{EF}$일 때, 다
음 중 넓이가 나머지 넷과 다른
하나는?

① △ABE ② △DAF ③ △DBF
④ △DBE ⑤ △DEC

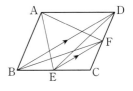

0422 ●●중●●

오른쪽 그림과 같은 평행사변형
ABCD에서 $\overline{AC} /\!/ \overline{EF}$이고
□ABCD = $50 \, cm^2$,
△EBC = $10 \, cm^2$일 때,
△DFC의 넓이를 구하시오.

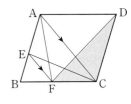

0423 ●●중●●

오른쪽 그림과 같은 평행사변형 ABCD에서 △AED=20 cm², △DEC=8 cm²일 때, △ABE 의 넓이를 구하시오.

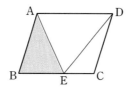

0424 ●●●상중●

오른쪽 그림과 같은 평행사변형 ABCD에서 $\overline{AD}$와 $\overline{BE}$의 연장선의 교점을 F라 할 때, 다음 중 옳지 <u>않은</u> 것은?

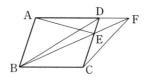

① △AED=△DCF ② △AED=△DBE

③ △DBF=△DCF ④ △DBE=△ECF

⑤ △AED=△ECF

0425 ●●●상중●

오른쪽 그림과 같은 평행사변형 ABCD에서 $\overline{AB}$와 $\overline{DE}$의 연장선의 교점을 F라 하자.
△ABE=17 cm²,
△DEC=23 cm²일 때,
△EFC의 넓이를 구하시오.

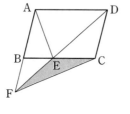

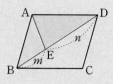

필수유형 20 여러 가지 넓이의 활용 (1)

오른쪽 그림의 평행사변형 ABCD
에서 $\overline{BE}$: $\overline{ED}$ = m : n 이면
(1) △ABD = △BCD

$$= \frac{1}{2}\boxed{❶}$$

(2) △ABE = $\frac{m}{m+n}$ △ABD, △AED = $\frac{n}{m+n}$ △ABD

답 ❶ □ABCD

대표문제
0426 ●●중●●

오른쪽 그림과 같은 평행사변형 ABCD에서 대각선 BD의 삼등분점을 각각 M, N이라 하자.
□ABCD의 넓이가 30 cm²일 때, □AMCN의 넓이를 구하시오.

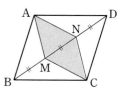

0427 ●●중●●

오른쪽 그림과 같은 평행사변형 ABCD에서 점 O는 두 대각선의 교점이다. $\overline{AE}$: $\overline{EB}$=3 : 1이고 □ABCD의 넓이가 64 cm²일 때, △OAE의 넓이를 구하시오.

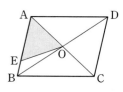

0428 ●●중●●

오른쪽 그림과 같은 마름모 ABCD에서 점 O는 두 대각선의 교점이다. $\overline{BP}$: $\overline{PC}$=2 : 3 이고 $\overline{AC}$=10 cm, $\overline{BD}$=20 cm일 때, △APC의 넓이를 구하시오.

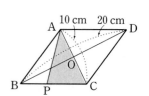

0429 ●●●중●●

오른쪽 그림과 같은 평행사변형 ABCD에서 점 O는 두 대각선의 교점이고, 점 M은 $\overline{OD}$의 중점이다. △MBC의 넓이가 15 cm² 일 때, □ABCD의 넓이를 구하시오.

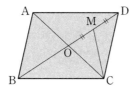

0430 ●●●상중●

오른쪽 그림과 같은 직사각형 ABCD에서 두 점 M, N은 각각 $\overline{AB}$, $\overline{DC}$의 중점이고 두 점 E, F 는 각각 대각선 AC와 $\overline{DM}$, $\overline{BN}$ 의 교점이다. $\overline{AB}$=8 cm, $\overline{AD}$=10 cm일 때, □EFND의 넓이를 구하시오.

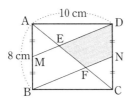

0431 ●●●상중●

오른쪽 그림과 같은 평행사변형 ABCD에서 $\overline{BC}$, $\overline{CD}$의 중점을 각각 M, N이라 하자. □ABCD의 넓이가 64 cm²일 때, △AMN의 넓이를 구하시오.

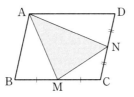

필수유형21 〈 사다리꼴에서 높이가 같은 두 삼각형의 넓이 〉

오른쪽 그림과 같이 $\overline{AD}$∥$\overline{BC}$인 사다리꼴 ABCD에서 두 대각선의 교점을 O라 하면
(1) △ABC=△DBC
(2) △OAB=△ABC−△OBC
   =△DBC−△OBC=**❶**

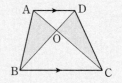

답 **❶** △OCD

대표문제

0432 ●●●중●●

오른쪽 그림과 같이 $\overline{AD}$∥$\overline{BC}$인 사다리꼴 ABCD에서 두 대각선 의 교점을 O라 하자. $\overline{BO}$: $\overline{DO}$=3 : 2이고 △OCD의 넓이가 30 cm²일 때, △AOD의 넓이를 구하시오.

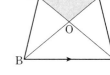

0433 ●●중하●●●

오른쪽 그림과 같이 $\overline{AD}$∥$\overline{BC}$인 사다리꼴 ABCD에서 두 대각선 의 교점을 O라 하자. △ABC=60 cm², △OCD=20 cm²일 때, △OBC의 넓이를 구하시오.

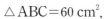

0434 ●●●중●●

오른쪽 그림과 같이 $\overline{AD}$∥$\overline{BC}$인 사다리꼴 ABCD에서 두 대각선 의 교점을 O라 하자. △OAB=30 cm², △OBC=50 cm²일 때, □ABCD의 넓이를 구하시오.

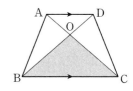

4

여러 가지 사각형

발전유형22 (여러 가지 넓이의 활용 (2))

오른쪽 그림과 같은 평행사변형
ABCD에서 $\overline{AB} /\!/ \overline{DC}$이므로

(1) △AEC＝△AED

(2) △FEC＝△AEC－△AEF

$\qquad$ ＝△AED－△AEF

$\qquad$ ＝ **❶**

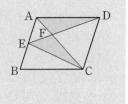

답 ❶ △AFD

대표문제

0435 ●●●상중●

오른쪽 그림과 같은 평행사변형
ABCD에서 △AEF＝4 cm²,
△CDF＝16 cm²일 때,
△EBC의 넓이를 구하시오.

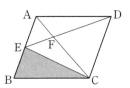

쌍둥이 문제

0436 ●●●상중●

오른쪽 그림과 같은 평행사변형
ABCD에서 △ABE＝15 cm²,
△BCF＝12 cm²일 때,
△DEF의 넓이를 구하시오.

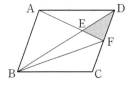

0437 ●●●상중●

오른쪽 그림과 같은 평행사변형
ABCD에서
△EBC : △ABE＝9 : 5일 때,
□ABCD의 넓이는 △ECD의
넓이의 몇 배인지 구하시오.

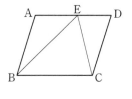

0438 ●●●상중●

오른쪽 그림과 같은 평행사변형
ABCD에서 $\overline{AE}$ 위에
$\overline{AP} : \overline{PE}$＝4 : 5가 되도록 점
P를 잡았다. △APD의 넓이가
20 cm²일 때, △PBC의 넓이를
구하시오.

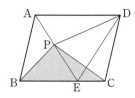

0439 ●●●상중●

오른쪽 그림과 같은 평행사변형
ABCD에서 $\overline{BC}$의 연장선과 $\overline{AE}$
의 연장선의 교점을 F라 하자.
△DEF＝3 cm²,
△ECF＝1 cm²일 때,
□ABCD의 넓이를 구하시오.

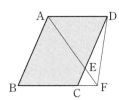

0440 ●●●●상●

오른쪽 그림과 같이 $\overline{AD} /\!/ \overline{BC}$인
사다리꼴 ABCD에서 $\overline{AE}＝\overline{EB}$,
$\overline{EF} \perp \overline{BC}$이다. $\overline{AD}$＝10 cm,
$\overline{BC}$＝20 cm, $\overline{EF}$＝8 cm일 때,
△ECD의 넓이를 구하시오.

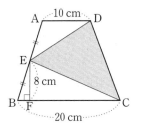

0441 ●중하●●●

오른쪽 그림과 같은 직사각형 ABCD에서 점 O는 두 대각선의 교점이다. ∠OBC=38°이고 $\overline{BD}$=12 cm일 때, $x+y$의 값은?

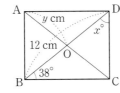

① 52 ② 54 ③ 56

④ 58 ⑤ 60

0442 ●●중●●

오른쪽 그림과 같이 직사각형 모양의 종이를 꼭짓점 C가 꼭짓점 A에 오도록 접었다. ∠GAF=10° 일 때, ∠x의 크기는?

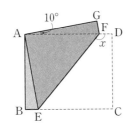

① 110° ② 120°

③ 130° ④ 140°

⑤ 150°

0443 ●●중●● 서술형

오른쪽 그림과 같은 마름모 ABCD에서 점 O는 두 대각선의 교점이다. ∠ODA=30°이고 $\overline{AB}$=30 cm일 때, $\overline{OA}$의 길이를 구하시오.

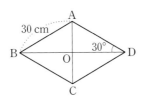

0444 ●●중●●●

오른쪽 그림과 같은 평행사변형 ABCD에서 ∠BCA=∠DCA 일 때, □ABCD는 어떤 사각형 이 되는지 말하시오.

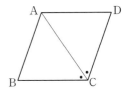

0445 ●●중●●

오른쪽 그림과 같은 마름모 ABCD의 꼭짓점 A에서 $\overline{CD}$ 에 내린 수선의 발을 E라 하자. ∠C=126°일 때, ∠x의 크기는?

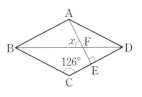

① 47° ② 54° ③ 57°

④ 60° ⑤ 63°

0446 ●중하●●●

다음 조건을 만족하는 □ABCD는 어떤 사각형인가?

┌조건
│ $\overline{AB}$∥$\overline{DC}$, $\overline{AD}$∥$\overline{BC}$, ∠A=90°, $\overline{AB}$=$\overline{BC}$
└

① 사다리꼴 ② 평행사변형 ③ 직사각형

④ 마름모 ⑤ 정사각형

0447 ••중••

오른쪽 그림에서 □ABCD는 정사
각형이고 ∠ACD의 이등분선이
$\overline{AD}$와 만나는 점을 E, 점 E에서
$\overline{AC}$에 내린 수선의 발을 F라 할
때, 다음 중 옳지 <u>않은</u> 것은?

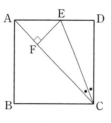

① $\overline{AF}=\overline{EF}$ ② $\overline{AE}=\overline{DE}$

③ ∠AEF=∠BAC ④ ∠CED=∠CEF

⑤ △CDE≡△CFE

0448 ••중••

오른쪽 그림과 같은 정사각형
ABCD에서 $\overline{BC}$를 한 변으로 하는
정삼각형 PBC를 그렸다. 이때
∠PDB의 크기를 구하시오.

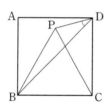

0449 •••상중•• 창의력

오른쪽 그림과 같은 정사각
형 ABCD에서 점 P는 $\overline{BC}$
의 연장선 위의 점이고 두 점
B, D에서 $\overline{AP}$에 내린 수선
의 발을 각각 E, F라 하자.
$\overline{BE}=8$ cm, $\overline{DF}=5$ cm일 때, $\overline{EF}$의 길이를 구하시오.

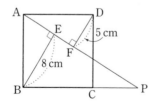

0450 ••중••

오른쪽 그림과 같이 $\overline{AD}\,/\!/\,\overline{BC}$
인 등변사다리꼴 ABCD에서
∠D=120°이고 $\overline{AD}=6$ cm,
$\overline{DC}=8$ cm일 때, □ABCD의
둘레의 길이를 구하시오.

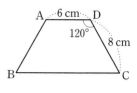

0451 ••중••

다음 그림은 일반적인 사각형에 조건을 하나씩 추가하여
여러 가지 사각형이 되는 과정을 나타낸 것이다. ①~⑤에
추가되는 조건으로 알맞은 것은?

① 한 내각의 크기가 90°이다.
② 두 대각선의 길이가 같다.
③ 한 쌍의 대변이 평행하다.
④ 이웃하는 두 변의 길이가 같다.
⑤ 두 대각선이 서로 다른 것을 수직이등분한다.

0452 ••중•• 서술형

오른쪽 그림과 같이 평행사변형
ABCD의 네 내각의 이등분선의
교점을 각각 P, Q, R, S라 하자.
$\overline{PR}=5$ cm일 때, $\overline{SQ}$의 길이를
구하시오.

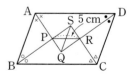

0453 ●●중●●

오른쪽 그림과 같은 직사각형 ABCD에서 대각선 AC의 수직이등분선이 $\overline{AD}$, $\overline{BC}$와 만나는 점을 각각 E, F라 하자. $\overline{AD}=8\,cm$, $\overline{AB}=4\,cm$, $\overline{BF}=3\,cm$일 때, □AFCE의 둘레의 길이는?

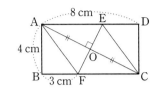

① 18 cm   ② 20 cm   ③ 22 cm

④ 24 cm   ⑤ 26 cm

0454 ●중하●●●

오른쪽 그림과 같이 □ABCD의 꼭짓점 D를 지나고 $\overline{AC}$와 평행한 직선이 $\overline{BC}$의 연장선과 만나는 점을 E라 하자. △ABC=24 cm², △ACE=20 cm²일 때, □ABCD의 넓이를 구하시오.

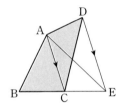

0455 ●●중●● [서술형]

오른쪽 그림과 같은 △ABC에서 $\overline{BD}:\overline{DC}=3:1$, $\overline{AE}:\overline{EC}=3:2$ 이다. △ABC의 넓이가 60 cm²일 때, 다음을 구하시오.

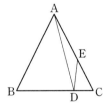

(1) △ABD의 넓이

(2) △ADE의 넓이

(3) △EDC의 넓이

0456 ●●중●●

오른쪽 그림과 같은 평행사변형 ABCD에서 $\overline{BD}/\!/\overline{EF}$일 때, 다음 중 옳지 않은 것을 모두 고르면? (정답 2개)

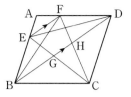

① △AED＝△EBC

② △EBD＝△EBC

③ △EBD＝△FBD

④ △AED＝△ABF

⑤ △GEB＋△GCD＝△GBC＋△GDE

0457 ●●●상중●

오른쪽 그림과 같은 정사각형 ABCD에서 점 E는 $\overline{AD}$의 연장선 위의 점이고 $\overline{BE}$와 $\overline{DC}$의 교점을 F라 하자. $\overline{AB}=4\,cm$, $\overline{FC}=3\,cm$일 때, △EFC의 넓이를 구하시오.

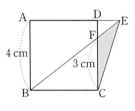

0458 ●●●상중● [창의+융합]

오른쪽 그림과 같은 직사각형 ABCD에서 ∠D의 이등분선이 $\overline{BC}$와 만나는 점을 E라 하자. $\overline{AD}:\overline{AB}=5:4$일 때, □ABED와 △DEC의 넓이의 비는?

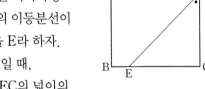

① 2 : 1   ② 3 : 2   ③ 4 : 3

④ 5 : 4   ⑤ 6 : 5

5
도형의 닮음

STEP 1 개념 마스터

01 닮은 도형   유형 01, 02

(1) **닮음** 한 도형을 일정한 비율로 확대 또는 축소하여 얻은 도형이 다른 도형과 합동일 때, 그 두 도형은 서로 **닮음**인 관계에 있다고 한다.

(2) **닮은 도형** 서로 **①** 인 관계에 있는 두 도형

(3) **닮음의 기호** △ABC와 △DEF가 닮은 도형일 때, 기호 ∽를 사용하여 나타낸다.

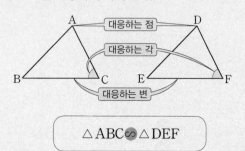

$$△ABC ∽ △DEF$$

참고 두 도형이 서로 닮음임을 기호로 나타낼 때, 두 도형의 꼭짓점은 대응하는 순서대로 쓴다.

달 ❶ 닮음

[0459~0461] 아래 그림에서 □ABCD∽□EFGH일 때, 다음을 구하시오.

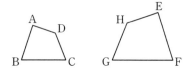

0459 꼭짓점 D에 대응하는 점

0460 $\overline{AB}$에 대응하는 변

0461 ∠C에 대응하는 각

02 닮음의 성질   유형 03, 04

(1) **닮음비** 닮은 두 도형에서 대응하는 변의 길이의 비

(2) **평면도형에서 닮음의 성질**
닮은 두 평면도형에서
① 대응하는 변의 길이의 비는 일정하다.
② 대응하는 각의 크기는 각각 **①** .

(3) **입체도형에서 닮음의 성질**
닮은 두 입체도형에서
① 대응하는 모서리의 길이의 비는 일정하다.
② 대응하는 면은 **②** 도형이다.

달 ❶ 같다 ❷ 닮은

[0462~0464] 아래 그림에서 △ABC∽△DEF일 때, 다음을 구하시오.

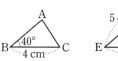

0462 ∠E의 크기

0463 △ABC와 △DEF의 닮음비

0464 $\overline{AB}$의 길이

[0465~0466] 아래 그림에서 두 사각기둥은 닮은 도형이다. □ABCD∽□A′B′C′D′일 때, 다음을 구하시오.

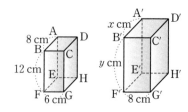

0465 두 사각기둥의 닮음비

0466 x, y의 값

핵심 포인트! · 일반적으로 닮음비는 가장 간단한 자연수의 비로 나타낸다.
· 입체도형의 닮음비는 대응하는 모서리의 길이의 비이다.

03 삼각형의 닮음 조건

유형 05~09, 12

두 삼각형이 다음 중 어느 한 조건을 만족하면 닮은 도형이다.

(1) SSS 닮음 세 쌍의 대응하는 변의 길이의 비가 같다.

 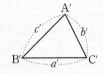

➡ $a : a' = b :$ ❶ $= c : c'$

(2) SAS 닮음 두 쌍의 대응하는 변의 길이의 비가 같고, 그 끼인각의 크기가 같다.

 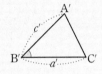

➡ $a : a' = c : c'$, $\angle B = \angle B'$

(3) AA 닮음 두 쌍의 대응하는 각의 크기가 각각 같다.

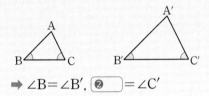

➡ $\angle B = \angle B'$, ❷ $= \angle C'$

답 ❶ b' ❷ $\angle C$

0467 다음 보기의 삼각형 중 닮은 도형인 것을 찾고, 그때의 닮음 조건을 말하시오.

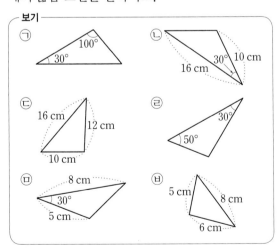

보기

ㄱ 100° 30°

ㄴ 30° 10 cm 16 cm

ㄷ 16 cm 12 cm 10 cm

ㄹ 30° 50°

ㅁ 8 cm 30° 5 cm

ㅂ 5 cm 8 cm 6 cm

[0468~0469] 다음 그림에서 △ABC와 서로 닮음인 삼각형을 찾아 □ 안에 써넣고, 그때의 닮음 조건을 말하시오.

0468

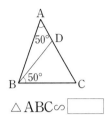

△ABC∽ □

0469

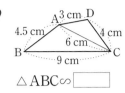

△ABC∽ □

04 직각삼각형의 닮음의 활용

유형 10, 11

$\angle A = 90°$인 직각삼각형 ABC의 꼭짓점 A에서 빗변 BC에 내린 수선의 발을 H라 하면 다음이 성립한다.

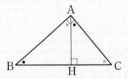

△ABC∽△HBA∽△HAC (❶ 닮음)

(1) △ABC∽△HBA이므로

$\overline{AB} : \overline{HB} = \overline{BC} : \overline{BA}$

∴ $\overline{AB}^2 = \overline{BH} \times \overline{BC}$

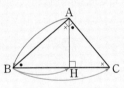

(2) △ABC∽△HAC이므로

$\overline{BC} : \overline{AC} = \overline{CA} :$ ❷

∴ $\overline{AC}^2 = \overline{CH} \times \overline{CB}$

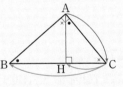

(3) △HBA∽△HAC이므로

$\overline{BH} : \overline{AH} =$ ❸ $: \overline{CH}$

∴ $\overline{AH}^2 = \overline{BH} \times \overline{CH}$

답 ❶ AA ❷ $\overline{CH}$ ❸ $\overline{AH}$

[0470~0471] 다음 그림에서 x의 값을 구하시오.

0470

0471

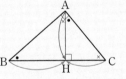

필수유형 01 닮은 도형

닮은 도형: 서로 닮음인 관계에 있는 두 도형

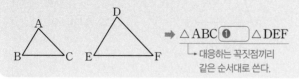

➡ △ABC **❶** △DEF
└ 대응하는 꼭짓점끼리
같은 순서대로 쓴다.

답 ❶ ∽

대표문제

0472 하••••

아래 그림에서 △ABC∽△DEF일 때, 다음 중 옳지 <u>않은</u>
것은?

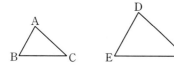

① 점 A에 대응하는 점: 점 D
② 점 C에 대응하는 점: 점 F
③ $\overline{BC}$에 대응하는 변: $\overline{ED}$
④ $\overline{AC}$에 대응하는 변: $\overline{DF}$
⑤ ∠C에 대응하는 각: ∠F

0473 •중하•••

다음 그림에서 △ABC∽△DEF일 때, 다음 중 옳은 것
은?

① ∠B=30°
② ∠C=100°
③ ∠A=∠E
④ $\overline{EF}$에 대응하는 변의 길이는 3 cm이다.
⑤ $\overline{AC}$에 대응하는 변은 $\overline{DE}$이다.

필수유형 02 항상 닮은 도형

항상 닮은 도형 ➡ 크기와 관계없이 **❶** 이 같은 도형

| 모든 원 | 모든
직각이등변삼각형 | 변의 개수가 같은
모든 정다각형 |
|---|---|---|
| | | |
| 중심각의 크기가
같은 모든 부채꼴 | 모든 구 | 면의 개수가 같은
모든 정다면체 |
| | | |

답 ❶ 모양

대표문제

0474 •중하•••

다음 중 항상 닮은 도형인 것을 모두 고르면? (정답 2개)

① 두 직사각형
② 두 이등변삼각형
③ 두 마름모
④ 두 정삼각형
⑤ 두 원

0475 ••중••

다음 보기에서 항상 닮은 도형인 것을 모두 고르시오.

┌─ 보기 ─────────────────────
│ ㉠ 두 정사각형   ㉡ 두 직각이등변삼각형
│ ㉢ 두 부채꼴   ㉣ 두 정육면체
│ ㉤ 두 원뿔   ㉥ 두 원기둥
└──────────────────────────

0476 ••중••

다음 중 항상 닮은 도형이라 할 수 <u>없는</u> 것은?

① 두 구
② 두 정사면체
③ 한 내각의 크기가 같은 두 마름모
④ 한 내각의 크기가 같은 두 평행사변형
⑤ 꼭지각의 크기가 같은 두 이등변삼각형

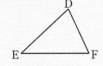

필수유형 03 평면도형에서 닮음의 성질

다음 그림에서 △ABC∽△DEF일 때

(1) 대응하는 변의 길이의 비는 일정하다.
　➡ $\overline{AB} : \overline{DE} = \overline{BC} : \overline{EF} = \overline{CA} : \overline{FD}$

(2) 대응하는 각의 크기는 각각 **❶** .
　➡ ∠A=∠D, ∠B=∠E, ∠C=∠F

참고 닮은 두 평면도형에서 (닮음비)=(둘레의 길이의 비)

답 **❶** 같다

대표문제

0477 ●●중하●●●

아래 그림에서 □ABCD∽□A′B′C′D′일 때, 다음 중 옳은 것은?

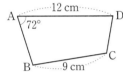 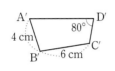

① $\overline{DC} : \overline{D'C'} = 2 : 3$　② $\overline{AB} = 8$ cm

③ ∠D=72°　④ ∠A′=85°

⑤ $\overline{A'D'} = 8$ cm

0478 ●●중하●●●

아래 그림에서 두 오각형 ABCDE와 FGHIJ는 닮은 도형이다. 다음 중 옳지 <u>않은</u> 것은?

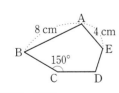 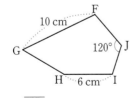

① $\overline{BC} : \overline{GH} = 4 : 5$　② $\overline{CD} = 4$ cm

③ $\overline{FJ} = 5$ cm　④ ∠E=120°

⑤ ∠H=150°

0479 ●●중●●●

다음 그림에서 □ABCD와 □FABE가 닮은 도형일 때, $\overline{FD}$의 길이를 구하시오.

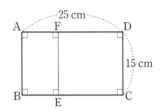

0480 ●●중●●● 서술형

아래 그림에서 △ABC∽△DEF이고 닮음비가 2 : 1일 때, 다음 물음에 답하시오.

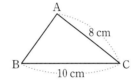

(1) $\overline{AB}$, $\overline{EF}$, $\overline{DF}$의 길이를 각각 구하시오.

(2) △ABC와 △DEF의 둘레의 길이를 각각 구하시오.

(3) △ABC와 △DEF의 둘레의 길이의 비를 가장 간단한 자연수의 비로 나타내시오.

0481 ●●중●●●

다음 그림에서 □ABCD∽□EFGH이고 닮음비가 2 : 3일 때, □EFGH의 둘레의 길이를 구하시오.

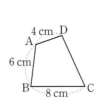 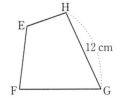

5

도형의 닮음

필수유형 04 입체도형에서 닮음의 성질

다음 그림에서 두 삼각뿔은 닮은 도형이고 $\overline{AB}$와 $\overline{EF}$가 대응하는 모서리일 때

(1) 대응하는 모서리의 길이의 비는 일정하다.
➡ $\overline{AB}:\overline{EF}=\overline{AC}:\overline{EG}=\overline{AD}:\overline{EH}$
　　$=\overline{BC}:\overline{FG}=\overline{BD}:\overline{FH}=\overline{CD}:\overline{GH}$
(2) 대응하는 면은 **①**　도형이다.
➡ $\triangle ABC \backsim \triangle EFG$, $\triangle ACD \backsim \triangle EGH$,
　$\triangle ABD \backsim \triangle EFH$, $\triangle BCD \backsim \triangle FGH$

답 ❶ 닮은

대표문제
0482 ●중하●●●

다음 그림의 두 직육면체는 닮은 도형이고 $\overline{AB}$에 대응하는 모서리가 $\overline{A'B'}$일 때, $x+y$의 값을 구하시오.

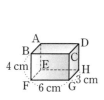 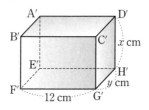

0483 ●중하●●●

아래 그림의 두 삼각뿔은 닮은 도형이고 $\overline{BC}$에 대응하는 모서리가 $\overline{FG}$일 때, 다음 중 옳지 않은 것은?

 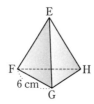

① $\overline{EH}=10$ cm
② $\triangle BCD \backsim \triangle FGH$
③ $\angle BCD=80°$이면 $\angle FGH=80°$이다.
④ 두 삼각뿔의 높이의 비는 닮음비와 같다.
⑤ $\triangle ABC$에 대응하는 면은 $\triangle EGH$이다.

0484 ●중하●●●

아래 그림에서 두 삼각기둥은 닮은 도형이고 $\overline{AB}$에 대응하는 모서리가 $\overline{A'B'}$일 때, 다음 중 옳지 않은 것은?

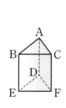 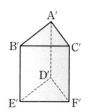

① $\triangle DEF \backsim \triangle D'E'F'$
② $\square BEFC \backsim \square B'E'F'C'$
③ $\angle ABC = \angle A'B'C' = \angle D'E'F'$
④ $\dfrac{\overline{A'B'}}{\overline{AB}} = \dfrac{\overline{B'E'}}{\overline{BE}}$
⑤ $\triangle ABC = \triangle A'B'C'$

0485 ●중하●●●

오른쪽 그림의 두 원기둥 A, B는 닮은 도형이다. 두 원기둥 A, B의 밑면의 둘레의 길이의 비를 가장 간단한 자연수의 비로 나타내시오.

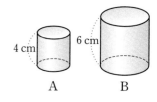

0486 ●●중●●●

오른쪽 그림과 같이 원뿔을 밑면에 평행한 평면으로 자를 때, 그 단면인 원의 반지름의 길이는 2 cm이다. 이때 처음 원뿔의 밑면의 반지름의 길이를 구하시오.

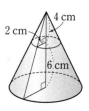

필수유형 05 **삼각형의 닮음 조건**

(1) 세 쌍의 대응하는 변의 길이의 비가 같다. ➡ [❶] 닮음

(2) 두 쌍의 대응하는 변의 길이의 비가 같고, 그 끼인각의 크기가 같다. ➡ [❷] 닮음

(3) 두 쌍의 대응하는 각의 크기가 각각 같다. ➡ [❸] 닮음

답 ❶ SSS ❷ SAS ❸ AA

대표문제

0487 ••중••

다음 중 오른쪽 보기의 △ABC와 닮음인 것을 모두 고르면? (정답 2개)

보기

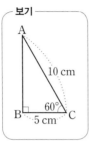

①

②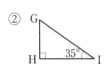

③ ④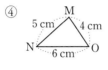

⑤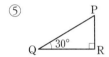

0488 •중하•••

다음 중 아래 그림의 △ABC와 △A′B′C′이 닮은 도형이라 할 수 <u>없는</u> 것은?

 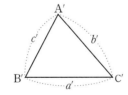

① $a : a′ = b : b′ = c : c′$

② $a : a′ = b : b′,\ ∠A = ∠A′$

③ $a : a′ = c : c′,\ ∠B = ∠B′$

④ $b : b′ = c : c′,\ ∠A = ∠A′$

⑤ $∠B = ∠B′,\ ∠C = ∠C′$

0489 ••중••

다음 보기에서 서로 닮음인 삼각형을 모두 고른 것은?

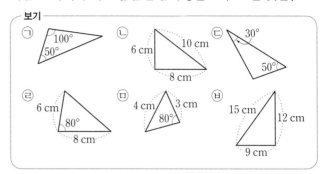

① ㉠과 ㉢

② ㉡과 ㉂

③ ㉠과 ㉢, ㉡과 ㉂

④ ㉡과 ㉂, ㉣과 ㉤

⑤ ㉠과 ㉢, ㉡과 ㉂, ㉣과 ㉤

필수유형 06 **두 삼각형이 닮음이기 위하여 추가될 조건**

(1) 한 쌍의 각의 크기가 같다고 주어질 때
➡ 다른 한 쌍의 대응하는 각의 크기 또는 그 각을 끼고 있는 두 쌍의 대응하는 변의 길이의 비가 같아야 한다.

(2) 두 쌍의 대응하는 변의 길이의 비가 같다고 주어질 때
➡ 나머지 한 쌍의 대응하는 변의 길이의 비 또는 그 두 쌍의 대응하는 변의 [❶]의 크기가 같아야 한다.

답 ❶ 끼인각

대표문제

0490 ••중••

아래 그림에서 △ABC와 △DEF가 닮은 도형이 되려면 다음 중 어느 조건을 추가해야 하는가?

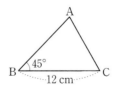

① $∠A = 75°,\ ∠E = 45°$

② $∠C = 80°,\ ∠E = 55°$

③ $\overline{AB} = 8\ cm,\ \overline{DE} = 6\ cm$

④ $\overline{AC} = 4\ cm,\ \overline{DF} = 3\ cm$

⑤ $\overline{AB} = 15\ cm,\ \overline{DF} = 12\ cm$

0491 ●●중●●

다음 그림의 △ABC와 △DEF에서
$\overline{AB} : \overline{DE} = \overline{AC} : \overline{DF}$이다. 이 두 삼각형이 닮은 도형이
되기 위해서 한 가지 조건을 추가하려고 할 때, 필요한 조
건을 보기에서 모두 고른 것은?

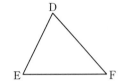

┌ 보기 ────────────────────
　㉠ ∠A=∠D　　　㉡ ∠B=∠E
　㉢ $\overline{BC}=\overline{EF}$　　　㉣ $\overline{AB} : \overline{DE}=\overline{BC} : \overline{EF}$
　㉤ $\overline{AC} : \overline{DF}=\overline{BC} : \overline{EF}$
└──────────────────────────

① ㉠　　　　　② ㉠, ㉣　　　　③ ㉠, ㉡, ㉣
④ ㉠, ㉣, ㉤　　⑤ ㉠, ㉢, ㉣, ㉤

중요
필수유형 **07**　삼각형의 닮음 조건 – SAS 닮음

공통인 각을 끼인각으로 하고 두 쌍의 대응하는 변의 길이의 비
가 같은 두 삼각형을 찾는다.

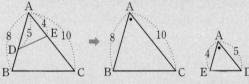

△ABC와 △AED에서
$\overline{AB} : \overline{AE}=\overline{AC} : \overline{AD}=2 : 1$, ❶□는 공통
∴ △ABC∽△AED (SAS 닮음)

답 ❶∠A

대표문제
0492 ●●중●●

오른쪽 그림과 같은 △ABC
에서 $\overline{DE}$의 길이를 구하시오.

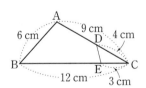

0493 ●●중●●

오른쪽 그림과 같은 △ABC
에서 $\overline{DE}$의 길이를 구하시오.

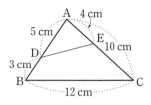

0494 ●●중●●

오른쪽 그림과 같은 △ABC에
서 $\overline{AC}$의 길이를 구하시오.

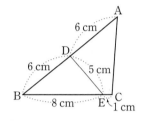

0495 ●●중●●　서술형

오른쪽 그림과 같은 △ABC에
대하여 다음 물음에 답하시오.

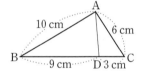

(1) 닮은 두 삼각형을 찾아 기호
　로 나타내고, 그때의 닮음
　조건을 말하시오.

(2) $\overline{AD}$의 길이를 구하시오.

0496 ●●중●●

오른쪽 그림과 같은 △ABC에
서 $\overline{AD}$의 길이를 구하시오.

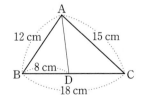

0497 ●●●상동

오른쪽 그림과 같은 △ABC에서 $\overline{AB}=2\overline{AC}$, $\overline{BD}=3\overline{AD}$이다. $\overline{BC}=8$ cm일 때, $\overline{CD}$의 길이를 구하시오.

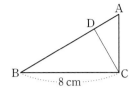

필수유형 08 중요 | 삼각형의 닮음 조건 – AA 닮음

공통인 각을 제외한 다른 한 각의 크기가 같은 두 삼각형을 찾는다.

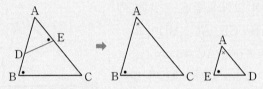

△ABC와 △AED에서

∠ABC=∠AED, ∠A는 공통

∴ △ABC∽△AED (**❶** 닮음)

답 ❶ AA

대표문제

0498 ●●중●●

오른쪽 그림과 같은 △ABC에서 ∠ADE=∠C이고 $\overline{AD}=\overline{DB}=6$ cm, $\overline{AE}=4$ cm일 때, $\overline{EC}$의 길이를 구하시오.

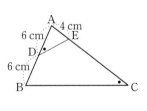

0499 ●●중●●

오른쪽 그림과 같은 △ABC에서 ∠B=∠DAC이다. $\overline{AB}=4$ cm, $\overline{AD}=3$ cm, $\overline{BC}=6$ cm일 때, $\overline{AC}$의 길이를 구하시오.

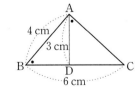

0500 ●●중●● 서술형

오른쪽 그림과 같은 △ABC에서 ∠A=∠BCD이고 $\overline{AB}=9$ cm, $\overline{BC}=6$ cm일 때, 다음 물음에 답하시오.

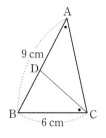

(1) △ABC와 서로 닮음인 삼각형을 찾고, 그때의 닮음 조건을 말하시오.

(2) $\overline{BD}$의 길이를 구하시오.

0501 ●●중●●

다음 그림과 같은 △ABC에서 ∠C=∠ABD이고 $\overline{AB}=12$ cm, $\overline{BC}=24$ cm, $\overline{AD}=8$ cm일 때, $\overline{BD}$의 길이를 구하시오.

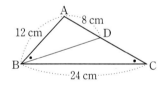

0502 ●●중●●

오른쪽 그림과 같은 △ABC에서 ∠B=∠ACD이고 $\overline{AD}=6$ cm, $\overline{BC}=10$ cm, $\overline{AC}=8$ cm일 때, $\overline{DC}$의 길이를 구하시오.

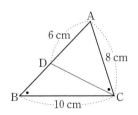

필수유형 09 삼각형의 닮음의 활용 (1)

평행선의 성질을 이용하여 닮은 두 삼각형을 찾는다.

오른쪽 그림에서 $l /\!/ m$일 때,

△ABC와 △ADE에서

∠ABC=∠ADE (엇각),

∠ACB= **①** (엇각)

➡ △ABC∽△ADE (**②** 닮음)

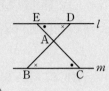

답 **①** ∠AED **②** AA

대표문제

0503 ●●중●●

오른쪽 그림에서 $\overline{AD} /\!/ \overline{BC}$, $\overline{AB} /\!/ \overline{DE}$
이고 $\overline{AB}=8$ cm, $\overline{BC}=4$ cm,
$\overline{AD}=3$ cm, $\overline{EC}=2$ cm일 때, △AED
의 둘레의 길이를 구하시오.

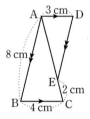

0504 ●●중●●

오른쪽 그림과 같이 평행사변형
ABCD에서 $\overline{BE}$가 대각선 AC
와 만나는 점을 F라 하자.
$\overline{BC}=12$ cm, $\overline{AF}=6$ cm,
$\overline{CF}=8$ cm일 때, $\overline{ED}$의 길이를
구하시오.

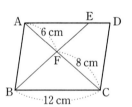

0505 ●●●상중●

다음 그림과 같이 평행사변형 ABCD에서 $\overline{AB}$의 연장선
과 $\overline{DE}$의 연장선이 만나는 점을 F라 하자. $\overline{AB}=4$ cm,
$\overline{AD}=9$ cm, $\overline{BF}=2$ cm일 때, $\overline{CE}$의 길이를 구하시오.

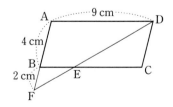

필수유형 10 직각삼각형의 닮음

한 예각의 크기가 같은 두 직각삼각형은 닮은 도형이다.

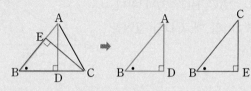

△ABD와 △CBE에서

∠B는 공통, ∠ADB=∠CEB=90°

∴ △ABD∽△CBE (**①** 닮음)

답 **①** AA

대표문제

0506 ●●중●●

오른쪽 그림과 같은 △ABC에
서 $\overline{AB}\perp\overline{CE}$, $\overline{AC}\perp\overline{BD}$이고
$\overline{AB}=8$ cm, $\overline{AC}=6$ cm,
$\overline{AD}=4$ cm일 때, $\overline{AE}$의 길이
를 구하시오.

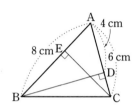

0507 ●●중●●

오른쪽 그림과 같이 ∠C=90°인
직각삼각형 ABC에서 $\overline{AB}\perp\overline{ED}$
이고 $\overline{AD}=8$ cm, $\overline{DB}=6$ cm,
$\overline{BE}=7$ cm일 때, $\overline{EC}$의 길이를
구하시오.

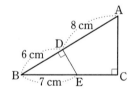

0508 ●●중●●

오른쪽 그림과 같이 ∠A=90°
인 직각삼각형 ABC에서
$\overline{BC}\perp\overline{DE}$이고 $\overline{BD}=20$ cm,
$\overline{BE}=16$ cm, $\overline{CE}=14$ cm,
$\overline{DE}=12$ cm일 때, $\overline{AD}$의 길이를 구하시오.

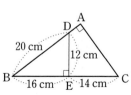

0509 ●●●중●●

오른쪽 그림과 같이 △ABC의 꼭짓점 A, C에서 각각 $\overline{BC}$, $\overline{AB}$에 내린 수선의 발을 D, E라 하자. $\overline{AB}=8$ cm, $\overline{BC}=10$ cm, $\overline{CD}=4$ cm일 때, $\overline{BE}$의 길이를 구하시오.

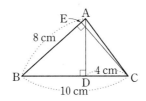

0510 ●●●중●●

오른쪽 그림과 같이 평행사변형 ABCD의 꼭짓점 A에서 $\overline{BC}$, $\overline{CD}$에 내린 수선의 발을 각각 E, F라 하자. $\overline{AB}=9$ cm, $\overline{AE}=6$ cm, $\overline{AF}=8$ cm일 때, $\overline{AD}$의 길이를 구하시오.

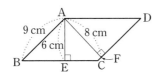

0511 ●●●중●●

다음 중 오른쪽 그림에서 서로 닮음인 삼각형이 잘못 짝 지어진 것은?

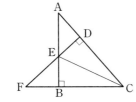

① △ABC∽△FDC
② △ADE∽△FBE
③ △ABC∽△FBE
④ △EBC∽△EDC
⑤ △FDC∽△ADE

0512 ●●●상중●●

오른쪽 그림과 같이 ∠B=90°인 직각삼각형 ABC 안에 꼭짓점 F가 $\overline{AC}$ 위에 있는 정사각형 DBEF를 그렸다. $\overline{AB}=2$ cm, $\overline{BC}=3$ cm일 때, □DBEF의 넓이를 구하시오.

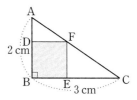

0513 ●●●상중●● 서술형

오른쪽 그림과 같은 직사각형 ABCD에서 $\overline{EF}$는 대각선 AC의 수직이등분선이다. $\overline{AB}=6$ cm, $\overline{BC}=8$ cm, $\overline{AO}=5$ cm일 때, $\overline{EF}$의 길이를 구하시오.

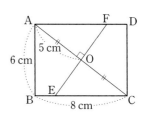

0514 ●●●상중●●

오른쪽 그림에서 $\overline{AB} /\!/ \overline{ED}$이고 ∠BAC=∠ADC=90°일 때, 다음 중 △ABC와 서로 닮음인 삼각형이 아닌 것은?

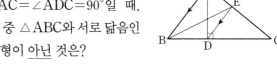

① △DBA
② △AEB
③ △DAC
④ △EDC
⑤ △EAD

중요

필수유형11 직각삼각형의 닮음의 활용

$\angle A=90°$인 직각삼각형 ABC에
서 $\overline{AH}\perp\overline{BC}$일 때,
$\triangle ABC \circ \triangle HBA \circ \triangle HAC$
임을 이용한다.

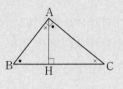

(1) $\overline{AB}^2=\overline{BH}\times$ ❶

(2) $\overline{AC}^2=\overline{CH}\times\overline{CB}$

(3) $\overline{AH}^2=$ ❷ $\times\overline{CH}$

目 ❶ $\overline{BC}$ ❷ $\overline{BH}$

대표문제

0515 ●중하●●●

오른쪽 그림과 같이 $\angle A=90°$
인 직각삼각형 ABC에서
$\overline{AD}\perp\overline{BC}$이고 $\overline{AC}=5$ cm,
$\overline{CD}=3$ cm일 때, $\overline{BD}$의 길이를
구하시오.

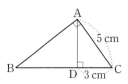

0516 ●●중●●

오른쪽 그림과 같이 $\angle A=90°$
인 직각삼각형 ABC에서
$\overline{AD}\perp\overline{BC}$일 때, 다음 중 옳지 않
은 것은?

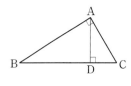

① $\angle C=\angle DAB$ ② $\angle B=\angle DAC$

③ $\triangle ABC \circ \triangle DBA$ ④ $\overline{AC}^2=\overline{BD}\times\overline{BC}$

⑤ $\overline{AD}^2=\overline{BD}\times\overline{CD}$

0517 ●●중●●

오른쪽 그림과 같이 $\angle A=90°$
인 직각삼각형 ABC에서
$\overline{AD}\perp\overline{BC}$이고 $\overline{AD}=4$ cm,
$\overline{BD}=8$ cm일 때, $\triangle ABC$의
넓이를 구하시오.

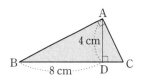

0518 ●●중●● **서술형**

오른쪽 그림과 같이 $\angle A=90°$
인 직각삼각형 ABC에서
$\overline{AD}\perp\overline{BC}$이고, $\overline{AB}=20$ cm,
$\overline{AC}=15$ cm, $\overline{AD}=12$ cm일
때, $x-y$의 값을 구하시오.

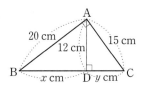

0519 ●●중●●

오른쪽 그림과 같이 직사각형
ABCD의 꼭짓점 A에서 대각선
BD에 내린 수선의 발을 H라 할
때, $\overline{BH}=4$ cm, $\overline{DH}=9$ cm이다.
이때 □ABCD의 넓이를 구하시오.

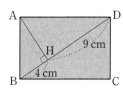

0520 ●●●상중●

오른쪽 그림과 같이 $\angle A=90°$
인 직각삼각형 ABC에서 점
M은 $\overline{BC}$의 중점이다. 점 A에
서 $\overline{BC}$에 내린 수선의 발을 D
라 하고, 점 D에서 $\overline{AM}$에 내린 수선의 발을 E라 할 때,
$\overline{AE}$의 길이를 구하시오.

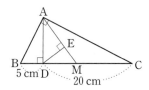

중요
필수유형 **12** 접힌 도형에서 삼각형의 닮음

크기가 같은 각을 표시한 후 닮은 두 삼각형을 찾는다.

(1) 정삼각형 접기   (2) 직사각형 접기

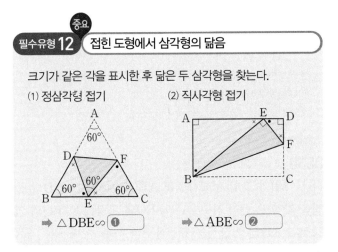

➡ △DBE∽ **❶**   ➡ △ABE∽ **❷**

답 ❶ △ECF ❷ △DEF

대표문제
0521 ●●중●●

오른쪽 그림과 같이 직사각형 모양의 종이 ABCD를 꼭짓점 C가 $\overline{AD}$ 위의 점 F에 오도록 접었다.
$\overline{AB}=16$ cm, $\overline{FD}=8$ cm,
$\overline{DE}=6$ cm일 때, $\overline{BF}$의 길이를 구하시오.

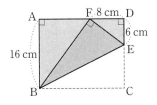

0522 ●●중●●

오른쪽 그림과 같이 직사각형 모양의 종이 ABCD를 점 C가 $\overline{AD}$ 위의 점 F에 오도록 접었다. 다음 중 옳지 <u>않은</u> 것은?

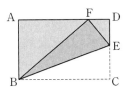

① $\overline{EC}=\overline{EF}$ ② $\angle FEB=\angle CEB$

③ $\overline{AB}:\overline{DF}=\overline{BF}:\overline{FE}$ ④ $\overline{AB}\times\overline{DF}=\overline{AF}\times\overline{DE}$

⑤ $\angle AFB+\angle DFE=90°$

0523 ●●중●●

오른쪽 그림과 같이 $\angle A=90°$인 직각삼각형 모양의 종이 ABC를 $\overline{EF}$를 접는 선으로 하여 꼭짓점 B가 $\overline{BC}$ 위의 점 D에 오도록 접었다. $\overline{AB}=12$ cm, $\overline{BC}=15$ cm, $\overline{BE}=6$ cm일 때, $\overline{CD}$의 길이를 구하시오.

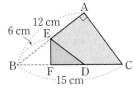

0524 ●●중●● 서술형

오른쪽 그림은 정삼각형 모양의 종이 ABC의 꼭짓점 A가 변 BC 위의 점 E에 오도록 접은 것이다.
$\overline{AC}=12$ cm, $\overline{AF}=7$ cm,
$\overline{BE}=4$ cm일 때, 다음 물음에 답하시오.

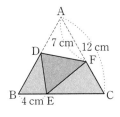

(1) △DBE와 서로 닮음인 삼각형을 찾고, 그때의 닮음 조건을 말하시오.

(2) $\overline{AD}$의 길이를 구하시오.

0525 ●●●상중●

오른쪽 그림과 같이 직사각형 모양의 종이 ABCD를 대각선 BD를 접는 선으로 하여 접었을 때, $\overline{EF}$의 길이를 구하시오.

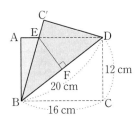

0526 ●●●상중●

오른쪽 그림과 같이 정사각형 모양의 종이 ABCD를 $\overline{EF}$를 접는 선으로 하여 꼭짓점 A가 $\overline{BC}$의 중점 G에 오도록 접었을 때, $\overline{FH}$의 길이를 구하시오.

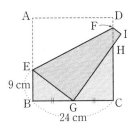

5

도형의 닮음

발전유형 13 삼각형의 닮음의 활용 ⑵

오른쪽 그림과 같은 △ABC에서
∠BAE=∠CBF=∠ACD일 때
➡ △ABC∽△DEF
(**❶** 닮음)

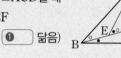

답 **❶**AA

대표문제
0527 ●●●●상

오른쪽 그림의 △ABC에서
∠BAE=∠CBF=∠ACD이
다. $\overline{AB}$=12 cm, $\overline{BC}$=10 cm,
$\overline{CA}$=8 cm일 때, $\dfrac{\overline{DE}}{\overline{EF}}$의 값을
구하시오.

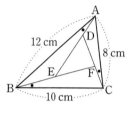

쌍둥이 문제
0528 ●●●●상

오른쪽 그림의 △ABC에서
∠BAE=∠CBF=∠ACD일
때, △DEF의 둘레의 길이를 구
하시오.

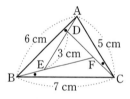

0529 ●●●●상

오른쪽 그림과 같은 △ABC
에서 점 D는 ∠B의 이등분선
과 $\overline{AC}$의 교점이고
$\overline{AD}=\overline{AE}$이다. $\overline{AB}$=8 cm,
$\overline{BC}$=12 cm, $\overline{BD}$=9 cm일 때, $\overline{ED}$의 길이를 구하시오.

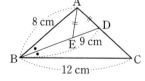

발전유형 14 평행사변형에서 삼각형의 닮음의 활용

평행사변형의 성질과 삼각형의 닮음 조건을 이용하여 닮은 두
삼각형을 찾는다.

대표문제
0530 ●●●상중●

다음 그림과 같이 평행사변형 ABCD에서 $\overline{BC}$, $\overline{CD}$의 중
점을 각각 P, Q라 하고, $\overline{AP}$와 $\overline{BQ}$의 교점을 R, $\overline{BQ}$의 연
장선과 $\overline{AD}$의 연장선의 교점을 S라 하자. 이때 $\overline{BR}:\overline{SR}$
를 가장 간단한 자연수의 비로 나타내시오.

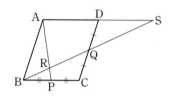

쌍둥이 문제
0531 ●●●상중●

오른쪽 그림과 같은 평행사변
형 ABCD에서 $\overline{AD}$의 연장선
위에 점 E를 잡고 $\overline{EF}$와 $\overline{BD}$
의 교점을 G라 할 때,
$\overline{EA}:\overline{AD}$=1:2,
$\overline{BF}:\overline{FC}$=1:2이다. $\overline{BD}$=11 cm일 때, $\overline{BG}$의 길이를 구
하시오.

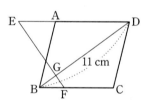

0532 ●●●●상

오른쪽 그림과 같이 평행사변형
ABCD에서 $\overline{BC}$의 연장선 위에 점
E를 잡고 $\overline{AE}$와 $\overline{CD}$의 교점을 F
라 하자. △EDF=4 cm²,
△EFC=1 cm²일 때, $\overline{BE}:\overline{CE}$
를 구하시오.

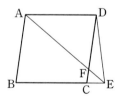

0533 ●중하●●●●

다음 중 항상 닮은 도형인 것을 모두 고르면? (정답 2개)

① 두 반원 　　　　　② 두 평행사변형
③ 두 등변사다리꼴 　　④ 두 직각삼각형
⑤ 중심각의 크기가 같은 두 부채꼴

0534 ●하●●●●●

다음 설명 중 옳지 <u>않은</u> 것은?

① 닮은 두 평면도형에서 대응하는 각의 크기는 각각 같다.
② 닮은 두 평면도형에서 대응하는 변의 길이는 각각 같다.
③ 닮은 두 입체도형에서 대응하는 면은 닮은 도형이다.
④ 닮은 두 입체도형에서 대응하는 모서리의 길이의 비는 일정하다.
⑤ 한 도형을 일정한 비율로 확대 또는 축소하여 얻은 도형이 다른 도형과 합동일 때, 그 두 도형은 서로 닮음인 관계에 있다고 한다.

0535 ●●중●●

다음 그림에서 두 평행사변형 ABCD와 EFGH는 닮은 도형이고 닮음비가 3 : 5이다. □EFGH의 둘레의 길이는?

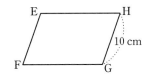

① 30 cm　　　② 35 cm　　　③ 40 cm
④ 45 cm　　　⑤ 50 cm

0536 ●중하●●● 　서술형

아래 그림의 두 원기둥 A, B는 닮은 도형이다. 다음 물음에 답하시오.

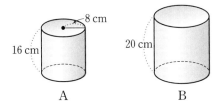

(1) 원기둥 B의 밑면의 반지름의 길이를 구하시오.

(2) 두 원기둥 A, B의 밑면의 둘레의 길이를 각각 구하시오.

(3) 두 원기둥 A, B의 밑면의 둘레의 길이의 비를 가장 간단한 자연수의 비로 나타내시오.

0537 ●●중●●

아래 그림의 △ABC와 △DEF가 닮은 도형이 되려면 다음 중 어느 조건을 추가해야 하는가?

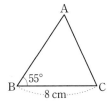

① ∠A=60°, ∠E=55°
② ∠C=55°, ∠D=60°
③ $\overline{AB}$=12 cm, $\overline{DE}$=6 cm
④ $\overline{AC}$=8 cm, $\overline{DF}$=4 cm
⑤ $\overline{AC}$=10 cm, $\overline{DE}$=5 cm

0538 ••중••

다음 중 오른쪽 그림의 △ABC
와 서로 닮음인 도형과 그 닮음
조건을 차례대로 나열한 것은?

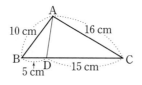

① △DBA, SSS 닮음
② △DBA, SAS 닮음   ③ △DBA, AA 닮음
④ △ADC, SAS 닮음   ⑤ △ADC, AA 닮음

0539 ••중•• 서술형

오른쪽 그림과 같은 △ABC에
서 ∠A=∠DEC이고
$\overline{AD}$=2 cm, $\overline{CD}$=4 cm,
$\overline{CE}$=3 cm일 때, 다음 물음에
답하시오.

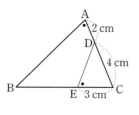

(1) 닮은 두 삼각형을 찾아 기호로 나타내고, 그때의 닮음
조건을 말하시오.

(2) $\overline{BE}$의 길이를 구하시오.

0540 ••중••

오른쪽 그림에서 $\overline{AE}$∥$\overline{BC}$,
$\overline{AB}$∥$\overline{ED}$이고 $\overline{AB}$=6 cm,
$\overline{BC}$=12 cm, $\overline{DE}$=4 cm일
때, $\overline{AE}$의 길이는?

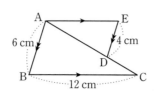

① 5 cm   ② 6 cm   ③ 7 cm
④ 8 cm   ⑤ 9 cm

0541 ••중••

오른쪽 그림과 같은 평행사변
형 ABCD에서 $\overline{AE}$=15 cm,
$\overline{AF}$=9 cm, $\overline{CF}$=12 cm일 때,
$\overline{DE}$의 길이를 구하시오.

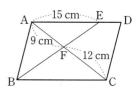

0542 ••중••

오른쪽 그림과 같은 △ABC에
서 $\overline{AB}$⊥$\overline{CD}$, $\overline{AC}$⊥$\overline{BE}$이고
$\overline{AD}$=4 cm, $\overline{DB}$=10 cm,
$\overline{AE}$=6 cm일 때, $\overline{EC}$의 길이를
구하시오.

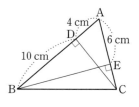

0543 ••중••

다음 중 오른쪽 그림에 대한 설
명으로 옳지 않은 것은?

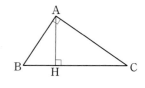

① △ABC와 △HBA는 닮은
도형이다.
② △ABC와 △HAC는 닮은 도형이다.
③ △HBA와 △HAC는 닮은 도형이다.
④ $\overline{AC}$, $\overline{CH}$의 길이를 알 때, $\overline{BH}$의 길이는 구할 수 없다.
⑤ $\overline{AB}$, $\overline{BH}$의 길이를 알 때, $\overline{AC}$의 길이를 구할 수 있다.

0544 ••중•• 서술형

오른쪽 그림과 같이 ∠A=90°
인 직각삼각형 ABC에서
$\overline{AD}$⊥$\overline{BC}$일 때, $x+y$의 값을
구하시오.

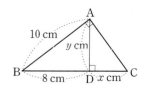

0545 ●●●상중●

오른쪽 그림과 같이 ∠A=90°
인 직각삼각형 ABC에서
$\overline{BM}=\overline{CM}$이고 $\overline{AD}\perp\overline{BC}$,
$\overline{DH}\perp\overline{AM}$일 때, $\overline{DH}$의 길이를
구하시오.

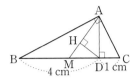

0546 ●●중●●● 서술형

다음 그림과 같이 직사각형 모양의 종이 ABCD를 $\overline{BE}$를
접는 선으로 하여 꼭짓점 C가 $\overline{AD}$ 위의 점 F에 오도록 접
었을 때, 물음에 답하시오.

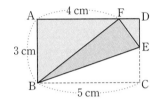

(1) △ABF와 서로 닮음인 삼각형을 찾아 기호로 나타내
고, 그때의 닮음 조건을 말하시오.

(2) $\overline{DE}$의 길이를 구하시오.

0547 ●●중●●

오른쪽 그림과 같이 정삼각형 모
양의 종이 ABC를 꼭짓점 A가
변 BC 위의 점 E에 오도록 접었
다. $\overline{BE}=3\,cm$, $\overline{CE}=6\,cm$,
$\overline{CF}=4\,cm$일 때, $\overline{BD}$의 길이를
구하시오.

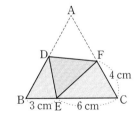

0548 ●●●상중 융합형

A시리즈 복사 용지는 축소나 확대를
쉽게 하기 위하여 용지를 반으로 자를
때, 처음 것과 닮은 도형이 되도록 만
든 것이다. A0 용지를 반으로 자르는
과정을 계속하여 만들어지는 용지를
차례대로 A1, A2, A3, ⋯ 용지라 할
때, A1 용지와 A3 용지의 닮음비를
구하시오.

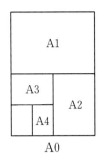

0549 ●●●●상 창의+융합

직사각형 모양의 종이를 준비하여 □ABCD로 놓고 다음
과 같은 단계를 거쳤을 때, 물음에 답하시오.

① 종이를 반으로 접었다 편다. ➡ $\overline{EF}$
② 종이를 대각선으로 접었다 편다. ➡ $\overline{AC}$
③ 점 B와 점 E를 잇는 직선을 따라 접었다 편다. ➡ $\overline{BE}$
④ $\overline{AC}$와 $\overline{BE}$의 교점 G를 지나고 $\overline{AB}$에 평행하게 접었다
    편다. ➡ $\overline{HI}$

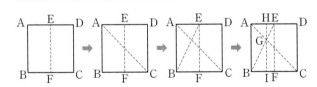

(1) △AGE와 서로 닮음인 삼각형을 찾아 기호로 나타내
고, 그때의 닮음 조건을 말하시오.

(2) $\overline{GA}:\overline{GC}$를 구하시오.

(3) $\overline{BI}:\overline{BC}$를 구하시오.

6 평행선과 선분의 길이의 비

01 삼각형에서 평행선과 선분의 길이의 비 유형 01~04

△ABC에서 $\overline{AB}$, $\overline{AC}$ 또는 그 연장선 위에 각각 점 D, E를 잡을 때

(1)

① $\overline{BC}$ ∥ ⓵ 이면

$\overline{AD} : \overline{AB} = \overline{AE} : \overline{AC} = \overline{DE} : \overline{BC}$

② $\overline{AD} : \overline{AB} = \overline{AE} : \overline{AC}$ 이면 $\overline{BC}$ ∥ ⓶

(2)

① $\overline{BC}$ ∥ $\overline{DE}$ 이면 $\overline{AD} : \overline{DB} = \overline{AE}$: ⓷

주의 $\overline{AD} : \overline{DB} = \overline{AE} : \overline{EC} \neq \overline{DE} : \overline{BC}$

② $\overline{AD} : \overline{DB} = \overline{AE}$: ⓸ 이면 $\overline{BC}$ ∥ $\overline{DE}$

답 ⓵ $\overline{DE}$ ⓶ $\overline{DE}$ ⓷ $\overline{EC}$ ⓸ $\overline{EC}$

[0550~0553] 다음 그림에서 $\overline{BC}$ ∥ $\overline{DE}$ 일 때, x 의 값을 구하시오.

0550
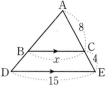

0551
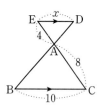

0552
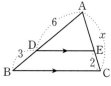

0553
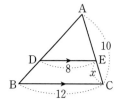

[0554~0557] 다음 그림에서 $\overline{BC}$ ∥ $\overline{DE}$ 인 것에는 ○표, $\overline{BC}$ ∥ $\overline{DE}$ 가 아닌 것에는 ×표를 (   ) 안에 써넣으시오.

0554
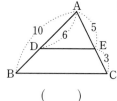
(   )

0555
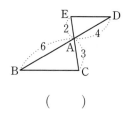
(   )

0556
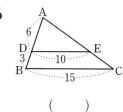
(   )

0557
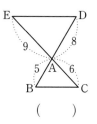
(   )

02 삼각형의 두 변의 중점을 연결한 선분 유형 05~10

(1) △ABC에서 $\overline{AB}$, $\overline{AC}$의 중점을 각각 M, N이라 하면 $\overline{MN}$ ∥ ⓵ , $\overline{MN} = $ ⓶ $\overline{BC}$

(2) △ABC에서 $\overline{AM} = \overline{MB}$, $\overline{MN}$ ∥ $\overline{BC}$ 이면 $\overline{AN} = $ ⓷

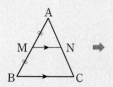

답 ⓵ $\overline{BC}$ ⓶ $\frac{1}{2}$ ⓷ $\overline{NC}$

핵심 포인트! · 오른쪽 그림에서 $a : a' = b : b' \neq c : c'$ 임에 주의한다.
➡ $a : (a+a') = b : (b+b') = c : c'$

[0558~0559] 다음 그림의 △ABC에서 $\overline{AB}$, $\overline{AC}$의 중점을 각각 M, N이라 할 때, x의 값을 구하시오.

0558

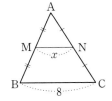

0559

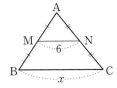

[0560~0561] 다음 그림의 △ABC에서 x의 값을 구하시오.

0560

0561

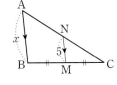

03 삼각형의 각의 이등분선

유형 11~13

(1) 삼각형의 내각의 이등분선

△ABC에서 ∠A의 이등분선이 $\overline{BC}$와 만나는 점을 D라 하면

$\overline{AB} : \overline{AC} = $ ❶ $: \overline{CD}$

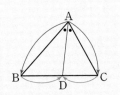

(2) 삼각형의 외각의 이등분선

△ABC에서 ∠A의 외각의 이등분선이 $\overline{BC}$의 연장선과 만나는 점을 D라 하면

$\overline{AB} : \overline{AC} = $ ❷ $: \overline{CD}$

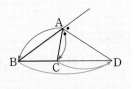

답 ❶ $\overline{BD}$ ❷ $\overline{BD}$

[0562~0563] 다음 그림의 △ABC에서 $\overline{AD}$가 ∠A의 이등분선일 때, x의 값을 구하시오.

0562

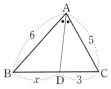

0563

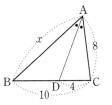

[0564~0566] 다음 그림의 △ABC에서 $\overline{AD}$가 ∠A의 외각의 이등분선일 때, x의 값을 구하시오.

0564

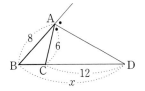

0565

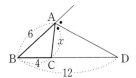

0566

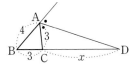

핵심 포인트! • 삼각형의 각의 이등분선의 성질은 다음과 같이 그림으로 기억하면 편리하다.

 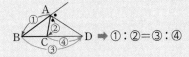

필수유형 01 삼각형에서 평행선과 선분의 길이의 비(1)

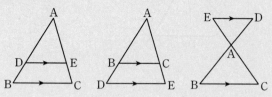

(1) $\overline{BC} \parallel \overline{DE}$이면 $\overline{AB} : \overline{AD} = \overline{AC} : \overline{AE} = \overline{BC} : $ ❶

(2) $\overline{BC} \parallel \overline{DE}$이면 $\overline{AD} : \overline{DB} = \overline{AE} : $ ❷

답 ❶ $\overline{DE}$ ❷ $\overline{EC}$

대표문제

0567

오른쪽 그림과 같은 △ABC에서 $\overline{BC} \parallel \overline{DE}$일 때, $x+y$의 값을 구하시오.

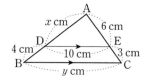

0568

오른쪽 그림과 같은 △ABC에서 $\overline{BC} \parallel \overline{DE}$이고 $\overline{AD}=12$ cm, $\overline{DB}=6$ cm, $\overline{DE}=10$ cm일 때, $\overline{BC}$의 길이를 구하시오.

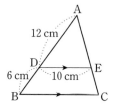

0569

오른쪽 그림에서 $\overline{BC} \parallel \overline{DE}$일 때, a를 b의 식으로 나타내시오.

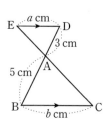

0570

오른쪽 그림에서 $\overline{BC} \parallel \overline{DE}$일 때, △ABC의 둘레의 길이를 구하시오.

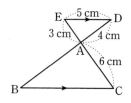

0571

오른쪽 그림에서 $\overline{BC} \parallel \overline{DE} \parallel \overline{GF}$일 때, $x-y$의 값을 구하시오.

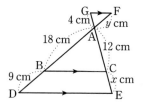

0572

오른쪽 그림에서 $\overline{BC} \parallel \overline{GF}$, $\overline{AB} \parallel \overline{DE}$일 때, $x+y$의 값을 구하시오.

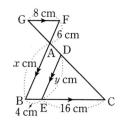

0573

오른쪽 그림과 같은 △ABC에서 $\overline{DE} \parallel \overline{BC}$이고 △ABC∽△EFC이다. $\overline{AE} : \overline{EC} = 3 : 2$이고 $\overline{AB}=15$ cm, $\overline{BC}=20$ cm일 때, □DBFE의 둘레의 길이를 구하시오.

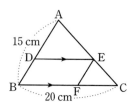

필수유형 02 삼각형에서 평행선과 선분의 길이의 비의 활용 (1)

△ABC에서 $\overline{BC} /\!/ \overline{DE}$일 때

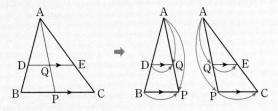

△ABP에서 $\overline{BP} /\!/ \overline{DQ}$이므로

$\overline{AQ} : \overline{AP} = \overline{DQ} : \boxed{1}$ ······ ㉠

△APC에서 $\overline{PC} /\!/ \overline{QE}$이므로

$\overline{AQ} : \overline{AP} = \overline{QE} : \boxed{2}$ ······ ㉡

㉠, ㉡에서 $\overline{DQ} : \overline{BP} = \overline{QE} : \overline{PC}$

답 ❶$\overline{BP}$ ❷$\overline{PC}$

대표문제

0574 ••중••

오른쪽 그림과 같은 △ABC에서 $\overline{BC} /\!/ \overline{DE}$일 때, $x+y$의 값을 구하시오.

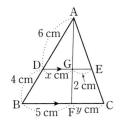

0575 •중하•••

오른쪽 그림과 같은 △ABC에서 $\overline{BC} /\!/ \overline{DE}$일 때, $x+y$의 값을 구하시오.

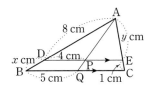

0576 ••중••

오른쪽 그림과 같은 △ABC에서 $\overline{BC} /\!/ \overline{DE}$일 때, $\overline{DP}$의 길이를 구하시오.

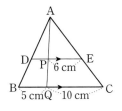

필수유형 03 삼각형에서 평행선과 선분의 길이의 비의 활용 (2)

△ABC에서 $\overline{AC} /\!/ \overline{DE}, \overline{AE} /\!/ \overline{DF}$일 때

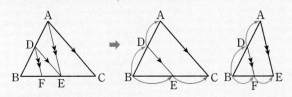

△ABC에서 $\overline{AC} /\!/ \overline{DE}$이므로

$\overline{BD} : \overline{DA} = \overline{BE} : \boxed{1}$ ······ ㉠

△ABE에서 $\overline{AE} /\!/ \overline{DF}$이므로

$\overline{BD} : \overline{DA} = \overline{BF} : \boxed{2}$ ······ ㉡

㉠, ㉡에서 $\overline{BE} : \overline{EC} = \overline{BF} : \overline{FE}$

답 ❶$\overline{EC}$ ❷$\overline{FE}$

대표문제

0577 ••중••

오른쪽 그림에서 $\overline{BC} /\!/ \overline{DE}$, $\overline{BE} /\!/ \overline{DF}$이고 $\overline{AF}=4$ cm, $\overline{FE}=3$ cm일 때, $\overline{EC}$의 길이를 구하시오.

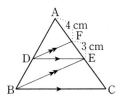

0578 ••중••

오른쪽 그림에서 $\overline{BC} /\!/ \overline{DE}$, $\overline{CD} /\!/ \overline{EF}$이고 $\overline{AD}=12$ cm, $\overline{DB}=6$ cm일 때, $\overline{FD}$의 길이를 구하시오.

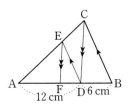

0579 ••중••

오른쪽 그림에서 $\overline{BC} /\!/ \overline{DE}$, $\overline{DC} /\!/ \overline{FE}$이고 $\overline{AD}=6$ cm, $\overline{DB}=4$ cm일 때, $\overline{AF}$의 길이를 구하시오.

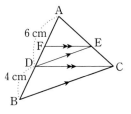

필수유형 04 삼각형에서 평행한 선분 찾기

다음 각 그림에서 $a : a' = b : b'$이면 $\overline{BC} /\!/$ ❶

(1)
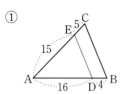
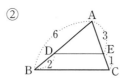

(2)
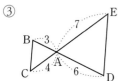
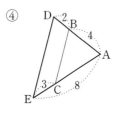

답 ❶ $\overline{DE}$

대표문제

0580 중하●●●

다음 중 $\overline{BC} /\!/ \overline{DE}$인 것은?

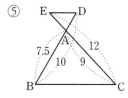

0581 ●●중●●

오른쪽 그림과 같은 △ABC에 대하여 다음 중 옳은 것을 모두 고르면? (정답 2개)

① $\overline{AC} /\!/ \overline{DF}$
② $\overline{AB} /\!/ \overline{EF}$ ③ $\overline{BC} /\!/ \overline{DE}$
④ $\triangle BDF \backsim \triangle BAC$ ⑤ $\triangle ADE \backsim \triangle ABC$

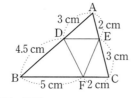

0582 ●●중●●

오른쪽 그림과 같은 △ABC에서 $\overline{AD} : \overline{AB} = \overline{AE} : \overline{AC}$일 때, 다음 중 옳지 <u>않은</u> 것은?

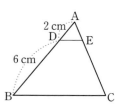

① $\overline{AB} : \overline{BD} = \overline{AC} : \overline{CE}$
② $\overline{BC} /\!/ \overline{DE}$
③ $\triangle ADE \backsim \triangle ABC$
④ $\angle AED = \angle C$
⑤ $\overline{DE} : \overline{BC} = 1 : 3$

필수유형 05 삼각형의 두 변의 중점을 연결한 선분 (1)

△ABC에서 $\overline{AM} = \overline{MB}$, $\overline{AN} = \overline{NC}$이면
$\overline{MN} /\!/ \overline{BC}$, $\overline{MN} = $ ❶ ⬜ $\overline{BC}$

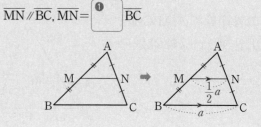

답 ❶ $\frac{1}{2}$

대표문제

0583 ●●중●●

오른쪽 그림에서 두 점 M, N은 각각 $\overline{AB}$, $\overline{AC}$의 중점이고, 두 점 P, Q는 각각 $\overline{DB}$, $\overline{DC}$의 중점이다. $\overline{MN} = 3$ cm일 때, $x+y$의 값을 구하시오.

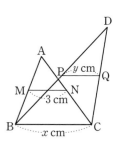

0584 하●●●●

오른쪽 그림과 같은 △ABC에서 두 점 M, N은 각각 $\overline{AB}$, $\overline{AC}$의 중점이다. $\overline{BC} = 8$ cm이고 $\angle B = 63°$일 때, x, y의 값을 각각 구하시오.

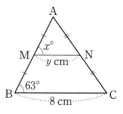

0585 ●중하●●●

오른쪽 그림과 같은 △ABC에서 두 점 M, N은 각각 $\overline{AB}$, $\overline{BC}$의 중점이다. $\overline{MN}=5$ cm이고 ∠A=75°, ∠B=45°일 때, $x+y$의 값을 구하시오.

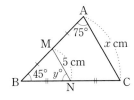

필수유형 06 삼각형의 두 변의 중점을 연결한 선분 (2)

△ABC에서 $\overline{AM}=\overline{MB}$, $\overline{MN} /\!/ \overline{BC}$이면 ❶ $=\overline{NC}$

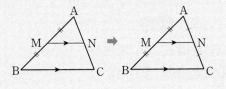

답 ❶ $\overline{AN}$

대표문제

0586 ●하●●●●

오른쪽 그림과 같은 △ABC에서 $\overline{AM}=\overline{MB}$, $\overline{MN} /\!/ \overline{BC}$이고 $\overline{AC}=8$ cm, $\overline{BC}=10$ cm일 때, $x+y$의 값을 구하시오.

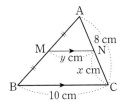

0587 ●●중●●

오른쪽 그림과 같은 △ABC에서 $\overline{AD}=\overline{DB}$이고 $\overline{DE} /\!/ \overline{BC}$, $\overline{AB} /\!/ \overline{EF}$이다. $\overline{DE}=8$ cm일 때, $\overline{FC}$의 길이를 구하시오.

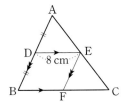

0588 ●●중●● 잘 틀리는 문제

오른쪽 그림과 같이 ∠B=90°인 직각삼각형 ABC에서 점 M은 $\overline{AC}$의 중점이다. $\overline{MD}=\overline{CD}$, $\overline{DE} /\!/ \overline{MB}$이고 $\overline{DE}=3$ cm일 때, $\overline{AC}$의 길이를 구하시오.

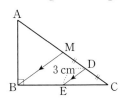

0589 ●●중●●

오른쪽 그림에서 ▱ABCD와 ▱OCDF는 모두 평행사변형이고, 점 O는 $\overline{AC}$의 중점이다. $\overline{AB}=12$ cm, $\overline{BC}=18$ cm일 때, $\overline{AE}$와 $\overline{OE}$의 길이의 합을 구하시오.

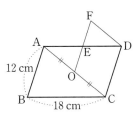

0590 ●●●상중● 서술형

오른쪽 그림과 같은 △ABC에서 점 D는 $\overline{BC}$의 중점이고 $\overline{AE}=\overline{ED}$, $\overline{BF} /\!/ \overline{DG}$이다. $\overline{DG}=3$ cm일 때, $\overline{BE}$의 길이를 구하시오.

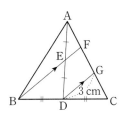

0591 ●●●상중●

오른쪽 그림에서 두 점 M, N은 각각 $\overline{DB}$, $\overline{AC}$의 중점이고, 점 E는 $\overline{MN}$의 연장선과 $\overline{DC}$의 교점이다. $\overline{AD} /\!/ \overline{BC}$이고 $\overline{AD}=4$ cm, $\overline{BC}=10$ cm일 때, $\overline{MN}$의 길이를 구하시오.

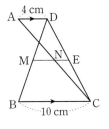

필수유형 07 중요 삼각형의 두 변의 중점을 연결한 선분의 활용(1)

오른쪽 그림의 △ABC에서
$\overline{AE}=\overline{EF}=\overline{FB}$, $\overline{AG}=\overline{GD}$일 때

(1) △AFD에서
$\overline{AE}=\overline{EF}$, $\overline{AG}=\overline{GD}$이므로
$\overline{EG}/\!/\overline{FD}$, $\overline{FD}=$ ❶ $\overline{EG}$

(2) △BCE에서
$\overline{BF}=\overline{FE}$, $\overline{DF}/\!/\overline{CE}$이므로
$\overline{BD}=\overline{DC}$, $\overline{CE}=2\overline{DF}=$ ❷ $\overline{EG}$

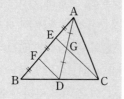

답 ❶2 ❷4

대표문제

0592 ●●중●●

오른쪽 그림과 같은 △ABC에서
$\overline{AD}=\overline{DC}$이고, $\overline{AE}=\overline{EF}=\overline{FB}$이
다. 점 G는 $\overline{BD}$와 $\overline{CF}$의 교점이고
$\overline{ED}=12$ cm일 때, $\overline{GC}$의 길이를
구하시오.

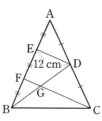

0593 ●●중●●

오른쪽 그림과 같은 △ABC에서
$\overline{AF}=\overline{FC}$이고, $\overline{AD}=\overline{DE}=\overline{EB}$
이다. 점 G는 $\overline{BF}$와 $\overline{CE}$의 교점이
고 $\overline{CG}=15$ cm일 때, $\overline{DF}$의 길이
를 구하시오.

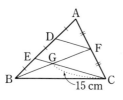

0594 ●●중●●

오른쪽 그림과 같은 △ABC에서
$\overline{AE}=\overline{EF}=\overline{FB}$이고, $\overline{AG}=\overline{GD}$
이다. $\overline{CG}=12$ cm일 때, $\overline{EG}$의
길이를 구하시오.

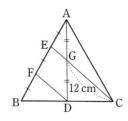

0595 ●●중●●

오른쪽 그림에서
$\overline{AD}=\overline{DE}=\overline{EB}$, $\overline{AF}=\overline{FC}$이고
$\overline{DF}$의 연장선과 $\overline{BC}$의 연장선의
교점을 G라 하자. $\overline{EC}=4$ cm일
때, $\overline{FG}$의 길이를 구하시오.

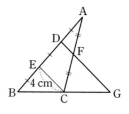

0596 ●●●상중●● **서술형**

오른쪽 그림과 같은 △ABC에서
$\overline{BD}=\overline{CD}$이고 $\overline{BE}:\overline{EA}=2:1$
이다. $\overline{EC}=8$ cm일 때, $\overline{FC}$의 길
이를 구하시오.

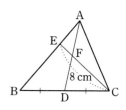

0597 ●●●상중●

오른쪽 그림과 같은 이등변삼각형
ABC에서 꼭지각의 이등분선이
$\overline{BC}$와 만나는 점을 D라 하고, $\overline{AD}$
의 중점을 E, $\overline{BE}$의 연장선이 $\overline{AC}$
와 만나는 점을 F라 하자.
$\overline{AB}=\overline{AC}=10$ cm일 때, $\overline{AF}$의 길
이를 구하시오.

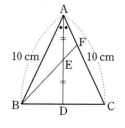

필수유형 08 삼각형의 두 변의 중점을 연결한 선분의 활용 (2)

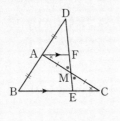

오른쪽 그림에서 $\overline{DA}=\overline{AB}$,
$\overline{AM}=\overline{MC}$일 때

(1) $\triangle AMF \equiv \triangle CME$ (ASA 합동)
  이므로 $\overline{AF}=\overline{CE}$, $\overline{FM}=\overline{EM}$

(2) $\triangle DBE$에서
  $\overline{DA}=\overline{AB}$, $\overline{AF}/\!/\overline{BE}$이므로
  $\overline{DF}=$ ❶ , $\overline{AF}=$ ❷ $\overline{BE}$

답 ❶$\overline{FE}$ ❷$\dfrac{1}{2}$

필수유형 09 삼각형의 각 변의 중점을 연결하여 만든 삼각형

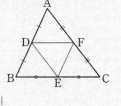

$\triangle ABC$에서 세 변의 중점을 각각 D, E, F라 하면
($\triangle DEF$의 둘레의 길이)
$=\overline{DE}+\overline{EF}+\overline{FD}$
$=\dfrac{1}{2}\overline{AC}+\dfrac{1}{2}\overline{AB}+\dfrac{1}{2}\overline{BC}$
$=$ ❶ $(\overline{AB}+\overline{BC}+\overline{AC})$
  → $\triangle ABC$의 둘레의 길이

답 ❶$\dfrac{1}{2}$

대표문제

0598 ●●중●●

오른쪽 그림과 같은 △ABC에서 $\overline{BA}$의 연장선 위에 $\overline{BA}=\overline{AD}$가 되도록 점 D를 잡고, $\overline{AC}$의 중점을 M, $\overline{DM}$의 연장선과 $\overline{BC}$의 교점을 E라 하자. $\overline{BE}=12$ cm일 때, $\overline{EC}$의 길이를 구하시오.

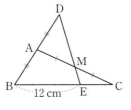

0599 ●●중●●

오른쪽 그림과 같은 △ABC에서 $\overline{AE}=\overline{EB}$, $\overline{EF}=\overline{FD}$이다. 점 E에서 $\overline{BC}$에 평행한 직선을 그어 $\overline{AC}$와 만나는 점을 G라 할 때, $\overline{CD}$와 $\overline{AC}$의 길이의 합을 구하시오.

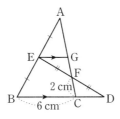

0600 ●●중●●

다음 그림에서 $\overline{AE}=\overline{EB}$, $\overline{EF}=\overline{FD}$일 때, x의 값을 구하시오.

(1)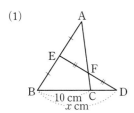

(2)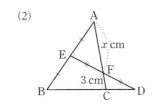

대표문제

0601 ●●중●●

오른쪽 그림과 같이 △ABC의 세 변의 중점을 각각 D, E, F라 할 때, △DEF의 둘레의 길이를 구하시오.

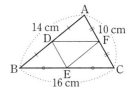

0602 ●●중●●   잘 틀리는 문제

오른쪽 그림과 같은 △ABC에서 세 점 D, E, F는 각각 $\overline{AB}$, $\overline{BC}$, $\overline{CA}$의 중점일 때, 다음 중 옳지 않은 것은?

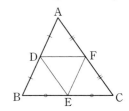

① $\overline{AB}/\!/\overline{FE}$
② $\overline{DE}=\overline{AF}$
③ $\triangle EFD \equiv \triangle ADF$
④ $\triangle DBE \equiv \triangle FEC$
⑤ $\angle ADF=\angle BDE$

0603 ●●중●●

오른쪽 그림과 같은 △ABC에서 세 점 D, E, F는 각각 $\overline{AB}$, $\overline{BC}$, $\overline{CA}$의 중점일 때, △ABC의 둘레의 길이를 구하시오.

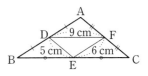

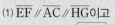

필수유형 10 사각형의 각 변의 중점을 연결하여 만든 사각형

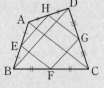

▱ABCD의 네 변의 중점을 각각 E, F, G, H라 하면

(1) $\overline{EF}$∥$\overline{AC}$∥$\overline{HG}$이고

$\overline{EF}=\overline{HG}=$ ❶ $\overline{AC}$

(2) $\overline{EH}$∥$\overline{BD}$∥$\overline{FG}$이고

$\overline{EH}=\overline{FG}=$ ❷ $\overline{BD}$

(3) (▱EFGH의 둘레의 길이)$=\overline{AC}+\overline{BD}$

달 ❶ $\frac{1}{2}$ ❷ $\frac{1}{2}$

대표문제

0604 ••중••

오른쪽 그림과 같은 ▱ABCD에서 $\overline{AB}$, $\overline{BC}$, $\overline{CD}$, $\overline{DA}$의 중점을 각각 E, F, G, H라 하자. $\overline{AC}=12$ cm, $\overline{BD}=18$ cm일 때, ▱EFGH의 둘레의 길이를 구하시오.

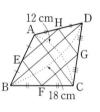

0605 •중하•••

다음은 ▱ABCD의 네 변 AB, BC, CD, DA의 중점을 각각 E, F, G, H라 할 때, ▱EFGH는 평행사변형임을 설명하는 과정이다. ☐ 안에 알맞은 것을 써넣으시오.

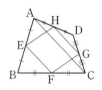

▱ABCD에서 대각선 AC를 그으면 △ABC에서

$\overline{EF}$∥ (가) , $\overline{EF}=\frac{1}{2}$ (가)

△DAC에서

$\overline{HG}$∥ (나) , $\overline{HG}=\frac{1}{2}$ (나)

∴ $\overline{EF}$∥ (다) , $\overline{EF}=$ (다)

즉 ▱EFGH는 한 쌍의 대변이 평행하고, 그 길이가 같으므로 평행사변형이다.

0606 ••중••

오른쪽 그림과 같은 직사각형 ABCD에서 $\overline{AB}$, $\overline{BC}$, $\overline{CD}$, $\overline{DA}$의 중점을 각각 E, F, G, H라 하자. $\overline{AC}=8$ cm일 때, ▱EFGH의 둘레의 길이를 구하시오.

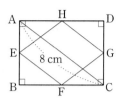

0607 ••중••

오른쪽 그림과 같이 $\overline{AD}$∥$\overline{BC}$인 등변사다리꼴 ABCD의 네 변 AB, BC, CD, DA의 중점을 각각 E, F, G, H라 하자. $\overline{AD}=5$ cm, $\overline{BC}=13$ cm, $\overline{EH}=7$ cm일 때, ▱EFGH의 둘레의 길이를 구하시오.

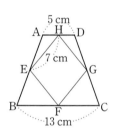

0608 •••상중• 서술형

오른쪽 그림과 같은 마름모 ABCD에서 $\overline{AB}$, $\overline{BC}$, $\overline{CD}$, $\overline{DA}$의 중점을 각각 E, F, G, H라 하자. $\overline{AC}=8$ cm, $\overline{BD}=6$ cm일 때, ▱EFGH의 넓이를 구하시오.

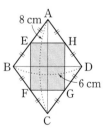

필수유형 **11** 삼각형의 내각의 이등분선

오른쪽 그림의 △ABC에서
∠BAD=∠CAD이면
$\overline{AB} : \overline{AC} =$ ❶ $: \overline{CD}$

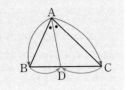

답 ❶ $\overline{BD}$

대표문제

0609 ●중하●●●●

오른쪽 그림과 같은 △ABC
에서 $\overline{AD}$가 ∠A의 이등분선
일 때, $\overline{BD}$의 길이를 구하시오.

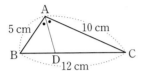

0610 ●중하●●●●

오른쪽 그림과 같은 △ABC에서
∠A의 이등분선과 $\overline{BC}$의 교점을
D라 할 때, $\overline{AC}$의 길이를 구하시오.

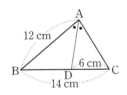

0611 ●●중●●

오른쪽 그림과 같은 △ABC에
서 $\overline{AD}$는 ∠A의 이등분선이고
$\overline{AB} /\!/ \overline{ED}$이다. $\overline{AB}=6$ cm,
$\overline{AC}=8$ cm일 때, $\overline{ED}$의 길이를
구하시오.

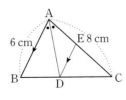

0612 ●●중●●

오른쪽 그림과 같은 △ABC에
서 ∠A의 이등분선과 $\overline{BC}$의 교
점을 D라 하자. 두 점 B, C에서
$\overline{AD}$와 그 연장선에 내린 수선의
발을 각각 E, F라 할 때, 다음 중
옳지 않은 것은?

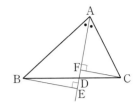

① △ABE∽△ACF
② △BED∽△CFD
③ $\overline{AB} : \overline{AC} = \overline{BE} : \overline{CF}$
④ $\overline{BE} : \overline{CF} = \overline{BD} : \overline{CD}$
⑤ $\overline{AB} : \overline{AC} = \overline{BE} : \overline{CD}$

0613 ●●중●●

오른쪽 그림과 같은 △ABC에
서 ∠BAD=∠C,
∠DAE=∠CAE일 때, $\overline{DE}$의
길이를 구하시오.

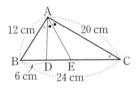

0614 ●●중●●

다음 그림과 같은 평행사변형 ABCD에서 ∠B, ∠D의 이
등분선과 $\overline{AC}$의 교점을 각각 E, F라 할 때, $\overline{EF}$의 길이를
구하시오.

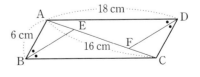

필수유형 **12** 삼각형의 내각의 이등분선과 넓이

오른쪽 그림의 △ABC에서
∠BAD=∠CAD이면
△ABD : △ACD
=$\overline{BD}$: $\overline{CD}$
=❶ ◻

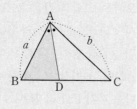

답 ❶ $a:b$

대표문제

0615 ••중•••

오른쪽 그림과 같은 △ABC에
서 $\overline{AD}$는 ∠A의 이등분선이다.
△ABD의 넓이가 9 cm²일 때,
△ACD의 넓이를 구하시오.

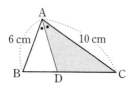

0616 ••중••

오른쪽 그림과 같이 ∠C=90°
인 직각삼각형 ABC에서 ∠A
의 이등분선과 $\overline{BC}$의 교점을 D
라 할 때, △ABD의 넓이를 구
하시오.

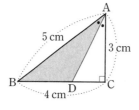

0617 •••상중•

오른쪽 그림과 같이 ∠C=90°인 직각
삼각형 ABC에서 $\overline{AD}$는 ∠A의 이등
분선이고 △ACD의 넓이는 27 cm²
이다. 점 D에서 $\overline{AB}$에 내린 수선의 발
을 E라 하고, $\overline{AB}$: $\overline{AC}$=4 : 3일 때,
△BDE의 넓이를 구하시오.

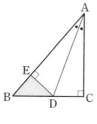

필수유형 **13** 삼각형의 외각의 이등분선

오른쪽 그림의 △ABC에서 ∠A
의 외각의 이등분선이 $\overline{BC}$의 연
장선과 만나는 점을 D라 하면
$\overline{AB}$: $\overline{AC}$=$\overline{BD}$: ❶

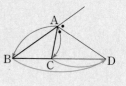

답 ❶ $\overline{CD}$

대표문제

0618 ••중하•••

오른쪽 그림과 같은 △ABC에서
$\overline{AD}$는 ∠A의 외각의 이등분선
이고 $\overline{AB}$=9 cm, $\overline{AC}$=6 cm,
$\overline{BC}$=5 cm일 때, $\overline{BD}$의 길이를
구하시오.

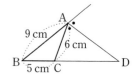

0619 ••중••

다음은 △ABC에서 ∠A의 외각의 이등분선이 $\overline{BC}$의 연
장선과 만나는 점을 D라 할 때, $\overline{AB}$: $\overline{AC}$=$\overline{BD}$: $\overline{CD}$임을
설명하는 과정이다. (가) ~ (바)에 알맞은 것을 써넣으시오.

오른쪽 그림과 같이 점 C를 지
나고 $\overline{AB}$에 평행한 직선이 $\overline{AD}$
와 만나는 점을 E라 하면
△ABD∽ (가) (AA 닮음)
∴ $\overline{AB}$: (나) =$\overline{BD}$: (다) ······ ㉠
또 ∠FAE= (라) (엇각)이므로 △ACE는 (마)
삼각형이다. 즉 $\overline{AC}$= (바) ······ ㉡
㉠, ㉡에서 $\overline{AB}$: $\overline{AC}$=$\overline{BD}$: $\overline{CD}$

0620 ••중•••

오른쪽 그림과 같은 △ABC에
서 $\overline{AD}$는 ∠A의 외각의 이등분
선이다. △ACD의 넓이가
18 cm²일 때, △ABC의 넓이
를 구하시오.

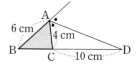

0621 ••• 중 •• 서술형

오른쪽 그림과 같은 △ABC에서 ∠A의 외각의 이등분선과 $\overline{BC}$의 연장선의 교점을 D라 하자. $\overline{AD} /\!/ \overline{EC}$이고 $\overline{AB}=8$ cm, $\overline{AC}=5$ cm, $\overline{BD}=16$ cm일 때, 다음 물음에 답하시오.

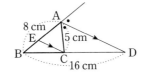

(1) $\overline{CD}$의 길이를 구하시오.

(2) △BCE와 △BDA의 닮음비를 구하시오.

(3) $\overline{BE}$의 길이를 구하시오.

0622 •••상중•

오른쪽 그림과 같은 △ABC에서 $\overline{AD}$, $\overline{AE}$가 각각 ∠A와 ∠A의 외각의 이등분선일 때, $\overline{DE}$의 길이를 구하시오.

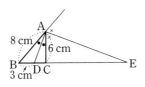

0623 •••상중•

오른쪽 그림과 같은 △ABC에서 $\overline{AD}$, $\overline{AE}$는 각각 ∠A와 ∠A의 외각의 이등분선이다. $\overline{AB}=6$ cm, $\overline{AC}=4$ cm일 때, $\overline{BD} : \overline{DC} : \overline{CE}$를 가장 간단한 자연수의 비로 나타내시오.

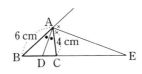

발전유형 **14** 삼각형에서 평행선과 선분의 길이의 비 (2)

대표문제

0624 •••상중•

오른쪽 그림에서 원 I는 △ABC의 내접원이고 $\overline{AB} /\!/ \overline{DE}$이다. $\overline{AC}=12$ cm, $\overline{DC}=8$ cm, $\overline{BE}=3$ cm, $\overline{EC}=6$ cm일 때, $\overline{AB}$의 길이를 구하시오.

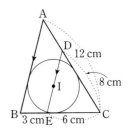

쌍둥이문제

0625 ••••상

오른쪽 그림에서 점 I는 △ABC의 내심이고 $\overline{BC} /\!/ \overline{DE}$이다. △ADE의 둘레의 길이가 15 cm이고 $\overline{AE}=4$ cm, $\overline{EC}=2$ cm일 때, $\overline{BC}$의 길이를 구하시오 .

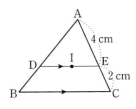

0626 •••상중•

오른쪽 그림과 같은 △ABC에서 $\overline{DE} /\!/ \overline{BC}$, $\overline{DF} /\!/ \overline{AC}$, $\overline{GF} /\!/ \overline{AB}$이다. $\overline{AE} : \overline{EC}=1 : 2$이고 $\overline{AC}=9$ cm일 때, $\overline{EG}$의 길이를 구하시오.

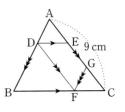

발전유형 15 삼각형의 두 변의 중점을 연결한 선분의 활용(3)

오른쪽 그림의 △ABC에서
$\overline{AD}=\overline{CD}$, $\overline{BE}=\overline{EF}=\overline{FC}$일 때

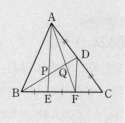

(1) △CAE에서
　$\overline{DF}//\overline{AE}$, $\overline{AE}=$ ❶ $\overline{DF}$

(2) △BFD에서
　$\overline{BP}=\overline{PD}$, $\overline{DF}=$ ❷ $\overline{PE}$

(3) △QAP∽△QFD (AA 닮음)

답 ❶ 2 ❷ 2

대표문제

0627 ●●●●○ 상

오른쪽 그림에서 $\overline{AD}=\overline{DB}$이고
$\overline{BE}=\overline{EF}=\overline{FC}$이다. $\overline{CD}$와 $\overline{AE}$,
$\overline{AF}$의 교점을 각각 P, Q라 할 때,
$\overline{CQ}:\overline{QP}:\overline{PD}$를 가장 간단한
자연수의 비로 나타내시오.

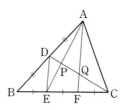

쌍둥이 문제

0628 ●●●●○ 상

오른쪽 그림에서 $\overline{AD}=\overline{DC}$이고
$\overline{BE}=\overline{EF}=\overline{FC}$이다. $\overline{BD}$와 $\overline{AE}$,
$\overline{AF}$의 교점을 각각 P, Q라 하고,
$\overline{BD}=30$ cm일 때, $\overline{QD}$의 길이
를 구하시오.

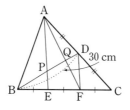

0629 ●●●●● 상

오른쪽 그림에서 두 점 P, Q는
$\overline{BC}$의 삼등분점이고, 점 M은
$\overline{AC}$의 중점이다. $\overline{BM}$과 $\overline{AP}$,
$\overline{AQ}$의 교점을 각각 R, S라 하고
△ABC의 넓이가 60 cm²일 때,
□SQCM의 넓이를 구하시오.

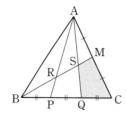

0630 ●●●●○ 상중

오른쪽 그림에서 $\overline{AE}=\overline{EB}$이고
$\overline{EG}//\overline{BC}$이다. $\overline{BD}=8$ cm,
$\overline{DC}=6$ cm, $\overline{DF}=3$ cm일 때,
$\overline{AF}$의 길이를 구하시오.

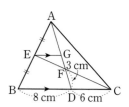

0631 ●●●●○ 상

오른쪽 그림과 같은 △ABC에서
$\overline{BD}:\overline{DC}=1:2$이고 $\overline{AE}=\overline{EB}$
일 때, $\overline{AF}:\overline{FD}$를 가장 간단한
자연수의 비로 나타내시오.

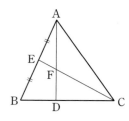

0632 ●●●●○ 상

오른쪽 그림과 같은 △ABC에서
두 점 E, F는 각각 $\overline{AB}$, $\overline{AC}$의 중
점이고, 점 G는 $\overline{EC}$와 $\overline{FD}$의 교
점이다. $\overline{BD}:\overline{DC}=3:1$이고
△FGC의 넓이가 9 cm²일 때,
□AEGF의 넓이를 구하시오.

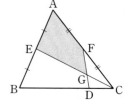

발전유형 16 등변사다리꼴에서 평행선과 선분의 길이의 비

오른쪽 그림과 같이 $\overline{AD}$//$\overline{BC}$인 등
변사다리꼴 ABCD에서
$\overline{AM}=\overline{DM}$, $\overline{BN}=\overline{CN}$, $\overline{BP}=\overline{DP}$
일 때

(1) $\overline{MP}$//$\overline{AB}$, $\overline{PN}$//$\overline{DC}$

(2) △PNM은 $\overline{PN}=\overline{PM}$인 이등변삼각형이다.

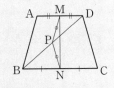

대표문제

0633 ●●●●상중●

오른쪽 그림과 같이 $\overline{AD}$//$\overline{BC}$인
등변사다리꼴 ABCD에서 $\overline{AD}$,
$\overline{BD}$, $\overline{BC}$의 중점을 각각 P, Q, R
라 하자. ∠ABD=30°,
∠BDC=70°일 때, ∠QPR의 크기를 구하시오.

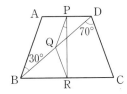

쌍둥이 문제

0634 ●●●●상중●

오른쪽 그림과 같이 $\overline{AD}$//$\overline{BC}$인
등변사다리꼴 ABCD에서 세 점
M, N, P는 각각 $\overline{AD}$, $\overline{BC}$, $\overline{BD}$
의 중점이다. ∠ABD=20°,
∠BDC=80°일 때, ∠PNM의 크기를 구하시오.

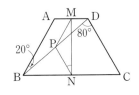

0635 ●●중●●

오른쪽 그림과 같이 $\overline{AD}$//$\overline{BC}$인
등변사다리꼴 ABCD에서 두 점
M, N은 각각 $\overline{AD}$, $\overline{BC}$의 중점이
고 $\overline{MP}$//$\overline{AB}$, $\overline{PN}$//$\overline{DC}$이다.
$\overline{MP}=4$ cm일 때, $\overline{PN}$과 $\overline{DC}$의
길이의 합을 구하시오.

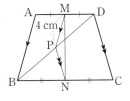

발전유형 17 삼각형의 각의 이등분선의 활용

점 I가 △ABC의 내심이면
△ABC에서
$\overline{AB}$: $\overline{AC}=\overline{BD}$: $\overline{CD}$
△BDA에서
$\overline{AB}$: $\overline{BD}=\overline{AI}$: $\overline{DI}$

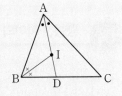

대표문제

0636 ●●●●상

오른쪽 그림에서 점 I는
△ABC의 내심이고, $\overline{AI}$의
연장선과 $\overline{BC}$의 교점을 D라
하자. $\overline{AB}=5$ cm,
$\overline{BC}=10$ cm, $\overline{AC}=7$ cm일 때, $\overline{AI}$: $\overline{ID}$를 가장 간단한 자
연수의 비로 나타내시오.

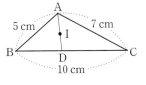

쌍둥이 문제

0637 ●●●●상

오른쪽 그림에서 점 I는
△ABC의 내심이고, $\overline{AI}$의 연
장선과 $\overline{BC}$의 교점을 D라 하
자. $\overline{AB}=5$ cm, $\overline{BC}=10$ cm,
$\overline{AC}=9$ cm일 때, △ABI와 △BDI의 넓이의 비를 가장
간단한 자연수의 비로 나타내시오.

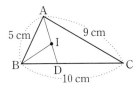

0638 ●●●상중●

오른쪽 그림과 같은 △ABC에
서 ∠BAD=∠CAD이고
$\overline{AE}=\overline{AC}$, $\overline{EF}$//$\overline{AD}$이다.
$\overline{AB}=8$ cm, $\overline{AC}=6$ cm,
$\overline{DF}=3$ cm일 때, $\overline{BF}$와 $\overline{CD}$의
길이의 합을 구하시오.

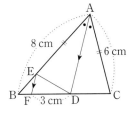

04 평행선 사이의 선분의 길이의 비 　유형 18

세 개 이상의 평행선이 다른 두 직선과 만나서 생기는
선분의 길이의 비는 같다.

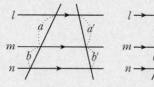

➡ $l /\!/ m /\!/ n$이면 $a : b = $ ❶ 　또는 $a : a' = $ ❷

답 ❶ $a' : b'$ 　❷ $b : b'$

[0639~0640] 다음 그림에서 $l /\!/ m /\!/ n$일 때, x의 값을 구하시오.

0639 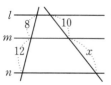 　**0640**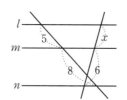

05 사다리꼴에서 평행선과 선분의 길이의 비 　유형 19~23

사다리꼴 ABCD에서
$\overline{AD} /\!/ \overline{EF} /\!/ \overline{BC}$이고 $\overline{AD}=a$,
$\overline{BC}=b$, $\overline{AE}=m$, $\overline{EB}=n$일 때,

$$\overline{EF}=\frac{an+bm}{m+n}$$

방법 1 　점 A를 지나고 $\overline{DC}$와 평행
한 직선이 $\overline{EF}$, $\overline{BC}$와 만나는
점을 각각 G, H라 하면

$\overline{GF}=\overline{HC}=\overline{AD}=a$

△ABH에서

$\overline{EG} : \overline{BH}=m : ($ ❶ $)$이므로 $\overline{EG}=\dfrac{m(b-a)}{m+n}$

➡ $\overline{EF}=\overline{EG}+\overline{GF}=\dfrac{an+bm}{m+n}$

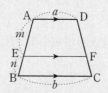

방법 2 　△ABC에서

$\overline{EG} : \overline{BC}=m : (m+n)$

$\therefore \overline{EG}=\dfrac{bm}{m+n}$

△ACD에서

$\overline{GF} : \overline{AD}=n : ($ ❷ $)$ 　$\therefore \overline{GF}=\dfrac{an}{m+n}$

➡ $\overline{EF}=\overline{EG}+\overline{GF}=\dfrac{an+bm}{m+n}$

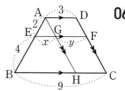

답 ❶ $m+n$ 　❷ $m+n$

[0641~0642] 다음 그림과 같이 $\overline{AD} /\!/ \overline{BC}$인 사다리꼴 ABCD
에서 $\overline{EF} /\!/ \overline{BC}$일 때, x, y의 값을 각각 구하시오.

0641 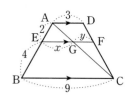 　**0642**

06 평행선과 선분의 길이의 비의 활용 　유형 24

오른쪽 그림에서
$\overline{AB} /\!/ \overline{EF} /\!/ \overline{DC}$일 때

① $\overline{EF} : \overline{CD}=a : ($ ❶ $)$

② $\overline{EF} : \overline{AB}=b : (b+a)$

③ $\overline{EF}=\dfrac{ab}{a+b}$

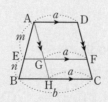

답 ❶ $a+b$

[0643~0645] 오른쪽 그림에서
$\overline{AB} /\!/ \overline{EF} /\!/ \overline{DC}$일 때, 다음을 구하시
오.

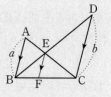

0643 　$\overline{BE} : \overline{DE}$

0644 　$\overline{BF} : \overline{BC}$

0645 　$\overline{EF}$의 길이

핵심 포인트 ! 　• 사다리꼴에서 평행선의 길이를 구할 때, 방법 1 과 방법 2 중 어떤 것을 택해도 답은 같으므로
두 방법 중 더 편리한 것을 택한다.

필수유형 18 평행선 사이의 선분의 길이의 비

다음 그림에서 $l /\!/ m /\!/ n$이면
$a : b = c : d$ 또는 $a : c =$ ❶

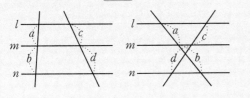

답 ❶ $b : d$

대표문제

0646 ●●중●●

오른쪽 그림에서 $l /\!/ m /\!/ n$일 때, $x + y$의 값을 구하시오.

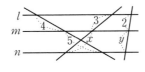

0647 ●중하●●●

오른쪽 그림에서 $l /\!/ m /\!/ n$일 때, x의 값을 구하시오.

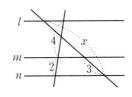

0648 ●중하●●●

오른쪽 그림에서 $l /\!/ m /\!/ n$이고
$\overline{AB} = 5$, $\overline{DE} = 3$, $\overline{EF} = 9$일 때,
$\overline{BC}$의 길이를 구하시오.

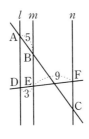

0649 ●●중●●

다음 그림에서 $l /\!/ m /\!/ n$일 때, xy의 값을 구하시오.

(1)
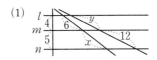

(2)
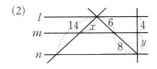

0650 ●●중●●

오른쪽 그림에서 $l /\!/ m /\!/ n /\!/ p$일 때, $a + b + c$의 값을 구하시오.

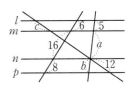

0651 ●●중●● 서술형

오른쪽 그림에서 $l /\!/ m /\!/ n$일 때, x, y의 값을 각각 구하시오.

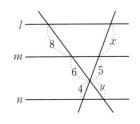

필수유형 **19** 사다리꼴에서 평행선과 선분의 길이의 비 (1)

다음 그림의 사다리꼴 ABCD에서 $\overline{AD} /\!/ \overline{EF} /\!/ \overline{BC}$일 때, $\overline{EF}$의 길이는 다음과 같이 구할 수 있다.

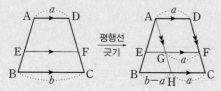

① $\overline{DC}$와 평행한 $\overline{AH}$를 긋는다.
② □AGFD에서 ❶ , △ABH에서 $\overline{EG}$의 길이를 구한다.
③ $\overline{EF} = \overline{EG} + \overline{GF}$임을 이용한다.

답 ❶ $\overline{GF}$

대표문제
0652 ••중••

오른쪽 그림과 같은 사다리꼴 ABCD에서 $\overline{AD} /\!/ \overline{EF} /\!/ \overline{BC}$일 때, $\overline{EF}$의 길이를 구하시오.

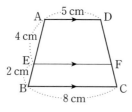

0653 ••중••

오른쪽 그림에서 $l /\!/ m /\!/ n$일 때, $\overline{BB'}$의 길이를 구하시오.

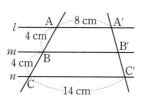

0654 ••중••

오른쪽 그림과 같은 사다리꼴 ABCD에서 $\overline{AD} /\!/ \overline{EF} /\!/ \overline{BC}$이다. $\overline{AD} = \overline{AE} = 4$ cm, $\overline{EB} = \overline{EF} = 6$ cm일 때, $\overline{BC}$의 길이를 구하시오.

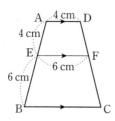

0655 ••중••

오른쪽 그림과 같은 사다리꼴 ABCD에서 $\overline{AD} /\!/ \overline{EF} /\!/ \overline{BC}$일 때, $\overline{AD}$의 길이를 구하시오.

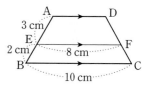

0656 ••중••

오른쪽 그림과 같은 사다리꼴 ABCD에서 $\overline{AD} /\!/ \overline{EF} /\!/ \overline{BC}$이다. $\overline{AD} = 6$ cm, $\overline{AB} = 8$ cm, $\overline{BC} = 10$ cm, $\overline{AE} = a$ cm일 때, $\overline{EF}$의 길이를 a의 식으로 나타내시오.

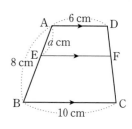

0657 ••중••

오른쪽 그림과 같은 사다리꼴 ABCD에서 $\overline{AD} /\!/ \overline{EF} /\!/ \overline{GH} /\!/ \overline{IJ} /\!/ \overline{BC}$이고 $\overline{AE} = \overline{EG} = \overline{GI} = \overline{IB}$일 때, $\overline{IJ}$의 길이를 구하시오.

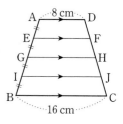

필수유형20 사다리꼴에서 평행선과 선분의 길이의 비(2)

다음 그림의 사다리꼴 ABCD에서 $\overline{AD}/\!/\overline{EF}/\!/\overline{BC}$일 때 $\overline{EF}$의 길이는 다음과 같이 구할 수 있다.

① △ABC에서 $\overline{EG}$, △ACD에서 **❶** 의 길이를 구한다.
② $\overline{EF}=\overline{EG}+\overline{GF}$임을 이용한다.

답 **❶** $\overline{GF}$

대표문제

0658 ••중••

오른쪽 그림과 같은 사다리꼴 ABCD에서 $\overline{AD}/\!/\overline{EF}/\!/\overline{BC}$일 때, $\overline{EF}$의 길이를 구하시오.

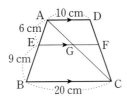

0659 ••중••

오른쪽 그림과 같은 사다리꼴 ABCD에서 $\overline{AD}/\!/\overline{EF}/\!/\overline{BC}$일 때, $\overline{GF}$의 길이를 구하시오.

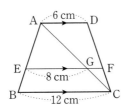

0660 ••중••

오른쪽 그림에서 $l/\!/m/\!/n$일 때, $\overline{GD}$의 길이를 구하시오.

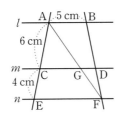

필수유형21 사다리꼴에서 평행선과 두 대각선(1)

다음 그림의 사다리꼴 ABCD에서 $\overline{AD}/\!/\overline{EF}/\!/\overline{BC}$일 때
(1) △ABC에서 $\overline{EN}/\!/\overline{BC}$이므로
$\overline{AE}:\overline{AB}=\overline{EN}:$ **❶**

(2) △ABD에서 $\overline{EM}/\!/\overline{AD}$이므로
$\overline{BE}:\overline{BA}=\overline{EM}:$ **❷**

답 **❶** $\overline{BC}$ **❷** $\overline{AD}$

대표문제

0661 ••중••

오른쪽 그림과 같은 사다리꼴 ABCD에서 $\overline{AD}/\!/\overline{EF}/\!/\overline{BC}$이고 $\overline{AE}=2\overline{EB}$일 때, $\overline{MN}$의 길이를 구하시오.

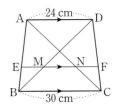

0662 ••중•• 서술형

오른쪽 그림과 같은 사다리꼴 ABCD에서 $\overline{AD}/\!/\overline{EF}/\!/\overline{BC}$이고 $\overline{AE}:\overline{EB}=3:2$일 때, $\overline{MN}$의 길이를 구하시오.

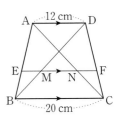

0663 ••중••

오른쪽 그림과 같은 사다리꼴 ABCD에서 $\overline{AD}/\!/\overline{EF}/\!/\overline{BC}$일 때, $\overline{BE}$와 $\overline{MN}$의 길이를 각각 구하시오.

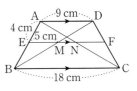

필수유형 **22** 사다리꼴에서 평행선과 두 대각선 ⑵

다음 그림의 사다리꼴 ABCD에서 $\overline{AD}\,/\!/\,\overline{EF}\,/\!/\,\overline{BC}$일 때

⑴ $\triangle AOD\backsim\triangle COB$ (AA 닮음)

➡ $\overline{AO}:\overline{CO}=\overline{DO}:\overline{BO}$

$\quad=\overline{AD}:\overline{CB}=m:n$

⑵ $\overline{AE}:\overline{EB}=\overline{DF}:\overline{FC}$

$\quad=\boxed{❶}$

🖩 ❶ $m:n$

대표문제

0664 ••중••

오른쪽 그림과 같이 $\overline{AD}\,/\!/\,\overline{BC}$인 사다리꼴 ABCD에서 두 대각선의 교점 O를 지나고 밑변 BC와 평행한 선분 EF의 길이를 구하시오.

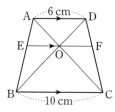

0665 ••중••

오른쪽 그림과 같은 사다리꼴 ABCD에서 $\overline{AD}\,/\!/\,\overline{EF}\,/\!/\,\overline{BC}$일 때, $\overline{OF}$의 길이를 구하시오. (단, 점 O는 두 대각선의 교점이다.)

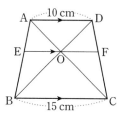

0666 ••중••

오른쪽 그림과 같은 사다리꼴 ABCD에서 점 O는 두 대각선 AC, BD의 교점이고 $\overline{AD}\,/\!/\,\overline{EF}\,/\!/\,\overline{BC}$일 때, $\overline{AD}$의 길이를 구하시오.

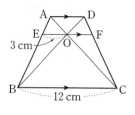

필수유형 **23** 사다리꼴에서 두 변의 중점을 연결한 선분

$\overline{AD}\,/\!/\,\overline{BC}$인 사다리꼴 ABCD에서 $\overline{AB}$, $\overline{DC}$의 중점을 각각 M, N이라 하면

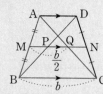 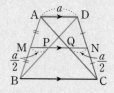

⑴ $\overline{AD}\,/\!/\,\overline{MN}\,/\!/\,\overline{BC}$

⑵ $\overline{MQ}=\boxed{❶}\overline{BC}=\dfrac{b}{2}$, $\overline{MP}=\overline{QN}=\boxed{❷}\overline{AD}=\dfrac{a}{2}$

➡ $\overline{PQ}=\dfrac{1}{2}(b-a)$, $\overline{MN}=\dfrac{1}{2}(a+b)$

🖩 ❶ $\dfrac{1}{2}$ ❷ $\dfrac{1}{2}$

대표문제

0667 ••중••

오른쪽 그림과 같이 $\overline{AD}\,/\!/\,\overline{BC}$인 사다리꼴 ABCD에서 두 점 M, N은 각각 $\overline{AB}$, $\overline{DC}$의 중점이다. $\overline{AD}=8\,\mathrm{cm}$, $\overline{BC}=12\,\mathrm{cm}$일 때, $\overline{EF}$의 길이를 구하시오.

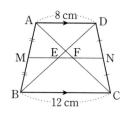

0668 ••중하••

오른쪽 그림과 같이 $\overline{AD}\,/\!/\,\overline{BC}$인 사다리꼴 ABCD에서 두 점 M, N은 각각 $\overline{AB}$, $\overline{DC}$의 중점이다. $\overline{AD}=7\,\mathrm{cm}$, $\overline{BC}=10\,\mathrm{cm}$일 때, $x-y$의 값을 구하시오.

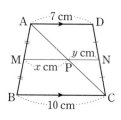

0669 ••중••

오른쪽 그림과 같이 $\overline{AD}\,/\!/\,\overline{BC}$인 사다리꼴 ABCD에서 두 점 M, N은 각각 $\overline{AB}$, $\overline{DC}$의 중점이다. $\overline{AD}=6\,\mathrm{cm}$, $\overline{BC}=10\,\mathrm{cm}$일 때, $\overline{MN}$의 길이를 구하시오.

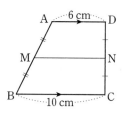

0670 ●●중●●

오른쪽 그림과 같이 $\overline{AD} /\!/ \overline{BC}$인 사다리꼴 ABCD에서 두 점 M, N은 각각 $\overline{AB}$, $\overline{DC}$의 중점이다. $\overline{AD}=6$ cm, $\overline{PQ}=2$ cm일 때, $\overline{BC}$의 길이를 구하시오.

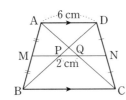

0671 ●●중●●

오른쪽 그림과 같이 $\overline{AD} /\!/ \overline{BC}$인 사다리꼴 ABCD에서 두 점 M, N은 각각 $\overline{AB}$, $\overline{DC}$의 중점이고, $\overline{MP}=\overline{PQ}=\overline{QN}$이다. $\overline{AD}=6$ cm일 때, $\overline{BC}$의 길이를 구하시오.

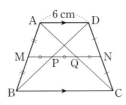

0672 ●●중●●

오른쪽 그림과 같이 $\overline{AD} /\!/ \overline{BC}$인 사다리꼴 ABCD에서 두 점 M, N은 각각 $\overline{AB}$, $\overline{DC}$의 중점이다. $\overline{AD}$와 $\overline{BC}$의 길이의 합이 36 cm이고 $\overline{MP} : \overline{PQ}=7 : 4$일 때, $\overline{AD}$의 길이를 구하시오.

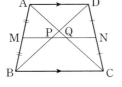

필수유형 **24** 평행선과 선분의 길이의 비의 활용 (1)

오른쪽 그림에서 $\overline{AB} /\!/ \overline{EF} /\!/ \overline{DC}$일 때

(1) $\triangle ABE \backsim \triangle CDE$ (AA 닮음)
  ➡ 닮음비는 $m : n$

(2) $\triangle BFE \backsim \triangle BCD$ (AA 닮음)
  ➡ 닮음비는 $m : ($ ❶ $)$

(3) $\triangle CEF \backsim \triangle CAB$ (AA 닮음)
  ➡ 닮음비는 $n : (n+m)$

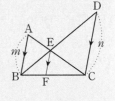

답 ❶ $m+n$

대표문제

0673 ●●중●●

오른쪽 그림에서 $\overline{AB} /\!/ \overline{EF} /\!/ \overline{DC}$이고 $\overline{AB}=6$ cm, $\overline{BC}=10$ cm, $\overline{DC}=3$ cm일 때, $x+y$의 값을 구하시오.

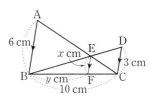

0674 ●●중●●

다음 그림에서 $\overline{AB} /\!/ \overline{EF} /\!/ \overline{DC}$일 때, x의 값을 구하시오.

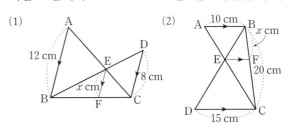

0675 ●●중●●

오른쪽 그림에서 $\overline{AB} /\!/ \overline{EF} /\!/ \overline{DC}$이고 $\overline{AB}=9$ cm, $\overline{BF}=8$ cm, $\overline{FC}=4$ cm일 때, $\overline{DC}$의 길이를 구하시오.

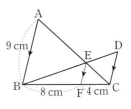

0676 ••중••

오른쪽 그림에서
$\overline{AB} /\!/ \overline{EF} /\!/ \overline{DC}$이고
$\overline{AB}=16$ cm, $\overline{EF}=6$ cm일 때,
$\overline{DC}$의 길이를 구하시오.

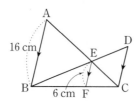

0677 ••중•• 서술형

오른쪽 그림에서 $\overline{AB}$, $\overline{DC}$,
$\overline{PH}$는 모두 $\overline{BC}$와 수직이고
$\overline{AB}=12$ cm, $\overline{BC}=16$ cm,
$\overline{DC}=20$ cm이다. 다음을 구
하시오.

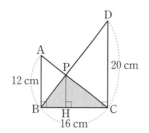

(1) $\overline{PH}$의 길이

(2) △PBC의 넓이

0678 ••••상 잘 틀리는 문제

오른쪽 그림에서
$\overline{AB} /\!/ \overline{PQ} /\!/ \overline{DC}$이고
$\overline{AB}=6$ cm, $\overline{DC}=12$ cm이다.
$\overline{PM}=\overline{MD}$, $\overline{QN}=\overline{NC}$일 때,
$\overline{MN}$의 길이를 구하시오.

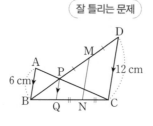

발전유형**25** 평행선과 선분의 길이의 비의 활용 (2)

대표문제

0679 •••상중•

오른쪽 그림과 같은 사다리꼴
ABCD에서 두 대각선 AC, BD
의 교점을 O라 하자.
$\overline{AD} /\!/ \overline{PQ} /\!/ \overline{BC}$이고
$\overline{AQ} : \overline{QC}=2 : 1$일 때, △ODA와
△OPQ의 닮음비를 가장 간단한 자연수의 비로 나타내
시오.

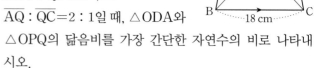

쌍둥이 문제

0680 •••상중•

오른쪽 그림과 같은 사다리꼴
ABCD에서 $\overline{AD} /\!/ \overline{PQ} /\!/ \overline{BC}$이고
$\overline{AC} : \overline{QC}=\overline{DB} : \overline{PB}=5 : 2$이다.
$\overline{AD}=8$ cm, $\overline{BC}=12$ cm일 때,
$\overline{PQ}$의 길이를 구하시오.

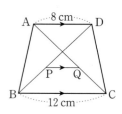

0681 ••••상

오른쪽 그림과 같이 ∠A=90°
인 직각삼각형 ABC에서
$\overline{AB}$, $\overline{BC}$ 위에 네 점 D, E, F,
G를 정했다. $\overline{AC}=1$ cm,
$\overline{DE}=\dfrac{3}{4}$ cm일 때, $\overline{FG}$의 길이를 구하시오.

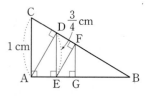

0682 하••••

다음 그림에서 $\overline{BC} /\!/ \overline{DE}$일 때, x의 값을 구하시오.

(1)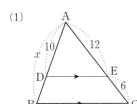

(2)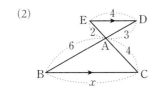

0683 ••중••

오른쪽 그림과 같은 △ABC에서 $\overline{BC} /\!/ \overline{DE}$이고 $\overline{DP}=4$ cm, $\overline{PE}=6$ cm, $\overline{BQ}=6$ cm일 때, $\overline{QC}$의 길이를 구하시오.

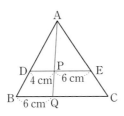

0684 ••중••

다음 그림에서 $\overline{AC} /\!/ \overline{DE}$, $\overline{CD} /\!/ \overline{EF}$이고 $\overline{BF}=9$ cm, $\overline{FD}=6$ cm일 때, $\overline{DA}$의 길이는?

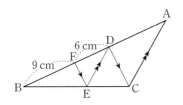

① 7 cm
② $\dfrac{17}{2}$ cm
③ $\dfrac{19}{2}$ cm
④ 10 cm
⑤ 11 cm

0685 •중하•••

다음 중 $\overline{BC} /\!/ \overline{DE}$인 것을 모두 고르면? (정답 2개)

①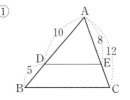

②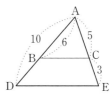

③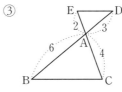

④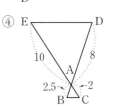

⑤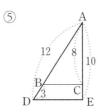

0686 ••중••

오른쪽 그림과 같은 △ABC에서 두 점 D, F와 두 점 E, G는 각각 $\overline{AB}$와 $\overline{AC}$의 삼등분점이다. $\overline{DE}=8$ cm일 때, $\overline{PQ}$의 길이를 구하시오.

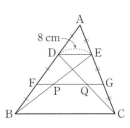

0687 ••중••

오른쪽 그림과 같은 □ABCD에서 $\overline{AD}$, $\overline{BC}$의 중점을 각각 E, F라 하고, 두 대각선 AC, BD의 중점을 각각 G, H라 하자. $\overline{AB}=10$ cm, $\overline{DC}=9$ cm일 때, □EHFG의 둘레의 길이를 구하시오.

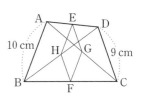

0688 ••중•• 〔서술형〕

오른쪽 그림과 같은 △ABC에서
$\overline{AD}=\overline{DB}$이고 $\overline{AE}=\overline{EF}=\overline{FC}$이다.
$\overline{BG}=12$ cm일 때, $\overline{DE}$의 길이를 구
하시오.

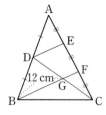

0689 ••중••

오른쪽 그림과 같은 △ABC에서
$\overline{BA}$의 연장선 위에 $\overline{BA}=\overline{AD}$가
되도록 점 D를 잡고, 점 D와 $\overline{AC}$
의 중점 E를 지나는 직선이 $\overline{BC}$와
만나는 점을 F라 하자.
$\overline{BC}=18$ cm일 때, $\overline{BF}$의 길이를 구하시오.

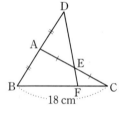

0690 •••상중•

오른쪽 그림과 같은 △ABC에
서 $\overline{BF} /\!/ \overline{DE}$이고 점 G는 $\overline{DE}$의
연장선과 $\overline{BC}$의 연장선의 교점이
다. $\overline{BC}=\overline{BG}$이고 $\overline{AD}=8$ cm,
$\overline{DB}=12$ cm일 때, $\overline{GD}:\overline{DE}$를
가장 간단한 자연수의 비로 나타내시오.

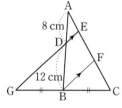

0691 ••중••

오른쪽 그림과 같은 □ABCD에
서 네 변 AB, BC, CD, DA의 중
점을 각각 E, F, G, H라 할 때, 다
음 중 옳지 <u>않은</u> 것은?

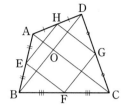

① $\overline{EF}=\overline{HG}$

② $\overline{EH} /\!/ \overline{FG}$

③ ∠BOC=∠HEF

④ □EFGH는 평행사변형이다.

⑤ □EFGH의 둘레의 길이는 $\overline{AC}+\overline{BD}$이다.

0692 ••중••

오른쪽 그림과 같이 $\overline{AD} /\!/ \overline{BC}$인
등변사다리꼴 ABCD에서 $\overline{AD}$,
$\overline{BC}$의 중점을 각각 M, N이라 하
자. $\overline{MP} /\!/ \overline{DC}$이고 $\overline{PN} /\!/ \overline{AB}$일
때, 다음 중 옳지 <u>않은</u> 것은?

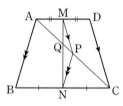

① $\overline{AP}=\overline{PC}$ ② $\overline{MP}=\overline{PN}$

③ $\overline{MP}=\dfrac{1}{2}\overline{AB}$ ④ $\overline{MQ}=\dfrac{1}{2}\overline{DC}$

⑤ ∠PMQ=∠PNQ

0693 ••중••

오른쪽 그림과 같은 △ABC
에서 $\overline{AD}$, $\overline{AE}$가 각각 ∠A
와 ∠A의 외각의 이등분선
일 때, x의 값은?

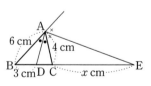

① 6 ② 7 ③ 8

④ 9 ⑤ 10

0694 ●●●상중●

오른쪽 그림과 같은 △ABC에서 ∠BAD=∠CAD이고 $\overline{AE}=\overline{AC}$, $\overline{EF}/\!/\overline{AD}$이다. $\overline{AB}=10$ cm, $\overline{AC}=6$ cm, $\overline{DF}=3$ cm일 때, $\overline{CD}$의 길이를 구하시오.

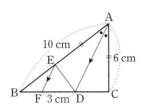

0695 ●●●상중● 융합형

오른쪽 그림과 같이 ∠A=90°인 직각삼각형 ABC의 꼭짓점 A에서 $\overline{BC}$에 내린 수선의 발을 D라 하고, ∠ADE=∠BDE가 되도록 $\overline{AB}$ 위에 점 E를 잡았다. 이때 $\overline{BE}$의 길이를 구하시오.

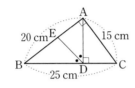

0696 ●●중●●

다음 그림에서 $l/\!/m/\!/n$일 때, $x+y$의 값을 구하시오.

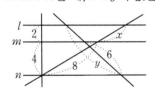

0697 ●●중●●

오른쪽 그림에서 $l/\!/m/\!/n$일 때, 다음 중 옳지 않은 것은?

① $\overline{AC}:\overline{CE}=\overline{BD}:\overline{DF}$

② △ACG∽△AEF

③ $\overline{FD}:\overline{FB}=\overline{GD}:\overline{AB}$

④ △GAC∽△GFD

⑤ ∠CAG+∠AEF+∠AGC=180°

0698 ●●중●●

오른쪽 그림과 같은 사다리꼴 ABCD에서 $\overline{AD}/\!/\overline{EF}/\!/\overline{BC}$이다. $\overline{EB}=2\overline{AE}$일 때, $\overline{EF}$의 길이는?

① 8.5 cm ② 8 cm

③ 7.5 cm ④ 7 cm

⑤ 6.5 cm

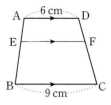

0699 ●●중●

오른쪽 그림과 같이 $\overline{AD}/\!/\overline{BC}$인 사다리꼴 ABCD에서 $\overline{AB}$, $\overline{DC}$의 중점을 각각 M, N이라 하자. $\overline{AD}=10$ cm, $\overline{BC}=20$ cm일 때, $\overline{PQ}$의 길이를 구하시오.

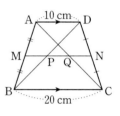

0700 ●●중●● 서술형

오른쪽 그림에서 $\overline{AB}$, $\overline{EF}$, $\overline{DC}$는 모두 $\overline{BC}$에 수직이다. 다음 물음에 답하시오.

(1) $\overline{BF}:\overline{FC}$를 가장 간단한 자연수의 비로 나타내시오.

(2) $\overline{EF}$의 길이를 구하시오.

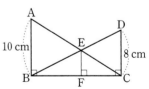

7
닮음의 활용

01 삼각형의 중선과 무게중심 유형 01~05, 08

(1) **삼각형의 중선**

삼각형에서 한 꼭짓점과 그 대변의 **❶** 을 이은 선분

(2) 삼각형의 한 중선은 그 삼각형의 넓이를 이등분한다.

➡ $\overline{AD}$가 △ABC의 중선이면

$$\triangle ABD = \triangle ACD = \frac{1}{2}\triangle ABC$$

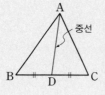

(3) **삼각형의 무게중심**

① 삼각형의 세 중선은 한 점 (무게중심)에서 만난다.

② 삼각형의 무게중심은 세 중선의 길이를 각 꼭짓점으로부터 각각 2 : 1로 나눈다.

➡ $\overline{AG} : \overline{GD} = \overline{BG} : \overline{GE} = \overline{CG} : \overline{GF} = $ **❷**

답 ❶ 중점 ❷ 2 : 1

[0701~0704] 다음 그림에서 점 G가 △ABC의 무게중심일 때, x, y의 값을 각각 구하시오.

0701
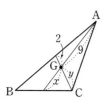

0702
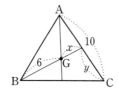

0703
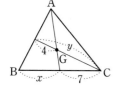

0704
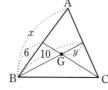

02 삼각형의 무게중심과 넓이 유형 06, 07, 09

△ABC의 무게중심을 G라 하면

(1) 삼각형의 세 중선에 의하여 나누어지는 6개의 삼각형의 넓이는 모두 같다.

➡ △GAF = △GBF

= △GBD

= △GCD

= △GCE

= △GAE

= **❶** △ABC

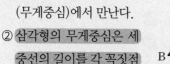

(2) 삼각형의 무게중심과 세 꼭짓점을 이어서 생기는 세 삼각형의 넓이는 같다.

➡ △GAB = △GBC

= △GCA

= **❷** △ABC

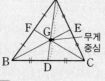

답 ❶ $\frac{1}{6}$ ❷ $\frac{1}{3}$

[0705~0708] 다음 그림에서 점 G는 △ABC의 무게중심이고 △ABC의 넓이가 12 cm^2일 때, 색칠한 부분의 넓이를 구하시오.

0705
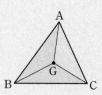

0706
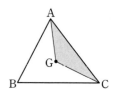

0707
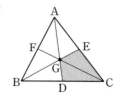

0708
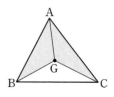

핵심 포인트! • 무게중심의 위치

(1) 정삼각형: 외심, 내심, 무게중심이 모두 일치한다.

(2) 이등변삼각형: 외심, 내심, 무게중심이 모두 꼭지각의 이등분선 위에 있다.

03 닮은 도형에서 넓이의 비와 부피의 비 유형 10~15

(1) **닮은 두 평면도형의 둘레의 길이의 비와 넓이의 비**

닮은 두 평면도형의 닮음비가 $m : n$이면

① 둘레의 길이의 비 ➡ $m : n$

② 넓이의 비 ➡ ⬜**①**

(2) **닮은 두 입체도형의 겉넓이의 비와 부피의 비**

닮은 두 입체도형의 닮음비가 $m : n$이면

① 겉넓이의 비 ➡ $m^2 : n^2$

② 부피의 비 ➡ ⬜**②**

답 ❶ $m^2 : n^2$ ❷ $m^3 : n^3$

0709 오른쪽 그림에서 닮은 두 삼각형을 찾아 기호를 써서 나타내고, 그 넓이의 비를 구하시오.

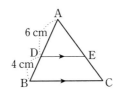

[0710~0713] 아래 그림의 원기둥 모양의 두 통조림 A, B가 닮은 도형일 때, 다음을 구하시오.

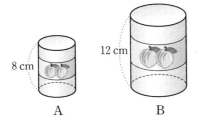

0710 A와 B의 닮음비

0711 A와 B의 밑면의 둘레의 길이의 비

0712 A와 B의 겉넓이의 비

0713 A와 B의 부피의 비

04 축도와 축척 유형 16

직접 측정하기 어려운 거리, 높이 등은 도형의 ⬜**①** 을 이용하여 구할 수 있다.

(1) **축도** 어떤 도형을 일정한 비율로 줄인 그림

(2) **축척** 축도에서 실제 도형을 줄인 비율

➡ (축척) $= \dfrac{(⬜ ❷ 에서의 길이)}{(실제 길이)}$

답 ❶ 닮음 ❷ 축도

[0714~0715] 축척이 $\dfrac{1}{50000}$인 지도에 대하여 다음 물음에 답하시오.

0714 지도에서 5 cm인 거리는 실제로 몇 km인지 구하시오.

0715 실제 거리가 6 km인 두 지점의 지도상의 거리는 몇 cm인지 구하시오.

[0716~0717] 오른쪽 그림은 축척이 $\dfrac{1}{10000}$인 축도이다. 다음 물음에 답하시오.

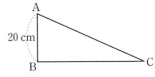

0716 A 지점에서 B 지점까지의 실제 거리는 몇 km인지 구하시오.

0717 A 지점에서 C 지점까지의 실제 거리가 5 km일 때, 축도에서 $\overline{AC}$의 길이는 몇 cm인지 구하시오.

핵심 포인트! · 닮은 두 평면도형에서 닮음비와 넓이의 비 사이의 관계는 도형의 모양과 관계없이 성립한다.

· 닮은 두 기둥의 닮음비가 $m : n$이면

① 옆넓이의 비 ➡ $m^2 : n^2$ ② 밑넓이의 비 ➡ $m^2 : n^2$

7

닮음의 활용

필수유형 01 삼각형의 중선의 성질

$\overline{\rm AD}$가 △ABC의 중선일 때
△ABD=△ACD
= $\boxed{\textbf{❶}}$ △ABC

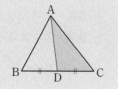

답 ❶ $\dfrac{1}{2}$

대표문제

0718 ●중하●●●

오른쪽 그림과 같은 △ABC에서 점 M은 $\overline{\rm BC}$의 중점이고 점 N은 $\overline{\rm AM}$의 중점이다. △NMC의 넓이가 6 cm²일 때, △ABC의 넓이를 구하시오.

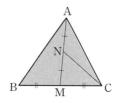

0719 ●하●●●●

오른쪽 그림에서 $\overline{\rm AD}$는 △ABC의 중선이다. △ABD의 넓이가 25 cm²일 때, △ABC의 넓이를 구하시오.

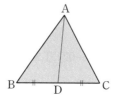

0720 ●중하●●●

오른쪽 그림과 같은 △ABC에서 점 D는 $\overline{\rm BC}$의 중점이고 $\overline{\rm AE}=\overline{\rm EF}=\overline{\rm FD}$이다. △FDC의 넓이가 8 cm²일 때, △ABC의 넓이를 구하시오.

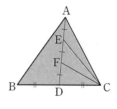

필수유형 02 (중요) 삼각형의 무게중심의 성질 (1)

점 G가 △ABC의 무게중심일 때
(1) $\overline{\rm AG}=2\overline{\rm GD}$
(2) $\overline{\rm AG}=\dfrac{2}{3}\overline{\rm AD}$, $\overline{\rm GD}=\boxed{\textbf{❶}}\overline{\rm AD}$
(3) $\overline{\rm AD}=\dfrac{3}{2}\overline{\rm AG}=3\overline{\rm GD}$

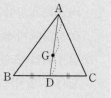

답 ❶ $\dfrac{1}{3}$

대표문제

0721 ●중하●●●

오른쪽 그림에서 점 G는 △ABC의 무게중심이고 $\overline{\rm AC}=16$ cm, $\overline{\rm BD}=21$ cm일 때, $x+y$의 값을 구하시오.

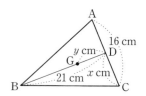

0722 ●중하●●●

오른쪽 그림에서 점 G는 △ABC의 무게중심이고 $\overline{\rm AG}=4$ cm, $\overline{\rm BD}=5$ cm일 때, $x+y$의 값을 구하시오.

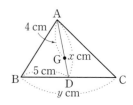

0723 ●●중●● 서술형

오른쪽 그림과 같이 ∠C=90°인 직각삼각형 ABC에서 점 G는 △ABC의 무게중심이다. $\overline{\rm AB}=10$ cm, $\overline{\rm BC}=8$ cm, $\overline{\rm AC}=6$ cm일 때, $\overline{\rm CG}$의 길이를 구하시오.

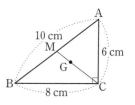

필수유형 03 삼각형의 무게중심의 성질 (2)

두 점 G, G'이 각각 $\triangle ABC$,
$\triangle GBC$의 무게중심일 때
(1) $\overline{AG} : \overline{GD} = 2 : 1$
(2) $\overline{GG'} : \overline{G'D} = $ ❶
(3) $\overline{AG} : \overline{GG'} : \overline{G'D} = 6 : 2 : 1$

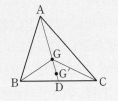

답 ❶ 2 : 1

대표문제

0724 ••• 중 ••

오른쪽 그림에서 두 점 G, G'은 각
각 $\triangle ABC$, $\triangle GBC$의 무게중심
이다. $\overline{AD} = 18$ cm일 때, $\overline{GG'}$의
길이를 구하시오.

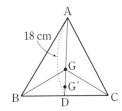

0725 ••• 중 ••

오른쪽 그림에서 두 점 G, G'은 각
각 $\triangle ABC$, $\triangle GBC$의 무게중심
이다. $\overline{G'D} = 2$ cm일 때, $\overline{AG}$의 길
이를 구하시오.

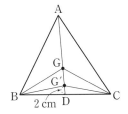

0726 ••• 중 ••• 서술형

오른쪽 그림에서 두 점 G, G'은 각
각 $\triangle ABC$, $\triangle GBC$의 무게중심
이다. $\overline{GG'} = 6$ cm일 때, $\overline{AD}$의 길
이를 구하시오.

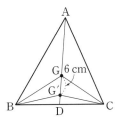

필수유형 04 삼각형의 무게중심의 활용 (1)

점 G가 $\triangle ABC$의 무게중심이고
$\overline{BE} /\!/ \overline{DF}$, $\overline{GE} = a$일 때
(1) $\overline{BE} = 3\overline{GE} = 3a$
(2) $\overline{GE} : \overline{DF} = \overline{AG} : \overline{AD} = $ ❶
∴ $\overline{DF} = \dfrac{3}{2}\overline{GE} = \dfrac{3}{2}a$

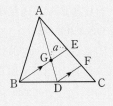

답 ❶ 2 : 3

대표문제

0727 ••• 중 ••

오른쪽 그림에서 점 G는
$\triangle ABC$의 무게중심이고
$\overline{BE} /\!/ \overline{DF}$이다. $\overline{GE} = 3$ cm일 때,
xy의 값을 구하시오.

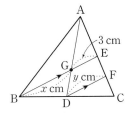

0728 ••• 중 ••

오른쪽 그림에서 점 G는 $\triangle ABC$
의 무게중심이고 $\overline{MN} = \overline{CN}$이
다. $\overline{BG} = 4$ cm일 때, $y - x$의 값
을 구하시오.

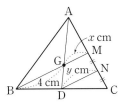

0729 ••• 중 •• 잘 틀리는 문제

오른쪽 그림에서 점 G는 $\triangle ABC$
의 무게중심이고 $\overline{AD} /\!/ \overline{EF}$이다.
$\overline{EF} = 3$ cm일 때, $\overline{AG}$의 길이를
구하시오.

필수유형 05 삼각형의 무게중심의 활용 (2)

점 G가 △ABC의 무게중심이고
$\overline{DE} /\!/ \overline{BC}$일 때

(1) △ADG∽△ABM (AA 닮음)
➡ $\overline{DG} : \overline{BM} = \overline{AG} : \overline{AM}$
$= 2 : 3$

(2) △AGE∽△AMC (AA 닮음)
➡ $\overline{GE} : \overline{MC} = \overline{AG} : \overline{AM} = $ ❶

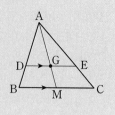

답 ❶ 2 : 3

대표문제

0730 ••중••

오른쪽 그림에서 점 G는 △ABC
의 무게중심이고 $\overline{EF} /\!/ \overline{BC}$이다.
$\overline{BC} = 12$ cm, $\overline{GD} = 3$ cm일 때,
$x + y$의 값을 구하시오.

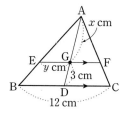

0731 ••중••

오른쪽 그림에서 점 G는
∠A = 90°인 직각삼각형 ABC
의 무게중심이고 $\overline{DE} /\!/ \overline{BC}$이
다. $\overline{DG} = 4$ cm일 때, $\overline{AG}$의
길이를 구하시오.

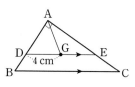

0732 ••중••

오른쪽 그림에서 점 G는
△ABC의 무게중심이고
$\overline{DE} /\!/ \overline{AC}$이다. $\overline{AC} = 15$ cm일
때, $\overline{DE}$의 길이를 구하시오.

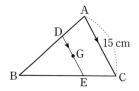

0733 ••중•• 서술형

오른쪽 그림과 같이 $\overline{AB} = \overline{AC}$인
이등변삼각형 ABC에서 점 D는 밑
변 BC의 중점이고, 두 점 G, G'은
각각 △ABD, △ADC의 무게중
심이다. $\overline{BC} = 18$ cm일 때, $\overline{GG'}$의
길이를 구하시오.

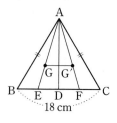

0734 •••상중•

오른쪽 그림과 같은 △ABC에서
점 D는 $\overline{BC}$의 중점이고, 두 점 G,
G'은 각각 △ABD, △ADC의
무게중심이다. $\overline{BC} = 12$ cm일 때,
$\overline{GG'}$의 길이를 구하시오.

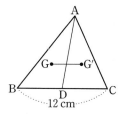

필수유형 06 삼각형의 무게중심과 넓이 (1)

점 G가 △ABC의 무게중심일 때

(1) △GAF = △GBF
$= $△GBD = △GCD
$= $△GCE = △GAE
$= $❶ $\square$ △ABC

(2) △GAB = △GBC
$= $△GCA
$= $❷ $\square$ △ABC

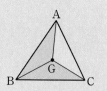

답 ❶ $\frac{1}{6}$ ❷ $\frac{1}{3}$

대표문제

0735 ••중하•••

오른쪽 그림에서 점 G는 △ABC
의 무게중심이다. △ABC의 넓이
가 72 cm²일 때, △GAB와
□GDCE의 넓이의 합을 구하시
오.

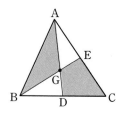

0736 ●중하●●●

오른쪽 그림에서 점 G가 △ABC
의 무게중심일 때, 다음 중 옳지
않은 것은?

① $\overline{AG} : \overline{GD} = 2 : 1$

② $\overline{GE} : \overline{BE} = 1 : 3$

③ $\overline{AE} = \overline{CE}$

④ $\triangle GBD = \frac{1}{6} \triangle ABC$

⑤ $3\triangle GBF = \triangle GCA$

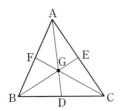

0737 ●●중●●●

다음 그림에서 점 G는 △ABC의 무게중심이고
△ABC의 넓이가 36 cm²일 때, 색칠한 부분의 넓이를 구
하시오.

(1)

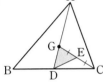

(2)

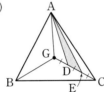

0738 ●●중●● 서술형

오른쪽 그림에서 점 G가
∠C=90°인 직각삼각형 ABC
의 무게중심일 때, 다음을 구
하시오.

(1) △GDC의 넓이

(2) △GED의 넓이

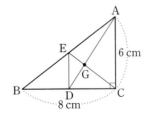

필수유형 07 삼각형의 무게중심과 넓이 (2)

두 점 G, G′이 각각 △ABC,
△GBC의 무게중심일 때

(1) $\triangle GBG' = \boxed{①} \triangle GBD$

$= \frac{1}{9} \triangle ABC$

(2) $\triangle G'BD = \boxed{②} \triangle GBD$

$= \frac{1}{18} \triangle ABC$

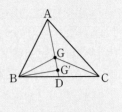

답 ① $\frac{2}{3}$ ② $\frac{1}{3}$

대표문제

0739 ●●중●●●

오른쪽 그림에서 두 점 G, G′은 각
각 △ABC, △GBC의 무게중심
이다. △ABC의 넓이가 54 cm²
일 때, △GBG′의 넓이를 구하시
오.

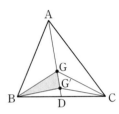

0740 ●●중●●●

오른쪽 그림에서 두 점 G, G′은
각각 △ABC, △GBC의 무게중
심이다. △ABC의 넓이가
108 cm²일 때, △GCA와
△G′BD의 넓이의 합을 구하시
오.

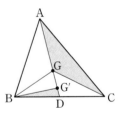

0741 ●●중●●●

오른쪽 그림에서 두 점 G, G′이
각각 △ABC, △GBC의 무게중
심일 때, △GBG′와 △GCG′의
넓이의 합은 △ABC의 넓이의
몇 배인지 구하시오.

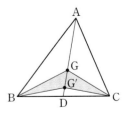

필수유형 **08** 평행사변형에서 삼각형의 무게중심의 활용 (1)

평행사변형 ABCD에서
$\overline{BM}=\overline{CM}, \overline{CN}=\overline{DN}$일 때
(1) 두 점 P, Q는 각각 △ABC,
  △ACD의 무게중심이다.
(2) $\overline{BP} : \overline{PO}=\overline{DQ} : \overline{QO}=2 : 1$
(3) $\overline{BP} : \overline{PQ} : \overline{QD}=$ ❶

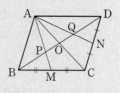

❶ 1 : 1 : 1

대표문제

0742 ●●중●●

오른쪽 그림과 같은 평행사변형
ABCD에서 두 점 M, N은 각각
$\overline{BC}, \overline{CD}$의 중점이고
$\overline{BD}=15$ cm일 때, $\overline{PQ}$의 길이를
구하시오.

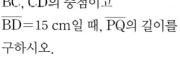

0743 ●●중●●

다음 그림의 평행사변형 ABCD에서 x의 값을 구하시오.

(1)
(2)

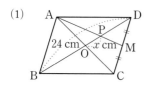 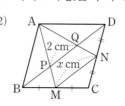

0744 ●●중●●

오른쪽 그림과 같은 평행사변형
ABCD에서 두 점 M, N은 각
각 $\overline{AD}, \overline{BC}$의 중점이다. 다음
중 옳지 <u>않은</u> 것은?

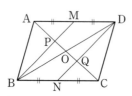

① $\overline{BP} : \overline{PM}=2 : 1$ ② $\overline{QN}=\frac{1}{3}\overline{DN}$
③ $\overline{AP}=\overline{PQ}=\overline{QC}$ ④ $\overline{PO}=\frac{1}{6}\overline{AC}$
⑤ $\overline{AP} : \overline{PC}=1 : 3$

필수유형 **09** ^{중요} 평행사변형에서 삼각형의 무게중심의 활용 (2)

평행사변형 ABCD에서
$\overline{BM}=\overline{CM}, \overline{CN}=\overline{DN}$일 때
(1) $\triangle APO=\frac{1}{6}\triangle ABC$
  $=$ ❶ $\square ABCD$
(2) $\triangle AOQ=\frac{1}{6}\triangle ACD$
  $=$ ❷ $\square ABCD$

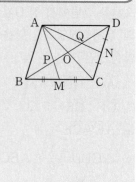

❶ $\frac{1}{12}$ ❷ $\frac{1}{12}$

대표문제

0745 ●●중●●

오른쪽 그림과 같은 평행사변형
ABCD에서 $\overline{BM}=\overline{CM}$,
$\overline{CN}=\overline{DN}$이다. $\square ABCD$의 넓
이가 72 cm²일 때, △APQ의 넓
이를 구하시오.

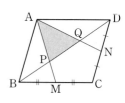

0746 ●●중●●

오른쪽 그림과 같은 평행사변형
ABCD에서 $\overline{BE}=\overline{CE}$,
$\overline{CF}=\overline{DF}$이다. $\square ABCD$의 넓이
가 24 cm²일 때, 다음을 구하시
오.

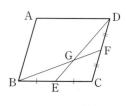

(1) △GBE의 넓이

(2) $\square GECF$의 넓이

0747 ●●중●●   잘 틀리는 문제

오른쪽 그림과 같은 평행사변형
ABCD에서 $\overline{AM}=\overline{DM}$이고
△ABP의 넓이가 4 cm²일 때,
$\square ABCD$의 넓이를 구하시오.

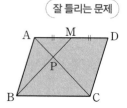

0748 ••중•••

오른쪽 그림과 같은 평행사변형 ABCD에서 $\overline{AD}$, $\overline{BC}$의 중점을 각각 M, N이라 하자. □ABCD의 넓이가 48 cm²일 때, □MEFD의 넓이를 구하시오.

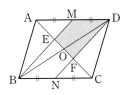

필수유형 10 닮은 두 평면도형의 넓이의 비

닮은 두 평면도형의 닮음비가 $m : n$이면

(1) 둘레의 길이의 비 ➡ ❶

(2) 넓이의 비 ➡ ❷

답 ❶ $m : n$ ❷ $m^2 : n^2$

대표문제

0751 ••중•••

오른쪽 그림과 같이 $\overline{AD} /\!/ \overline{BC}$인 사다리꼴 ABCD에서 △AOD의 넓이가 9 cm²일 때, 다음 중 옳은 것은?

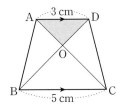

① △COB=20 cm²

② △ABD=15 cm²　③ △ACD=15 cm²

④ △ABC=30 cm²　⑤ □ABCD=64 cm²

0749 ••중••

오른쪽 그림에서 □ABCD는 직사각형이고, 두 점 E, F는 각각 $\overline{AD}$, $\overline{CD}$의 중점이다. $\overline{BE}$, $\overline{BF}$와 대각선 AC의 교점을 각각 G, H라 할 때, 오각형 EGHFD의 넓이를 구하시오.

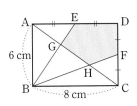

0752 •중하•••

두 평면도형 A, B는 닮은 도형이다. 두 평면도형 A, B의 닮음비가 3 : 5이고 B의 넓이가 125 cm²일 때, A의 넓이를 구하시오.

0750 •••상중•

오른쪽 그림과 같은 평행사변형 ABCD에서 $\overline{BC}$, $\overline{CD}$의 중점을 각각 M, N이라 하자. □ABCD의 넓이가 72 cm²일 때, □PMNQ의 넓이를 구하시오.

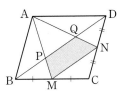

0753 ••중•••

오른쪽 그림과 같은 △ABC에서 ∠C=∠ADE이고 △ABC의 넓이가 40 cm²일 때, △ADE의 넓이를 구하시오.

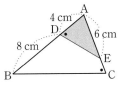

0754 ●●중●●

오른쪽 그림과 같은 △ABC에서 $\overline{BC} \parallel \overline{DE}$이고 △ADE의 넓이가 12 cm²일 때, □DBCE의 넓이를 구하시오.

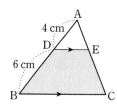

0755 ●●●상중●

오른쪽 그림에서 $\overline{AB}$, $\overline{AC}$, $\overline{AD}$ 는 각각 세 원의 지름이고 $\overline{AB} = \overline{BC} = \overline{CD}$이다. 색칠한 부분의 넓이가 25π일 때, $\overline{AB}$를 지름으로 하는 원의 넓이를 구하시오.

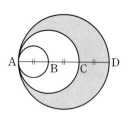

0756 ●●●상중●

오른쪽 그림과 같이 △ABC의 각 변의 중점을 연결하여 만든 삼각형을 A₁, A₁의 각 변의 중점을 연결하여 만든 삼각형을 A₂, A₂의 각 변의 중점을 연결하여 만든 삼각형을 A₃이라 하자. △ABC의 넓이가 48 cm²일 때, A₃의 넓이를 구하시오.

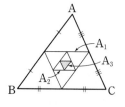

필수유형 **11** 닮은 두 입체도형의 겉넓이의 비

닮은 두 입체도형의 닮음비가 $m : n$이면
(1) 옆넓이의 비 ➡ $m^2 : n^2$
(2) 밑넓이의 비 ➡ $m^2 : n^2$
(3) 겉넓이의 비 ➡ **❶**

답 **❶** $m^2 : n^2$

대표문제

0757 ●●중●●

다음 그림의 두 삼각기둥 A, B는 닮은 도형이다. 삼각기둥 B의 겉넓이가 108 cm²일 때, 삼각기둥 A의 겉넓이를 구하시오.

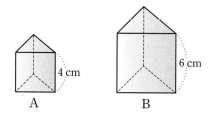

0758 ●●중하●●●

다음 그림의 두 원뿔 A, B는 닮은 도형이고 닮음비는 4 : 5 이다. 원뿔 B의 겉넓이가 125 cm²일 때, 원뿔 A의 겉넓이를 구하시오.

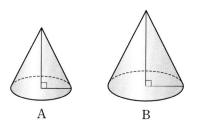

0759 ●●중●●

진석이는 오른쪽 그림과 같은 정육면체 모양의 상자 2개를 구입하였다. 큰 상자의 한 모서리의 길이가 작은 상자의 한 모서리의 길이의 2배이고, 작은 상자를 포장하는 데 90 cm²의 포장지가 들었다면 큰 상자를 포장하는 데 필요한 포장지는 몇 cm²인지 구하시오.

(단, 포장지는 각 면의 넓이만큼 사용한다.)

필수유형 12 닮은 두 입체도형의 부피의 비

닮은 두 입체도형의 닮음비가 $m : n$이면
부피의 비 ➡ **❶**

📖 **❶** $m^3 : n^3$

대표문제

0760 ••중••

크기가 다른 구 모양의 멜론이 두 통 있다. 멜론의 반지름의 길이가 각각 10 cm, 15 cm일 때, 작은 멜론의 가격이 4000원이라면 큰 멜론의 가격은 얼마인지 구하시오.

(단, 멜론의 가격은 멜론의 부피에 비례한다.)

0761 ••중••

서로 닮음인 원기둥 모양의 두 컵이 있다. 작은 컵의 높이는 큰 컵의 높이의 $\dfrac{3}{5}$이고, 작은 컵의 부피가 135 cm³일 때, 큰 컵의 부피를 구하시오.

0762 •••상종• **서술형**

오른쪽 그림과 같이 원뿔을 밑면에 평행한 두 평면으로 잘라 원뿔 P와 두 원뿔대 Q, R를 만들었다.
$\overline{OA} = \overline{AB} = \overline{BC}$이고, 입체도형 Q의 부피가 21π cm³일 때, 입체도형 R의 부피를 구하시오.

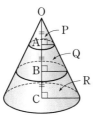

필수유형 13 닮은 두 입체도형의 겉넓이의 비와 부피의 비

겉넓이의 비		닮음비		부피의 비
$m^2 : n^2$	➡	**❶**	➡	$m^3 : n^3$

📖 **❶** $m : n$

대표문제

0763 ••중••

닮은 두 직육면체 A, B의 겉넓이가 각각 32 cm², 50 cm²이다. 직육면체 B의 부피가 1000 cm³일 때, 직육면체 A의 부피를 구하시오.

0764 하••••

닮은 두 원기둥 A, B의 옆넓이의 비가 9 : 16일 때, 다음을 구하시오.

(1) 두 원기둥 A, B의 닮음비

(2) 두 원기둥 A, B의 부피의 비

0765 ••중••

다음 그림의 두 사면체 A, B는 닮은 도형이다. 두 사면체 A, B의 겉넓이의 비가 4 : 9이고, 사면체 B의 부피가 81 cm³일 때, 사면체 A의 부피를 구하시오.

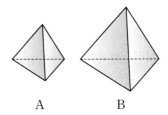

A   B

필수유형 **14** 원뿔의 부피의 비의 활용

물이 담긴 부분과 전체 그릇의 부피의 비를 구하고, **①** 을 이용하여 부피를 구한다.

답 **①** 비례식

대표문제

0766 ••중••

오른쪽 그림과 같은 원뿔 모양의 그릇에 일정한 속도로 물을 채우고 있다. 전체 높이의 $\frac{1}{2}$만큼 채우는 데 20분이 걸렸다면 가득 채울 때까지 몇 분이 더 걸리는지 구하시오.

0767 ••중••

오른쪽 그림과 같은 원뿔 모양의 그릇에 전체 높이의 $\frac{2}{3}$까지 물을 넣었다. 그릇의 부피가 351 cm³일 때, 물의 부피를 구하시오.

0768 ••중••

오른쪽 그림과 같이 높이가 10 cm인 원뿔 모양의 그릇에 일정한 속도로 물을 넣고 있다. 16분 후 물의 깊이가 4 cm일 때, 그릇에 물을 가득 채우려면 몇 분 동안 물을 더 넣어야 하는지 구하시오.

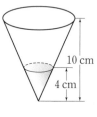

필수유형 **15** 닮음의 활용

⑴ 닮은 두 도형을 찾고, **①** 를 구한다.
⑵ 비례식을 이용하여 구하고자 하는 답을 구한다.

답 **①** 닮음비

대표문제

0769 ••중••

어느 날 같은 시각에 나무와 이 나무 옆에 서 있는 현지의 그림자의 길이를 재었더니 다음 그림과 같이 각각 200 cm, 120 cm이었다. 현지의 키가 144 cm일 때, 나무의 높이를 구하시오.

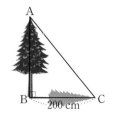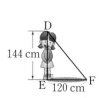

0770 ••중••

오른쪽 그림과 같이 거울을 이용하여 나무의 높이를 측정하려고 한다. $\overline{BC}=6$ m, $\overline{CD}=1.2$ m, $\overline{DE}=1.6$ m일 때, 나무의 높이를 구하시오.
(단, ∠ACB=∠ECD)

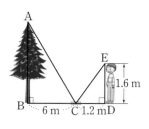

0771 ••중••

어떤 탑의 높이를 재기 위하여 탑의 그림자 끝 A 지점에서 2 m 떨어진 B 지점에 길이가 1.2 m인 막대를 세워 그 그림자의 끝이 탑의 그림자의 끝과 일치하게 하였다. 막대와 탑 사이의 거리가 6 m일 때, 탑의 높이를 구하시오.
(단, 막대의 두께는 생각하지 않는다.)

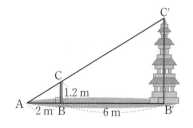

0772 ●●중●●

강의 너비인 두 지점 A, B 사이의 거리를 재기 위하여 다음 그림과 같이 측량하였다. 두 지점 A, B 사이의 거리를 구하시오.

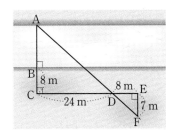

0773 ●●중●●

다음 그림과 같이 밑면의 가로의 길이가 40 m인 피라미드의 높이를 재기 위하여 길이가 1 m인 막대의 그림자의 길이가 2 m가 될 때 피라미드의 그림자의 길이를 재었더니 80 m가 되었다. 이 피라미드의 높이를 구하시오.

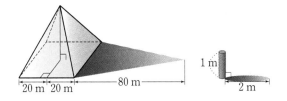

0774 ●●●상중●

다음 그림과 같이 나무의 그림자 일부가 담장에 드리워져 있다. 나무에서 벽면까지의 거리는 1.2 m이고 벽면에 생긴 나무의 그림자의 길이는 0.6 m이다. 같은 시각에 길이가 1 m인 나무 막대의 그림자의 길이가 0.3 m일 때, 나무의 높이를 구하시오. (단, 담장은 지면에 수직이다.)

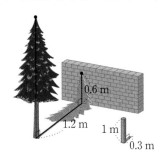

필수유형 16 축도와 축척

(1) (축척) = $\dfrac{(축도에서의 길이)}{(실제 길이)}$

(2) (축도에서의 길이)
   = (실제 길이) × (**①**)

(3) (실제 길이) = $\dfrac{(축도에서의 길이)}{(축척)}$

답 **①** 축척

대표문제

0775 ●●중●●

축척이 $\dfrac{1}{100000}$인 지도가 있다. 다음 물음에 답하시오.

(1) 지도에서 13 cm인 거리는 실제로 몇 km인지 구하시오.

(2) 지도에서 60 cm²인 땅의 실제 넓이는 몇 km²인지 구하시오.

0776 ●●중●●

다음 그림은 강의 폭인 $\overline{AB}$의 실제 거리를 구하기 위해 축척이 $\dfrac{1}{20000}$인 축도를 그린 것이다. $\overline{BC} /\!/ \overline{DE}$일 때, 실제 강의 폭은 몇 m인지 구하시오.

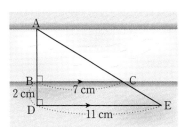

0777 ●●●상중● (잘 틀리는 문제)

축척이 $\dfrac{1}{500000}$인 지도에서 길이가 6 cm인 두 지점을 시속 40 km로 왕복하는 데 걸리는 시간을 구하시오.

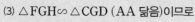

발전유형 17 삼각형의 무게중심의 활용 (3)

점 G가 △ABC의 무게중심이고
$\overline{AD}$와 $\overline{FE}$의 교점을 H라 하면
(1) $\overline{AG} : \overline{GD} = 2 : 1$
(2) $\overline{AF} = \overline{FB}$, $\overline{AE} = \overline{EC}$이므로
$\overline{FE} /\!/ \overline{BC}$
(3) △FGH∽△CGD (AA 닮음)이므로
$\overline{HG} : \overline{DG} = \overline{FG} : \overline{CG} = $ ❶
(4) $\overline{AH} : \overline{HG} : \overline{GD} = 3 : 1 : 2$

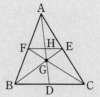

답 ❶ 1 : 2

대표문제

0778 ●●●상중●

오른쪽 그림에서 점 G는 △ABC
의 무게중심이고, $\overline{AD}$와 $\overline{FE}$의 교
점을 H라 하자. $\overline{HG} = 2$ cm일 때,
$\overline{AD}$의 길이를 구하시오.

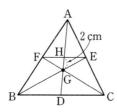

0779 ●●●상중●

오른쪽 그림에서 점 G는 △ABC
의 무게중심이고 $\overline{AD} = 15$ cm일
때, $\overline{HG}$의 길이를 구하시오.

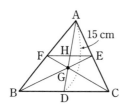

0780 ●●●상중●

오른쪽 그림에서 점 G는 △ABC의
무게중심이고 $\overline{FE} /\!/ \overline{BC}$이다. 다음
중 옳지 않은 것은?

① $\overline{AG} : \overline{GD} = 2 : 1$
② $\overline{BG} : \overline{BE} = 2 : 3$
③ $\overline{FG} : \overline{DG} = 1 : 2$
④ $\overline{AF} : \overline{FG} = 3 : 2$
⑤ $\overline{FE} : \overline{BC} = 1 : 4$

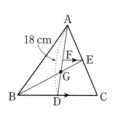

발전유형 18 삼각형의 무게중심과 넓이 (3)

점 G가 △ABC의 무게중심일 때
(1) $\triangle GDB = \dfrac{1}{6} \triangle ABC$
(2) $\overline{BG} : \overline{GE} = 2 : 1$이므로
$\triangle GDB : \triangle GED = 2 : 1$

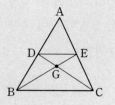

대표문제

0781 ●●●상중●

오른쪽 그림에서 점 G는 △ABC
의 무게중심이고, $\overline{EF} /\!/ \overline{BC}$이다.
△ABC의 넓이가 120 cm²일 때,
△AEF의 넓이를 구하시오.

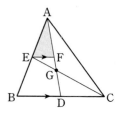

0782 ●●●●상

오른쪽 그림에서 점 G는 △ABC
의 무게중심이고 $\overline{CE} /\!/ \overline{DF}$이다.
△ABC의 넓이가 24 cm²일 때,
□EFDG의 넓이를 구하시오.

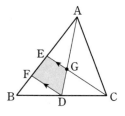

0783 ●●●●상

오른쪽 그림과 같이 ∠B=90°인
직각삼각형 ABC의 빗변 AC 위
에 한 점 P를 잡고, △ABP와
△BCP의 무게중심을 각각 G,
G′이라 하자. $\overline{AB} = 8$ cm,
$\overline{BC} = 9$ cm일 때, △BG′G의 넓이를 구하시오.

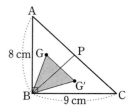

0784 ●중하●●●

오른쪽 그림에서 $\overline{AD}$는 $\triangle ABC$ 의 중선이고 $\overline{AE}=\overline{EF}=\overline{FB}$이다. $\triangle ABC$의 넓이가 $36\ cm^2$일 때, $\triangle AED$의 넓이를 구하시오.

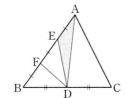

0785 ●●중●●●

오른쪽 그림과 같이 $\angle B=90°$ 인 직각삼각형 ABC에서 점 G 는 $\triangle ABC$의 무게중심이다. $\overline{GM}=2\ cm$일 때, $\overline{AC}$의 길이 는?

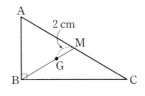

① 8 cm   ② 10 cm   ③ 12 cm
④ 16 cm   ⑤ 18 cm

0786 ●●상●●●

오른쪽 그림에서 점 G는 $\triangle ABC$의 무게중심이고, 점 G′은 $\triangle GBC$의 무게중심이다. $\overline{AD}=27\ cm$일 때, $\overline{GG'}$의 길이는?

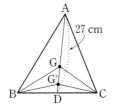

① 3 cm   ② 4 cm
③ 5 cm   ④ 6 cm   ⑤ 7 cm

0787 ●●중●●●

오른쪽 그림에서 점 G는 $\triangle ABC$ 의 무게중심이고, $\overline{EF}\ /\!/\ \overline{AD}$이다. $\overline{AG}=10\ cm$일 때, $\overline{EF}$의 길이를 구하시오.

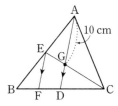

0788 ●●중●●●

오른쪽 그림과 같은 $\triangle ABC$에서 $\overline{BD}=\overline{DE}=\overline{EC}$, $\overline{AF}=\overline{FD}$이고 $\triangle AFG$의 넓이가 $4\ cm^2$일 때, $\triangle ABE$의 넓이를 구하시오.

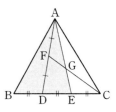

0789 ●●중●●● 서술형

오른쪽 그림에서 점 G는 $\triangle ABC$ 의 무게중심이고 $\overline{EF}\ /\!/\ \overline{BC}$이다. $\triangle GDF$의 넓이가 $3\ cm^2$일 때, 다음을 구하시오.

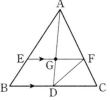

(1) $\triangle FDC$의 넓이

(2) $\triangle ABC$의 넓이

0790 ●●중●●

오른쪽 그림과 같이 평행사변형 ABCD의 두 변 BC, CD의 중점을 각각 M, N이라 할 때, 다음 중 옳지 <u>않은</u> 것은?

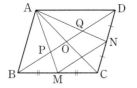

① $\overline{MN} /\!/ \overline{BD}$ ② $\overline{BP} = \overline{PQ} = \overline{QD}$

③ $6\square OCNQ = \square ABCD$ ④ $\triangle APO \equiv \triangle AQO$

⑤ $\overline{PQ} : \overline{MN} = 2 : 3$

0791 ●●중●●

오른쪽 그림과 같은 평행사변형 ABCD에서 $\overline{BC}$, $\overline{CD}$의 중점을 각각 점 P, Q라 하고 $\overline{AP}$, $\overline{AQ}$와 $\overline{BD}$의 교점을 각각 점 E, F라 하자. 평행사변형 ABCD의 넓이가 $30\ cm^2$일 때, 오각형 EPCQF의 넓이는?

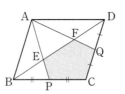

① $8\ cm^2$ ② $9\ cm^2$ ③ $10\ cm^2$

④ $12\ cm^2$ ⑤ $14\ cm^2$

0792 ●●중●●

오른쪽 그림과 같이 $\overline{AD} /\!/ \overline{BC}$인 사다리꼴 ABCD에서 $\triangle AOD$의 넓이가 $4\ cm^2$일 때, $\square ABCD$의 넓이는?

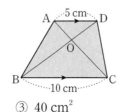

① $32\ cm^2$ ② $36\ cm^2$ ③ $40\ cm^2$

④ $42\ cm^2$ ⑤ $46\ cm^2$

0793 ●●중●●

오른쪽 그림과 같은 $\triangle ABC$에서 변 AB의 삼등분점을 D, E라 하고, 변 AC의 삼등분점을 F, G라 하자. $\square EBCG$의 넓이가 $25\ cm^2$일 때, $\square DEGF$의 넓이를 구하시오.

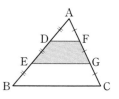

0794 ●●중●●

어떤 인물의 밀랍 인형을 그 인물의 $\dfrac{1}{3}$과 $\dfrac{1}{6}$의 크기로 각각 만들 때, $\dfrac{1}{3}$ 크기의 인형에 사용된 밀랍의 양은 $\dfrac{1}{6}$ 크기의 인형에 사용된 밀랍의 양의 몇 배인지 구하시오.

0795 ●●중●●

닮은 두 원뿔 A, B가 있다. 두 원뿔 A, B의 겉넓이의 비가 9 : 16이고, 원뿔 B의 밑면의 반지름의 길이가 14 cm일 때, 원뿔 A의 밑면의 둘레의 길이는?

① $\dfrac{21}{4}\pi\ cm$ ② $\dfrac{21}{2}\pi\ cm$ ③ $15\pi\ cm$

④ $18\pi\ cm$ ⑤ $21\pi\ cm$

0796 ●●●중●●● 융합형

크기가 다른 두 종류의 구 모양의 공을 찰흙으로 빚어 물감으로 칠하였다. 작은 공 한 개를 색칠하는 데 48 mL의 물감이 들었고, 큰 공 한 개를 색칠하는 데 75 mL의 물감이 들었을 때, 작은 공을 500개 만들 수 있는 양의 찰흙으로 큰 공을 몇 개 만들 수 있는지 구하시오.

0797 ●●●중●●● 서술형

오른쪽 그림과 같은 원뿔 모양의 그릇에 일정한 속도로 물을 가득 채우는 데 걸리는 시간은 250분이다. 같은 속도로 물을 전체 높이의 $\frac{2}{5}$까지 채웠다면 가득 채울 때까지 몇 분이 더 걸리는지 구하시오.

0798 ●●●중●●●

가로, 세로의 길이가 각각 500 m, 200 m인 직사각형 모양의 땅을 축척이 $\frac{1}{5000}$인 축도로 그릴 때, 축도에서의 직사각형 모양의 땅의 넓이를 구하시오.

0799 ●●●중●●●

다음 그림은 키가 1.7 m인 학생이 탑의 높이를 구하기 위해 측량한 것을 축척이 $\frac{1}{200}$인 축도로 나타낸 것이다. $\overline{AB}=6$ cm일 때, 실제 탑의 높이는?

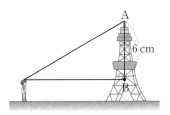

① 11.7 m   ② 12.2 m   ③ 12.7 m

④ 13.2 m   ⑤ 13.7 m

0800 ●●●상중●●

오른쪽 그림에서 점 G는 △ABC의 무게중심이고, $\overline{AD}$와 $\overline{FE}$의 교점을 H라 할 때, 다음 중 옳지 <u>않은</u> 것은?

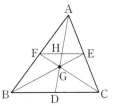

① $\overline{AG} : \overline{GD}=2 : 1$

② $\overline{AH} : \overline{HG}=3 : 1$ ③ $\triangle GBC=4\triangle GEF$

④ $\triangle GCE=4\triangle GEH$ ⑤ $\triangle GHF=\frac{1}{12}\triangle ABC$

0801 ●●●상중●● 창의+융합

오른쪽 그림과 같이 넓이가 256인 삼각형 ABC에서 각 변의 중점을 꼭짓점으로 하는 삼각형 $A_1B_1C_1$을 만든다. 또 △$A_1B_1C_1$의 각 변의 중점을 꼭짓점으로 하는 △$A_2B_2C_2$를 만든다. 이와 같이 계속하여 5번째에 만들어진 △$A_5B_5C_5$의 넓이를 구하시오.

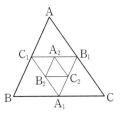

8 피타고라스 정리

01 피타고라스 정리   유형 01~04, 11, 16

피타고라스 정리

직각삼각형 ABC에서 직각을 낀
두 변의 길이를 각각 a, b라 하고
빗변의 길이를 c라 하면

$$a^2+b^2=c^2$$

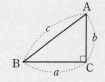

설명 오른쪽 그림과 같이 직각삼
각형 ABC의 점 C에서 $\overline{AB}$
에 내린 수선의 발을 D라 하
자.

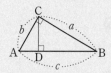

△ABC와 △CBD에서

∠B는 공통, ∠ACB=∠CDB=90°

이므로 △ABC∽△CBD (AA 닮음)

따라서 $c : a = a : \overline{DB}$이므로

$a^2 = c \times \overline{DB}$ ······ ㉠

마찬가지로 △ABC와 △ACD에서

△ABC∽△ACD (AA 닮음)

따라서 $c : b = b : \overline{AD}$이므로

$b^2 = c \times \overline{AD}$ ······ ㉡

㉠, ㉡을 변끼리 더하면

$a^2+b^2 = c \times \overline{DB} + c \times \overline{AD} = c \times (\overline{DB} + \overline{AD})$

이때 $\overline{DB} + \overline{AD} = c$이므로 $a^2+b^2=c^2$

[0802~0805] 다음 그림의 직각삼각형에서 x의 값을 구하시오.

0802

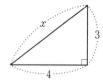

0803

0804

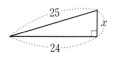

0805

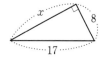

02 피타고라스 정리의 설명 (1)   유형 05

유클리드의 방법

직각삼각형 ABC의 각
변을 한 변으로 하는 세
정사각형을 그리고, 꼭짓
점 C에서 $\overline{AB}$에 내린 수
선의 발을 J, 그 연장선과
$\overline{FG}$가 만나는 점을 K라
하면

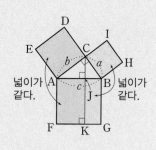

(1) □ACDE=□AFKJ, □CBHI=□JKGB

(2) □AFGB=□ACDE+□CBHI이므로

$\overline{AB}^2 = \overline{AC}^2 + \overline{BC}^2 \Rightarrow c^2 = a^2 + b^2$

0806 다음은 오른쪽 그림과 같
이 직각삼각형 ABC의
각 변을 한 변으로 하는
정사각형을 그린 후
□ACHI=□JKGC임
을 설명하는 과정이다.
□ 안에 알맞은 것을 써넣으시오.

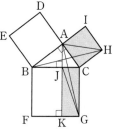

$\overline{CH} /\!/ \overline{BI}$이므로 △ACH=□ ······ ㉠

△BCH≡△GCA (SAS 합동)이므로

△BCH=□ ······ ㉡

$\overline{CG} /\!/ \overline{AK}$이므로 △GCA=□ ······ ㉢

㉠, ㉡, ㉢에 의하여 △ACH=△GCJ

∴ □ACHI=2△ACH=2△GCJ=□

핵심 포인트! · 변의 길이는 양수이므로 피타고라스 정리 $a^2+b^2=c^2$에서 a, b, c는 항상 양수이다.
· 피타고라스 정리는 직각삼각형에서만 성립한다.

152 • 8. 피타고라스 정리

[0807~0808] 다음 그림은 직각삼각형 ABC의 각 변을 한 변으로 하는 정사각형을 그린 것이다. 색칠한 부분의 넓이를 구하시오.

0807

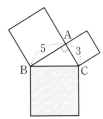

0808

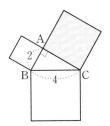

03 피타고라스 정리의 설명 (2)   유형 06

피타고라스의 방법

[그림 1]과 같이 직각삼각형 ABC와 합동인 3개의 삼각형을 이용하여 한 변의 길이가 $a+b$인 정사각형 CDFH를 만들면 □AEGB는 한 변의 길이가 c인 정사각형이다.

[그림 1]의 3개의 삼각형 ①, ②, ③을 [그림 2]와 같이 이동시키면 [그림 1]의 한 변의 길이가 c인 정사각형 AEGB의 넓이는 [그림 2]의 한 변의 길이가 각각 a, b인 두 정사각형의 넓이의 합과 같다.

➡ $a^2+b^2=c^2$

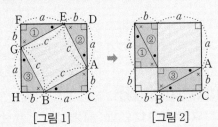

[그림 1]   [그림 2]

0809 오른쪽 그림과 같이 ∠C=90°인 직각삼각형 ABC와 이와 합동인 직각삼각형 3개를 이용하여 정사각형 FHCD를 만들었다. $\overline{AC}=3$ cm, $\overline{BC}=5$ cm일 때, □AEGB의 넓이를 구하시오.

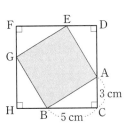

04 직각삼각형이 되는 조건   유형 08

세 변의 길이가 각각 a, b, c인 삼각형 ABC에서

$a^2+b^2=c^2$이면 ∠C=❶⬚

즉 이 삼각형은 길이가 c인 변을 빗변으로 하는 직각삼각형이다.

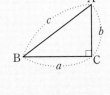

참고 직각삼각형의 세 변의 길이가 될 수 있는 세 자연수, 즉 $a^2+b^2=c^2$을 만족하는 자연수 a, b, c를 피타고라스 수라 한다.

예 (3, 4, 5), (5, 12, ❷⬚), (6, 8, 10), (7, 24, 25), (8, 15, 17), …

답 ❶ 90° ❷ 13

0810 다음 보기의 삼각형 중 직각삼각형인 것을 모두 고르시오.

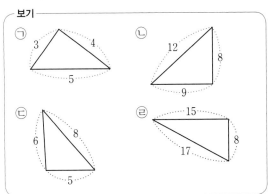

[0811~0814] 삼각형의 세 변의 길이가 각각 다음과 같을 때, 직각삼각형인 것에는 ◯표, 직각삼각형이 아닌 것에는 ×표를 하시오.

0811 6, 8, 10   (   )

0812 5, 12, 13   (   )

0813 4, 4, 7   (   )

0814 10, 14, 21   (   )

05 삼각형의 변과 각 사이의 관계   유형 09, 10

(1) 삼각형의 각의 크기에 대한 변의 길이

△ABC에서 $\overline{AB}=c$,

$\overline{BC}=a$, $\overline{CA}=b$일 때

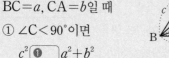

① ∠C<90°이면

c^2 ❶ a^2+b^2

② ∠C=90°이면 $c^2=a^2+b^2$

③ ∠C>90°이면 $c^2>a^2+b^2$

(2) 삼각형의 변의 길이에 대한 각의 크기

△ABC에서 $\overline{BC}=a$, $\overline{CA}=b$, $\overline{AB}=c$일 때

(단, c는 가장 긴 변의 길이)

$c^2<a^2+b^2$	$c^2=a^2+b^2$	$c^2>a^2+b^2$
∠C<90°	∠C ❷ 90°	∠C>90°
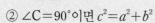		
예각삼각형	직각삼각형	둔각삼각형

❶ < ❷ =

0815 다음은 오른쪽 그림과 같은 △ABC가 예각삼각형이 되도록 하는 자연수 x의 값을 구하는 과정이다. ☐ 안에 알맞은 수를 써넣으시오.

(단, x는 가장 긴 변의 길이이다.)

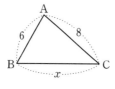

삼각형의 세 변의 길이 사이의 관계에 의하여

$8-6<x<8+6$ ∴ $2<x<$ ☐

그런데 $x>8$이므로 ☐$<x<$ ☐   …… ㉠

∠A<90°이므로 $x^2<36+$ ☐

∴ $x^2<$ ☐   …… ㉡

㉠, ㉡을 모두 만족시키는 자연수 x는 ☐이다.

[0816~0823] 삼각형의 세 변의 길이가 각각 다음과 같을 때, 예각삼각형인 것에는 '예', 직각삼각형인 것에는 '직', 둔각삼각형인 것에는 '둔'을 ( ) 안에 써넣으시오.

0816 7, 8, 10   ( )

0817 4, 5, 8   ( )

0818 8, 15, 17   ( )

0819 7, 11, 16   ( )

0820 5, 9, 12   ( )

0821 9, 14, 16   ( )

0822 13, 5, 12   ( )

0823 40, 9, 41   ( )

06 피타고라스 정리를 이용한 직각삼각형의 성질   유형 12

∠A=90°인 직각삼각형 ABC에서 점 D, E가 각각 $\overline{AB}$, $\overline{AC}$ 위에 있을 때

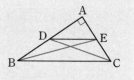

$\overline{DE}^2+\overline{BC}^2=\overline{BE}^2+\overline{CD}^2$

설명 △ADE에서 $\overline{AD}^2+\overline{AE}^2=\overline{DE}^2$ …… ㉠

△ABC에서 $\overline{AB}^2+\overline{AC}^2=\overline{BC}^2$ …… ㉡

△ABE에서 $\overline{AB}^2+\overline{AE}^2=\overline{BE}^2$ …… ㉢

△ADC에서 $\overline{AD}^2+\overline{AC}^2=\overline{CD}^2$ …… ㉣

㉠+㉡을 하면

$\overline{AD}^2+\overline{AE}^2+\overline{AB}^2+\overline{AC}^2=\overline{DE}^2+$ ❶

㉢+㉣을 하면

$\overline{AB}^2+\overline{AE}^2+\overline{AD}^2+\overline{AC}^2=$ ❷ $+\overline{CD}^2$

∴ $\overline{DE}^2+\overline{BC}^2=\overline{BE}^2+\overline{CD}^2$

❶ $\overline{BC}^2$ ❷ $\overline{BE}^2$

핵심 포인트! • (나머지 두 변의 길이의 차)<(한 변의 길이)<(나머지 두 변의 길이의 합) ← 삼각형의 세 변의 길이 사이의 관계

• (가장 긴 변의 길이의 제곱) ◯ (다른 두 변의 길이의 제곱의 합) ← 삼각형의 각의 크기에 대한 변의 길이

└ >(둔각), =(직각), <(예각)

[0824~0825] 다음 그림과 같이 $\angle A = 90°$인 직각삼각형 ABC에서 x^2의 값을 구하시오.

0824

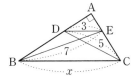

0825

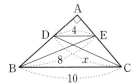

07 피타고라스 정리를 이용한 사각형의 성질 유형 13

사각형 ABCD의 두 대각선이 서로 직교할 때

$\overline{AB}^2 + \overline{CD}^2 = \overline{AD}^2 + \overline{BC}^2$

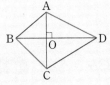

설명 $\overline{AB}^2 + \overline{CD}^2 = (\overline{AO}^2 + \overline{BO}^2) + (\overline{CO}^2 + \overline{DO}^2)$
$= (\overline{AO}^2 + \boxed{①}) + (\overline{BO}^2 + \overline{CO}^2)$
$= \overline{AD}^2 + \boxed{②}$

답 ① $\overline{DO}^2$ ② $\overline{BC}^2$

[0826~0827] 다음 그림과 같이 □ABCD의 두 대각선이 서로 직교할 때, x^2의 값을 구하시오.

0826

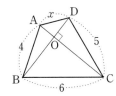

0827

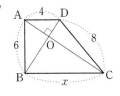

08 직각삼각형과 반원으로 이루어진 도형의 성질 유형 14, 15

(1) **직각삼각형과 세 반원 사이의 관계**

$\angle A = 90°$인 직각삼각형 ABC에서 세 변 AB, AC, BC를 지름으로 하는 세 반원의 넓이를 각각 S_1, S_2, S_3이라 할 때

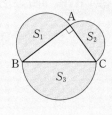

$S_3 = S_1 + S_2$

(2) **히포크라테스의 원의 넓이**

$\angle A = 90°$인 직각삼각형 ABC의 세 변 AB, AC, BC를 지름으로 하는 세 반원을 그릴 때

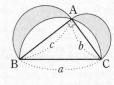

(색칠한 부분의 넓이) $= \triangle ABC = \dfrac{1}{2}bc$

[0828~0831] 다음 그림은 직각삼각형 ABC의 세 변을 각각 지름으로 하는 반원을 그린 것이다. 색칠한 부분의 넓이를 구하시오.

0828

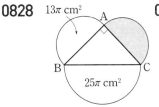

0829

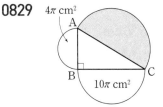

0830

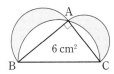

0831

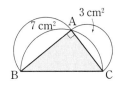

핵심 포인트!

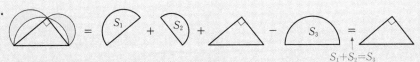

➡ (색칠한 부분의 넓이)=(직각삼각형의 넓이)

필수유형 01 피타고라스 정리를 이용하여 변의 길이 구하기

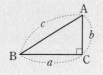

∠C=90°인 직각삼각형 ABC에서
$a^2+b^2=c^2$

대표문제

0832 중하

오른쪽 그림과 같이 ∠C=90°인 직 각삼각형 ABC에서 $\overline{AB}=10$ cm, $\overline{AC}=8$ cm일 때, △ABC의 넓이를 구하시오.

0833 중

오른쪽 그림과 같이 넓이가 각 각 36 cm², 4 cm²인 두 정사각 형 ABCD, CEFG를 세 점 B, C, E가 한 직선 위에 오도록 이 어 붙였을 때, $\overline{AE}$의 길이를 구 하시오.

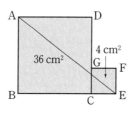

0834 중

오른쪽 그림과 같이 ∠A=90° 인 직각삼각형 ABC에서 $\overline{AD}$ 위의 점 G는 △ABC의 무게중 심이고 $\overline{AB}=12$ cm, $\overline{AC}=9$ cm일 때, $\overline{GD}$의 길이를 구하시오.

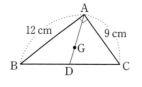

필수유형 02 삼각형에서 피타고라스 정리 이용하기

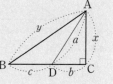

(1) ∠C=90°인 직각삼각형 ABC에서
① △ADC에서 $x^2=a^2-$ **❶** ^{2}
② △ABC에서
$y^2=(c+b)^2+$ **❷** ^{2}

(2) $\overline{AH}\perp\overline{BC}$일 때

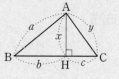

① △ABH에서 $x^2=a^2-$ **❸** ^{2}
② △AHC에서 $y^2=x^2+$ **❹** ^{2}

답 ❶ b ❷ x ❸ b ❹ c

대표문제

0835 중

오른쪽 그림과 같이 ∠C=90°인 직각삼각형 ABC에서 $\overline{AD}=17$ cm, $\overline{BD}=12$ cm, $\overline{DC}=8$ cm일 때, $\overline{AB}$의 길이를 구하시오.

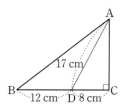

0836 중 서술형

오른쪽 그림의 △ABC에서 $\overline{AH}\perp\overline{BC}$이고 $\overline{AB}=20$ cm, $\overline{AC}=13$ cm, $\overline{BH}=16$ cm일 때, △ABC의 넓이를 구하시 오.

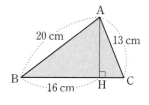

0837 중

오른쪽 그림과 같이 ∠C=90°인 직 각삼각형 ABC에서 ∠A의 이등분 선과 변 BC의 교점을 D라 하자. $\overline{AB}=10$, $\overline{AC}=6$일 때, $\overline{CD}$의 길 이를 구하시오.

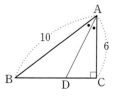

필수유형 03 사각형에서 피타고라스 정리 이용하기

사각형에서 네 내각 중 2개가 직각이면 보조선을 그어 직각삼각형을 만든 후 피타고라스 정리를 이용한다.

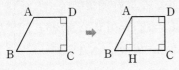

대표문제

0838 ••중••

오른쪽 그림의 □ABCD에서 ∠A=∠B=90°이고 $\overline{AB}$=4 cm, $\overline{BC}$=6 cm, $\overline{AD}$=3 cm일 때, $\overline{CD}$의 길이를 구하시오.

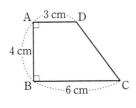

0839 ••중••

오른쪽 그림의 □ABCD에서 ∠C=∠D=90°이고 $\overline{AB}$=10 cm, $\overline{BC}$=15 cm, $\overline{AD}$=9 cm일 때, $\overline{BD}$의 길이를 구하시오.

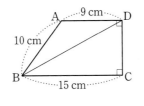

0840 ••중••

오른쪽 그림의 □ABCD에서 ∠B=∠C=90°이고 $\overline{AB}$=20, $\overline{AD}$=17, $\overline{DC}$=5일 때, □ABCD의 넓이를 구하시오.

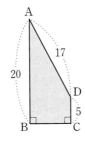

0841 ••중•• 서술형

오른쪽 그림과 같은 등변사다리꼴 ABCD에서 $\overline{AB}$=5, $\overline{AD}$=4, $\overline{BC}$=10일 때, □ABCD의 넓이를 구하시오.

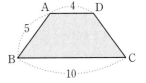

필수유형 04 직사각형에서 피타고라스 정리 이용하기

가로의 길이가 a, 세로의 길이를 b인 직사각형의 대각선의 길이를 l이라 하면 $l^2=a^2+b^2$

대표문제

0842 ••중••

가로의 길이와 세로의 길이의 비가 4 : 3이고 대각선의 길이가 10 cm인 직사각형의 둘레의 길이는?

① 14 cm ② 28 cm ③ 42 cm
④ 56 cm ⑤ 70 cm

0843 ••중하••

오른쪽 그림과 같이 $\overline{AB}$=5 cm, $\overline{AD}$=12 cm인 직사각형 ABCD의 꼭짓점 A에서 대각선 BD에 내린 수선의 발을 H라 할 때, $\overline{AH}$의 길이를 구하시오.

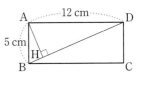

중요
필수유형 05 피타고라스 정리의 설명 (1)

(1) □ACDE=□AFKJ,
   □CBHI=□JKGB
(2) □ACDE+□CBHI=□AFGB
   ➡ $a^2+b^2=c^2$

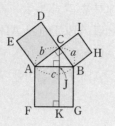

대표문제

0844 ●중하●●●

오른쪽 그림은 ∠A=90°인 직
각삼각형 ABC의 각 변을 한 변
으로 하는 정사각형을 그린 것
이다. 정사각형 ADEB, CHIA
의 넓이가 각각 27 cm², 22 cm²
일 때, $\overline{BF}$의 길이를 구하시오.

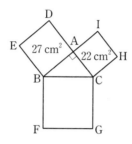

0845 ●중하●●●

오른쪽 그림은 ∠A=90°인 직
각삼각형 ABC의 각 변을 한 변
으로 하는 정사각형을 그린 것
이다. 정사각형 BFGC, CHIA
의 넓이가 각각 28 cm², 8 cm²
일 때, □ADEB의 넓이를 구하
시오.

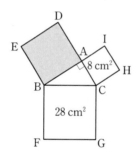

0846 ●●중●● 서술형

오른쪽 그림은 ∠A=90°인 직
각삼각형 ABC의 각 변을 한
변으로 하는 정사각형을 그린
것이다. $\overline{AC}=3$, $\overline{BC}=5$일 때,
△FKJ의 넓이를 구하시오.

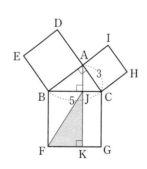

0847 ●●중●● 잘 틀리는 문제

오른쪽 그림은 ∠A=90°인 직각삼각
형 ABC의 변 BC를 한 변으로 하는
정사각형 BDEC를 그린 것이다.
$\overline{AG}\perp\overline{DE}$, $\overline{BC}=12$ cm이고 △ABD
의 넓이가 32 cm²일 때, △AEC의
넓이를 구하시오.

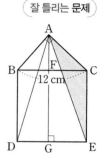

0848 ●●중●●

오른쪽 그림은 ∠A=90°인
직각삼각형 ABC의 각 변을
한 변으로 하는 정사각형을 그
린 것이다. 다음 중 넓이가
△AGC의 넓이와 다른 하나
는?

① △JGC   ② △ACH
③ △AHI   ④ △BCH
⑤ △BFA

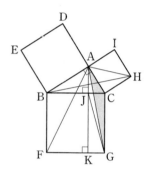

0849 ●●중●●

오른쪽 그림은 ∠A=90°인 직
각삼각형 ABC의 각 변을 한
변으로 하는 정사각형을 그린
것이다. $\overline{AB}=8$, $\overline{AC}=6$일 때,
다음 중 옳지 않은 것은?

① $\overline{BC}=10$
② □JKGC=36
③ △EBC≡△ABF
④ △AEC=△ABF
⑤ □BFGC=□ADEB+□CHIA

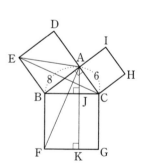

필수유형06 피타고라스 정리의 설명 (2)

(1) △ABC≡△EAD≡△GEF
　≡△BGH (SAS 합동)

(2) □AEGB는 한 변의 길이가
　❶ 인 정사각형이다.

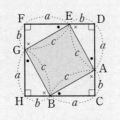

답 **❶** c

대표문제

0850 중하

오른쪽 그림과 같은 정사각형 ABCD에서 $\overline{AE}=\overline{BF}=\overline{CG}=\overline{DH}=8$이다. □EFGH의 넓이가 289일 때, □ABCD의 넓이를 구하시오.

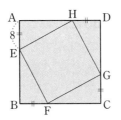

0851 중

오른쪽 그림과 같이 한 변의 길이가 10 cm인 정사각형 ABCD에서 $\overline{AE}=\overline{BF}=\overline{CG}=\overline{DH}=6$ cm일 때, □EFGH의 넓이를 구하시오.

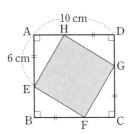

0852 중

오른쪽 그림과 같은 정사각형 ABCD에서 $\overline{AE}=\overline{BF}=\overline{CG}=\overline{DH}=5$ cm이고 □EFGH의 넓이는 169 cm²일 때, □ABCD의 넓이를 구하시오.

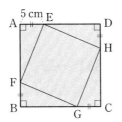

필수유형07 피타고라스 정리의 설명 (3)

직각삼각형 ABC와 이와 합동인 3개의 직각삼각형을 맞추어 정사각형 ABDE를 그리면

(1) $a^2+b^2=c^2$

(2) □CFGH는 한 변의 길이가 **❶** 인 정사각형이다.

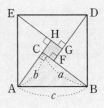

답 **❶** $a-b$

대표문제

0853 중

오른쪽 그림에서 4개의 직각삼각형은 모두 합동이고 $\overline{AB}=5$, $\overline{AE}=4$일 때, □EFGH의 넓이를 구하시오.

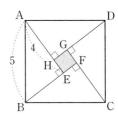

0854 중

오른쪽 그림에서 4개의 직각삼각형은 모두 합동이고 정사각형 EFGH의 넓이는 16 cm², $\overline{BF}=4$ cm일 때, □ABCD의 넓이를 구하시오.

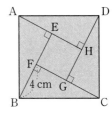

0855 중

오른쪽 그림에서 4개의 직각삼각형은 모두 합동이고 $\overline{AB}=13$ cm, $\overline{AP}=5$ cm이다. 다음 중 옳지 <u>않은</u> 것은?

① $\overline{AQ}=12$ cm

② $\overline{PQ}=7$ cm

③ △ABQ=30 cm²

④ □PQRS=49 cm²

⑤ □PQRS의 넓이는 □ABCD의 넓이의 $\frac{1}{3}$이다.

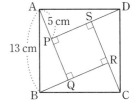

필수유형 **08**   직각삼각형이 되는 조건

> 세 변의 길이가 각각 a, b, c인 $\triangle ABC$에서 $a^2+b^2=c^2$이면
> $\triangle ABC$는 $\angle C=90°$인 직각삼각형이다.
> ➡ (가장 **❶** 변의 길이의 제곱)=(나머지 두 변의 길이의 제곱의 합)이면 직각삼각형이다.

답 ❶ 긴

대표문제

0856 ••중••

세 변의 길이가 각각 다음과 같은 삼각형 중에서 직각삼각형인 것을 모두 고르면? (정답 2개)

① 2, 4, 5   ② $\dfrac{5}{2}$, 6, $\dfrac{13}{2}$ ③ 4, 8, 9

④ 10, 13, 19   ⑤ 9, 40, 41

0857 ••중••

세 변의 길이가 각각 다음과 같은 삼각형 중에서 직각삼각형인 것은?

① 2 cm, 5 cm, 6 cm   ② 7 cm, 5 cm, 4 cm

③ 7 cm, 24 cm, 25 cm   ④ 8 cm, 12 cm, 15 cm

⑤ 10 cm, 7 cm, 8 cm

0858 ••중••

세 변의 길이가 8, 10, x인 삼각형이 직각삼각형이 되도록 하는 x^2의 값을 모두 구하시오.

필수유형 **09**   삼각형의 각의 크기에 대한 변의 길이

> $\triangle ABC$에서 $\overline{AB}=c$, $\overline{BC}=a$, $\overline{CA}=b$일 때
> (1) $\angle C<90°$이면 c^2 **❶** a^2+b^2
> (2) $\angle C=90°$이면 $c^2=a^2+b^2$
> (3) $\angle C>90°$이면 c^2 **❷** a^2+b^2
> 이때 삼각형의 세 변의 길이 사이의 관계를 함께 생각한다.
> (나머지 두 변의 길이의 차)<(한 변의 길이)
>   <(나머지 두 변의 길이의 합)

답 ❶ <   ❷ >

대표문제

0859 ••중••

세 변의 길이가 각각 3, 5, a인 삼각형이 둔각삼각형이 되도록 하는 자연수 a의 값을 모두 구하시오. (단, $a>5$)

0860 ••중•• 서술형

세 변의 길이가 4 cm, 7 cm, a cm인 삼각형이 예각삼각형이 되도록 하는 자연수 a의 값을 구하시오. (단, $a>7$)

0861 ••중••

세 변의 길이가 각각 6, 10, a인 삼각형이 둔각삼각형이 되도록 하는 자연수 a의 값을 모두 구하시오. (단, $a<10$)

필수유형 10 삼각형의 변의 길이에 대한 각의 크기

△ABC에서
(1) (가장 긴 변의 길이의 제곱)<(다른 두 변의 길이의 제곱의 합)
　➡ △ABC는 **①** 삼각형
(2) (가장 긴 변의 길이의 제곱)=(다른 두 변의 길이의 제곱의 합)
　➡ △ABC는 **②** 삼각형
(3) (가장 긴 변의 길이의 제곱)>(다른 두 변의 길이의 제곱의 합)
　➡ △ABC는 둔각삼각형

目 **❶** 예각 **❷** 직각

대표문제

0862

세 변의 길이가 각각 다음과 같은 삼각형 중에서 예각삼각형인 것은?

① 2, 3, 4　　② 3, 4, 6　　③ 4, 5, 8
④ 9, 12, 15　　⑤ 8, 11, 13

0863

$\overline{AB}=3$ cm, $\overline{BC}=5$ cm, $\overline{CA}=7$ cm인 △ABC에 대하여 다음 중 옳은 것은?

① ∠A=90°인 직각삼각형
② ∠A>90°인 둔각삼각형
③ ∠B>90°인 둔각삼각형
④ ∠C=90°인 직각삼각형
⑤ 예각삼각형

0864 ［잘 틀리는 문제］

△ABC에서 ∠A, ∠B, ∠C의 대변의 길이를 각각 a, b, c 라 할 때, 다음 중 옳지 <u>않은</u> 것은?

① $c^2=a^2+b^2$이면 ∠C=90°이다.
② $b^2>a^2+c^2$이면 ∠B>90°이다.
③ $a^2=b^2+c^2$이면 ∠A가 직각인 직각삼각형이다.
④ $a^2<b^2+c^2$이면 ∠A가 예각인 예각삼각형이다.
⑤ $a^2>b^2+c^2$이면 ∠A가 둔각인 둔각삼각형이다.

0865

△ABC의 세 변의 길이의 비가 4 : 5 : 6일 때, △ABC는 어떤 삼각형인가?

① 예각삼각형　　② 직각삼각형　　③ 둔각삼각형
④ 이등변삼각형　　⑤ 정삼각형

0866

오른쪽 그림에서 $\overline{AB}=6$, $\overline{BC}=8$, $\overline{CD}=3$, $\overline{DA}=4$이고 ∠BAC=90°일 때, △ACD는 어떤 삼각형인가?

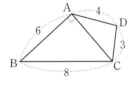

① 예각삼각형　　② 직각삼각형　　③ 둔각삼각형
④ 이등변삼각형　　⑤ 정삼각형

0867

길이가 각각 3 cm, 4 cm, 5 cm, 6 cm, 7 cm인 5개의 막대 중 세 개를 골라 삼각형을 만들려고 한다. 만들 수 있는 예각삼각형의 개수를 a개, 둔각삼각형의 개수를 b개라 할 때, $b-a$의 값을 구하시오. (단, 막대의 두께는 생각하지 않는다.)

필수유형**11** 직각삼각형의 닮음을 이용한 성질

∠A＝90°인 직각삼각형 ABC에서
$\overline{AD} \perp \overline{BC}$일 때

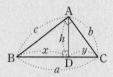

(1) 피타고라스 정리에 의하여
$a^2 = b^2 + c^2$

(2) 직각삼각형의 닮음에 의하여
$c^2 = ax, \ b^2 = ay, \ h^2 = xy$

대표문제

0868 ●●중●●

오른쪽 그림과 같이 ∠A＝90°
인 직각삼각형 ABC에서
$\overline{AH} \perp \overline{BC}$이고 $\overline{AB}=12$,
$\overline{AC}=5$일 때, $\overline{CH}$의 길이를 구
하시오.

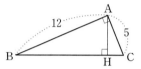

0869 ●●중●●

오른쪽 그림과 같이 ∠C＝90°인 직
각삼각형 ABC에서 $\overline{AB} \perp \overline{CD}$이고
$\overline{BC}=5$, $\overline{CD}=3$일 때, $\overline{AD}$의 길이
를 구하시오.

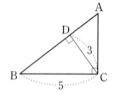

0870 ●●중●●

오른쪽 그림과 같이 ∠A＝90°
인 직각삼각형 ABC의 꼭짓
점 A에서 $\overline{BC}$에 내린 수선의
발을 H라 하자. $\overline{AB}=15$,
$\overline{BC}=25$일 때, $\overline{AH}$의 길이는?

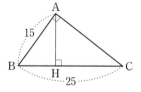

① 8   ② 9   ③ 10
④ 11   ⑤ 12

필수유형**12** 피타고라스 정리를 이용한 직각삼각형의 성질

∠C＝90°인 직각삼각형 ABC에서
$\overline{AB}^2 + \overline{DE}^2 = \overline{AD}^2 + \overline{BE}^2$

대표문제

0871 ●●중●●

오른쪽 그림과 같이 ∠C＝90°인 직각
삼각형 ABC에서 $\overline{AC}=4$, $\overline{BC}=3$,
$\overline{DE}=2$일 때, $\overline{AD}^2 + \overline{BE}^2$의 값을 구하
시오.

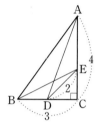

0872 ●●중●●

오른쪽 그림과 같이 ∠B＝90°인
직각삼각형 ABC에서 점 D, E는
각각 $\overline{AB}$, $\overline{BC}$의 중점이다.
$\overline{AC}=8$일 때, $\overline{AE}^2 + \overline{CD}^2$의 값을
구하시오.

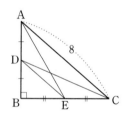

0873 ●●●상중●

오른쪽 그림과 같이 ∠B＝90°인
직각삼각형 ABC에서 점 D, E는
각각 $\overline{AB}$, $\overline{BC}$의 중점이고 점 G는
$\overline{AE}$와 $\overline{CD}$의 교점이다. $\overline{GD}=4$,
$\overline{GE}=3$일 때, $\overline{DE}^2$의 값을 구하시
오.

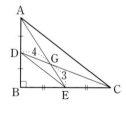

필수유형 13 두 대각선이 직교하는 사각형의 성질

사각형 ABCD의 두 대각선이 서로 직교할 때
$$\overline{AB}^2+\overline{CD}^2=\overline{AD}^2+\overline{BC}^2$$

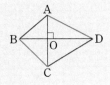

대표문제

0874 ●중하●●●

오른쪽 그림과 같이 □ABCD의 두 대각선이 직교하고 $\overline{AB}=4$, $\overline{BC}=3$, $\overline{CD}=5$일 때, $\overline{AD}^2$의 값을 구하시오.

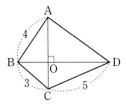

0875 ●●중●●

오른쪽 그림의 □ABCD에서 $\overline{AC}\perp\overline{BD}$일 때, $\overline{AB}^2$의 값을 구하시오.

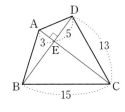

0876 ●●중●●

오른쪽 그림과 같이 □ABCD의 두 대각선이 점 O에서 직교하고 $\overline{AB}=5$, $\overline{BC}=4$, $\overline{AD}=7$, $\overline{OC}=2$일 때, △OCD의 넓이를 구하시오.

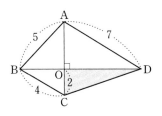

필수유형 14 직각삼각형과 세 반원 사이의 관계

$\angle A=90°$인 직각삼각형 ABC에서 세 변 AB, AC, BC를 지름으로 하는 세 반원의 넓이를 각각 S_1, S_2, S_3이라 할 때
$$S_3=S_1+S_2$$

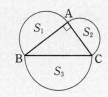

대표문제

0877 ●●중●●

오른쪽 그림과 같이 $\angle A=90°$인 직각삼각형 ABC의 세 변을 지름으로 하는 세 반원 P, Q, R를 그렸다. $\overline{BC}=16$ cm일 때, 세 반원 P, Q, R의 넓이의 합을 구하시오.

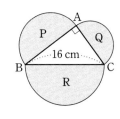

0878 ●●중●●

오른쪽 그림과 같이 $\angle A=90°$인 직각삼각형 ABC의 두 변 AB, AC를 지름으로 하는 반원의 넓이를 각각 S_1, S_2라 하자. $S_1=\dfrac{9}{2}\pi$, $S_2=8\pi$일 때, $\overline{BC}$의 길이를 구하시오.

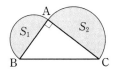

0879 ●●●상중● 서술형

오른쪽 그림과 같이 $\angle C=90°$인 직각삼각형 ABC의 세 변을 지름으로 하는 반원의 넓이를 각각 S_1, S_2, S_3이라 하자. $S_1=50\pi$ cm², $S_3=18\pi$ cm²일 때, △ABC의 넓이를 구하시오.

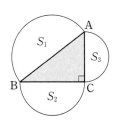

필수유형 **15** | 히포크라테스의 원의 넓이

$\angle A = 90°$인 직각삼각형 ABC의 세 변을 지름으로 하는 세 반원을 그릴 때 (색칠한 부분의 넓이)
$= \triangle ABC = \dfrac{1}{2}bc$

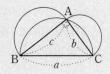

대표문제

0880 ••중••

오른쪽 그림과 같이 $\angle A = 90°$인 직각삼각형 ABC의 세 변을 지름으로 하는 세 반원을 그렸다.
$\overline{AB} = 5\,cm$, $\overline{BC} = 13\,cm$일 때, 색칠한 부분의 넓이를 구하시오.

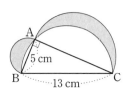

0881 ••중••

오른쪽 그림과 같이 $\angle A = 90°$인 직각삼각형 ABC의 세 변을 지름으로 하는 세 반원을 그렸다.
$\overline{AB} = 8\,cm$이고 색칠한 부분의 넓이가 24 cm²일 때, $\overline{BC}$의 길이를 구하시오.

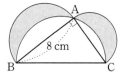

0882 •••상중•

잘 틀리는 문제

오른쪽 그림과 같이 원에 내접하는 직사각형 ABCD의 네 변을 지름으로 하는 네 반원을 그렸다.
$\overline{AB} = 8\,cm$, $\overline{AD} = 4\,cm$일 때, 색칠한 부분의 넓이를 구하시오.

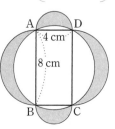

필수유형 **16** | 입체도형에서의 최단 거리

(1) 각기둥에서의 최단 거리

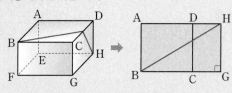

➡ 최단 거리는 ❶ [ ]의 길이와 같다.

(2) 원기둥에서의 최단 거리

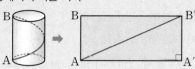

➡ 최단 거리는 $\overline{AB'}$의 길이와 같다.

참고 원기둥의 전개도에서 옆면은 직사각형이다. 이때 가로의 길이는 밑면인 원의 둘레의 길이와 같다.

답 ❶ $\overline{BH}$

대표문제

0883 ••중••

오른쪽 그림과 같이 세 모서리의 길이가 각각 8 cm, 5 cm, 4 cm인 직육면체의 꼭짓점 B에서 모서리 CG를 지나 꼭짓점 H에 이르는 최단 거리를 구하시오.

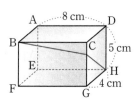

0884 ••중••

오른쪽 그림과 같은 삼각기둥의 꼭짓점 A에서 모서리 BE, CF를 차례로 지나 꼭짓점 D에 이르는 최단 거리를 구하시오.

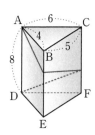

0885 ••중••

오른쪽 그림과 같이 밑면의 반지름의 길이가 2이고 높이가 3π인 원기둥에 실을 팽팽하게 한 바퀴 감았다. 이때 실의 최소 길이를 구하시오.

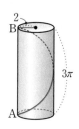

0886 ●중하●●●

오른쪽 그림과 같이
∠C=90°인 직각삼각형에서
$\overline{AB}=25$, $\overline{AC}=7$일 때,
△ABC의 넓이를 구하시오.

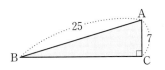

0887 ●중하●●●

오른쪽 그림의 △ABC에서
$\overline{AD}\perp\overline{BC}$이고 $\overline{AB}=17$,
$\overline{AC}=10$, $\overline{BD}=15$일 때,
$x+y$의 값은?

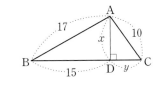

① 14   ② 15   ③ 16
④ 17   ⑤ 18

0888 ●중하●●●

오른쪽 그림과 같이 모선의 길이가
5 cm, 밑면의 반지름의 길이가
3 cm인 원뿔의 부피는?

① 9π cm³   ② 10π cm³
③ 11π cm³   ④ 12π cm³
⑤ 13π cm³

0889 ●●중●●● 서술형

오른쪽 그림과 같은 직사각형
ABCD를 꼭짓점 D가 $\overline{BC}$ 위
의 점 E에 오도록 접었을 때,
$\overline{CF}$의 길이를 구하시오.

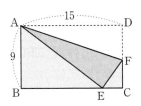

0890 ●●중●● 창의+융합

다음 그림과 같이 지면과 수직인 두 나무 A, B의 높이는
각각 11 m, 5 m이고 서로 8 m만큼 떨어져 있다. 나무 B의
꼭대기에 앉아 있던 새가 직선으로 나무 A의 꼭대기를 향
해 날아갔을 때, 새가 날아간 거리를 구하시오.

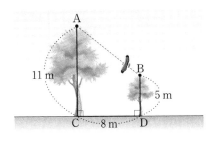

0891 ●●중●●

오른쪽 그림은 ∠A=90°인 직
각삼각형 ABC의 각 변을 한 변
으로 하는 정사각형 3개를 그린
것이다. □CHIA의 넓이는
40 cm²이고 □BFGC의 넓이
는 65 cm²일 때, $\overline{AB}$의 길이를
구하시오.

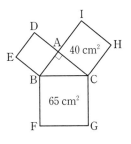

0892 ●●중●●

오른쪽 그림에서 □ABCD는
정사각형이고
$\overline{AE}=\overline{BF}=\overline{CG}=\overline{DH}=10$ cm
이다. △AEH의 넓이가
15 cm²일 때, □EFGH의 넓
이는?

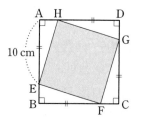

① 71 cm²　　② 87 cm²　　③ 91 cm²

④ 109 cm²　　⑤ 115 cm²

0893 ●●중●●

오른쪽 그림에서 4개의 직각삼각
형은 합동이고 정사각형 ABCD
의 넓이는 45 cm², $\overline{BE}=3$ cm일
때, □EFGH의 넓이는?

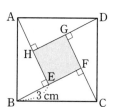

① 4 cm²　　② 5 cm²

③ 6 cm²　　④ 8 cm²

⑤ 9 cm²

0894 ●●중●●

오른쪽 그림에서 두 직각삼각형
ABE와 CDB는 서로 합동이고 세
점 A, B, C는 일직선 위에 있다.
$\overline{AB}=6$ cm이고 △EBD의 넓이는
26 cm²일 때, 사다리꼴 EACD의
넓이를 구하시오.

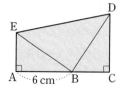

0895 ●●중●●

세 변의 길이가 각각 다음과 같은 삼각형 중에서 직각삼각
형이 아닌 것을 모두 고르면? (정답 2개)

① 8, 15, 17　　② 5, 8, 10　　③ 5, 12, 13

④ 7, 10, 14　　⑤ $\frac{3}{4}$, 1, $\frac{5}{4}$

0896 ●●●상중● 　창의력

오른쪽 그림과 같이 좌표평면
위에 두 점 A, B가 있다.
$\overline{OA}=6$, $\overline{AB}=8$이고
B(10, 0)일 때, 점 A의 좌표를
구하시오. (단, 점 O는 원점)

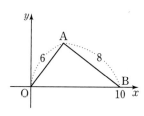

0897 ●●중●

오른쪽 그림의 △ABC에서
∠B가 둔각일 때, 이를 만족시키
는 자연수 x의 값의 개수는?

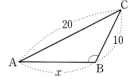

① 4개　　② 5개

③ 6개　　④ 7개

⑤ 8개

0898 ●●중●●

길이가 각각 6, 8, 9, 12, 14인 5개의 종이띠 중에서 3개를
골라 삼각형을 만들었을 때, 다음 보기 중 예각삼각형이 되
는 것을 모두 고른 것은? (단, 종이띠의 두께는 생각하지
않는다.)

─ 보기 ─
ㄱ. 6, 8, 9　　ㄴ. 8, 9, 12　　ㄷ. 6, 8, 12
ㄹ. 8, 9, 14　　ㅁ. 6, 9, 12　　ㅂ. 9, 12, 14

① ㄱ, ㄴ, ㄷ　　② ㄱ, ㄴ, ㄹ　　③ ㄱ, ㄴ, ㅂ

④ ㄴ, ㄷ, ㅂ　　⑤ ㄴ, ㄹ, ㅂ

0899 ●●중●●● 서술형

오른쪽 그림과 같이 가로, 세로의 길이가 각각 4 cm, 3 cm인 직사각형 ABCD의 두 꼭짓점 A, C에서 대각선 BD에 내린 수선의 발을 각각 E, F라 할 때, $\overline{EF}$의 길이를 구하시오.

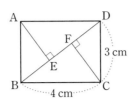

0900 ●●중●●● 융합형

오른쪽 그림과 같이 원점 O에서 직선 $3x-4y+12=0$에 내린 수선의 발을 H라 하고 직선이 x축, y축과 만나는 점을 각각 A, B라 할 때, $\overline{AH}$의 길이를 구하시오.

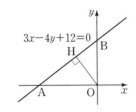

0901 ●중하●●●

오른쪽 그림과 같이 ∠C=90°인 직각삼각형 ABC에서 $\overline{AB}=7$, $\overline{DE}=3$일 때, $\overline{AE}^2+\overline{BD}^2$의 값은?

① 10 　　　② 25
③ 40 　　　④ 55
⑤ 58

0902 ●중하●●●

오른쪽 그림과 같이 □ABCD의 두 대각선이 서로 직교하고 $\overline{AB}=x$, $\overline{BC}=7$, $\overline{CD}=8$, $\overline{DA}=y$일 때, y^2-x^2의 값은?

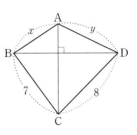

① 10 　　　② 12
③ 15 　　　④ 18
⑤ 20

0903 ●●중●●

오른쪽 그림과 같이 ∠A=90°인 직각삼각형 ABC의 세 변을 지름으로 하는 세 반원을 그렸다. $\overline{AB}=15$, $\overline{BC}=17$일 때, 색칠한 부분의 넓이를 구하시오.

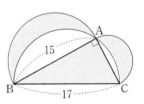

0904 ●●중●●

오른쪽 그림과 같은 직육면체의 꼭짓점 F에서 겉면을 따라 모서리 BC를 거쳐 꼭짓점 D까지 가는 최단 거리를 구하시오.

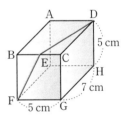

0905 ●●중●●

오른쪽 그림과 같이 밑면의 반지름의 길이가 6인 원기둥에서 점 A를 출발하여 원기둥의 옆면을 따라 점 B까지 가는 최단 거리가 13π일 때, 원기둥의 높이 $\overline{AB}$의 길이를 구하시오.

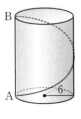

9 경우의 수

개념 마스터

01 사건과 경우의 수 유형 01~03

(1) **사건** 실험이나 관찰에 의하여 나타나는 결과
(2) **경우의 수** 어떤 사건이 일어날 수 있는 모든 가짓수

예	실험, 관찰	한 개의 동전을 던진다.
	사건	뒷면이 나온다. 2018 100
	경우의 수	❶

답 ❶ 1

[0906~0909] 한 개의 주사위를 던질 때, 다음을 구하시오.

0906 일어날 수 있는 모든 경우의 수

0907 짝수의 눈이 나오는 경우의 수

0908 3 이상의 눈이 나오는 경우의 수

0909 소수의 눈이 나오는 경우의 수

[0910~0911] 상자 속에 1부터 15까지의 자연수가 각각 적힌 15개의 공이 들어 있다. 이 상자에서 한 개의 공을 꺼낼 때, 다음을 구하시오.

0910 4의 배수가 적힌 공이 나오는 경우의 수

0911 14의 약수가 적힌 공이 나오는 경우의 수

02 사건 A 또는 사건 B가 일어나는 경우의 수(합의 법칙) 유형 04~06

두 사건 A, B가 동시에 일어나지 않을 때, 사건 A가 일어나는 경우의 수가 m이고, 사건 B가 일어나는 경우의 수가 n이면

> (사건 A 또는 사건 B가 일어나는 경우의 수)
> $=m+n$

예 한 개의 주사위를 던질 때, 홀수의 눈 또는 6의 눈이 나오는 경우의 수

➡ 홀수의 눈이 나오는 경우는 1, 3, ❶ 의 3가지,
6의 눈이 나오는 경우는 6의 1가지이므로
홀수의 눈 또는 6의 눈이 나오는 경우의 수는
3 ❷ 1= ❸

답 ❶ 5 ❷ + ❸ 4

[0912~0914] 1부터 12까지의 자연수가 각각 적힌 12장의 카드 중에서 한 장을 뽑을 때, 다음을 구하시오.

0912 3의 배수가 적힌 카드가 나오는 경우의 수

0913 7의 배수가 적힌 카드가 나오는 경우의 수

0914 3의 배수 또는 7의 배수가 적힌 카드가 나오는 경우의 수

0915 집에서 학교로 가는 버스 노선은 4가지, 지하철 노선은 5가지가 있다. 버스나 지하철을 이용하여 집에서 학교까지 가는 경우의 수를 구하시오.

핵심 포인트! • 두 사건이 동시에 일어나지 않을 때, 문제에 '또는', '~이거나' 등의 표현이 있으면 합의 법칙을 이용한다.
• 두 사건이 중복되는 경우가 있을 때는 중복된 경우는 한 번만 세도록 한다.

03 사건 A와 사건 B가 동시에 일어나는 경우의 수(곱의 법칙)
유형 07~12

사건 A가 일어나는 경우의 수가 m이고, 그 각각의 경우에 대하여 사건 B가 일어나는 경우의 수가 n이면

> (두 사건 A, B가 동시에 일어나는 경우의 수)
> $=m \times n$

예 동전 1개와 주사위 1개를 동시에 던질 때, 동전은 뒷면, 주사위는 홀수의 눈이 나오는 경우의 수

➡ 동전이 뒷면이 나오는 경우는 뒤의 1가지, 주사위에서 홀수의 눈이 나오는 경우는 1, 3, 5의 3가지이므로 동전은 뒷면, 주사위는 홀수의 눈이 나오는 경우의 수는

$$1 \boxed{①} \ 3 = \boxed{②}$$

참고 (1) 서로 다른 m개의 동전을 동시에 던질 때 일어나는 모든 경우의 수 ➡ $\underbrace{2 \times 2 \times \cdots \times 2}_{m개} = 2^m$

(2) 서로 다른 n개의 주사위를 동시에 던질 때 일어나는 모든 경우의 수 ➡ $\underbrace{6 \times 6 \times \cdots \times 6}_{n개} = 6^n$

(3) 서로 다른 m개의 동전과 서로 다른 n개의 주사위를 동시에 던질 때 일어나는 모든 경우의 수 ➡ $2^m \times 6^n$

답 ① × ② 3

0916 다음 그림과 같이 민희네 집에서 경서네 집으로 가는 길이 3가지, 경서네 집에서 철수네 집으로 가는 길이 2가지가 있다. 민희네 집에서 경서네 집을 거쳐 철수네 집으로 가는 경우의 수를 구하시오.

민희네 집   경서네 집   철수네 집

0917 우유, 두유, 주스, 단팥 호빵, 야채 호빵, 피자 호빵 중에서 음료수 한 개와 호빵 한 개를 사는 방법의 수를 구하시오.

0918 동전 1개와 주사위 1개를 동시에 던질 때, 동전은 앞면이 나오고, 주사위는 소수의 눈이 나오는 경우의 수를 구하시오.

0919 한 개의 주사위를 두 번 던질 때, 첫 번째에는 3의 배수의 눈이 나오고, 두 번째에는 4의 약수의 눈이 나오는 경우의 수를 구하시오.

0920 서로 다른 3개의 동전을 동시에 던질 때, 일어나는 모든 경우의 수를 구하시오.

0921 서로 다른 두 개의 주사위를 동시에 던질 때, 일어나는 모든 경우의 수를 구하시오.

0922 서로 다른 동전 2개와 주사위 1개를 동시에 던질 때, 일어나는 모든 경우의 수를 구하시오.

핵심 포인트! • 두 사건이 동시에 일어날 때, 문제에 '각각', '그리고', '~와' 등의 표현이 있으면 곱의 법칙을 이용한다.
• 경우의 수는 나뭇가지 그림으로 구할 수도 있다.

9

경우의 수

필수유형 01 숫자를 뽑는 경우의 수

모든 경우를 중복되지 않게, 빠짐없이 센다.

대표문제

0923 ●●중●●

상자 속에 1부터 20까지의 자연수가 각각 적힌 20개의 공이 들어 있다. 이 상자에서 한 개의 공을 꺼낼 때, 3으로 나누었을 때의 나머지가 1인 수가 적힌 공이 나오는 경우의 수를 구하시오.

0924 ●중하●●●

1부터 10까지의 자연수가 각각 적힌 10개의 공이 들어 있는 주머니에서 한 개의 공을 꺼낼 때, 소수가 적힌 공이 나오는 경우의 수를 구하시오.

0925 ●●중●●

1부터 20까지의 자연수가 각각 적힌 20장의 카드 중에서 한 장을 뽑을 때, 다음 중 옳은 것은?

① 소수가 적힌 카드가 나오는 경우의 수는 6이다.

② 7의 배수가 적힌 카드가 나오는 경우의 수는 3이다.

③ 17 이상의 수가 적힌 카드가 나오는 경우의 수는 4이다.

④ 두 자리 자연수가 적힌 카드가 나오는 경우의 수는 10이다.

⑤ 5보다 작거나 15보다 큰 수가 적힌 카드가 나오는 경우의 수는 8이다.

필수유형 02 주사위를 던질 때의 경우의 수

서로 다른 두 개의 주사위를 동시에 던질 때 일어날 수 있는 사건에 대한 경우의 수는 **❶** 을 이용하여 구한다.

답 ❶ 순서쌍

대표문제

0926 ●중하●●●

서로 다른 두 개의 주사위를 동시에 던질 때, 나오는 두 눈의 수의 합이 6인 경우의 수를 구하시오.

0927 하●●●●

한 개의 주사위를 던질 때, 2의 배수의 눈이 나오는 경우의 수를 구하시오.

0928 ●중하●●●

서로 다른 두 개의 주사위를 동시에 던질 때, 나오는 두 눈의 수의 차가 3인 경우의 수를 구하시오.

필수유형 03 돈을 지불하는 방법의 수

액수가 가장 큰 돈의 개수부터 정한 후 나머지 돈의 개수를 구한다. 이때 표나 나뭇가지 그림(수형도)을 이용하면 편리하다.

대표문제

0929 ••중••

1000원짜리 지폐와 500원짜리, 100원짜리 동전이 각각 7개씩 있다. 거스름돈 없이 3700원을 지불하는 방법의 수를 구하시오. (단, 지폐와 두 가지 동전은 각각 1개 이상 사용한다.)

0930 ••중••

500원짜리 동전 2개와 100원짜리 동전 6개가 있다. 다음 물음에 답하시오.

(1) 1100원을 지불하는 방법의 수를 구하시오.

(2) 동전을 각각 한 개 이상 사용하여 지불할 수 있는 금액의 모든 경우의 수를 구하시오.

0931 •••상중•

인성이가 5000원짜리 지폐 2장, 1000원짜리 지폐 5장, 500원짜리 동전 5개, 100원짜리 동전 10개를 가지고 정가가 12500원인 책을 사려고 한다. 거스름돈 없이 12500원을 지불하는 방법의 수를 구하시오.

필수유형 04 경우의 수의 합 (1)

문제에 '또는', '~이거나' 등의 표현이 나오고 두 사건이 동시에 일어나지 않으면 ❶   의 법칙을 이용한다.

답 ❶ 합

대표문제

0932 하••••

레오네 집에서 할아버지 댁까지 가는 버스 노선은 3가지, 지하철 노선은 2가지가 있다. 레오가 버스나 지하철을 이용하여 집에서 할아버지 댁까지 가는 경우의 수를 구하시오.

0933 •중하•••

나정이는 가족들과 중화요리 전문점에 왔다. 메뉴판을 보니 다음과 같은 세트 메뉴가 있었다.

메뉴판	
탕수육 세트	깐풍기 세트
세트 1 탕수육+짜장면+짬뽕	세트 A 깐풍기+짜장면+짬뽕
세트 2 탕수육+짬뽕+쟁반짜장	세트 B 깐풍기+짬뽕+쟁반짜장
세트 3 탕수육+볶음밥+해물짬뽕	세트 C 깐풍기+짜장면+해물짬뽕
	세트 D 깐풍기+볶음밥+해물짬뽕

탕수육 세트나 깐풍기 세트 중에서 하나를 선택하여 주문하는 경우의 수를 구하시오.

0934 •중하•••

동우네 학교에는 창의적 체험 활동으로 예술 동아리와 체육 동아리가 있다고 한다. 예술 동아리는 댄스, 수채화가 있고, 체육 동아리는 농구, 탁구, 축구, 배드민턴이 있을 때, 예술 동아리 또는 체육 동아리 중에서 하나를 선택하는 경우의 수를 구하시오.

9

경우의 수

필수유형 05 경우의 수의 합 (2) – 숫자를 뽑는 경우

두 사건 A, B가 동시에 일어나지 않을 때, 사건 A 또는 사건 B가 일어나는 경우의 수

➡ (사건 A가 일어나는 경우의 수)

　　　❶ (사건 B가 일어나는 경우의 수)

참고 두 사건 A, B가 중복되어 일어나는 경우가 있을 때

➡ (사건 A가 일어나는 경우의 수)

　　 +(사건 B가 일어나는 경우의 수)

　　　❷ (두 사건 A, B가 중복되어 일어나는 경우의 수)

답 ❶ + ❷ −

대표문제

0935 ●●중●●

1부터 20까지의 자연수가 각각 적힌 20장의 카드 중에서 한 장을 뽑을 때, 소수 또는 6의 배수가 적힌 카드가 나오는 경우의 수를 구하시오.

0936 ●중하●●●

상자 속에 1부터 9까지의 자연수가 각각 적힌 9개의 공이 들어 있다. 이 상자에서 한 개의 공을 꺼낼 때, 2의 배수 또는 5의 배수가 적힌 공이 나오는 경우의 수를 구하시오.

0937 ●●중●●

1부터 30까지의 자연수가 각각 적힌 30장의 카드 중에서 한 장을 뽑을 때, 4의 배수 또는 28의 약수가 적힌 카드가 나오는 경우의 수를 구하시오.

필수유형 06 중요 경우의 수의 합 (3) – 두 개의 주사위를 던지는 경우

서로 다른 두 개의 주사위를 동시에 던질 때, 나오는 두 눈의 수의 합이 A 또는 B인 경우의 수

➡ (두 눈의 수의 합이 A인 경우의 수)

　　　❶ (두 눈의 수의 합이 B인 경우의 수)

답 ❶ +

대표문제

0938 ●●중●●

서로 다른 두 개의 주사위를 동시에 던질 때, 나오는 두 눈의 수의 합이 5 또는 10인 경우의 수를 구하시오.

0939 ●●중●● 서술형

서로 다른 두 개의 주사위를 동시에 던질 때, 나오는 두 눈의 수의 차가 3 또는 5인 경우의 수를 구하시오.

0940 ●●중●●

서로 다른 두 개의 주사위를 동시에 던질 때, 나오는 두 눈의 수의 합이 4의 배수인 경우의 수를 구하시오.

0941 ●●중●●

서로 다른 두 개의 주사위를 동시에 던질 때, 나오는 두 눈의 수의 차가 1 이하인 경우의 수를 구하시오.

필수유형 07 경우의 수의 곱 (1) – 물건의 선택

문제에 '~와', '그리고', '동시에' 등의 표현이 있으면 ❶ 의 법칙을 이용한다.

답 ❶ 곱

대표문제

0942 하····

ㄱ, ㄴ, ㄷ이 각각 쓰여 있는 자음 카드 3장과 ㅏ, ㅗ, ㅣ가 각각 쓰여 있는 모음 카드 3장이 있다. 자음 카드 1장과 모음 카드 1장을 짝 지어 만들 수 있는 글자의 개수를 구하시오.

0943 하····

서점에 4종류의 수학 문제집과 3종류의 영어 문제집이 있다. 수학 문제집과 영어 문제집을 각각 한 권씩 사는 경우의 수를 구하시오.

0944 하····

민호의 옷장에는 5종류의 티셔츠와 3종류의 바지가 있다. 민호가 티셔츠와 바지를 각각 하나씩 골라 짝 지어 입는 경우의 수를 구하시오.

0945 ·중하···

진식이는 분식점에 가서 김밥과 라면을 각각 하나씩 주문하려고 한다. 메뉴판이 다음과 같을 때, 주문할 수 있는 경우의 수를 구하시오.

메뉴판	
김밥 메뉴	라면 메뉴
돈까스 김밥	떡 라면
참치 김밥	치즈 라면
치즈 김밥	만두 라면
떡갈비 김밥	해물 라면
고추 김밥	

필수유형 08 (중요) 경우의 수의 곱 (2) – 길의 선택

다음 그림에서 A 지점에서 C 지점까지 가는 경우의 수를 구할 때, B 지점을 지나는 경우와 B 지점을 지나지 않는 경우로 나누어 생각한다.

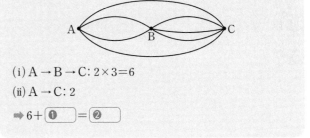

(ⅰ) A → B → C : $2 \times 3 = 6$

(ⅱ) A → C : 2

➡ $6 + ❶ = ❷$

답 ❶ 2 ❷ 8

대표문제

0946 ··중··

유미네 집과 학교, 학원 사이에 다음 그림과 같은 길이 있다. 유미네 집에서 학원까지 가는 경우의 수를 구하시오.
(단, 한 번 지나간 지점은 다시 지나지 않는다.)

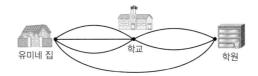

유미네 집 학교 학원

0947 중하●●●

다음 그림과 같이 집에서 도서관까지 가는 길이 4가지이고, 도서관에서 학교까지 가는 길이 3가지일 때, 집에서 도서관을 거쳐 학교까지 가는 경우의 수를 구하시오.

0948 ●●중●●

어떤 산에는 정상까지의 등산로가 6가지 있다고 한다. 올라갈 때와 다른 길을 택하여 내려온다고 할 때, 모두 몇 가지의 등산 코스가 있는지 구하시오.

0949 ●●●상중

A, B, C 세 마을 사이에 다음 그림과 같은 길이 있다. A 마을에서 출발하여 C 마을까지 가는 경우의 수를 구하시오.
(단, 한 번 지나간 마을은 다시 지나가지 않는다.)

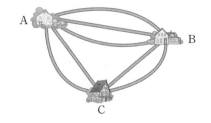

필수유형**09** 중요 경우의 수의 곱 ⑶
– 동전 또는 주사위를 던지는 경우

(동전은 A가 나오고, 주사위는 B가 나오는 경우의 수)
= (동전이 A가 나오는 경우의 수)
❶ ⬚ (주사위가 B가 나오는 경우의 수)

달 ❶ ×

대표문제
0950 ●●중●●

서로 다른 동전 2개와 주사위 1개를 동시에 던질 때, 동전은 서로 다른 면이 나오고, 주사위는 6의 약수의 눈이 나오는 경우의 수를 구하시오.

0951 중하●●●

동전 1개와 주사위 1개를 동시에 던질 때, 동전은 뒷면이 나오고, 주사위는 짝수의 눈이 나오는 경우의 수를 구하시오.

0952 ●●중●●

한 개의 주사위를 두 번 던질 때, 첫 번째에는 4 이하의 눈이 나오고, 두 번째에는 소수의 눈이 나오는 경우의 수를 구하시오.

0953 ●●●상중●

서로 다른 두 개의 주사위를 동시에 던질 때, 나오는 두 눈의 수의 곱이 홀수가 되는 경우의 수를 구하시오.

필수유형 10　경우의 수의 곱 ⑷ – 신호의 개수

전등 1개마다 각각 켜거나 끄는 **❶** 가지 경우가 있다.

답 **❶** 2

대표문제

0954 ••중••

오른쪽 그림과 같은 3개의 전등 A, B, C를 켜거나 꺼서 신호를 만들 때, 만들 수 있는 신호의 개수를 구하시오. (단, 전등이 모두 꺼진 경우도 신호로 생각한다.)

0955 ••중••   잘 틀리는 문제

다음 그림과 같은 5개의 전구를 켜거나 꺼서 신호를 만들 때, 만들 수 있는 신호의 개수를 구하시오.

(단, 전구가 모두 꺼진 경우는 신호로 생각하지 않는다.)

0956 ••중••

역사책을 읽던 4명의 학생이 예전부터 깃발을 이용한 깃발 신호가 사용되었다는 것을 알고는 각각 깃발을 1개씩 가지고 깃발 신호를 만들어 보기로 하였다. 깃발을 들어 올리거나 내려서 신호를 만들 때, 만들 수 있는 신호의 개수를 구하시오. (단, 깃발을 모두 내린 경우는 신호로 생각하지 않는다.)

필수유형 11　가위바위보를 할 때의 경우의 수

세 명이 가위바위보를 할 때
⑴ (비기는 경우의 수)
＝(모두 같은 것을 내는 경우의 수)
＋(모두 다른 것을 내는 경우의 수)
⑵ (승부가 결정되는 경우의 수)
＝(모든 경우의 수) **❶** (비기는 경우의 수)

답 **❶** －

대표문제

0957 ••중••

아영, 혜영, 유진 세 사람이 가위바위보를 할 때, 일어나는 모든 경우의 수를 구하시오.

0958 ••중••

창민이와 정희가 가위바위보를 할 때, 일어나는 경우에 대하여 다음 중 옳은 것은?

① 모든 경우의 수는 6이다.
② 정희가 이기는 경우의 수는 3이다.
③ 창민이가 이기는 경우는 없다.
④ 서로 비기는 경우의 수는 6이다.
⑤ 승부가 결정되는 경우의 수는 3이다.

0959 •••상중•   잘 틀리는 문제

태양, 지용, 진구 세 사람이 가위바위보를 할 때, 태양이가 이기는 경우의 수를 구하시오.

0960 •••상중•

승호, 재진, 민재 세 사람이 가위바위보를 할 때, 승부가 결정되는 경우의 수를 구하시오.

필수유형 **12** 최단 거리로 가는 방법의 수

(A에서 B를 거쳐 C까지 최단 거리로 가는 방법의 수)

=(A에서 B로 가는 방법의 수)

❶ (B에서 C로 가는 방법의 수)

❓ ❶ ×

대표문제

0961 ••❷••

오른쪽 그림과 같은 직사각형 모양의 길이 있다. A 지점에서 B 지점을 거쳐 C 지점으로 가려고 할 때, 최단 거리로 가는 방법의 수를 구하시오.

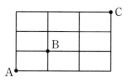

0962 ••중하•••

오른쪽 그림에서 P 지점을 출발하여 Q 지점까지 최단 거리로 가는 방법의 수를 구하시오.

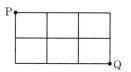

0963 ••❷••

오른쪽 그림과 같은 도로에서 효진이가 학교를 출발하여 도서관을 거쳐 집으로 가려고 할 때, 최단 거리로 가는 방법의 수를 구하시오.

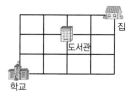

발전유형 **13** 방정식, 부등식, 함수에서의 경우의 수

두 개의 주사위 A, B를 동시에 던져서 나온 눈의 수를 각각 a, b라 할 때

(x에 대한 방정식 $ax=b$의 해가 1이 되는 경우의 수)

=($a=b$가 되는 경우의 수)

=(두 개의 주사위 A, B에서 같은 눈의 수가 나오는 경우의 수)

대표문제

0964 ••❷••

두 개의 주사위 A, B를 동시에 던져서 나온 눈의 수를 각각 a, b라 할 때, x에 대한 방정식 $ax=b$의 해가 2가 되는 경우의 수를 구하시오.

쌍둥이 문제

0965 •••상중•

두 개의 주사위 A, B를 동시에 던져서 나온 눈의 수를 각각 a, b라 할 때, x에 대한 방정식 $ax=b$의 해가 3의 배수가 되는 경우의 수를 구하시오.

0966 ••❷••

한 개의 주사위를 두 번 던져서 첫 번째에 나온 눈의 수를 x, 두 번째에 나온 눈의 수를 y라 할 때, $3x+y<8$이 되는 경우의 수를 구하시오.

0967 •••상중•

두 개의 주사위 A, B를 동시에 던져서 나온 눈의 수를 각각 a, b라 할 때, 점 $P(a, b)$가 직선 $y=-x+5$ 위에 있는 경우의 수를 구하시오.

개념 마스터

04 한 줄로 세우는 경우의 수   유형 14~18

(1) n명을 한 줄로 세우는 경우의 수
➡ $n \times (n-1) \times (n-2) \times \cdots \times 2 \times 1$

(2) n명 중에서 2명을 뽑아 한 줄로 세우는 경우의 수
➡ $n \times (n-1)$

(3) n명 중에서 3명을 뽑아 한 줄로 세우는 경우의 수
➡ $n \times (n-1) \times (n-2)$

(4) 한 줄로 세울 때 이웃하여 세우는 경우의 수
➡ (이웃하는 것을 하나로 묶어서 한 줄로 세우는 경우의 수) × (묶음 안에서 자리를 바꾸는 경우의 수)

[0968~0971] A, B, C, D 4명이 있다. 다음을 구하시오.

0968 4명을 한 줄로 세우는 경우의 수

0969 4명 중에서 2명을 뽑아 한 줄로 세우는 경우의 수

0970 4명 중에서 3명을 뽑아 한 줄로 세우는 경우의 수

0971 A, B를 이웃하여 한 줄로 세우는 경우의 수

05 자연수를 만드는 경우의 수   유형 19, 20

(1) 0을 포함하지 않는 경우
0이 아닌 서로 다른 한 자리 숫자가 각각 적힌 n장의 카드 중에서 2장을 뽑아 만들 수 있는 두 자리 자연수의 개수 ➡ 〔 ❶ 〕 × $(n-1)$

(2) 0을 포함하는 경우
0을 포함한 서로 다른 한 자리 숫자가 각각 적힌 n장의 카드 중에서 2장을 뽑아 만들 수 있는 두 자리 자연수의 개수 ➡ (〔 ❷ 〕) × $(n-1)$
가장 앞자리에는 0이 올 수 없다.

📖 ❶ n ❷ $n-1$

0972 1, 2, 3, 4의 숫자가 각각 적힌 4장의 카드 중에서 2장을 뽑아 만들 수 있는 두 자리 자연수의 개수를 구하시오.

0973 0, 1, 2, 3, 4의 숫자가 각각 적힌 5장의 카드 중에서 2장을 뽑아 만들 수 있는 두 자리 자연수의 개수를 구하시오.

06 대표를 뽑는 경우의 수   유형 21~24

(1) n명 중에서 자격이 다른 대표 2명을 뽑는 경우의 수
➡ $n \times (n-1)$ → 뽑는 순서와 관계가 있다.

(2) n명 중에서 자격이 다른 대표 3명을 뽑는 경우의 수
➡ $n \times (n-1) \times (n-2)$

(3) n명 중에서 자격이 같은 대표 2명을 뽑는 경우의 수
➡ $\dfrac{n \times (n-1)}{❶}$ → 뽑는 순서와 관계가 없다.

(4) n명 중에서 자격이 같은 대표 3명을 뽑는 경우의 수
➡ $\dfrac{n \times (n-1) \times (n-2)}{3 \times 2 \times 1}$

📖 ❶ 2×1

[0974~0977] A, B, C, D 4명의 후보가 있다. 다음을 구하시오.

0974 회장 1명, 부회장 1명을 뽑는 경우의 수

0975 회장 1명, 부회장 1명, 총무 1명을 뽑는 경우의 수

0976 대표 2명을 뽑는 경우의 수

0977 대표 3명을 뽑는 경우의 수

핵심 포인트!
· 자격이 다른 대표를 뽑는 경우의 수는 한 줄로 세우는 경우의 수와 같다.
· 자격이 같은 대표 2명을 뽑는 경우의 수는 자격이 다른 대표 2명을 뽑는 경우의 수를 중복되는 경우의 수로 나눈다.

필수유형 14 한 줄로 세우는 경우의 수

n명을 한 줄로 세우는 경우의 수

➡ $n \times (n-1) \times ($ **❶** $) \times \cdots \times 2 \times 1$

답 **❶** $n-2$

대표문제

0978 중하

학교 체육대회에 우리 반 400 m 이어달리기 선수로 효원, 수지, 현아, 은지가 출전하기로 했다. 네 사람이 달리는 순서를 정하는 경우의 수를 구하시오.

0979 하

승후, 영우, 상은, 준식, 현우가 사진을 찍으려고 한다. 5명이 한 줄로 서서 찍는 경우의 수를 구하시오.

0980 중하

민찬이는 친구들과 함께 방학 때 역사 체험 학습을 하려고 한다. 다음과 같은 네 곳의 고궁에 4주 동안 매주 한 곳씩 가려고 할 때, 순서를 정하는 경우의 수를 구하시오.

> • 경운궁   • 운현궁   • 경복궁   • 창경궁

필수유형 15 일부를 뽑아서 한 줄로 세우는 경우의 수

(1) n명 중에서 2명을 뽑아 한 줄로 세우는 경우의 수

➡ $n \times ($ **❶** $)$

(2) n명 중에서 3명을 뽑아 한 줄로 세우는 경우의 수

➡ $n \times (n-1) \times (n-2)$

답 **❶** $n-1$

대표문제

0981 하

A, B, C, D, E 5명이 있다. 다음을 구하시오.

(1) 5명 중에서 2명을 뽑아 한 줄로 세우는 경우의 수

(2) 5명 중에서 3명을 뽑아 한 줄로 세우는 경우의 수

0982 중하

서로 다른 6권의 책 중에서 3권을 선택하여 진구, 유정, 소현이에게 각각 한 권씩 나누어 주는 경우의 수를 구하시오.

0983 중하

5팀이 참여한 요리대회에서 1등, 2등, 3등을 뽑는 경우의 수를 구하시오.

필수유형 **16** 중요
특정한 사람의 위치를 고정하여
한 줄로 세우는 경우의 수

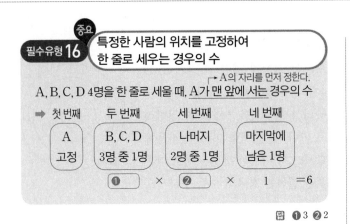

A, B, C, D 4명을 한 줄로 세울 때, A가 맨 앞에 서는 경우의 수 → A의 자리를 먼저 정한다.

첫 번째	두 번째	세 번째	네 번째
A 고정	B, C, D 3명 중 1명	나머지 2명 중 1명	마지막에 남은 1명
❶	×	❷	× 1 = 6

답 ❶ 3 ❷ 2

필수유형 **17** 중요
특정한 사람들을 이웃하여 세우는 경우의 수

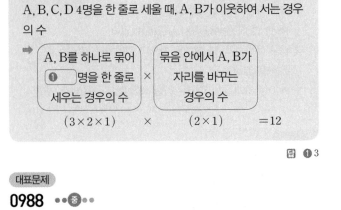

A, B, C, D 4명을 한 줄로 세울 때, A, B가 이웃하여 서는 경우의 수

A, B를 하나로 묶어 ❶ □명을 한 줄로 세우는 경우의 수	×	묶음 안에서 A, B가 자리를 바꾸는 경우의 수
$(3 \times 2 \times 1)$	×	(2×1) = 12

답 ❶ 3

대표문제

0984 중하
민지, 다라, 우영, 현석, 가인 5명의 학생을 한 줄로 세울 때, 민지가 맨 앞에, 현석이가 맨 뒤에 서는 경우의 수를 구하시오.

0985 중하
지영이네 학교 가을 축제 때 지영이를 포함한 7명의 학생들이 한 줄로 서서 공연을 하려고 한다. 지영이가 한가운데 서는 경우의 수를 구하시오.

0986 중
K, O, R, E, A 5개의 알파벳을 한 줄로 배열할 때, E 또는 A가 맨 앞에 오는 경우의 수를 구하시오.

0987 중 서술형
부모와 자녀 3명으로 구성된 5명의 가족이 나란히 앉아서 가족 사진을 찍을 때, 부모 사이에 3명의 자녀가 앉는 경우의 수를 구하시오.

대표문제

0988 중
인숙이가 부모님, 언니, 오빠 그리고 동생과 함께 나란히 서서 가족 사진을 찍을 때, 부모님이 이웃하여 서는 경우의 수를 구하시오.

0989 중
은영, 진수, 선희, 경아, 상현 5명의 학생을 한 줄로 세울 때, 은영이와 진수가 이웃하고 진수가 은영이 뒤에 서는 경우의 수를 구하시오.

0990 상중
여학생 3명, 남학생 3명을 한 줄로 세울 때, 다음을 구하시오.

(1) 여학생끼리 이웃하여 서는 경우의 수

(2) 여학생은 여학생끼리, 남학생은 남학생끼리 이웃하여 서는 경우의 수

필수유형 18 색칠하기

(1) 모두 다른 색을 칠하는 경우
　➡ 한 번 칠한 색을 다시 사용할 수 없다.
(2) 같은 색을 여러 번 칠해도 좋으나 이웃하는 영역은 서로 다른 색을 칠하는 경우
　➡ 이웃하지 않는 영역은 칠한 색을 다시 사용할 수 있다.

대표문제

0991 ●●중●●

오른쪽 그림과 같은 A, B, C, D 4개의 부분에 **빨강**, **파랑**, **노랑**, **초록**의 4가지 색을 사용하여 칠하려고 한다. 같은 색을 여러 번 사용해도 좋으나 이웃한 부분은 서로 다른 색을 칠할 때, 칠하는 경우의 수를 구하시오.

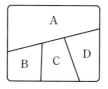

0992 ●●중●●

오른쪽 그림과 같은 A, B, C 3개의 부분에 **빨강**, **파랑**, **노랑**, **초록**의 4가지 색을 사용하여 칠하려고 한다. 다음을 구하시오.

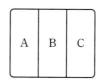

(1) 같은 색을 여러 번 사용해도 될 때, 칠할 수 있는 모든 경우의 수

(2) 서로 다른 색을 칠하는 경우의 수

(3) 같은 색을 여러 번 사용해도 좋으나 이웃한 부분은 서로 다른 색을 칠하는 경우의 수

0993 ●●중●●

오른쪽 그림과 같은 A, B, C, D 4개의 부분에 **빨강**, **파랑**, **노랑**, **초록**의 4가지 색을 사용하여 칠하려고 한다. 같은 색을 여러 번 사용해도 좋으나 이웃한 부분은 서로 다른 색을 칠하는 경우의 수를 구하시오.

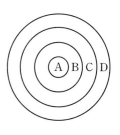

필수유형 19 자연수 만들기 (1) – 0을 포함하지 않는 경우

0이 아닌 서로 다른 한 자리 숫자가 각각 적힌 n장의 카드 중에서
(1) 2장을 뽑아 만들 수 있는 두 자리 자연수의 개수
　➡ $n \times (n-1)$
(2) 3장을 뽑아 만들 수 있는 세 자리 자연수의 개수
　➡ $n \times (n-1) \times ($ **❶** $)$

📋 **❶** $n-2$

대표문제

0994 ●중하●●●

1부터 6까지의 자연수가 각각 적힌 6장의 카드 중에서 2장을 뽑아 만들 수 있는 두 자리 자연수의 개수를 구하시오.

| 1 | 2 | 3 | 4 | 5 | 6 |

0995 ●●중●●

1부터 5까지의 자연수가 각각 적힌 5장의 카드 중에서 2장을 뽑아 두 자리 자연수를 만들 때, 홀수의 개수를 구하시오.

0996 ●●●상중●

1부터 5까지의 자연수가 각각 적힌 5장의 카드 중에서 3장을 뽑아 만들 수 있는 세 자리 자연수 중 250보다 작은 수의 개수를 구하시오.

0997 ●●●상중● 　　　　　잘 틀리는 문제

1, 2, 3, 4, 5의 숫자가 각각 적힌 5장의 카드 중에서 3장을 뽑아 만들 수 있는 세 자리 자연수 중 423보다 큰 수의 개수를 구하시오.

필수유형20 중요 자연수 만들기 (2) − 0을 포함하는 경우

0을 포함한 서로 다른 한 자리 숫자가 각각 적힌 n장의 카드 중에서

(1) 2장을 뽑아 만들 수 있는 두 자리 자연수의 개수

➡ (**①**) $\times (n-1)$

(2) 3장을 뽑아 만들 수 있는 세 자리 자연수의 개수

➡ $(n-1) \times (n-1) \times (n-2)$

답 **①** $n-1$

대표문제

0998 ●●중●●

0, 1, 2, 3, 4의 숫자가 각각 적힌 5장의 카드 중에서 2장을 뽑아 만들 수 있는 두 자리 자연수의 개수를 구하시오.

$$\boxed{0}\ \boxed{1}\ \boxed{2}\ \boxed{3}\ \boxed{4}$$

0999 ●●중하●●●

0, 1, 2, 3, 4, 5의 6개의 숫자 중에서 3개를 택하여 세 자리 자연수를 만들려고 한다. 같은 숫자를 여러 번 사용해도 될 때, 만들 수 있는 자연수의 개수를 구하시오.

1000 ●●중●● 　서술형

0, 1, 2, 3, 4의 숫자가 각각 적힌 5장의 카드 중에서 3장을 뽑아 세 자리 자연수를 만들 때, 짝수의 개수를 구하시오.

1001 ●●●상중●

0, 1, 2, 3의 숫자가 각각 적힌 4장의 카드 중에서 2장을 뽑아 두 자리 자연수를 만들 때, 23보다 작은 수의 개수를 구하시오.

1002 ●●●상중●

0, 1, 2, 3, 4, 5의 숫자가 각각 적힌 6장의 카드 중에서 3장을 뽑아 세 자리 자연수를 만들 때, 5의 배수의 개수를 구하시오.

9

경우의 수

필수유형 21 대표 뽑기 (1) – 자격이 다른 경우

n명 중에서 자격이 다른 r명의 대표를 뽑는 경우의 수는 n명 중에서 r명을 뽑아 한 줄로 세우는 경우의 수와 같다.

(1) n명 중에서 자격이 다른 대표 2명을 뽑는 경우의 수
   ➡ $n \times (n-1)$

(2) n명 중에서 자격이 다른 대표 3명을 뽑는 경우의 수
   ➡ $n \times (n-1) \times (\boxed{❶})$

📝 ❶ $n-2$

대표문제

1003 ●중하●●●

남학생 3명, 여학생 3명으로 구성된 봉사 활동 모임이 있다. 6명의 학생 중에서 대표와 부대표를 각각 1명씩 뽑는 경우의 수를 구하시오.

1004 ●중하●●●

A, B, C, D, E 5명의 학생 중에서 다음과 같이 대표를 뽑는 경우의 수를 구하시오.

(1) 회장 1명, 부회장 1명

(2) 회장 1명, 부회장 1명, 총무 1명

1005 ●중하●●●

음악대회에 참가하기 위하여 가은이네 반 7명의 후보 중에서 노래, 피아노 반주, 지휘를 할 사람을 각각 1명씩 뽑는 경우의 수를 구하시오.

1006 ●●중●●

남학생 3명, 여학생 5명 중에서 여학생 대표 1명과 남녀 부대표를 각각 1명씩 뽑는 경우의 수를 구하시오.

1007 ●●●상중●

남학생 3명, 여학생 4명 중에서 대표 1명과 남녀 부대표를 각각 1명씩 뽑는 경우의 수를 구하시오.

필수유형 22 중요 대표 뽑기 (2) – 자격이 같은 경우

(1) n명 중에서 자격이 같은 대표 2명을 뽑는 경우의 수
   ➡ $\dfrac{n \times (n-1)}{2 \times 1}$

(2) n명 중에서 자격이 같은 대표 3명을 뽑는 경우의 수
   ➡ $\dfrac{n \times (n-1) \times (n-2)}{\boxed{❶} \times 2 \times 1}$

📝 ❶ 3

대표문제

1008 ●중하●●●

남학생 5명, 여학생 3명 중에서 대의원 2명을 뽑는 경우의 수를 구하시오.

1009 ●●중●● 서술형

5명의 후보 중에서 반장 1명, 부반장 2명을 뽑는 경우의 수를 구하시오.

1010 ●●●상중●

남학생 4명, 여학생 3명 중에서 대표 2명을 뽑을 때, 모두 남학생이 뽑히거나 모두 여학생이 뽑히는 경우의 수를 구하시오.

필수유형 23 대표 뽑기 (3) – 경기 수, 약수하기

A 팀과 B 팀이 경기하는 것과 B 팀과 A 팀이 경기하는 것은 같다.
➡ 순서를 생각하지 않으므로 자격이 같은 대표 2명을 뽑는 경우의 수와 같다.

대표문제

1011 ●●중●●

7개의 야구팀이 각각 서로 한 번씩 경기를 한다고 할 때, 모두 몇 번의 경기가 치러지는지 구하시오.

1012 ●●중●●

도희네 중학교 2학년 1반부터 4반까지 4개의 반이 각각 서로 한 번씩 피구 시합을 한다고 한다. 모두 몇 번의 시합이 치러지는지 구하시오.

1013 ●●중●●

5개국 대표들이 모여 회의를 하려고 한다. 각 나라 대표가 빠짐없이 서로 악수를 주고 받았다면 모두 몇 번의 악수를 한 것인지 구하시오.

중요
필수유형 24 원 위의 선분 또는 삼각형의 개수

어느 세 점도 일직선 위에 있지 않은 n개의 점 중에서
(1) 두 점을 이어서 만든 선분의 개수

$$\Rightarrow \dfrac{n \times (n-1)}{\boxed{①} \times 1} \leftarrow \text{자격이 같은 대표 2명 뽑기}$$

(2) 세 점을 이어서 만든 삼각형의 개수

$$\Rightarrow \dfrac{n \times (n-1) \times (n-2)}{3 \times 2 \times 1} \leftarrow \text{자격이 같은 대표 3명 뽑기}$$

답 ① 2

대표문제

1014 ●●중●●

오른쪽 그림과 같이 한 원 위에 A, B, C, D, E, F, G 7개의 점이 있다. 이 중에서 두 점을 이어서 만들 수 있는 선분의 개수를 구하시오.

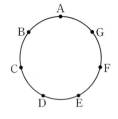

1015 ●●중●● 서술형

오른쪽 그림과 같이 한 원 위에 A, B, C, D, E 5개의 점이 있다. 두 점을 이어서 만든 선분의 개수를 a, 세 점을 이어서 만든 삼각형의 개수를 b라 할 때, $a+b$의 값을 구하시오.

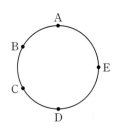

1016 ●●중●●

오른쪽 그림과 같이 한 원 위에 A, B, C, D, E, F 6개의 점이 있다. 이 중에서 세 점을 이어서 만들 수 있는 삼각형의 개수를 구하시오.

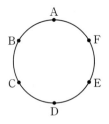

9

경우의 수

발전유형 **25** 사전식 배열

수의 크기(큰 순서 또는 작은 순서)나 알파벳 순서를 적용하여 나열한다.

대표문제
1017 ●●●●상중●

1부터 4까지의 자연수가 각각 적힌 4장의 카드가 들어 있는 주머니에서 3장의 카드를 뽑아 만들 수 있는 세 자리 자연수를 작은 수부터 크기순으로 나열할 때, 18번째인 수를 구하시오.

쌍둥이 문제
1018 ●●●●상중●

1, 2, 3, 4의 숫자가 각각 적힌 4장의 카드 중에서 3장을 골라 만들 수 있는 세 자리 자연수를 큰 수부터 크기순으로 나열할 때, 14번째인 수를 구하시오.

1019 ●●●상중● 서술형

4개의 알파벳 a, b, c, d를 사전식으로 $abcd$에서 $dcba$의 순서로 배열하였다. $cdab$는 몇 번째에 오는지 구하시오.

발전유형 **26** 삼각형의 개수

삼각형의 세 꼭짓점은 한 직선 위에 있을 수 없음에 유의하여 삼각형의 개수를 구한다.

대표문제
1020 ●●●●상

오른쪽 그림과 같이 반원 위에 7개의 점이 있다. 이 중에서 세 점을 이어서 만들 수 있는 삼각형의 개수를 구하시오.

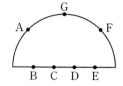

쌍둥이 문제
1021 ●●●●상

오른쪽 그림과 같이 반원 위에 8개의 점이 있다. 이 중에서 세 점을 이어서 만들 수 있는 삼각형의 개수를 구하시오.

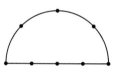

1022 ●●●●상

오른쪽 그림과 같이 정삼각형 위에 6개의 점이 있다. 이 중에서 세 점을 이어서 만들 수 있는 삼각형의 개수를 구하시오.

1023 ••중••

100원짜리, 50원짜리, 10원짜리 동전이 각각 5개씩 있다. 이 동전을 사용하여 500원을 지불하는 방법의 수를 구하시오.

1024 ••중•• 서술형

서로 다른 두 개의 주사위를 동시에 던질 때, 두 눈의 수의 차가 소수가 되는 경우의 수를 구하시오.

1025 ••중••

다음 보기의 경우의 수를 작은 것부터 순서대로 바르게 나열한 것은?

┌─ 보기 ────────────────────────────
ㄱ 김밥 5종류, 라면 3종류 중 김밥과 라면을 각각 한 가지씩 선택하는 경우의 수
ㄴ 두 개의 주사위 A, B를 던졌을 때, A는 짝수의 눈이 나오고, B는 6의 약수의 눈이 나오는 경우의 수
ㄷ 각 면에 1부터 20까지의 자연수가 각각 적힌 정이십면체 모양의 주사위를 던졌을 때, 바닥에 닿는 면에 적힌 수가 20의 약수인 경우의 수
└────────────────────────────────

① ㄱ, ㄴ, ㄷ   ② ㄴ, ㄱ, ㄷ
③ ㄴ, ㄷ, ㄱ   ④ ㄷ, ㄱ, ㄴ
⑤ ㄷ, ㄴ, ㄱ

1026 ••중•• 창의+융합

예림이는 어느 인터넷 사이트에 회원 가입을 하려고 한다. 비밀번호를 영문과 숫자를 포함하여 7자리로 만들어야 한다고 해서 smile□□으로 결정하였다. □ 안에는 0부터 9까지의 숫자를 중복 가능하게 넣으려고 할 때, 만들 수 있는 비밀번호의 개수를 구하시오.

1027 ••중••

지문 분류법에 의하면 지문은 우측 고리형, 좌측 고리형, 소용돌이형, 활형으로 분류된다. 한 학생이 왼손의 다섯 손가락에 각각 잉크를 묻혀 종이에 찍을 때, 나올 수 있는 지문의 형태는 모두 몇 가지인가?

① 4가지   ② 20가지   ③ 5^4가지
④ 4^5가지   ⑤ 5^5가지

1028 ••중•• 융합형

다음 윤혜의 일기를 읽고 물음에 답하시오.

┌────────────────────────────────
오늘은 특별한 날이었다.
　나는 잠에서 깨어 씻은 후 옷을 입으려고 옷장 문을 열었다. 옷장에는 치마 3종류, 바지 2종류, 티셔츠 5종류가 있었고, 신발장에는 다른 종류의 신발 6켤레가 있었다. 오늘은 날씨가 추울 것 같아 겉옷 2종류 중 하나를 골라 입으려 했다. 뭘 입고 가면 좋을까? 즐거운 고르기가 시작되고 한참을 고민하던 끝에 나는 결국 학교에 지각을 하고 말았다.
└────────────────────────────────

윤혜가 치마 또는 바지, 티셔츠, 신발, 겉옷을 각각 하나씩 골라 입을 수 있는 경우의 수를 구하시오.

1029 ●●중●●

오른쪽 그림과 같은 도로에서 P 지점을 출발하여 Q 지점을 거쳐 R 지점까지 최단 거리로 가는 방법의 수를 구하시오.

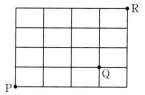

1030 ●●중●●

한 개의 주사위를 두 번 던져서 처음 나온 눈의 수를 x, 나중에 나온 눈의 수를 y라 할 때, $x+2y=8$이 되는 경우의 수는?

① 2   ② 3   ③ 4
④ 5   ⑤ 6

1031 ●●●상중● 융합형

길이가 각각 3 cm, 4 cm, 5 cm, 7 cm인 4개의 막대가 있다. 이 중에서 3개를 골라 삼각형을 만들려고 할 때, 만들 수 있는 삼각형의 개수를 구하시오.

1032 ●●●●상 융합형

다음 그림과 같이 수직선 위의 원점에 점 P가 있다. 동전한 개를 던져서 앞면이 나오면 +1만큼, 뒷면이 나오면 −1만큼 점 P를 이동시킨다. 한 개의 동전을 5번 던져서 점 P가 3에 오는 경우의 수를 구하시오.

$$\begin{array}{c} \text{P} \\ \overset{\longleftarrow}{\underset{-3\ -2\ -1\ \ 0\ \ 1\ \ 2\ \ 3}{\bullet}} \end{array}$$

1033 ●중하●●●

소연이네 학교 가을 축제 때 소연이를 포함한 5명의 학생들이 한 줄로 서서 노래를 하려고 할 때, 소연이가 한가운데 서는 경우의 수는?

① 12   ② 24   ③ 48
④ 60   ⑤ 120

1034 ●●중●●

희주네 반 금요일 시간표에 국어, 수학, 도덕, 영어, 과학, 한문 수업이 있다. 이 중에서 국어와 수학 사이에 반드시 도덕을 넣어 시간표를 짜려고 할 때, 시간표가 나올 수 있는 경우의 수는?

① 24   ② 30   ③ 36
④ 42   ⑤ 48

1035 ●●중●●

오른쪽 그림과 같은 A, B, C, D 4개의 부분에 빨강, 파랑, 노랑, 초록의 4가지 색을 사용하여 칠하려고 한다. 같은 색을 여러 번 사용해도 좋으나 이웃한 부분은 서로 다른 색을 칠할 때, 칠하는 경우의 수를 구하시오.

1036 ●●●중●●

0, 1, 2, 3, 4, 5의 숫자가 각각 적힌 6장의 카드 중에서 3장을 뽑아 세 자리 자연수를 만들 때, 홀수의 개수를 구하시오.

1037 ●●●상중● **서술형**

0, 1, 2, 3, 4의 숫자가 각각 적힌 5장의 카드 중에서 3장을 뽑아 만들 수 있는 세 자리 자연수를 큰 수부터 크기순으로 나열했을 때, 26번째인 수를 구하시오.

1038 ●●중●●

남학생 6명, 여학생 4명으로 이루어진 동아리에서 남학생 3명과 여학생 2명을 대표로 뽑는 경우의 수는?

① 90   ② 120   ③ 150

④ 180   ⑤ 210

1039 ●●중●●

2학년 8개 반이 농구대회를 하려고 한다. 각 반은 나머지 7개의 반과 한 번씩 경기를 한다고 할 때, 모두 몇 번의 경기가 치러지는지 구하시오.

1040 ●●●상중● **서술형**

연우, 태현, 다경, 승현, 주영 5명의 학생이 있다. 이 중에서 회장 1명, 부회장 2명을 뽑으려고 할 때, 연우가 회장 또는 부회장으로 뽑히는 경우의 수를 구하시오.

1041 ●●●상중●

남자 3명, 여자 3명 중에서 대표 2명을 뽑을 때, 적어도 한 명은 여자가 뽑히는 경우의 수를 구하시오.

1042 ●●●●상 **창의력**

다음 그림과 같이 6계단이 있는 층계가 있다. 한 걸음에 한 계단 또는 두 계단씩 오른다고 할 때, 지면에서부터 6계단을 오르는 경우의 수는?

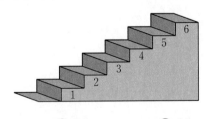

① 10   ② 12   ③ 13

④ 16   ⑤ 19

9

경우의 수

10
확률

01 확률의 뜻 · 유형 01~03

(1) **확률** 같은 조건에서 실험이나 관찰을 여러 번 반복할 때, 어떤 사건이 일어나는 상대도수가 일정한 값에 가까워지면 이 일정한 값을 그 사건이 일어날 **①** 이라 한다.

(2) **사건 A가 일어날 확률** 어떤 실험이나 관찰에서 각각의 경우가 일어날 가능성이 같다고 할 때, 일어날 수 있는 모든 경우의 수를 n, 사건 A가 일어나는 경우의 수를 a라 하면 사건 A가 일어날 확률 p는

$$p = \frac{(사건\ A가\ 일어나는\ 경우의\ 수)}{(모든\ 경우의\ 수)} = \frac{a}{n}$$

답 **①** 확률

[1043~1045] 주머니 속에 검은 공 2개, 흰 공 4개가 들어 있다. 이 주머니에서 한 개의 공을 꺼낼 때, 다음을 구하시오.

1043 일어날 수 있는 모든 경우의 수

1044 흰 공이 나올 확률

1045 검은 공이 나올 확률

[1046~1047] 1부터 20까지의 자연수가 각각 적힌 20장의 카드 중에서 한 장을 뽑을 때, 다음을 구하시오.

1046 카드에 적힌 수가 12의 약수일 확률

1047 카드에 적힌 수가 소수일 확률

02 확률의 성질 · 유형 04

(1) 어떤 사건이 일어날 확률을 p라 하면 $0 \le p \le 1$이다.

(2) 절대로 일어날 수 없는 사건의 확률은 **①** 이다.

(3) 반드시 일어나는 사건의 확률은 **②** 이다.

답 **①** 0 **②** 1

[1048~1050] 흰 바둑돌 5개, 검은 바둑돌 4개가 들어 있는 주머니에서 한 개의 바둑돌을 꺼낼 때, 다음을 구하시오.

1048 흰 바둑돌이 나올 확률

1049 흰 바둑돌 또는 검은 바둑돌이 나올 확률

1050 빨간 바둑돌이 나올 확률

03 어떤 사건이 일어나지 않을 확률 · 유형 05, 06

사건 A가 일어날 확률을 p라 하면
(사건 A가 일어나지 않을 확률)$= 1 -$ **①**

참고 '~이 아닌', '적어도', '최소한', '~하지 못한' 등의 표현이 나오는 경우 대부분 어떤 사건이 일어나지 않을 확률을 이용한다.

답 **①** p

[1051~1052] 1부터 9까지의 자연수가 각각 적힌 9장의 카드 중에서 한 장을 뽑을 때, 다음을 구하시오.

1051 카드에 적힌 숫자가 4의 배수일 확률

1052 카드에 적힌 숫자가 4의 배수가 아닐 확률

핵심 포인트! · 사건 A가 일어날 확률을 구하는 순서

① 모든 경우의 수 구하기 ➡ ② 사건 A가 일어나는 경우의 수 구하기 ➡ ③ (사건 A가 일어날 확률) $= \dfrac{(②의\ 경우의\ 수)}{(①의\ 경우의\ 수)}$

필수유형 01 확률의 뜻

> 일어날 수 있는 모든 경우의 수가 n, 사건 A가 일어나는 경우
> 의 수가 a이면 사건 A가 일어날 확률 p는
>
> $$p = \frac{(\text{사건 }A\text{가 일어나는 경우의 수})}{(\text{모든 경우의 수})} = \boxed{\text{❶}}$$

답 ❶ $\dfrac{a}{n}$

대표문제

1053 ●중하●●●

서로 다른 두 개의 주사위를 동시에 던질 때, 나온 두 눈의
수의 합이 5일 확률을 구하시오.

1054 하●●●●

다음 그림은 어느 해의 10월 달력이다. 이 달력에서 어느
한 날짜를 선택하였을 때, 숫자 2가 들어가는 날짜일 확률
을 구하시오.

일	월	화	수	목	금	토
			1	2	3	4
5	6	7	8	9	10	11
12	13	14	15	16	17	18
19	20	21	22	23	24	25
26	27	28	29	30	31	

10

1055 ●중하●●●

서로 다른 4개의 윷가락을 동시에 던질 때, 걸이 나올 확률
을 구하시오. (단, 윷의 평편한 면과 볼록한 면이 나올 확률
은 같다.)

1056 ●●중●●●

흰 공 3개, 노란 공 5개, 파란 공 x개가 들어 있는 주머니에
서 한 개의 공을 꺼낼 때, 흰 공이 나올 확률이 $\dfrac{1}{4}$이라 한다.
이때 x의 값을 구하시오.

필수유형 02 여러 가지 확률

> (1) n명을 한 줄로 세우는 경우의 수
> $\Rightarrow n \times (n-1) \times \cdots \times 2 \times 1$
>
> (2) n명 중에서 자격이 같은 대표 2명을 뽑는 경우의 수
> $\Rightarrow \dfrac{n \times (n-1)}{2 \times 1}$
>
> (3) n명 중에서 자격이 같은 대표 3명을 뽑는 경우의 수
> $\Rightarrow \dfrac{n \times (n-1) \times (n-2)}{3 \times 2 \times 1}$

대표문제

1057 ●●중●●

0, 1, 2, 3, 4의 숫자가 각각 적힌 5장의 카드 중에서 2장을
뽑아 두 자리 자연수를 만들 때, 32 이상일 확률을 구하시오.

1058 ●●중●●

1부터 5까지의 자연수가 각각 적힌 5
개의 구슬 중에서 2개를 골라 두 자리
자연수를 만들려고 한다. 이때 이 두
자리 자연수가 3의 배수일 확률을 구
하시오.

10

확률

1059 ●●●중●●●

수호, 찬열, 세훈, 백현, 우민 5명이 한 줄로 서서 사진을 찍으려고 한다. 이때 수호와 찬열이가 양 끝에 서게 될 확률을 구하시오.

1060 ●●●중●●

남학생 3명, 여학생 2명이 한 줄로 설 때, 여학생끼리 이웃하여 서게 될 확률을 구하시오.

1061 ●●●중●● 서술형

졸업생 3명, 재학생 3명 중에서 동창회 대표 2명을 뽑을 때, 2명 모두 재학생이 뽑힐 확률을 구하시오.

1062 ●●●중●●

어느 학교 전교 회장 선거에 남학생 5명과 수지를 포함한 여학생 3명이 후보로 등록하였다. 다음 물음에 답하시오.

(1) 회장 1명, 부회장 1명을 뽑을 때, 수지가 회장으로 뽑힐 확률을 구하시오.

(2) 대표 3명을 뽑을 때, 수지가 뽑힐 확률을 구하시오.

필수유형03 **방정식, 부등식에서의 확률**

방정식과 부등식이 주어지는 경우에는 조건을 만족하는 x, y의 값을 순서쌍 (x, y)로 나타내어 그 확률을 구한다.

대표문제
1063 ●●●중●●

한 개의 주사위를 두 번 던져서 첫 번째에 나온 눈의 수를 x, 두 번째에 나온 눈의 수를 y라 할 때, $2x+y=7$일 확률을 구하시오.

1064 ●●●중●●

서로 다른 두 개의 주사위를 동시에 던져서 나온 두 눈의 수를 각각 x, y라 할 때, $y > 18-3x$일 확률을 구하시오.

1065 ●●●중●●

1부터 10까지의 자연수가 각각 적힌 10개의 공이 있다. A 상자에는 짝수가 적힌 공을, B 상자에는 홀수가 적힌 공을 넣고, A, B 상자에서 각각 1개씩 공을 꺼냈다. A 상자에서 꺼낸 공에 적힌 수를 x, B 상자에서 꺼낸 공에 적힌 수를 y라 할 때, $2x-y=3$일 확률을 구하시오.

1066 ●●●상중●

두 개의 주사위 A, B를 동시에 던져서 나온 눈의 수를 각각 a, b라 할 때, x에 대한 일차방정식 $ax=b$의 해가 자연수일 확률을 구하시오.

필수유형 04 확률의 성질

(1) 어떤 사건이 일어날 확률을 p라 하면 $0 \leq p \leq 1$이다.
(2) 절대로 일어날 수 없는 사건의 확률은 [❶　　]이다.
(3) 반드시 일어나는 사건의 확률은 [❷　　]이다.

답 ❶ 0 ❷ 1

대표문제

1067 ●중하●●●

다음 중 확률에 대한 설명으로 옳지 <u>않은</u> 것은?

① 어떤 사건이 일어날 확률을 p라 하면 $0 < p < 1$이다.

② 절대로 일어날 수 없는 사건의 확률은 0이다.

③ 반드시 일어나는 사건의 확률은 1이다.

④ 사건 A가 일어날 확률을 p라 하면
$p = \dfrac{(\text{사건 } A\text{가 일어나는 경우의 수})}{(\text{모든 경우의 수})}$ 이다.

⑤ 사건 A가 일어날 확률을 p라 하면 사건 A가 일어나지 않을 확률은 $1 - p$이다.

1068 ●●중●●

다음 중 확률이 1인 것은?

① 한 개의 주사위를 던질 때, 나온 눈의 수가 1일 확률

② 서로 다른 두 개의 주사위를 동시에 던질 때, 나온 두 눈의 수의 합이 2 이상일 확률

③ 서로 다른 두 개의 주사위를 동시에 던질 때, 나온 두 눈의 수의 차가 6일 확률

④ 서로 다른 두 개의 동전을 동시에 던질 때, 앞면이 1개 이상 나올 확률

⑤ 두 사람이 가위바위보를 할 때, 비길 확률

필수유형 05 어떤 사건이 일어나지 않을 확률

사건 A가 일어날 확률을 p라 하면
$(\text{사건 } A\text{가 일어나지 않을 확률}) = 1 \,[❶　　]\, p$

참고 어떤 사건의 확률이 구하기 어렵거나 복잡한 경우에는 그 사건이 일어나지 않을 확률을 이용하면 편리하다.

답 ❶ −

대표문제

1069 ●●중●●

5명의 후보자 소미, 세정, 채연, 미나, 나영 중에서 대표 2명을 뽑을 때, 소미가 뽑히지 않을 확률을 구하시오.

1070 하●●●●

현수와 남동생이 보드게임을 할 때, 현수가 이길 확률이 $\dfrac{5}{8}$라 한다. 남동생이 이길 확률을 구하시오.

(단, 비기는 경우는 없다.)

1071 ●중하●●●

50개의 LED 전구 중 4개의 불량품이 포함되어 있다. 이 중에서 1개를 뽑았을 때, 이 전구가 불량품이 아닐 확률을 구하시오.

1072 ●●중●●

두 개의 주사위 A, B를 동시에 던질 때, 나온 두 눈의 수가 서로 다를 확률을 구하시오.

10
확률

필수유형 06 '적어도 ~'일 확률

(1) (적어도 한 명은 여학생일 확률)=1−(모두 남학생일 확률)

(2) (적어도 한 개는 뒷면일 확률)=1−(모두 ❶ 일 확률)

(3) (적어도 한 개는 짝수일 확률)=1−(모두 ❷ 일 확률)

답 ❶앞면 ❷홀수

대표문제

1073 ••중••

남학생 4명, 여학생 3명 중에서 대표 2명을 뽑을 때, 적어도 1명은 남학생이 뽑힐 확률을 구하시오.

1074 •중하•••

서로 다른 세 개의 동전을 동시에 던질 때, 적어도 한 개는 뒷면이 나올 확률을 구하시오.

1075 ••중••

한 개의 주사위를 두 번 던질 때, 적어도 한 번은 4가 나올 확률을 구하시오.

발전유형 07 함수에서의 확률

두 직선 $y=mx+n, y=m'x+n'$의 교점의 x좌표가 a이다.

➡ x에 대한 방정식 $mx+n=m'x+n'$의 해가 ❶ 이다.

답 ❶a

대표문제

1076 •••상중•

서로 다른 두 개의 주사위를 동시에 던져서 나온 두 눈의 수를 각각 a, b라 할 때, 두 직선 $y=4x-a, y=x+b$의 교점의 x좌표가 2일 확률을 구하시오.

쌍둥이문제

1077 •••상중•

서로 다른 두 개의 주사위를 동시에 던져서 나온 두 눈의 수를 각각 a, b라 할 때, 두 직선 $y=ax+3, y=-x+b$의 교점의 x좌표가 1일 확률을 구하시오.

1078 ••••상 서술형

두 개의 주사위 A, B를 동시에 던져서 A 주사위에서 나온 눈의 수를 a, B 주사위에서 나온 눈의 수를 b라 할 때, 직선 $ax+by=18$이 점 $(2, 4)$를 지날 확률을 구하시오.

1079 ••••상

한 개의 주사위를 두 번 던져서 첫 번째에 나온 눈의 수를 a, 두 번째에 나온 눈의 수를 b라 할 때, 두 일차함수 $y=ax+b, y=x+3$의 그래프가 평행할 확률을 구하시오.

04 사건 A 또는 사건 B가 일어날 확률   유형 08, 11

두 사건 A, B가 동시에 일어나지 않을 때, 사건 A가
일어날 확률을 p, 사건 B가 일어날 확률을 q라 하면

> (사건 A 또는 사건 B가 일어날 확률)$=p$ ❶ q

❶ $+$

[1080~1082] 주머니 속에 1부터 10까지의 자연수가 각각 적힌 10개의 공이 들어 있다. 이 주머니에서 한 개의 공을 꺼낼 때, 다음을 구하시오.

1080 꺼낸 공에 적힌 수가 3보다 작을 확률

1081 꺼낸 공에 적힌 수가 7보다 클 확률

1082 꺼낸 공에 적힌 수가 3보다 작거나 7보다 클 확률

[1083~1085] 서로 다른 두 개의 주사위를 동시에 던질 때, 다음을 구하시오.

1083 나온 두 눈의 수의 합이 2일 확률

1084 나온 두 눈의 수의 합이 4일 확률

1085 나온 두 눈의 수의 합이 2 또는 4일 확률

05 사건 A와 사건 B가 동시에 일어날 확률   유형 09~11

두 사건 A, B가 서로 영향을 끼치지 않을 때, 사건 A
가 일어날 확률을 p, 사건 B가 일어날 확률을 q라 하면

> (사건 A와 사건 B가 동시에 일어날 확률)
> $=p$ ❶ q

❶ $\times$

[1086~1088] 100원짜리 동전 1개와 500원짜리 동전 1개를 동시에 던질 때, 다음을 구하시오.

1086 100원짜리 동전이 앞면이 나올 확률

1087 500원짜리 동전이 앞면이 나올 확률

1088 두 개의 동전 모두 앞면이 나올 확률

[1089~1091] 동전 1개와 주사위 1개를 동시에 던질 때, 다음을 구하시오.

1089 동전이 앞면이 나올 확률

1090 주사위가 홀수의 눈이 나올 확률

1091 동전은 앞면이 나오고, 주사위는 홀수의 눈이 나올 확률

핵심 포인트! · 사건 A 또는 사건 B가 일어날 확률을 구할 때, 두 사건 A, B에 중복되는 경우가 있으면 반드시 중복된 경우에 대한 확률을 빼 주어야 한다.
· 사건 A와 사건 B가 동시에 일어날 확률을 구할 때, 두 사건 A, B에 중복되는 경우가 있어도 확률의 곱셈에는 영향을 주지 않는다.

10
확률

06 연속하여 꺼내는 경우의 확률 유형 12~14

(1) 꺼낸 것을 다시 넣고 연속하여 꺼내는 경우의 확률

처음에 꺼낸 것을 다시 꺼낼 수 있으므로 처음 사건이 나중 사건에 영향을 주지 않는다.

➡ (처음에 꺼낼 때의 조건)═(나중에 꺼낼 때의 조건)

(2) 꺼낸 것을 다시 넣지 않고 연속하여 꺼내는 경우의 확률

처음에 꺼낸 것을 다시 꺼낼 수 없으므로 처음 사건이 나중 사건에 영향을 준다.

➡ (처음에 꺼낼 때의 조건)≠(나중에 꺼낼 때의 조건)

[1092~1093] 주머니 속에 흰 구슬 3개, 빨간 구슬 5개가 들어 있다. 이 주머니에서 구슬을 1개씩 두 번 꺼낼 때, 다음 조건에서 두 개 모두 빨간 구슬일 확률을 구하시오.

1092 꺼낸 구슬을 다시 넣는 경우

1093 꺼낸 구슬을 다시 넣지 않는 경우

[1094~1095] 10개의 제비 중 당첨 제비가 4개 들어 있는 상자가 있다. 이 상자에서 제비를 1개씩 두 번 꺼낼 때, 다음 조건에서 두 개 모두 당첨 제비일 확률을 구하시오.

1094 꺼낸 제비를 다시 넣는 경우

1095 꺼낸 제비를 다시 넣지 않는 경우

07 도형에서의 확률 유형 19

일어날 수 있는 모든 경우의 수는 도형의 전체 넓이로, 어떤 사건이 일어나는 경우의 수는 도형에서 사건에 해당하는 부분의 넓이로 바꾸어 계산한다.

$$(\text{도형에서의 확률}) = \frac{(\text{사건에 해당하는 부분의 넓이})}{(\text{도형의 ❶ }\boxed{}\text{ 넓이})}$$

답 ❶ 전체

1096 오른쪽 그림과 같이 8등분된 과녁에 화살을 한 번 쏠 때, 홀수가 적혀 있는 부분에 화살이 꽂힐 확률을 구하시오. (단, 화살이 과녁을 벗어나거나 경계선을 맞히는 경우는 생각하지 않는다.)

[1097~1098] 오른쪽 그림과 같이 12등분된 직사각형의 과녁에 화살을 쏘려고 한다. 다음 물음에 답하시오.
(단, 화살이 과녁을 벗어나거나 경계선을 맞히는 경우는 생각하지 않는다.)

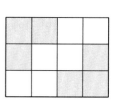

1097 화살을 한 번 쏠 때, 색칠한 부분을 맞힐 확률을 구하시오.

1098 화살을 두 번 쏠 때, 두 번 모두 색칠한 부분을 맞힐 확률을 구하시오.

핵심 포인트 !

• 꺼낸 것을 다시 넣었는가? —— 예 ➡ 전체 경우의 수는 변함없다.

—— 아니오 ➡ 전체 경우의 수가 1만큼 줄어든다.

필수유형 08 사건 A 또는 사건 B가 일어날 확률

두 사건 A, B가 동시에 일어나지 않을 때
(사건 A 또는 사건 B가 일어날 확률)
=(사건 A가 일어날 확률) ❶ (사건 B가 일어날 확률)

답 ❶ +

대표문제

1099 ●중하●●●

두 개의 주사위 A, B를 동시에 던질 때, 나온 두 눈의 수의 합이 3 또는 8일 확률을 구하시오.

1100 하●●●●

1부터 10까지의 자연수가 각각 적힌 10장의 카드 중에서 한 장을 뽑을 때, 카드에 적힌 수가 5보다 작거나 8보다 클 확률을 구하시오.

1101 ●중하●●●

다음 표는 어느 중학교 학생 100명을 대상으로 매점에서 판매하는 음료수 네 종류의 선호도를 조사하여 나타낸 것이다. 임의로 한 명을 선택했을 때, 탄산음료 또는 주스를 선호할 확률을 구하시오.

이온음료	탄산음료	주스	우유
20명	45명	20명	15명

1102 ●●중●● 잘 틀리는 문제

각 면에 1부터 12까지의 자연수가 각각 적힌 정십이면체 모양의 주사위를 한 번 던질 때, 바닥에 닿는 면에 적힌 수가 3의 배수이거나 소수일 확률을 구하시오.

필수유형 09 사건 A와 사건 B가 동시에 일어날 확률

두 사건 A, B가 서로 영향을 끼치지 않을 때
(사건 A와 사건 B가 동시에 일어날 확률)
=(사건 A가 일어날 확률) ❶ (사건 B가 일어날 확률)

답 ❶ ×

대표문제

1103 ●중하●●●

A 주머니에는 흰 공 2개, 검은 공 3개가 들어 있고, B 주머니에는 흰 공 3개, 검은 공 4개가 들어 있다. 두 주머니에서 각각 공을 1개씩 꺼낼 때, A 주머니에서는 흰 공, B 주머니에서는 검은 공이 나올 확률을 구하시오.

1104 하●●●●

두 농구 선수 A, B의 자유투 성공률이 각각 $\frac{4}{5}$, $\frac{7}{10}$이다. 두 선수가 자유투를 던질 때, 두 선수 모두 성공할 확률을 구하시오.

1105 ●●중●●

100원짜리 동전 1개, 500원짜리 동전 1개, 주사위 1개를 동시에 던질 때, 동전은 모두 앞면이 나오고, 주사위는 3의 배수의 눈이 나올 확률을 구하시오.

1106 ●●중●●

정훈이와 한나가 예술제 오디션에 참가하였다. 정훈이가 합격할 확률은 $\frac{2}{3}$이고, 정훈이와 한나가 함께 합격할 확률은 $\frac{1}{2}$일 때, 한나가 합격할 확률을 구하시오.

필수유형 **10** | 두 사건 A, B 중 적어도 하나가 일어날 확률

두 사건 A, B가 서로 영향을 끼치지 않을 때
(두 사건 A, B 중 적어도 하나가 일어날 확률)
$=1-$ ❶ (두 사건 A, B가 모두 일어나지 않을 확률)

답 ❶ —

대표문제

1107 ●●중●●
두 개의 주사위 A, B를 동시에 던질 때, 적어도 한 개의 주사위에서 짝수의 눈이 나올 확률을 구하시오.

1108 ●●중●●
오른쪽 그림과 같은 전기 회로에서 두 스위치 A, B가 닫힐 확률이 각각 $\dfrac{2}{5}$, $\dfrac{3}{5}$이다. 이때 전구에 불이 들어올 확률을 구하시오.

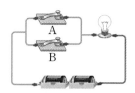

1109 ●●중●●
한국, 일본, 중국 세 나라가 월드컵 본선에 진출할 확률이 각각 $\dfrac{3}{4}$, $\dfrac{1}{3}$, $\dfrac{2}{5}$일 때, 세 나라 중 적어도 한 나라가 월드컵 본선에 진출할 확률을 구하시오.

1110 ●●중●●
어느 날 일기예보에서 내일 비가 올 확률은 70 %, 모레 비가 올 확률은 40 %라고 했을 때, 내일과 모레 중 적어도 하루는 비가 올 확률은 몇 %인지 구하시오.

필수유형 **11** 중요 | 확률의 덧셈과 곱셈

흰 공과 검은 공이 들어 있는 두 주머니 A, B에서 각각 공을 1개씩 꺼낼 때
(1) (두 공이 서로 같은 색일 확률)
$=$ (A에서 흰 공, B에서 흰 공을 꺼낼 확률)
$+$ (A에서 검은 공, B에서 ❶ 공을 꺼낼 확률)
(2) (두 공이 서로 다른 색일 확률)
$=$ (A에서 흰 공, B에서 검은 공을 꺼낼 확률)
$+$ (A에서 검은 공, B에서 ❷ 공을 꺼낼 확률)

답 ❶ 검은 ❷ 흰

대표문제

1111 ●●중●●
A 주머니에는 파란 공 3개, 빨간 공 4개가 들어 있고, B 주머니에는 파란 공 5개, 빨간 공 2개가 들어 있다. A, B 두 주머니에서 각각 공을 1개씩 꺼낼 때, 두 공이 서로 같은 색일 확률을 구하시오.

1112 ●●중●●
동전 1개와 주사위 1개를 동시에 던질 때, 동전은 앞면이 나오고 주사위는 2의 배수의 눈이 나오거나 동전은 뒷면이 나오고 주사위는 소수의 눈이 나올 확률을 구하시오.

1113 ●●●상중● 서술형
두 자연수 a, b가 홀수일 확률이 각각 $\dfrac{1}{3}$, $\dfrac{3}{4}$일 때, $a+b$가 짝수일 확률을 구하시오.

필수유형 **12** 연속하여 꺼내는 확률
– 꺼낸 것을 다시 넣는 경우

꺼낸 것을 다시 넣는 경우에는 처음 사건이 나중 사건에 영향을 주지 않으므로 처음과 나중의 조건이 같다.

➡ 처음에 꺼낼 때의 전체 개수가 n이면
나중에 꺼낼 때의 전체 개수도 ❶ 이다.

❶ n

대표문제

1114 •중하•••

주머니 속에 빨간 공 3개와 파란 공 4개가 들어 있다. 이 주머니에서 한 개의 공을 꺼내 색을 확인하고 다시 넣은 후 한 개의 공을 꺼낼 때, 2개 모두 빨간 공일 확률을 구하시오.

1115 ••중••

통 안에 초록색 클립 2개와 보라색 클립 4개가 들어 있다. 통에서 클립을 한 개씩 두 번 꺼낼 때, 적어도 하나는 보라색 클립일 확률을 구하시오. (단, 꺼낸 클립은 다시 넣는다.)

1116 •••상중•

당첨 제비 2개를 포함하여 모두 10개의 제비가 들어 있는 상자가 있다. A가 먼저 뽑고 B가 나중에 뽑을 때, B가 당첨 제비를 뽑을 확률을 구하시오. (단, 뽑은 제비는 다시 넣는다.)

필수유형 **13** 중요 연속하여 꺼내는 확률
– 꺼낸 것을 다시 넣지 않는 경우 (1)

꺼낸 것을 다시 넣지 않는 경우에는 처음 사건이 나중 사건에 영향을 주므로 처음과 나중의 조건이 다르다.

➡ 처음에 꺼낼 때의 전체 개수가 n이면
나중에 꺼낼 때의 전체 개수는 ❶ 이다.

❶ $n-1$

대표문제

1117 ••중•••

주머니 속에 노란 구슬 4개와 초록 구슬 2개가 들어 있다. 이 주머니에서 구슬을 한 개씩 두 번 꺼낼 때, 2개 모두 노란 구슬일 확률을 구하시오.

(단, 꺼낸 구슬은 다시 넣지 않는다.)

1118 ••중••

상자 안에 1부터 7까지의 자연수가 각각 적힌 7장의 카드가 있다. 이 상자에서 카드를 한 장씩 두 번 뽑을 때, 첫 번째에는 홀수가 적힌 카드가 나오고, 두 번째에는 짝수가 적힌 카드가 나올 확률을 구하시오.

(단, 뽑은 카드는 다시 넣지 않는다.)

1119 ••중••

상자 안에 10개의 제품 중 4개의 불량품이 들어 있다. 이 상자에서 먼저 1개의 제품을 꺼내 확인한 후 다시 1개의 제품을 꺼내 확인할 때, 적어도 한 개는 불량품일 확률을 구하시오. (단, 꺼낸 제품은 다시 넣지 않는다.)

10

확률

필수유형 14 연속하여 꺼내는 확률
– 꺼낸 것을 다시 넣지 않는 경우 (2)

(사건 B가 일어날 확률)
= (사건 A가 일어나고 사건 B도 일어날 확률)
❶ (사건 A는 일어나지 않고 사건 B가 일어날 확률)

目 ❶ +

대표문제

1120 ••중••

상자 안에 10개의 행운권 중 3개의 당첨권이 들어 있다. 현우와 현진이가 차례대로 행운권을 한 개씩 뽑을 때, 두 사람 중 한 사람만 당첨권을 뽑을 확률을 구하시오.
(단, 뽑은 행운권은 다시 넣지 않는다.)

1121 ••중••

상자 안에 8개의 제비 중 3개의 당첨 제비가 들어 있다. 병우와 유진이가 차례대로 제비를 뽑을 때, 유진이가 당첨 제비를 뽑을 확률을 구하시오.
(단, 뽑은 제비는 다시 넣지 않는다.)

1122 ••중••

상자 안에 3개의 행운권 중 1개의 당첨권이 들어 있다. 해나, 시온, 은유가 차례대로 행운권을 한 개씩 뽑을 때, 다음 물음에 답하시오. (단, 뽑은 행운권은 다시 넣지 않는다.)

(1) 해나가 당첨권을 뽑을 확률을 구하시오.

(2) 시온이가 당첨권을 뽑을 확률을 구하시오.

(3) 은유가 당첨권을 뽑을 확률을 구하시오.

(4) 세 사람 중 누가 가장 유리한지 구하시오.

필수유형 15 문제를 맞힐 확률

(1) (A, B 두 문제 중 한 문제만 맞힐 확률)
= (A 문제를 맞힐 확률) × (B 문제를 틀릴 확률)
❶ (A 문제를 틀릴 확률) × (B 문제를 맞힐 확률)
(2) (A, B 두 문제 중 적어도 한 문제는 맞힐 확률)
= 1 ❷ (A, B 두 문제 모두 틀릴 확률)

目 ❶ + ❷ −

대표문제

1123 ••중••

세아와 시윤이가 어떤 수학 문제를 맞힐 확률이 각각 $\dfrac{1}{4}$, $\dfrac{2}{3}$일 때, 세아만 이 문제를 맞힐 확률을 구하시오.

1124 ••중••

형록이가 두 문제 A, B를 맞힐 확률이 각각 $\dfrac{3}{4}$, $\dfrac{4}{5}$일 때, A, B 두 문제 중 한 문제만 맞힐 확률을 구하시오.

1125 ••중•• 서술형

정화가 A 문제를 맞힐 확률은 $\dfrac{2}{3}$, B 문제를 맞힐 확률은 $\dfrac{3}{5}$일 때, A, B 두 문제 중 적어도 한 문제는 맞힐 확률을 구하시오.

1126 •••상중•

5개의 ○, × 문제를 무심히 답할 때, 적어도 한 문제는 맞힐 확률을 구하시오.

필수유형 16 약속 장소에서 만날 확률

(1) (A와 B가 만날 확률)
= (A가 나올 확률) ❶ (B가 나올 확률)
(2) (A와 B가 만나지 못할 확률)
= 1 ❷ (A와 B가 만날 확률)

답 ❶ × ❷ −

대표문제
1127 ●●●중●●

수영이와 민재는 도서관에서 만나기로 약속하였다. 수영이와 민재가 약속을 지킬 확률이 각각 $\frac{3}{5}$, $\frac{1}{3}$일 때, 두 사람이 만나지 못할 확률을 구하시오.

1128 ●●●중●●

승준이와 정현이는 일요일에 학교에서 만나 축구를 하기로 약속하였다. 그날 약속을 지키지 못할 확률이 각각 $\frac{1}{7}$, $\frac{1}{5}$일 때, 두 사람이 만나서 축구를 할 확률을 구하시오.

1129 ●●●중●●

준규와 예슬이가 놀이동산의 분수대 앞에서 만나기로 하였다. 준규가 약속 장소에 나올 확률은 0.7이고 예슬이가 약속 장소에 나올 확률은 0.8일 때, 준규와 예슬이가 만나지 못할 확률을 구하시오.

1130 ●●●상중●

은수와 민영이는 내일 비가 오지 않으면 등산로 입구에서 만나 함께 등산을 하기로 하였다. 내일 비가 올 확률은 30 %이고 은수와 민영이가 약속을 지킬 확률은 각각 75 %, 80 %일 때, 내일 두 사람이 만나서 함께 등산할 확률은 몇 %인지 구하시오.

필수유형 17 명중시킬 확률

(1) (2발 모두 명중시킬 확률)=(명중률)×(명중률)
(2) (2발 중 적어도 1발은 명중시킬 확률)
= 1 ❶ (2발 모두 명중시키지 못할 확률)

답 ❶ −

대표문제
1131 ●●●중●●

명중률이 각각 $\frac{4}{5}$, $\frac{3}{4}$, $\frac{2}{3}$인 A, B, C 세 사람이 동시에 한 마리의 새를 향해 총을 1발씩 쏘았다. 이때 새가 총에 맞을 확률을 구하시오.

1132 ●●●중●●

명중률이 각각 $\frac{3}{5}$, $\frac{1}{4}$인 두 양궁 선수가 화살을 한 번씩 쏘았을 때, 적어도 한 사람은 명중시킬 확률을 구하시오.

1133 ●●●●상

8발을 쏘아 평균 5발을 명중시키는 사격 선수가 2발 이하로 총을 쏘았을 때, 과녁에 명중시킬 확률을 구하시오.
(단, 명중시키면 더 이상 총을 쏘지 않는다.)

필수유형 18 가위바위보에서의 확률

(두 사람이 가위바위보를 할 때, 승부가 결정될 확률)
=1−(두 사람이 ❶ __ 확률)

답 ❶비길

대표문제

1134 ●●중●●

택연이와 유리가 가위바위보를 할 때, 승부가 결정될 확률을 구하시오.

1135 ●●중●●

윤희와 영아가 가위바위보를 할 때, 다음 물음에 답하시오.
(1) 두 사람이 서로 다른 것을 낼 확률을 구하시오.

(2) 두 사람이 가위바위보를 두 번 할 때, 첫 번째에는 비기고 두 번째에는 윤희가 이길 확률을 구하시오.

1136 ●●●상중● 서술형

효린, 산들, 형식 세 사람이 가위바위보를 할 때, 효린이가 이길 확률을 구하시오.

필수유형 19 도형에서의 확률

$$(도형에서의 확률) = \frac{(도형에서 사건에 해당하는 부분의 넓이)}{(도형의 \text{❶} \_\_ 넓이)}$$

답 ❶전체

대표문제

1137 ●●중●●

오른쪽 그림과 같은 과녁에 화살을 쏘아 A, B, C 세 영역에 맞히면 각각 10점, 8점, 6점을 얻는다고 한다. 화살을 한 번 쏘아 8점을 얻을 확률을 구하시오. (단, 화살이 과녁을 벗어나거나 경계선을 맞히는 경우는 생각하지 않는다.)

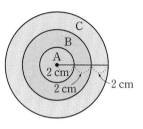

1138 ●●중하●●

다음 그림과 같이 삼등분, 사등분된 두 원판이 있다. 이 두 원판의 바늘이 각각 돌다가 멈추었을 때, 두 바늘 모두 C에 있을 확률을 구하시오.
   (단, 바늘이 경계선에 멈추는 경우는 생각하지 않는다.)

1139 ●●중하●●

오른쪽 그림과 같이 16등분된 원판에 1부터 16까지의 자연수가 각각 적혀 있다. 이 원판의 바늘이 돌다가 멈추었을 때, 바늘이 4의 배수 또는 5의 배수를 가리킬 확률을 구하시오. (단, 바늘이 경계선에 멈추는 경우는 생각하지 않는다.)

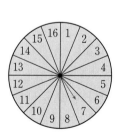

발전유형 20 **중요** 사건이 3일 이상 연속하여 일어날 확률

비가 온 날을 ○, 비가 오지 않은 날을 ×로 표시하면 월요일에 비가 왔을 때, 같은 주 수요일에 비가 오지 않는 경우는 오른쪽 표와 같이 ① 가지가 있다.

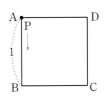

월	화	수
○	○	×
○	×	×

답 ①2

대표문제

1140 ••••상중•

비가 온 날의 다음 날에 비가 올 확률은 $\frac{1}{5}$이고, 비가 오지 않은 날의 다음 날에 비가 올 확률은 $\frac{1}{4}$이라 한다. 수요일에 비가 왔을 때, 같은 주 금요일에 비가 오지 않을 확률을 구하시오.

쌍둥이 문제

1141 •••상중• (잘 틀리는 문제)

눈이 온 날의 다음 날에 눈이 올 확률은 $\frac{1}{3}$이고, 눈이 오지 않은 날의 다음 날에 눈이 올 확률은 $\frac{2}{5}$라 한다. 월요일에 눈이 왔을 때, 같은 주 수요일에 눈이 올 확률을 구하시오.

1142 •••상중•

효리는 버스를 타거나 걸어서 학교에 간다. 버스를 탄 다음 날은 버스를 탈 확률과 걸어갈 확률이 같고, 걸어서 간 다음 날 버스를 탈 확률은 $\frac{1}{4}$이다. 화요일에 걸어서 학교에 갔다면 같은 주 목요일에 버스를 타고 갈 확률을 구하시오.

발전유형 21 점의 위치를 이동하는 문제

대표문제

1143 ••••상

오른쪽 그림과 같이 한 변의 길이가 1인 정사각형 ABCD에서 점 P가 꼭짓점 A를 출발하여 주사위를 던져서 나온 눈의 수만큼 정사각형의 변을 따라 시곗바늘이 도는 반대 방향으로 이동한다. 주사위를 두 번 던질 때, 점 P가 꼭짓점 D에 올 확률을 구하시오. (단, 두 번째에 던질 때는 첫 번째에 던져 도달한 점을 출발점으로 한다.)

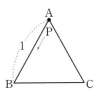

쌍둥이 문제

1144 ••••상

오른쪽 그림과 같이 한 변의 길이가 1인 정삼각형 ABC에서 점 P가 꼭짓점 A를 출발하여 주사위를 던져서 나온 눈의 수만큼 정삼각형의 변을 따라 시곗바늘이 도는 반대 방향으로 이동한다. 주사위를 두 번 던질 때, 점 P가 첫 번째 던진 후에는 꼭짓점 A에, 두 번째 던진 후에는 꼭짓점 B에 올 확률을 구하시오.

1145 •••상중•

다음 그림과 같이 점 P가 수직선 위의 원점에 놓여 있다. 동전 한 개를 던져서 앞면이 나오면 +1만큼, 뒷면이 나오면 −1만큼 점 P를 이동시킬 때, 동전을 3번 던진 후에 점 P가 −1의 위치에 있을 확률을 구하시오.

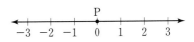

10
확률

STEP 3 내신 마스터

1146 ••●중●●

흰 공 5개, 검은 공 4개, 빨간 공 x개가 들어 있는 주머니에서 한 개의 공을 꺼낼 때, 흰 공이 나올 확률이 $\frac{1}{3}$이다. 이때 x의 값은?

① 2   ② 3   ③ 4

④ 5   ⑤ 6

1147 ••●중●●

0, 1, 2, 3, 4의 숫자가 각각 적힌 5장의 카드 중에서 2장을 뽑아 두 자리 자연수를 만들 때, 30 이상 40 이하일 확률은?

① $\frac{1}{4}$ ② $\frac{5}{16}$ ③ $\frac{3}{8}$

④ $\frac{7}{16}$ ⑤ $\frac{1}{2}$

1148 ••●중●●

A, B, C, D 네 개의 알파벳이 각각 적힌 4장의 카드 중에서 3장을 뽑을 때, A가 적힌 카드가 포함될 확률을 구하시오.

1149 ••●중하●●●

사건 A가 일어날 확률을 p, 사건 A가 일어나지 않을 확률을 q라 할 때, 다음 중 옳지 <u>않은</u> 것은?

① $0 \le p \le 1$

② $0 \le q \le 1$

③ $p = q - 1$

④ $p = 0$이면 사건 A는 절대로 일어나지 않는다.

⑤ $q = 0$이면 사건 A는 반드시 일어난다.

1150 ••●중●●● 서술형

한 개의 주사위를 두 번 던져서 첫 번째에 나온 눈의 수를 a, 두 번째에 나온 눈의 수를 b라 할 때, $3a - b \ne 2$일 확률을 구하시오.

1151 ••●중●● 융합형

오른쪽 그림은 시율이네 중학교 2학년 학생들의 혈액형을 조사하여 나타낸 것이다. 혈액형이 B형인 사람은 O형 또는 B형인 사람에게 수혈을 받을 수 있다. 학생 한 명을 선택했을 때, B형에게 수혈해 줄 수 있는 사람일 확률은?

① $\frac{11}{20}$ ② $\frac{3}{5}$ ③ $\frac{13}{20}$

④ $\frac{7}{10}$ ⑤ $\frac{3}{4}$

1152 ●●중●●

두 자연수 a, b가 짝수일 확률이 각각 $\dfrac{1}{3}$, $\dfrac{2}{3}$일 때, 두 수의 곱 ab가 홀수일 확률을 구하시오.

1153 ●●●상중●

수현이와 찬혁이가 오디션을 보고 있다. 수현이가 합격할 확률은 $\dfrac{2}{3}$이고, 수현이와 찬혁이 중 적어도 한 명이 합격할 확률은 $\dfrac{7}{10}$일 때, 찬혁이가 합격할 확률은?

① $\dfrac{1}{10}$ ② $\dfrac{1}{5}$ ③ $\dfrac{2}{5}$

④ $\dfrac{1}{2}$ ⑤ $\dfrac{2}{3}$

1154 ●●중●●

A 주머니에는 흰 공 4개, 빨간 공 2개가 들어 있고, B 주머니에는 흰 공 4개, 빨간 공 4개가 들어 있다. A, B 두 주머니에서 각각 공을 1개씩 꺼낼 때, 한 개는 흰 공이고 다른 한 개는 빨간 공일 확률을 구하시오.

1155 ●●중●●

상자 안에 15개의 제비 중 2개의 당첨 제비가 들어 있다. 이 상자에서 연속하여 2개의 제비를 뽑을 때, 적어도 한 개는 당첨 제비일 확률은? (단, 뽑은 제비는 다시 넣지 않는다.)

① $\dfrac{1}{5}$ ② $\dfrac{8}{35}$ ③ $\dfrac{9}{35}$

④ $\dfrac{2}{7}$ ⑤ $\dfrac{11}{35}$

1156 ●●●상중● 서술형

A 주머니에는 흰 공 5개와 검은 공 2개가 들어 있고, B 주머니에는 흰 공 3개와 검은 공 4개가 들어 있다. 동전 한 개를 던져서 앞면이 나오면 A 주머니에서 연속하여 2개의 공을 꺼내고, 뒷면이 나오면 B 주머니에서 연속하여 2개의 공을 꺼낼 때, 꺼낸 공이 모두 흰 공일 확률을 구하시오.

(단, 꺼낸 공은 다시 넣지 않는다.)

1157 ●●●상중●

정답이 1개인 오지선다형 문제가 4문항 있다. 규리가 임의로 답을 썼을 때, 적어도 한 문항은 정답을 맞힐 확률을 구하시오.

1158 ●●중●●

수지와 동우가 서점에서 만나기로 약속하였다. 수지와 동우가 약속을 지키지 못할 확률이 각각 $\frac{3}{5}$, $\frac{2}{3}$일 때, 두 사람이 서점에서 만날 확률을 구하시오.

1159 ●●중●● 서술형

명중률이 각각 $\frac{1}{5}$, $\frac{2}{3}$, $\frac{1}{2}$인 A, B, C 세 사람이 동시에 1개의 물풍선을 향해 다트를 한 번씩 던질 때, 물풍선이 터질 확률을 구하시오.

1160 ●●중●●

민호와 형식이가 가위바위보를 세 번 할 때, 첫 번째와 두 번째는 비기고 세 번째에서 승부가 날 확률은?

① $\frac{1}{27}$ ② $\frac{2}{27}$ ③ $\frac{1}{9}$

④ $\frac{2}{9}$ ⑤ $\frac{8}{27}$

1161 ●●●●상

비가 온 날의 다음 날에 비가 올 확률은 $\frac{1}{2}$이고, 비가 오지 않은 날의 다음 날에 비가 올 확률은 $\frac{1}{3}$이라 한다. 월요일에 비가 왔을 때, 같은 주 목요일에도 비가 올 확률을 구하시오.

1162 ●●●상중●

한 개의 동전을 던져서 앞면이 나오면 -2점, 뒷면이 나오면 $+1$점을 주기로 하였다. 동전을 연속하여 4번 던졌을 때, 점수의 합이 1점이 될 확률은?

① $\frac{1}{4}$ ② $\frac{1}{3}$ ③ $\frac{1}{2}$

④ $\frac{2}{3}$ ⑤ $\frac{3}{4}$

1163 ●●●●상

오른쪽 그림과 같이 한 변의 길이가 1인 정육각형 ABCDEF에서 점 P가 꼭짓점 A를 출발하여 주사위를 던져서 나온 눈의 수만큼 정육각형의 변을 따라 시곗바늘이 도는 반대 방향으로 이동한다. 주사위를 두 번 던질 때, 점 P가 꼭짓점 F에 올 확률을 구하시오. (단, 두 번째에 던질 때는 첫 번째에 던져 도달한 점을 출발점으로 한다.)

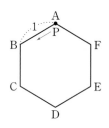

1164 ●●●●상 창의력

이길 확률이 각각 $\frac{1}{2}$인 A 팀과 B 팀이 5번 중 3번을 먼저 이기면 우승하는 경기를 하고 있다. B 팀이 먼저 1승을 거두었다고 할 때, A 팀과 B 팀이 우승할 확률을 각각 구하시오. (단, 비기는 경우는 없다.)

노곤함 OUT
틈새 스트레칭

피곤한 눈을 맑고 개운하게!
눈 스트레칭

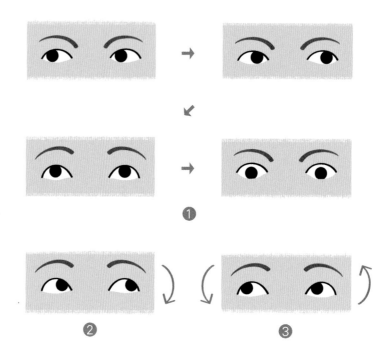

눈이 피곤하면 집중력도 떨어지고, 심한 경우 두통이 생기기도 합니다.
꾸준한 눈 스트레칭으로 눈의 피로를 꼭 풀어 주세요. 눈 스트레칭을 할 때 목은
고정하고 눈동자만 움직여야 효과가 좋아진다는 것! 잊지 마세요.

❶ 눈동자를 다음과 같은 순서로 움직여 보세요. 한 방향당 10초간 머물러야 합니다.

　　왼쪽 ➡ 오른쪽 ➡ 위쪽 ➡ 아래쪽

❷ 눈동자를 시계 방향으로 한 바퀴 돌려 주세요.

❸ 눈동자를 시계 반대 방향으로 한 바퀴 돌려 주세요.

　　※ 스트레칭 후에도 눈에 피곤함이 남아 있다면, 2~3회 반복해 주세요.

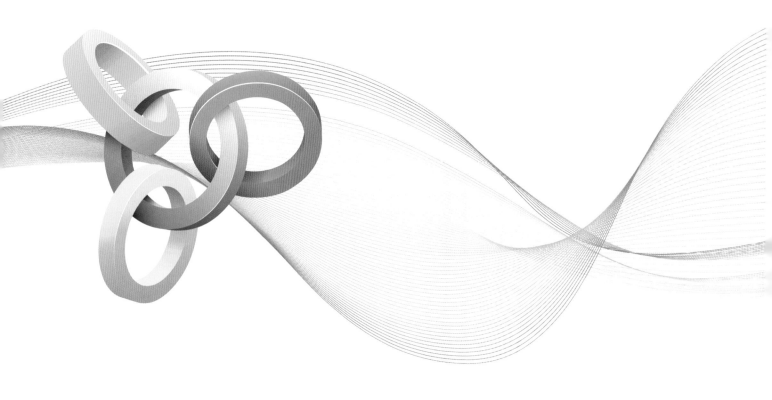

유형 해결의
법칙

1 이등변삼각형

STEP 1 개념 마스터
8쪽

0001 64° **0002** 120° **0003** 64° **0004** 122°
0005 6 **0006** 7 **0007** 90 **0008** 32
0009 6 **0010** 5

STEP 2 유형 마스터
9쪽~15쪽

0011 (가) $\overline{AB}$ (나) ∠CAD (다) $\overline{AD}$ (라) SAS (마) ∠C
0012 (가) $\overline{AD}$ (나) SAS (다) $\overline{CD}$ (라) ∠ADC (마) 90°
0013 30° **0014** 34° **0015** 69° **0016** ③
0017 50° **0018** 107° **0019** 68 **0020** 35°
0021 80° **0022** 35° **0023** 99° **0024** 36°
0025 15° **0026** 80° **0027** 40° **0028** 16°
0029 27.5° **0030** 45° **0031** 60° **0032** 104°
0033 75°
0034 (가) $\overline{AD}$ (나) ∠CAD (다) ∠ADC (라) ASA (마) $\overline{AC}$
0035 (가) ∠ACB (나) ∠PCB (다) 이등변
0036 $x=72, y=8$ **0037** 7 **0038** 6 cm
0039 3 cm **0040** 8 cm **0041** 6 cm **0042** 68°
0043 12 cm **0044** ① **0045** 24 cm² **0046** 40°
0047 52° **0048** 75° **0049** 63° **0050** 30°

STEP 1 개념 마스터
16쪽

0051 △ABC≡△EFD (RHA 합동) **0052** 3 cm
0053 △ABC≡△DFE (RHS 합동) **0054** 6 cm
0055 9 **0056** 20

STEP 2 유형 마스터
17쪽~20쪽

0057 ② **0058** (가) $\overline{DE}$ (나) ∠D (다) ASA
0059 (가) $\overline{DE}$ (나) ∠E (다) RHA
0060 △ABC≡△NOM (RHS 합동),
　　　 △DEF≡△PQR (RHA 합동)
0061 10 cm **0062** 98 cm² **0063** (1) 12 cm (2) 37 cm²
0064 ② **0065** 5 cm **0066** 18 cm² **0067** 56°
0068 ④ **0069** 8 cm² **0070** 55°
0071 (가) ∠PCO (나) $\overline{OP}$ (다) ∠DOP (라) RHA
0072 ④ **0073** 15 cm² **0074** 60 cm² **0075** 5 cm
0076 18 cm² **0077** 20 cm

STEP 3 내신 마스터
21쪽~23쪽

0078 (가) ∠C (나) ∠B (다) ∠A=∠B=∠C **0079** ②
0080 50° **0081** ④ **0082** 40° **0083** ③
0084 10 cm **0085** 14 cm **0086** ⑤ **0087** 30°
0088 ④ **0089** 50° **0090** ③, ④ **0091** 58 cm²
0092 (1) △ACD, RHS 합동 (2) 4 cm (3) 12 cm
0093 57.5° **0094** ③ **0095** 12 cm

② 삼각형의 외심과 내심

STEP 1 개념 마스터   26쪽

0096 ◯	0097 ×	0098 ×	0099 ◯
0100 ×	0101 3	0102 25	0103 35°
0104 120°			

STEP 2 유형 마스터   27쪽~31쪽

0105 ③	0106 ④, ⑤	0107 52°	0108 36π cm^2
0109 38 cm^2	0110 25π cm^2	0111 13π cm	0112 30 cm^2
0113 29°	0114 60°	0115 72°	0116 18°
0117 20°	0118 10°	0119 18°	0120 55°
0121 66°	0122 90°	0123 5°	0124 110°
0125 50°	0126 26°	0127 42°	0128 50°
0129 60°	0130 210°	0131 4π cm^2	0132 110°
0133 100°	0134 40°	0135 110°	

STEP 1 개념 마스터   32쪽~33쪽

0136 60°	0137 ×	0138 ◯	0139 ◯
0140 ◯	0141 ×	0142 25°	0143 125°
0144 20°	0145 35°	0146 20°	0147 120°
0148 80°	0149 2 cm	0150 3 cm	0151 60 cm^2

STEP 2 유형 마스터   34쪽~40쪽

0152 ④	0153 ①, ④	0154 40°	0155 130°
0156 30°	0157 25°	0158 80°	0159 113°
0160 146°	0161 135°	0162 148°	0163 2 cm
0164 9 cm	0165 24 cm	0166 4 cm	0167 30 cm
0168 18 cm^2	0169 10 cm^2	0170 54 cm^2	
0171 $\left(9-\dfrac{9}{4}\pi\right)$ cm^2		0172 17 cm	0173 ⑤
0174 7 cm	0175 22 cm	0176 15°	0177 160°
0178 115°	0179 280°	0180 (1) 46° (2) 34° (3) 12°	
0181 21π cm^2	0182 $\dfrac{7}{2}$ cm	0183 7 cm^2	0184 150°
0185 195°	0186 47°	0187 136°	0188 56°
0189 3 cm	0190 135°	0191 60°	0192 60°

STEP 3 내신 마스터   41쪽~43쪽

0193 ⑤	0194 120°	0195 ①	0196 ⑤
0197 100°	0198 40°	0199 110°	0200 ③
0201 155°	0202 ②	0203 ③	0204 ④
0205 19 cm	0206 22.5°	0207 $\dfrac{21}{4}\pi$ cm^2	0208 70°
0209 24 cm^2	0210 $y=x$		

③ 평행사변형

STEP 1 개념 마스터   46쪽~48쪽

0211 $\angle x=70°$, $\angle y=25°$	0212 $\angle x=28°$, $\angle y=65°$
0213 $x=5, y=50$	0214 $x=6, y=70$
0215 $x=5, y=4$	0216 $x=12, y=4$
0217 ⓛ, ⓒ, ⓗ	0218 $\overline{DC}$, $\overline{BC}$
0219 $\overline{DC}$, $\overline{BC}$	0220 $\angle BCD$, $\angle ADC$
0221 $\overline{OC}$, $\overline{OD}$	0222 $\overline{DC}$, $\overline{DC}$
0223 ㈎ $\angle EBF$ ㈏ $\angle EDF$ ㈐ $\angle BFD$	
0224 ㈎ $\overline{DF}$ ㈏ $\overline{DF}$	
0225 ㈎ $\overline{OC}$ ㈏ $\overline{OD}$ ㈐ $\overline{BE}$ ㈑ $\overline{DF}$ ㈒ $\overline{OF}$	

0226 80 cm^2	0227 25 cm^2	0228 18 cm^2	0229 30 cm^2

0230 $85°$ **0231** $105°$ **0232** $8°$

0233 (가) ∠DCA (나) ∠DAC (다) △CDA (라) $\overline{CD}$ (마) $\overline{DA}$

0234 (가) ∠CDB (나) $\overline{BD}$ (다) ASA (라) ∠C

0235 (가) ∠OCD (나) $\overline{CD}$ (다) ASA (라) $\overline{OC}$ (마) $\overline{OD}$

0236 ④   **0237** 80 **0238** 20 **0239** $50°$

0240 10 **0241** $2\,cm$ **0242** $4\,cm$ **0243** $9\,cm$

0244 $2\,cm$ **0245** $9\,cm$ **0246** $2\,cm$ **0247** $18\,cm$

0248 $100°$ **0249** $100°$ **0250** $64°$ **0251** $62°$

0252 $50°$ **0253** $50°$ **0254** $75°$ **0255** $110°$

0256 $62°$ **0257** $60°$ **0258** $27\,cm$ **0259** $8\,cm$

0260 ②   **0261** $8\,cm^2$

0262 (가) $\overline{DA}$ (나) ∠CAD (다) SAS (라) ∠DCA (마) $\overline{DC}$

0263 (1) △ABC와 △CDA에서

$\overline{AB}=\overline{CD}, \overline{BC}=\overline{DA}, \overline{AC}$는 공통

∴ △ABC≡△CDA (SSS 합동)

(2) ∠BCA=∠DAC이므로 $\overline{AD}/\!/\overline{BC}$

∠BAC=∠DCA이므로 $\overline{AB}/\!/\overline{DC}$

따라서 □ABCD는 두 쌍의 대변이 각각 평행하므로 평행사변형이다.

0264 (가) 360 (나) 180 (다) ∠DAE (라) $\overline{BC}$ (마) $\overline{DC}$ **0265** ⑤

0266 ①   **0267** ⑤   **0268** ③   **0269** ②

0270 $x=6, y=11$ **0271** 115

0272 (가) $\overline{DF}$ (나) $\overline{CD}$ (다) ∠DCF (라) RHA (마) $\overline{DF}$

0273 (가) $\overline{QC}$ (나) $\overline{QC}$ (다) $\overline{FC}$ (라) $\overline{RC}$ (마) $\overline{RC}$ (바) $\overline{EC}$

0274 (가) $\overline{CF}$ (나) SAS (다) $\overline{GF}$ (라) SAS (마) $\overline{GH}$

0275 ④   **0276** ②   **0277** $108°$ **0278** $40°$

0279 ①   **0280** ②   **0281** $7\,cm$ **0282** $28\,cm^2$

0283 $35\,cm^2$ **0284** $36\,cm^2$ **0285** $12\,cm^2$ **0286** $160\,cm^2$

0287 $48\,cm^2$ **0288** $14\,cm^2$ **0289** $70\,cm^2$ **0290** $35\,cm^2$

0291 $24\,cm^2$ **0292** $9\,cm^2$ **0293** $63\,cm^2$ **0294** $96°$

0295 (1) △ABC≡△DBE (SAS 합동),

△ABC≡△FEC (SAS 합동),

(2) 두 쌍의 대변의 길이가 각각 같다. (3) $136°$

0296 $50°$

0297 $84°$ **0298** ③   **0299** (1) $5\,cm$ (2) $5\,cm$ (3) $3\,cm$

0300 ③   **0301** ④   **0302** $144°$ **0303** ③

0304 ③   **0305** ⑤   **0306** ①   **0307** ④

0308 $125°$ **0309** ⑤   **0310** 풀이 참조   **0311** $32\,cm$

0312 $21\,cm^2$ **0313** ③   **0314** ①

④ 여러 가지 사각형

0315 4 **0316** 5 **0317** 35 **0318** 80

0319 ㉠, ㉢   **0320** 5 **0321** 3 **0322** 90

0323 55 **0324** ㉠, ㉣   **0325** 8 **0326** 3

0327 $∠x=90°, ∠y=45°$ **0328** 7 **0329** 8

0330 70 **0331** 100 **0332** 85 **0333** 63

0334 $60°$ **0335** $40°$ **0336** $∠x=72°, ∠y=54°$

0337 $x=10, y=40$ **0338** ③

0339 (가) $90°$ (나) $\overline{BC}$ (다) SAS   **0340** 26

0341 $110°$ **0342** ④   **0343** ⑤   **0344** ③, ⑤

0345 (가) $\overline{DC}$ (나) SSS (다) ∠DCB (라) ∠CDA (마) ∠DAB

0346 80 **0347** $116°$ **0348** $60°$ **0349** $65°$

0350 $90°$ **0351** 36

0352 (가) $\overline{AD}$ (나) $\overline{BO}$ (다) SSS (라) $90°$ **0353** ②

0354 $110°$ **0355** ㉠, ㉣, ㉤   **0356** 20

0357 $x=10, y=35$ **0358** $67°$ **0359** $97°$

0360 $75°$ **0361** $117°$ **0362** $15°$ **0363** $62°$

0364 $90°$ **0365** ㉠, ㉢, ㉣   **0366** $18\,cm^2$ **0367** $16\,cm^2$

0368 ②, ④   **0369** ①, ④   **0370** ②, ⑤   **0371** $80°$

0372 ②, ④   **0373** $78°$ **0374** ①   **0375** 8

0376 (가) $\overline{DE}$ (나) ∠DEC (다) $\overline{DC}$ (라) 이등변삼각형

0377 (가) $\overline{DC}$ (나) ∠DCB (다) $\overline{BC}$ (라) SAS (마) $\overline{DB}$

0378 $35°$ **0379** $12\,cm$ **0380** $10\,cm$ **0381** $4\,cm$

0382 $60°$

STEP 1 개념 마스터 76쪽

0383 ○, ○, ○, ○, ○   0384 ×, ○, ○, ○, ○
0385 ×, ×, ×, ○, ○   0386 ×, ×, ○, ×, ○
0387 ×, ×, ○, ×, ○   0388 ×, ×, ×, ○, ○
0389 △DBC 0390 △ACD 0391 △OCD 0392 40 cm²
0393 70 cm²

STEP 2 유형 마스터 77쪽~84쪽

0394 ③   0395 마름모 0396 직사각형
0397 (1) 마름모 (2) 7 cm   0398 정사각형 0399 ③, ⑤
0400 ①, ⑤ 0401 ④   0402 ⑤   0403 ③, ⑤
0404 ㄹ, ㅁ 0405 ②   0406 ②, ⑤ 0407 ③
0408 (1) 평행사변형 (2) 7 cm (3) 100°   0409 20 cm
0410 ①, ③ 0411 36 cm² 0412 ③   0413 15 cm²
0414 (1) △ACE, 16 cm² (2) 40 cm²   0415 11 cm²
0416 6π cm² 0417 16 cm² 0418 42 cm² 0419 8 cm²
0420 12 cm² 0421 ⑤   0422 15 cm² 0423 12 cm²
0424 ①   0425 17 cm² 0426 10 cm² 0427 12 cm²
0428 30 cm² 0429 40 cm² 0430 20 cm² 0431 24 cm²
0432 20 cm² 0433 40 cm² 0434 128 cm² 0435 12 cm²
0436 3 cm² 0437 $\frac{9}{2}$배 0438 25 cm² 0439 24 cm²
0440 120 cm²

STEP 3 내신 마스터 85쪽~87쪽

0441 ④   0442 ③   0443 15 cm 0444 마름모
0445 ⑤   0446 ⑤   0447 ②   0448 30°
0449 3 cm 0450 36 cm 0451 ④   0452 5 cm
0453 ②   0454 44 cm²
0455 (1) 45 cm² (2) 9 cm² (3) 6 cm²   0456 ①, ⑤
0457 2 cm² 0458 ②

❺ 도형의 닮음

STEP 1 개념 마스터 90쪽~91쪽

0459 점 H 0460 $\overline{EF}$ 0461 ∠G 0462 40°
0463 2 : 3 0464 $\frac{10}{3}$ cm 0465 3 : 4
0466 $x=\frac{32}{3}, y=16$
0467 ㉠과 ㉣: AA 닮음, ㉡과 ㉤: SAS 닮음, ㉢과 ㉥: SSS 닮음
0468 △BDC, AA 닮음   0469 △DAC, SSS 닮음
0470 6   0471 $\frac{21}{2}$

STEP 2 유형 마스터 92쪽~102쪽

0472 ③   0473 ④   0474 ④, ⑤ 0475 ㉠, ㉡, ㉣
0476 ④   0477 ⑤   0478 ②   0479 16 cm
0480 (1) $\overline{AB}$=6 cm, $\overline{EF}$=5 cm, $\overline{DF}$=4 cm
    (2) △ABC의 둘레의 길이: 24 cm,
        △DEF의 둘레의 길이: 12 cm
    (3) 2 : 1
0481 39 cm 0482 14   0483 ⑤   0484 ⑤
0485 2 : 3 0486 5 cm 0487 ③, ⑤ 0488 ②
0489 ③   0490 ①   0491 ④   0492 2 cm
0493 6 cm 0494 $\frac{15}{2}$ cm
0495 (1) △ABC∽△DAC (SAS 닮음) (2) 5 cm
0496 10 cm 0497 4 cm 0498 14 cm 0499 $\frac{9}{2}$ cm
0500 (1) △CBD, AA 닮음 (2) 4 cm
0501 16 cm 0502 $\frac{15}{2}$ cm 0503 15 cm 0504 3 cm
0505 6 cm 0506 3 cm 0507 5 cm 0508 4 cm
0509 $\frac{15}{2}$ cm 0510 12 cm 0511 ④   0512 $\frac{36}{25}$ cm²
0513 $\frac{15}{2}$ cm 0514 ②   0515 $\frac{16}{3}$ cm 0516 ④
0517 20 cm² 0518 7   0519 78 cm² 0520 8 cm
0521 20 cm² 0522 ④   0523 $\frac{27}{5}$ cm
0524 (1) △ECF, AA 닮음 (2) $\frac{28}{5}$ cm   0525 $\frac{15}{2}$ cm
0526 5 cm 0527 $\frac{6}{5}$ 0528 9 cm 0529 3 cm
0530 1 : 4 0531 2 cm 0532 5 : 1

0533 ①, ⑤   **0534** ②   **0535** ⑤

0536 (1) 10 cm   (2) 원기둥 A: 16π cm, 원기둥 B: 20π cm

     (3) 4 : 5

0537 ①   **0538** ②

0539 (1) △ABC∽△EDC (AA 닮음)   (2) 5 cm

0540 ④   **0541** 5 cm   **0542** $\dfrac{10}{3}$ cm   **0543** ④

0544 $\dfrac{21}{2}$ **0545** $\dfrac{6}{5}$ cm

0546 (1) △ABF∽△DFE (AA 닮음)   (2) $\dfrac{4}{3}$ cm

0547 $\dfrac{9}{2}$ cm   **0548** 2 : 1

0549 (1) △AGE∽△CGB (AA 닮음)   (2) 1 : 2   (3) 1 : 3

❻ 평행선과 선분의 길이의 비

0550 10   **0551** 5   **0552** 6   **0553** $\dfrac{10}{3}$

0554 ×   **0555** ○   **0556** ○   **0557** ×

0558 4   **0559** 12   **0560** 6   **0561** 10

0562 $\dfrac{18}{5}$ **0563** 12   **0564** 16   **0565** 4

0566 9

0567 23   **0568** 15 cm   **0569** $a=\dfrac{3}{5}b$ **0570** 24 cm

0571 0   **0572** 27   **0573** 36 cm   **0574** $\dfrac{19}{3}$

0575 6   **0576** 3 cm   **0577** $\dfrac{21}{4}$ cm   **0578** 4 cm

0579 $\dfrac{18}{5}$ cm   **0580** ⑤   **0581** ③, ⑤   **0582** ⑤

0583 9   **0584** $x=63, y=4$ **0585** 70

0586 9   **0587** 8 cm   **0588** 12 cm   **0589** 15 cm

0590 $\dfrac{9}{2}$ cm   **0591** 3 cm   **0592** 18 cm   **0593** 10 cm

0594 4 cm   **0595** 6 cm   **0596** 6 cm   **0597** $\dfrac{10}{3}$ cm

0598 6 cm   **0599** 11 cm   **0600** (1) 15   (2) 9

0601 20 cm   **0602** ⑤   **0603** 40 cm   **0604** 30 cm

0605 (가) $\overline{\text{AC}}$ (나) $\overline{\text{AC}}$ (다) $\overline{\text{HG}}$ **0606** 16 cm   **0607** 28 cm

0608 12 cm²   **0609** 4 cm   **0610** 9 cm   **0611** $\dfrac{24}{7}$ cm

0612 ⑤   **0613** 6 cm   **0614** 8 cm   **0615** 15 cm²

0616 $\dfrac{15}{4}$ cm²   **0617** 9 cm²   **0618** 15 cm

0619 (가) △ECD (나) $\overline{\text{EC}}$ (다) $\overline{\text{CD}}$ (라) ∠CEA (마) 이등변 (바) $\overline{\text{EC}}$

0620 9 cm²   **0621** (1) 10 cm   (2) 3 : 8   (3) 3 cm

0622 18 cm   **0623** 3 : 2 : 10   **0624** $\dfrac{21}{2}$ cm   **0625** $\dfrac{15}{2}$ cm

0626 3 cm   **0627** 5 : 3 : 2   **0628** 6 cm   **0629** 14 cm²

0630 7 cm   **0631** 3 : 2   **0632** 45 cm²   **0633** 20°

0634 30°   **0635** 12 cm   **0636** 6 : 5   **0637** 7 : 5

0638 4 cm

0639 15   **0640** $\dfrac{15}{4}$ **0641** $x=2, y=3$

0642 $x=3, y=2$ **0643** 3 : 2   **0644** 3 : 5

0645 $\dfrac{12}{5}$

0646 $\dfrac{25}{4}$ **0647** 9   **0648** 15

0649 (1) 72   (2) 32   **0650** 29

0651 $x=\dfrac{20}{3}, y=\dfrac{24}{5}$ **0652** 7 cm   **0653** 11 cm

0654 9 cm   **0655** 5 cm   **0656** $\left(\dfrac{1}{2}a+6\right)$ cm

0657 14 cm   **0658** 14 cm   **0659** 2 cm   **0660** 2 cm

0661 12 cm   **0662** $\dfrac{36}{5}$ cm   **0663** $\overline{\text{BE}}=5$ cm, $\overline{\text{MN}}=3$ cm

0664 $\dfrac{15}{2}$ cm   **0665** 6 cm   **0666** 4 cm   **0667** 2 cm

0668 $\dfrac{3}{2}$ **0669** 8 cm   **0670** 10 cm   **0671** 12 cm

0672 14 cm   **0673** $\dfrac{26}{3}$ **0674** (1) $\dfrac{24}{5}$ (2) 8

0675 $\dfrac{9}{2}$ cm   **0676** $\dfrac{48}{5}$ cm   **0677** (1) $\dfrac{15}{2}$ cm   (2) 60 cm²

0678 8 cm   **0679** 3 : 2   **0680** 4 cm   **0681** $\dfrac{9}{16}$ cm

STEP3 내신 마스터 129쪽~131쪽

0682 (1) 15 (2) 8 **0683** 9 cm **0684** ④
0685 ①, ③ **0686** 8 cm **0687** 19 cm **0688** 8 cm
0689 12 cm **0690** 4 : 1 **0691** ③ **0692** ④
0693 ⑤ **0694** 3 cm **0695** $\frac{80}{7}$ cm **0696** 13
0697 ④ **0698** ④ **0699** 5 cm
0700 (1) 5 : 4 (2) $\frac{40}{9}$ cm

❼ 닮음의 활용

STEP1 개념 마스터 134쪽~135쪽

0701 $x=\frac{9}{2}, y=4$ **0702** $x=3, y=5$
0703 $x=7, y=12$ **0704** $x=12, y=\frac{10}{3}$
0705 2 cm² **0706** 4 cm² **0707** 4 cm² **0708** 8 cm²
0709 △ADE∞△ABC, △ADE : △ABC=9 : 25
0710 2 : 3 **0711** 2 : 3 **0712** 4 : 9 **0713** 8 : 27
0714 2.5 km **0715** 12 cm **0716** 2 km **0717** 50 cm

STEP2 유형 마스터 136쪽~146쪽

0718 24 cm² **0719** 50 cm² **0720** 48 cm² **0721** 15
0722 16 **0723** $\frac{10}{3}$ cm **0724** 4 cm **0725** 12 cm
0726 27 cm **0727** 27 **0728** 1 **0729** 4 cm
0730 10 **0731** 4 cm **0732** 10 cm **0733** 6 cm
0734 4 cm **0735** 48 cm² **0736** ⑤
0737 (1) 3 cm² (2) 4 cm² **0738** (1) 4 cm² (2) 2 cm²
0739 6 cm² **0740** 42 cm² **0741** $\frac{2}{9}$배 **0742** 5 cm
0743 (1) 4 (2) 3 **0744** ⑤ **0745** 12 cm²
0746 (1) 2 cm² (2) 4 cm² **0747** 24 cm² **0748** 12 cm²

0749 16 cm² **0750** 15 cm² **0751** ⑤ **0752** 45 cm²
0753 10 cm² **0754** 63 cm² **0755** 5π **0756** $\frac{3}{4}$ cm²
0757 48 cm² **0758** 80 cm² **0759** 360 cm² **0760** 13500원
0761 625 cm³ **0762** 57π cm³ **0763** 512 cm³
0764 (1) 3 : 4 (2) 27 : 64 **0765** 24 cm³ **0766** 140분
0767 104 cm³ **0768** 234분 **0769** 240 cm **0770** 8 m
0771 4.8 m **0772** 13 m **0773** 50 m **0774** 4.6 m
0775 (1) 13 km (2) 60 km² **0776** 700 m
0777 1시간 30분 **0778** 12 cm **0779** $\frac{5}{2}$ cm
0780 ④ **0781** 15 cm² **0782** 5 cm² **0783** 8 cm²

STEP3 내신 마스터 147쪽~149쪽

0784 6 cm² **0785** ③ **0786** ④ **0787** $\frac{15}{2}$ cm
0788 24 cm² **0789** (1) $\frac{9}{2}$ cm² (2) 27 cm² **0790** ④
0791 ③ **0792** ② **0793** 15 cm² **0794** 8배
0795 ⑤ **0796** 256개 **0797** 234분 **0798** 40 cm²
0799 ⑤ **0800** ⑤ **0801** $\frac{1}{4}$

❽ 피타고라스 정리

STEP1 개념 마스터 152쪽~155쪽

0802 5 **0803** 12 **0804** 7 **0805** 15
0806 △BCH, △GCA, △GCJ, □JKGC **0807** 34
0808 12 **0809** 34 cm² **0810** ㉠, ㉣ **0811** ◯
0812 ◯ **0813** × **0814** ×
0815 14, 8, 14, 64, 100, 9 **0816** 예 **0817** 둔
0818 직 **0819** 둔 **0820** 둔 **0821** 예
0822 직 **0823** 직 **0824** 65 **0825** 52
0826 5 **0827** 84 **0828** 12π cm² **0829** 14π cm²
0830 6 cm² **0831** 10 cm²

0832 24 cm²	0833 10 cm	0834 $\frac{5}{2}$ cm	0835 25 cm
0836 126 cm²	0837 3	0838 5 cm	0839 17 cm
0840 100	0841 28	0842 ②	0843 $\frac{60}{13}$ cm
0844 7 cm	0845 20 cm²	0846 8	0847 40 cm²
0848 ⑤	0849 ④	0850 529	0851 52 cm²
0852 289 cm²	0853 1	0854 80 cm²	0855 ⑤
0856 ②, ⑤	0857 ③	0858 36, 164	0859 6, 7
0860 8	0861 5, 6, 7	0862 ⑤	0863 ③
0864 ④	0865 ①	0866 ③	0867 2
0868 $\frac{25}{13}$	0869 $\frac{9}{4}$	0870 ⑤	0871 29
0872 80	0873 45	0874 32	0875 90
0876 6	0877 64π cm²	0878 10	0879 96 cm²
0880 30 cm²	0881 10 cm	0882 32 cm²	0883 13 cm
0884 17	0885 5π		

0886 84	0887 ①	0888 ④	0889 4
0890 10 m	0891 5 cm	0892 ④	0893 ⑤
0894 50 cm²	0895 ②, ④	0896 $\left(\frac{18}{5}, \frac{24}{5}\right)$	
0897 ④	0898 ③	0899 $\frac{7}{5}$ cm	0900 $\frac{16}{5}$
0901 ⑤	0902 ③	0903 120	0904 13 cm
0905 5π			

9 경우의 수

0906 6	0907 3	0908 4	0909 3
0910 3	0911 4	0912 4	0913 1
0914 5	0915 9	0916 6	0917 9
0918 3	0919 6	0920 8	0921 36
0922 24			

0923 7	0924 4	0925 ③	0926 5
0927 3	0928 6	0929 5	
0930 (1) 2 (2) 11		0931 12	0932 5
0933 7	0934 6	0935 11	0936 5
0937 11	0938 7	0939 8	0940 9
0941 16	0942 9	0943 12	0944 15
0945 20	0946 7	0947 12	0948 30가지
0949 8	0950 8	0951 3	0952 12
0953 9	0954 8	0955 31	0956 15
0957 27	0958 ②	0959 9	0960 18
0961 12	0962 10	0963 18	0964 3
0965 3	0966 5	0967 4	

0968 24	0969 12	0970 24	0971 12
0972 12	0973 16	0974 12	0975 24
0976 6	0977 4		

0978 24	0979 120	0980 24	
0981 (1) 20 (2) 60		0982 120	0983 60
0984 6	0985 720	0986 48	0987 12
0988 240	0989 24	0990 (1) 144 (2) 72	
0991 48	0992 (1) 64 (2) 24 (3) 36		0993 108
0994 30	0995 12	0996 21	0997 19
0998 16	0999 180	1000 30	1001 5
1002 36	1003 30	1004 (1) 20 (2) 60	
1005 210	1006 60	1007 60	1008 28
1009 30	1010 9	1011 21번	1012 6번
1013 10번	1014 21	1015 20	1016 20
1017 342	1018 241	1019 17번째	1020 31
1021 46	1022 17		

STEP 3 내신 마스터 187쪽~189쪽

1023 6	1024 16	1025 ⑤	1026 100
1027 ④	1028 300	1029 16	1030 ②
1031 3	1032 5	1033 ②	1034 ⑤
1035 72	1036 48	1037 241	1038 ②
1039 28번	1040 18	1041 12	1042 ③

⑩ 확률

STEP 1 개념 마스터 192쪽

1043 6	1044 $\frac{2}{3}$	1045 $\frac{1}{3}$	1046 $\frac{3}{10}$
1047 $\frac{2}{5}$	1048 $\frac{5}{9}$	1049 1	1050 0
1051 $\frac{2}{9}$	1052 $\frac{7}{9}$		

STEP 2 유형 마스터 193쪽~196쪽

1053 $\frac{1}{9}$	1054 $\frac{12}{31}$	1055 $\frac{1}{4}$	1056 4
1057 $\frac{3}{8}$	1058 $\frac{2}{5}$	1059 $\frac{1}{10}$	1060 $\frac{2}{5}$
1061 $\frac{1}{5}$	1062 (1) $\frac{1}{8}$ (2) $\frac{3}{8}$		1063 $\frac{1}{12}$
1064 $\frac{1}{4}$	1065 $\frac{3}{25}$	1066 $\frac{7}{18}$	1067 ①
1068 ②	1069 $\frac{3}{5}$	1070 $\frac{3}{8}$	1071 $\frac{23}{25}$
1072 $\frac{5}{6}$	1073 $\frac{6}{7}$	1074 $\frac{7}{8}$	1075 $\frac{11}{36}$
1076 $\frac{5}{36}$	1077 $\frac{1}{18}$	1078 $\frac{1}{12}$	1079 $\frac{5}{36}$

STEP 1 개념 마스터 197쪽~198쪽

1080 $\frac{1}{5}$	1081 $\frac{3}{10}$	1082 $\frac{1}{2}$	1083 $\frac{1}{36}$
1084 $\frac{1}{12}$	1085 $\frac{1}{9}$	1086 $\frac{1}{2}$	1087 $\frac{1}{2}$
1088 $\frac{1}{4}$	1089 $\frac{1}{2}$	1090 $\frac{1}{2}$	1091 $\frac{1}{4}$
1092 $\frac{25}{64}$	1093 $\frac{5}{14}$	1094 $\frac{4}{25}$	1095 $\frac{2}{15}$
1096 $\frac{5}{8}$	1097 $\frac{1}{2}$	1098 $\frac{1}{4}$	

STEP 2 유형 마스터 199쪽~205쪽

1099 $\frac{7}{36}$	1100 $\frac{3}{5}$	1101 $\frac{13}{20}$	1102 $\frac{2}{3}$
1103 $\frac{8}{35}$	1104 $\frac{14}{25}$	1105 $\frac{1}{12}$	1106 $\frac{3}{4}$
1107 $\frac{3}{4}$	1108 $\frac{19}{25}$	1109 $\frac{9}{10}$	1110 82 %
1111 $\frac{23}{49}$	1112 $\frac{1}{2}$	1113 $\frac{5}{12}$	1114 $\frac{9}{49}$
1115 $\frac{8}{9}$	1116 $\frac{1}{5}$	1117 $\frac{2}{5}$	1118 $\frac{2}{7}$
1119 $\frac{2}{3}$	1120 $\frac{7}{15}$	1121 $\frac{3}{8}$	

1122 (1) $\frac{1}{3}$ (2) $\frac{1}{3}$ (3) $\frac{1}{3}$ (4) 가장 유리한 사람은 없다.

1123 $\frac{1}{12}$	1124 $\frac{7}{20}$	1125 $\frac{13}{15}$	1126 $\frac{31}{32}$
1127 $\frac{4}{5}$	1128 $\frac{24}{35}$	1129 0.44$\left(또는 \frac{11}{25}\right)$	
1130 42 %	1131 $\frac{59}{60}$	1132 $\frac{7}{10}$	1133 $\frac{55}{64}$
1134 $\frac{2}{3}$	1135 (1) $\frac{2}{3}$ (2) $\frac{1}{9}$		1136 $\frac{1}{3}$
1137 $\frac{1}{3}$	1138 $\frac{1}{12}$	1139 $\frac{7}{16}$	1140 $\frac{19}{25}$
1141 $\frac{17}{45}$	1142 $\frac{5}{16}$	1143 $\frac{5}{18}$	1144 $\frac{1}{9}$
1145 $\frac{3}{8}$			

STEP 3 내신 마스터 206쪽~208쪽

1146 ⑤	1147 ②	1148 $\frac{3}{4}$	1149 ③
1150 $\frac{17}{18}$	1151 ①	1152 $\frac{2}{9}$	1153 ①
1154 $\frac{1}{2}$	1155 ③	1156 $\frac{13}{42}$	1157 $\frac{369}{625}$
1158 $\frac{2}{15}$	1159 $\frac{13}{15}$	1160 ②	1161 $\frac{29}{72}$
1162 ①	1163 $\frac{1}{6}$	1164 A 팀: $\frac{5}{16}$, B 팀: $\frac{11}{16}$	

유형 해결의 법칙

정답과 해설

1 이등변삼각형

STEP 1 개념 마스터   p.8

0001 $\angle x = \dfrac{1}{2} \times (180° - 52°) = 64°$ 답 64°

0002 $\angle B = \angle C = 30°$

$\therefore \angle x = 180° - (30° + 30°) = 120°$ 답 120°

0003 $\angle x = \angle ABC = 180° - 116° = 64°$ 답 64°

0004 $\angle CBA = \dfrac{1}{2} \times (180° - 64°) = 58°$

$\therefore \angle x = 180° - 58° = 122°$ 답 122°

0005 $\overline{BC} = 2\overline{BD} = 2 \times 3 = 6 \text{ (cm)}$ $\therefore x = 6$ 답 6

0006 $\overline{BD} = \dfrac{1}{2}\overline{BC} = \dfrac{1}{2} \times 14 = 7 \text{ (cm)}$ $\therefore x = 7$ 답 7

0007 $\overline{AD} \perp \overline{BC}$, 즉 $\angle ADC = 90°$이므로 $x = 90$ 답 90

0008 $\overline{AD} \perp \overline{BC}$, 즉 $\angle ADB = 90°$이므로

$\angle BAD = 180° - (58° + 90°) = 32°$ $\therefore x = 32$ 답 32

다른 풀이 $x = \dfrac{1}{2} \times (180 - 2 \times 58) = 32$

0009 $\angle B = \angle C$이므로 $\overline{AC} = \overline{AB} = 6 \text{ cm}$ $\therefore x = 6$ 답 6

0010 $\overline{DC} = \dfrac{1}{2}\overline{BC} = \dfrac{1}{2} \times 10 = 5 \text{ (cm)}$ $\therefore x = 5$ 답 5

STEP 2 유형 마스터   p.9 ~ p.15

0011 **전략** 이등변삼각형의 두 변의 길이가 같음을 이용하여 합동인 두 삼각형을 찾는다.

답 ㈎ $\overline{AB}$ ㈏ $\angle CAD$ ㈐ $\overline{AD}$ ㈑ SAS ㈒ $\angle C$

0012 답 ㈎ $\overline{AD}$ ㈏ SAS ㈐ $\overline{CD}$ ㈑ $\angle ADC$ ㈒ 90°

0013 **전략** △BCD와 △ABC에서 이등변삼각형의 두 밑각의 크기가 같음을 이용한다.

△BCD에서 $\overline{BC} = \overline{BD}$이므로

$\angle BDC = \angle C = 70°$

$\therefore \angle DBC = 180° - 2 \times 70° = 40°$

△ABC에서 $\overline{AB} = \overline{AC}$이므로

$\angle ABC = \angle C = 70°$

$\therefore \angle x = \angle ABC - \angle DBC = 70° - 40° = 30°$ 답 30°

0014 △ABC에서 $\overline{AB} = \overline{AC}$이므로

$\angle C = \angle B = 2\angle x$

$(\angle x + 10°) + 2\angle x + 2\angle x = 180°$이므로

$5\angle x = 170°$ $\therefore \angle x = 34°$ 답 34°

0015 △ABC에서 $\overline{AB} = \overline{AC}$이므로

$\angle ABC = \angle C = \dfrac{1}{2} \times (180° - 32°) = 74°$

이때 $\angle ABD = \dfrac{1}{2}\angle ABC = \dfrac{1}{2} \times 74° = 37°$이므로

△ABD에서

$\angle x = \angle A + \angle ABD = 32° + 37° = 69°$ 답 69°

> **Lecture**
>
> 삼각형의 한 외각의 크기는 그와 이웃하지 않는 두 내각의 크기의 합과 같다.
>
> ⇒ $\angle DAC = \angle B + \angle C$
>
>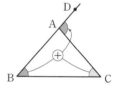

0016 △ABC에서 $\overline{AB} = \overline{AC}$이므로 $\angle B = \angle C$

$\overrightarrow{AD} /\!/ \overline{BC}$이므로

$\angle CAD = \angle C$ (엇각), $\angle EAD = \angle B$ (동위각)

$\therefore \angle B = \angle C = \angle CAD = \angle EAD$

따라서 크기가 나머지 넷과 다른 하나는 ③ $\angle BAC$이다.

답 ③

0017 △ABD에서 $\overline{BA} = \overline{BD}$이므로

$\angle BDA = \dfrac{1}{2} \times (180° - 70°) = 55°$ …… ㈎

△CED에서 $\overline{CD} = \overline{CE}$이므로

$\angle CDE = \dfrac{1}{2} \times (180° - 30°) = 75°$ …… ㈏

$\therefore \angle x = 180° - (\angle BDA + \angle CDE)$

$= 180° - (55° + 75°) = 50°$ …… ㈐

답 50°

채점 기준	비율
㈎ $\angle BDA$의 크기 구하기	40 %
㈏ $\angle CDE$의 크기 구하기	40 %
㈐ $\angle x$의 크기 구하기	20 %

0018 △ABC에서 $\angle B = \angle C$이고 $\angle B + \angle C = 68°$이므로

$\angle B = \angle C = \dfrac{1}{2} \times 68° = 34°$

△BDA에서 $\overline{BA} = \overline{BD}$이므로

$\angle BDA = \dfrac{1}{2} \times (180° - 34°) = 73°$

$\therefore \angle ADC = 180° - \angle BDA$

$= 180° - 73° = 107°$ 답 107°

0019 전략 이등변삼각형의 꼭지각의 이등분선은 밑변을 수직이등 분함을 이용한다.

$\angle BAD = \angle CAD = 25°$, $\angle ADB = 90°$이므로

$\triangle ABD$에서 $\angle B = 180° - (25° + 90°) = 65°$

$\therefore x = 65$

또 $\overline{CD} = \dfrac{1}{2}\overline{BC} = \dfrac{1}{2} \times 6 = 3\,(\text{cm})$ $\quad \therefore y = 3$

$\therefore x + y = 65 + 3 = 68$ **답** 68

0020 $\overline{AD}$는 이등변삼각형 ABC의 밑변 BC의 이등분선이므로

$\angle ADB = 90°$

따라서 $\triangle ABD$에서

$\angle x = 180° - (55° + 90°) = 35°$ **답** $35°$

0021 $\overline{AD}$는 이등변삼각형 ABC의 꼭지각의 이등분선이므로

$\overline{AD} \perp \overline{BC}$, $\overline{BD} = \overline{CD}$

즉 $\angle ADB = 90°$이므로 $\triangle ABD$에서

$\angle x = 180° - (20° + 40° + 90°) = 30°$

$\triangle PBD$와 $\triangle PCD$에서

$\overline{BD} = \overline{CD}$, $\angle PDB = \angle PDC = 90°$, $\overline{PD}$는 공통

이므로 $\triangle PBD \equiv \triangle PCD$ (SAS 합동)

$\therefore \angle PCD = \angle PBD = 40°$

$\triangle PDC$에서 $\angle y = 180° - (90° + 40°) = 50°$

$\therefore \angle x + \angle y = 30° + 50° = 80°$ **답** $80°$

0022 전략 이등변삼각형의 성질과 삼각형의 한 외각의 크기는 그와 이웃하지 않는 두 내각의 크기의 합과 같음을 이용한다.

$\triangle ABC$에서 $\overline{AB} = \overline{AC}$이므로

$\angle ACB = \angle B = \angle x$

$\angle DAC = \angle B + \angle ACB$

$\qquad = \angle x + \angle x = 2\angle x$

$\triangle ACD$에서 $\overline{CA} = \overline{CD}$이므로

$\angle CDA = \angle CAD = 2\angle x$

$\triangle BCD$에서

$\angle DCE = \angle B + \angle BDC = \angle x + 2\angle x = 3\angle x$

$3\angle x = 105°$이므로 $\angle x = 35°$ **답** $35°$

0023 $\triangle ABC$에서 $\overline{AB} = \overline{AC}$이므로

$\angle ACB = \angle B = 33°$

$\angle CAD = \angle B + \angle ACB$

$\qquad = 33° + 33° = 66°$ ··· ㈎

$\triangle ACD$에서 $\overline{CA} = \overline{CD}$이므로

$\angle CDA = \angle CAD = 66°$ ······ ㈏

따라서 $\triangle BCD$에서

$\angle DCE = \angle B + \angle BDC = 33° + 66° = 99°$ ······ ㈐

답 $99°$

채점 기준	비율
㈎ $\angle CAD$의 크기 구하기	40 %
㈏ $\angle CDA$의 크기 구하기	30 %
㈐ $\angle DCE$의 크기 구하기	30 %

0024 전략 이등변삼각형의 성질과 삼각형의 세 내각의 크기의 합은 $180°$임을 이용한다.

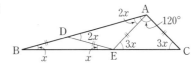

$\angle A = \angle x$라 하면

$\triangle ABD$에서 $\overline{DA} = \overline{DB}$이므로

$\angle DBA = \angle A = \angle x$

$\angle BDC = \angle A + \angle DBA$

$\qquad = \angle x + \angle x = 2\angle x$

$\triangle BCD$에서 $\overline{BC} = \overline{BD}$이므로

$\angle C = \angle BDC = 2\angle x$

$\triangle ABC$에서 $\overline{AB} = \overline{AC}$이므로

$\angle ABC = \angle C = 2\angle x$

이때 $\triangle ABC$에서 세 내각의 크기의 합은 $180°$이므로

$\angle x + 2\angle x + 2\angle x = 180°$

$5\angle x = 180°$ $\quad \therefore \angle x = 36°$ **답** $36°$

0025

$\angle B = \angle x$라 하면

$\triangle DBE$에서 $\overline{DB} = \overline{DE}$이므로 $\angle DEB = \angle B = \angle x$

$\angle ADE = \angle B + \angle DEB = \angle x + \angle x = 2\angle x$

$\triangle EAD$에서 $\overline{EA} = \overline{ED}$이므로 $\angle EAD = \angle EDA = 2\angle x$

$\triangle ABE$에서

$\angle AEC = \angle B + \angle BAE = \angle x + 2\angle x = 3\angle x$

$\triangle AEC$에서 $\overline{AE} = \overline{AC}$이므로

$\angle ACE = \angle AEC = 3\angle x$

이때 $\triangle ABC$에서 세 내각의 크기의 합은 $180°$이므로

$120° + \angle x + 3\angle x = 180°$

$4\angle x = 60°$ $\quad \therefore \angle x = 15°$ **답** $15°$

0026

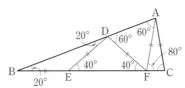

$\triangle BED$에서 $\overline{EB} = \overline{ED}$이므로 $\angle EDB = \angle B = 20°$

$\angle DEF = \angle B + \angle EDB = 20° + 20° = 40°$

$\triangle DEF$에서 $\overline{DE} = \overline{DF}$이므로 $\angle DFE = \angle DEF = 40°$

$\triangle DBF$에서 $\angle ADF = \angle B + \angle DFB = 20° + 40° = 60°$

$\triangle FAD$에서 $\overline{FA} = \overline{FD}$이므로 $\angle FAD = \angle FDA = 60°$

$\triangle ABF$에서

$\angle AFC = \angle B + \angle FAB = 20° + 60° = 80°$

△AFC에서 $\overline{AF}=\overline{AC}$이므로

∠C=∠AFC=80° **답** 80°

0027 **전략** 이등변삼각형의 성질과 삼각형의 한 외각의 크기는 그와
이웃하지 않는 두 내각의 크기의 합과 같음을 이용한다.

△ABC에서 $\overline{AB}=\overline{AC}$이므로

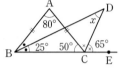

∠ABC=∠ACB

$=\dfrac{1}{2}\times(180°-80°)$

$=50°$

∴ ∠DBC$=\dfrac{1}{2}$∠ABC$=\dfrac{1}{2}\times50°=25°$,

∠DCE$=\dfrac{1}{2}$∠ACE$=\dfrac{1}{2}\times(180°-50°)=65°$

따라서 △DBC에서

∠x+25°=65° ∴ ∠x=40° **답** 40°

0028 △ABC에서 $\overline{AB}=\overline{AC}$이므로

∠ABC=∠ACB

$=\dfrac{1}{2}\times(180°-32°)$

$=74°$

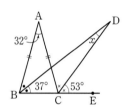

∴ ∠DBC$=\dfrac{1}{2}$∠ABC

$=\dfrac{1}{2}\times74°=37°$,

∠DCE$=\dfrac{1}{2}$∠ACE$=\dfrac{1}{2}\times(180°-74°)=53°$

따라서 △DBC에서

∠x+37°=53° ∴ ∠x=16° **답** 16°

0029 △ABC에서 $\overline{AB}=\overline{AC}$이므로

∠ABC=∠ACB

$=\dfrac{1}{2}\times(180°-40°)$

$=70°$

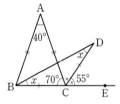

∴ ∠DCE$=\dfrac{1}{2}$∠ACE

$=\dfrac{1}{2}\times(180°-70°)=55°$

△BCD에서 $\overline{CB}=\overline{CD}$이므로

∠CBD=∠CDB=∠x

따라서 △DBC에서

∠x+∠x=55° ∴ ∠x=27.5° **답** 27.5°

0030 △ABC에서 $\overline{AB}=\overline{AC}$이므로

∠ABC=∠ACB

$=\dfrac{1}{2}\times(180°-72°)$

$=54°$

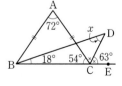

∴ ∠DBC$=\dfrac{1}{3}$∠ABC$=\dfrac{1}{3}\times54°=18°$,

∠DCE$=\dfrac{1}{2}$∠ACE$=\dfrac{1}{2}\times(180°-54°)=63°$

따라서 △DBC에서

∠x+18°=63° ∴ ∠x=45° **답** 45°

0031 **전략** 주어진 도형에서 먼저 이등변삼각형을 찾는다.

∠BDE=∠CDE=∠a라

하면 △DBE에서 $\overline{EB}=\overline{ED}$

이므로

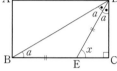

∠EBD=∠EDB=∠a

이때 △DBC에서 세 내각의 크기의 합은 180°이므로

$3\angle a+90°=180°$ ∴ ∠a=30°

따라서 △DEC에서

∠x=180°-(30°+90°)=60° **답** 60°

0032 $\overline{AD}\,/\!/\,\overline{BC}$이므로

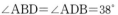

∠ADB=∠DBC=38° (엇각)

△ABD에서 $\overline{AB}=\overline{AD}$이므로

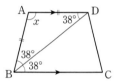

∠ABD=∠ADB=38°

따라서 △ABD에서

∠x=180°-2×38°=104° **답** 104°

0033 $\overline{AB}=\overline{AD}=\overline{AE}$이므로

△ABE에서 ∠AEB=∠ABE=30°

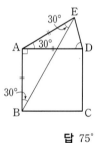

∴ ∠EAB=180°-2×30°=120°,

∠EAD=∠EAB-∠DAB

$=120°-90°=30°$

△ADE에서 $\overline{AD}=\overline{AE}$이므로

∠EDA$=\dfrac{1}{2}\times(180°-30°)=75°$ **답** 75°

0034 **전략** ∠A의 이등분선을 그은 후 합동인 두 삼각형을 찾아
$\overline{AB}=\overline{AC}$임을 보인다.

답 ㈎ $\overline{AD}$ ㈏ ∠CAD ㈐ ∠ADC ㈑ ASA ㈒ $\overline{AC}$

0035 **답** ㈎ ∠ACB ㈏ ∠PCB ㈐ 이등변

0036 **전략** △BCD의 세 내각의 크기를 구한 후 △BCD가 어떤 삼
각형인지 알아본다.

△ABC에서 $\overline{AB}=\overline{AC}$이므로

∠B=∠ACB$=\dfrac{1}{2}\times(180°-36°)=72°$ ∴ x=72

또 ∠BCD$=\dfrac{1}{2}$∠ACB$=\dfrac{1}{2}\times72°=36°$이므로

△BCD에서 ∠CDB=180°-(72°+36°)=72°

즉 ∠B=∠CDB=72°이므로 $\overline{CD}=\overline{CB}$=8 cm

∴ y=8 **답** x=72, y=8

0037 △ABC는 $\overline{AB}=\overline{AC}$인 이등변삼각형이므로

$x+2=2x-5$ ∴ $x=7$ **답** 7

0038 △ABC에서 ∠A$=180°-(30°+90°)=60°$

△ADC에서 $\overline{DA}=\overline{DC}$이므로

∠DCA=∠A$=60°$

즉 △ADC는 정삼각형이므로

$\overline{AD}=\overline{DC}=\overline{AC}=3$ cm

또 ∠DCB$=90°-$∠ACD$=90°-60°=30°$

즉 ∠DBC=∠DCB이므로 $\overline{DB}=\overline{DC}=3$ cm

∴ $\overline{AB}=\overline{AD}+\overline{DB}=3+3=6$ (cm) **답** 6 cm

0039 $\overline{AD}$는 이등변삼각형 ABC의 꼭지각의 이등분선이므로

$\overline{BD}=\overline{CD}=\dfrac{1}{2}\overline{BC}=\dfrac{1}{2}\times6=3$ (cm),

∠ADB=∠ADC$=90°$

△EBD와 △ECD에서

$\overline{BD}=\overline{CD}$, ∠EDB=∠EDC$=90°$, $\overline{ED}$는 공통

이므로 △EBD≡△ECD (SAS 합동)

∴ ∠BED=∠CED$=\dfrac{1}{2}$∠BEC$=\dfrac{1}{2}\times90°=45°$

△EBD에서 ∠EBD$=180°-(90°+45°)=45°$

즉 ∠EBD=∠BED이므로

$\overline{DE}=\overline{DB}=3$ cm **답** 3 cm

0040 ∠B=∠C이므로 $\overline{AC}=\overline{AB}=10$ cm

오른쪽 그림과 같이 $\overline{AP}$를 그으면

$\triangle ABP=\dfrac{1}{2}\times\overline{AB}\times\overline{PD}$

$\qquad=\dfrac{1}{2}\times10\times\overline{PD}$

$\qquad=5\overline{PD}$

$\triangle APC=\dfrac{1}{2}\times\overline{AC}\times\overline{PE}$

$\qquad=\dfrac{1}{2}\times10\times\overline{PE}$

$\qquad=5\overline{PE}$

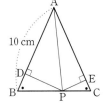

이때 △ABC=△ABP+△APC이므로

$40=5\overline{PD}+5\overline{PE}$, $5(\overline{PD}+\overline{PE})=40$

∴ $\overline{PD}+\overline{PE}=8$ (cm) **답** 8 cm

0041 △ABC에서

$\overline{AB}=\overline{AC}=9$ cm, ∠B=∠C

△DBE에서

∠BDE$=90°-$∠B이므로

∠ADF=∠BDE (맞꼭지각)

$\qquad=90°-$∠B

△FEC에서 ∠F$=90°-$∠C$=90°-$∠B

∴ ∠ADF=∠F

따라서 △AFD는 $\overline{AF}=\overline{AD}$인 이등변삼각형이므로

$\overline{AF}=\overline{AD}=\overline{AB}-\overline{DB}=9-3=6$ (cm) **답** 6 cm

0042 전략 접은 각의 크기가 같고, 평행선에서 엇각의 크기가 같음을 이용한다.

∠FEC=∠GEF$=56°$ (접은 각)

∠GFE=∠FEC$=56°$ (엇각)

따라서 △GEF에서

∠$x=180°-2\times56°=68°$ **답** 68°

0043 ∠FEG=∠DEG (접은 각), ∠EGF=∠DEG (엇각)

이므로 ∠FEG=∠EGF

따라서 △FGE는 $\overline{FE}=\overline{FG}$인 이등변삼각형이므로

$\overline{EF}=\overline{FG}=12$ cm **답** 12 cm

0044 ∠APQ=∠RPQ (접은 각) (④)이고

∠APQ=∠PQR (엇각) (③)이므로

∠RPQ=∠PQR (⑤)

따라서 △PQR는 $\overline{RP}=\overline{RQ}$ (②)인 이등변삼각형이다.

답 ①

0045 오른쪽 그림에서

∠ABC=∠CBD (접은 각),

∠ACB=∠CBD (엇각)

이므로 ∠ABC=∠ACB

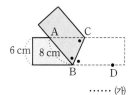

······ (가)

따라서 △ABC는 $\overline{AB}=\overline{AC}$인 이등변삼각형이므로

$\overline{AC}=\overline{AB}=8$ cm ······ (나)

∴ △ABC$=\dfrac{1}{2}\times8\times6=24$ (cm²) ······ (다)

답 24 cm²

채점 기준	비율
(가) ∠ABC=∠ACB임을 알기	40 %
(나) $\overline{AC}$의 길이 구하기	30 %
(다) △ABC의 넓이 구하기	30 %

0046 전략 접은 각의 크기가 같고, 삼각형의 세 내각의 크기의 합이 180°임을 이용한다.

∠DBE=∠A=∠x (접은 각)

$\overline{AB}=\overline{AC}$이므로 ∠C=∠ABC$=$∠$x+30°$

△ABC에서 세 내각의 크기의 합은 180°이므로

∠$x+(∠x+30°)+(∠x+30°)=180°$

3∠$x=120°$ ∴ ∠$x=40°$ **답** 40°

0047 ∠A=∠DBE$=$∠x (접은 각)

$\overline{AB}=\overline{AC}$이므로 ∠C=∠ABC$=$∠$x+12°$

△ABC에서 세 내각의 크기의 합은 180°이므로

$\angle x + (\angle x + 12°) + (\angle x + 12°) = 180°$

$3\angle x = 156°$ ∴ $\angle x = 52°$ 답 52°

0048 전략 이등변삼각형의 성질을 이용하여 합동인 두 삼각형을 찾는다.

△ABC에서 $\overline{AB} = \overline{AC}$이므로

$\angle B = \angle C = \dfrac{1}{2} \times (180° - 30°) = 75°$

△BDF와 △CED에서

$\overline{BF} = \overline{CD}$, $\overline{BD} = \overline{CE}$, $\angle B = \angle C$

이므로 △BDF ≡ △CED (SAS 합동)

∴ $\angle x = 180° - (\angle FDB + \angle EDC)$

$= 180° - (\angle FDB + \angle DFB)$

$= \angle B = 75°$ 답 75°

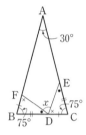

0049 △ABC에서 $\overline{AB} = \overline{AC}$이므로

$\angle B = \angle C$

$= \dfrac{1}{2} \times (180° - 72°) = 54°$

△BDF와 △CED에서

$\overline{BF} = \overline{CD}$, $\overline{BD} = \overline{CE}$, $\angle B = \angle C$

이므로 △BDF ≡ △CED (SAS 합동)

∴ $\overline{DF} = \overline{DE}$

따라서 △DEF는 이등변삼각형이다.

이때

$\angle FDE = 180° - (\angle BDF + \angle CDE)$

$= 180° - (\angle BDF + \angle DFB)$

$= \angle B = 54°$

이므로 △DEF에서

$\angle x = \dfrac{1}{2} \times (180° - 54°) = 63°$ 답 63°

0050 △ABD와 △ACE에서

$\overline{AB} = \overline{AC}$, $\angle B = \angle C$,

$\overline{BD} = \overline{BE} - \overline{DE} = \overline{CD} - \overline{DE} = \overline{CE}$

이므로 △ABD ≡ △ACE (SAS 합동)

따라서 $\angle BAD = \angle CAE$이므로 $\angle BAD = \angle CAE = \angle x$라 하면

△BEA에서 $\overline{BA} = \overline{BE}$이므로

$\angle BEA = \angle BAE = \angle x + 40°$

△CAD에서 $\overline{CA} = \overline{CD}$이므로

$\angle CDA = \angle CAD = \angle x + 40°$

△ADE에서 세 내각의 크기의 합은 180°이므로

$40° + (\angle x + 40°) + (\angle x + 40°) = 180°$

$2\angle x = 60°$ ∴ $\angle x = 30°$ 답 30°

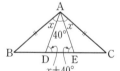

STEP 1 개념 마스터   p.16

0051 △ABC와 △EFD에서

$\angle B = \angle F = 90°$, $\overline{AC} = \overline{ED}$ (빗변),

$\angle E = 180° - (90° + 60°) = 30°$이므로 $\angle A = \angle E$

∴ △ABC ≡ △EFD (RHA 합동)

답 △ABC ≡ △EFD (RHA 합동)

0052 $\overline{DF} = \overline{CB} = 3$ cm   답 3 cm

0053 △ABC와 △DFE에서

$\angle C = \angle E = 90°$, $\overline{AB} = \overline{DF}$ (빗변), $\overline{BC} = \overline{FE}$

∴ △ABC ≡ △DFE (RHS 합동)

답 △ABC ≡ △DFE (RHS 합동)

0054 $\overline{DE} = \overline{AC} = 6$ cm   답 6 cm

0055 $\angle AOP = \angle BOP$이면 $\overline{PA} = \overline{PB}$이므로

$x = 9$ 답 9

0056 $\overline{PA} = \overline{PB}$이므로 $\angle BOP = \angle AOP = x°$

△POB에서 $70° + x° + 90° = 180°$

∴ $x = 20$ 답 20

STEP 2 유형 마스터   p.17~p.20

0057 전략 직각삼각형의 합동 조건과 삼각형의 합동 조건을 이용하여 각각의 경우 두 직각삼각형이 합동인지 알아본다.

① $\overline{AC} = \overline{DF}$, $\overline{BC} = \overline{EF}$, $\angle C = \angle F$

∴ △ABC ≡ △DEF (SAS 합동)

③ $\angle C = \angle F$, $\angle B = \angle E$이므로 $\angle A = \angle D$

또 $\overline{AC} = \overline{DF}$이므로 △ABC ≡ △DEF (ASA 합동)

④ $\angle C = \angle F = 90°$, $\overline{AB} = \overline{DE}$ (빗변), $\angle A = \angle D$

∴ △ABC ≡ △DEF (RHA 합동)

⑤ $\angle C = \angle F = 90°$, $\overline{AB} = \overline{DE}$ (빗변), $\overline{BC} = \overline{EF}$

∴ △ABC ≡ △DEF (RHS 합동)   답 ②

0058   답 ⑺ $\overline{DE}$ ⑷ $\angle D$ ⒟ ASA

0059   답 ⑺ $\overline{DE}$ ⑷ $\angle E$ ⒟ RHA

0060 △ABC와 △NOM에서

$\angle B = \angle O = 90°$, $\overline{AC} = \overline{NM}$ (빗변), $\overline{AB} = \overline{NO}$

∴ △ABC ≡ △NOM (RHS 합동)

△DEF와 △PQR에서

$\angle D = \angle P = 90°$, $\overline{EF} = \overline{QR}$ (빗변),

$\angle Q = 180° - (90° + 35°) = 55°$이므로 $\angle E = \angle Q$

$$\therefore \triangle DEF \equiv \triangle PQR \ (\text{RHA 합동})$$

답 $\triangle ABC \equiv \triangle NOM \ (\text{RHS 합동})$,

$\triangle DEF \equiv \triangle PQR \ (\text{RHA 합동})$

0061 [전략] 합동인 두 직각삼각형을 찾아 변의 길이를 구한다.

$\triangle ADB$와 $\triangle CEA$에서

$\angle ADB = \angle CEA = 90°$, $\overline{AB} = \overline{CA}$,

$\angle DBA = 90° - \angle DAB = \angle EAC$

$\therefore \triangle ADB \equiv \triangle CEA \ (\text{RHA 합동})$

따라서 $\overline{AD} = \overline{CE} = 4 \ \text{cm}$, $\overline{AE} = \overline{BD} = 6 \ \text{cm}$이므로

$\overline{DE} = \overline{AD} + \overline{AE} = 4 + 6 = 10 \ (\text{cm})$ 답 $10 \ \text{cm}$

0062 $\triangle ADB$와 $\triangle CEA$에서

$\angle ADB = \angle CEA = 90°$, $\overline{AB} = \overline{CA}$,

$\angle DBA = 90° - \angle DAB = \angle EAC$

$\therefore \triangle ADB \equiv \triangle CEA \ (\text{RHA 합동})$

따라서 $\overline{AD} = \overline{CE} = 6 \ \text{cm}$, $\overline{AE} = \overline{BD} = 8 \ \text{cm}$이므로

$\overline{DE} = \overline{AD} + \overline{AE} = 6 + 8 = 14 \ (\text{cm})$

$\therefore (\text{사다리꼴 DBCE의 넓이}) = \frac{1}{2} \times (8 + 6) \times 14$

$= 98 \ (\text{cm}^2)$ 답 $98 \ \text{cm}^2$

0063 (1) $\triangle ADB$와 $\triangle BEC$에서

$\angle ADB = \angle BEC = 90°$, $\overline{AB} = \overline{BC}$,

$\angle DAB = 90° - \angle ABD = \angle EBC$

$\therefore \triangle ADB \equiv \triangle BEC \ (\text{RHA 합동})$ ...... (가)

따라서 $\overline{BD} = \overline{CE} = 7 \ \text{cm}$, $\overline{BE} = \overline{AD} = 5 \ \text{cm}$이므로

$\overline{DE} = \overline{BD} + \overline{BE} = 7 + 5 = 12 \ (\text{cm})$ ...... (나)

(2) $\triangle ABC = (\text{사다리꼴 ADEC의 넓이}) - 2\triangle ADB$

$= \frac{1}{2} \times (5 + 7) \times 12 - 2 \times \left(\frac{1}{2} \times 5 \times 7 \right)$

$= 37 \ (\text{cm}^2)$ ...... (다)

답 (1) $12 \ \text{cm}$ (2) $37 \ \text{cm}^2$

채점 기준	비율
(가) $\triangle ADB \equiv \triangle BEC$임을 알기	30 %
(나) $\overline{DE}$의 길이 구하기	30 %
(다) $\triangle ABC$의 넓이 구하기	40 %

0064 $\triangle ADB$와 $\triangle BEC$에서

$\angle ADB = \angle BEC = 90°$, $\overline{AB} = \overline{BC}$,

$\angle DAB = 90° - \angle ABD = \angle EBC$ (①)

$\therefore \triangle ADB \equiv \triangle BEC \ (\text{RHA 합동})$ (③)

따라서 $\overline{BE} = \overline{AD} = a$, $\overline{BD} = \overline{CE} = b$이므로

$\overline{DE} = \overline{BD} + \overline{BE} = a + b$ (④)

$\therefore (\text{사다리꼴 ADEC의 넓이}) = \frac{1}{2} \times (\overline{AD} + \overline{CE}) \times \overline{DE}$

$= \frac{1}{2}(a+b)^2$ (⑤)

답 ②

0065 $\triangle ABD$와 $\triangle CAE$에서

$\angle BDA = \angle AEC = 90°$, $\overline{AB} = \overline{CA}$,

$\angle ABD = 90° - \angle DAB = \angle CAE$

$\therefore \triangle ABD \equiv \triangle CAE \ (\text{RHA 합동})$

따라서 $\overline{AE} = \overline{BD} = 14 \ \text{cm}$, $\overline{AD} = \overline{CE} = 9 \ \text{cm}$이므로

$\overline{DE} = \overline{AE} - \overline{AD} = 14 - 9 = 5 \ (\text{cm})$ 답 $5 \ \text{cm}$

0066 $\triangle BDM$과 $\triangle CEM$에서

$\angle BDM = \angle CEM = 90°$, $\overline{BM} = \overline{CM}$,

$\angle BMD = \angle CME \ (\text{맞꼭지각})$

$\therefore \triangle BDM \equiv \triangle CEM \ (\text{RHA 합동})$

따라서 $\overline{BD} = \overline{CE} = 4 \ \text{cm}$, $\overline{MD} = \overline{ME} = 2 \ \text{cm}$이므로

$\triangle ABD = \frac{1}{2} \times \overline{AD} \times \overline{BD}$

$= \frac{1}{2} \times (\overline{AM} + \overline{MD}) \times \overline{BD}$

$= \frac{1}{2} \times (7 + 2) \times 4$

$= 18 \ (\text{cm}^2)$ 답 $18 \ \text{cm}^2$

0067 [전략] 합동인 두 직각삼각형을 찾아 각의 크기를 구한다.

$\triangle ADE$와 $\triangle ACE$에서

$\angle ADE = \angle ACE = 90°$, $\overline{AE}$는 공통, $\overline{AD} = \overline{AC}$

따라서 $\triangle ADE \equiv \triangle ACE \ (\text{RHS 합동})$이므로

$\angle AED = \angle AEC = 180° - (90° + 28°) = 62°$

$\therefore \angle x = 180° - (\angle AED + \angle AEC)$

$= 180° - (62° + 62°) = 56°$ 답 $56°$

0068 $\triangle ADE$와 $\triangle ACE$에서

$\angle ADE = \angle ACE = 90°$, $\overline{AE}$는 공통, $\overline{AD} = \overline{AC}$

따라서 $\triangle ADE \equiv \triangle ACE \ (\text{RHS 합동})$ (③)이므로

$\angle DAE = \angle CAE$ (①), $\overline{DE} = \overline{CE}$

이때 $\triangle ABC$가 직각이등변삼각형이므로

$\angle BAC = \angle B = \frac{1}{2} \times (180° - 90°) = 45°$

$\triangle DBE$에서 $\angle DEB = 180° - (90° + 45°) = 45°$

$\therefore \angle DEB = \angle BAC$ (⑤)

또 $\overline{DB} = \overline{DE}$이므로 $\overline{DB} = \overline{DE} = \overline{CE}$ (②) 답 ④

0069 $\triangle BCD$와 $\triangle BED$에서

$\angle BCD = \angle BED = 90°$, $\overline{BD}$는 공통, $\overline{BC} = \overline{BE}$

따라서 $\triangle BCD \equiv \triangle BED \ (\text{RHS 합동})$이므로

$\overline{DE} = \overline{DC} = 4 \ \text{cm}$ ...... (가)

이때 $\triangle ABC$가 직각이등변삼각형이므로 $\angle A = 45°$이고

$\triangle AED$에서 $\angle ADE = 180° - (90° + 45°) = 45°$이므로

$\overline{EA} = \overline{ED} = 4 \ \text{cm}$ ...... (나)

$\therefore \triangle AED = \frac{1}{2} \times 4 \times 4 = 8 \ (\text{cm}^2)$ ...... (다)

답 $8 \ \text{cm}^2$

채점 기준	비율
(가) $\overline{DE}$의 길이 구하기	40 %
(나) $\overline{EA}$의 길이 구하기	40 %
(다) △AED의 넓이 구하기	20 %

0070 △MBD와 △MCE에서
∠MDB=∠MEC=90°, $\overline{MB}=\overline{MC}$, $\overline{MD}=\overline{ME}$
따라서 △MBD≡△MCE (RHS 합동)이므로
∠B=∠C

∴ ∠B=$\frac{1}{2}$×(180°−70°)=55°   답 55°

0071 전략 직각삼각형의 합동 조건을 이용하여 합동인 두 삼각형을
찾아 $\overline{PC}=\overline{PD}$임을 보인다.

답 (가) ∠PCO (나) $\overline{OP}$ (다) ∠DOP (라) RHA

0072 △AOP와 △BOP에서
∠PAO=∠PBO=90°, $\overline{OP}$는 공통, $\overline{PA}=\overline{PB}$
이므로 △AOP≡△BOP (RHS 합동) (⑤)
∴ ∠APO=∠BPO (①), ∠AOP=∠BOP (②)
  $\overline{AO}=\overline{BO}$ (③)
④ $\overline{OA}+\overline{AP}>\overline{OP}$ 답 ④

0073 전략 점 D에서 $\overline{BC}$에 수선을 그은 후 합동인 두 직각삼각형을
찾아 △BCD의 높이를 구한다.
오른쪽 그림과 같이 점 D에서
$\overline{BC}$에 내린 수선의 발을 E라
하면 △ABD와 △EBD에서
∠BAD=∠BED=90°,
$\overline{BD}$는 공통,
∠ABD=∠EBD
따라서 △ABD≡△EBD (RHA 합동)이므로
$\overline{DE}=\overline{DA}$=3 cm

∴ △BCD=$\frac{1}{2}$×10×3=15 (cm²)   답 15 cm²

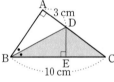

0074 △AED와 △ACD에서
∠AED=∠ACD=90°, $\overline{AD}$는 공통, ∠EAD=∠CAD
따라서 △AED≡△ACD (RHA 합동)이므로
$\overline{DE}=\overline{DC}$=6 cm

∴ △ABD=$\frac{1}{2}$×20×6=60 (cm²)   답 60 cm²

0075 오른쪽 그림과 같이 점 D에서 $\overline{AC}$에
내린 수선의 발을 E라 하면   ⋯ (가)
△CDB와 △CDE에서
∠CBD=∠CED=90°,
$\overline{CD}$는 공통, ∠DCB=∠DCE

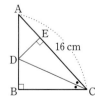

따라서 △CDB≡△CDE (RHA 합동)이므로
$\overline{BD}=\overline{ED}$ ⋯⋯ (나)
이때 △ADC=$\frac{1}{2}$×16×$\overline{ED}$=40에서 $\overline{ED}$=5 (cm)
∴ $\overline{BD}=\overline{ED}$=5 cm   ⋯⋯ (다)

답 5 cm

채점 기준	비율
(가) 점 D에서 $\overline{AC}$에 수선의 발 내리기	20 %
(나) $\overline{BD}=\overline{ED}$임을 알기	40 %
(다) $\overline{BD}$의 길이 구하기	40 %

0076 △AED와 △ACD에서
∠AED=∠ACD=90°, $\overline{AD}$는 공통, ∠EAD=∠CAD
따라서 △AED≡△ACD (RHA 합동)이므로
$\overline{ED}=\overline{CD}$=6 cm
이때 ∠B=∠EDB=45°이므로 $\overline{EB}=\overline{ED}$=6 cm
∴ △BDE=$\frac{1}{2}$×6×6=18 (cm²)   답 18 cm²

0077 △AED와 △ACD에서
∠AED=∠ACD=90°, $\overline{AD}$는 공통, ∠EAD=∠CAD
따라서 △AED≡△ACD (RHA 합동)이므로
$\overline{DE}=\overline{DC}$, $\overline{AE}=\overline{AC}$=5 cm,
$\overline{BE}=\overline{AB}-\overline{AE}$=13−5=8 (cm)
∴ (△BDE의 둘레의 길이)=$\overline{BD}+\overline{DE}+\overline{BE}$
  =$\overline{BD}+\overline{DC}+\overline{BE}$
  =$\overline{BC}+\overline{BE}$
  =12+8
  =20 (cm)   답 20 cm

STEP 3 내신 마스터   p.21 ~ p.23

0078 전략 이등변삼각형의 성질을 이용하여 크기가 같은 각을 찾는
다.

답 (가) ∠C (나) ∠B (다) ∠A=∠B=∠C

0079 전략 이등변삼각형의 두 밑각의 크기가 같음을 이용한다.
△ABC에서 $\overline{AB}=\overline{AC}$이므로 ∠ACB=∠B=52°
△ACD에서 ∠CAD+30°=52°
∴ ∠CAD=22°   답 ②

0080 전략 △BDE와 △CAD가 이등변삼각형임을 이용한다.
△BDE에서 $\overline{BD}=\overline{BE}$이므로
∠BDE=$\frac{1}{2}$×(180°−40°)=70°   ⋯⋯ (가)

△CAD에서 $\overline{CA}=\overline{CD}$이므로

$\angle CDA=\dfrac{1}{2}\times(180°-60°)=60°$ ...... (나)

$\therefore \angle EDA=180°-(70°+60°)=50°$ ...... (다)

답 50°

채점 기준	비율
(가) ∠BDE의 크기 구하기	40 %
(나) ∠CDA의 크기 구하기	40 %
(다) ∠EDA의 크기 구하기	20 %

0081 전략 이등변삼각형의 꼭지각의 이등분선은 밑변을 수직이등분함을 이용한다.

$\overline{AD}$는 이등변삼각형 ABC의 꼭지각의 이등분선이므로
$\overline{AD}\perp\overline{BC}$, $\overline{BD}=\overline{CD}$

즉 ∠ADC=90°이므로 △ADC에서
$\angle x=180°-(25°+90°+50°)=15°$

△PBD와 △PCD에서
$\overline{BD}=\overline{CD}$, ∠PDB=∠PDC=90°, $\overline{PD}$는 공통

이므로 △PBD≡△PCD (SAS 합동)

따라서 ∠PBD=∠PCD=50°이므로

△PBD에서 $\angle y=180°-(90°+50°)=40°$

$\therefore \angle x+\angle y=15°+40°=55°$ **답** ④

0082 전략 이등변삼각형의 성질과 삼각형의 한 외각의 크기는 그와 이웃하지 않는 두 내각의 크기의 합과 같음을 이용한다.

△DBC에서 $\overline{DB}=\overline{DC}$이므로

∠DCB=∠DBC=∠x

∠ADC=∠DBC+∠DCB

$=\angle x+\angle x=2\angle x$

△CAD에서 $\overline{CA}=\overline{CD}$이므로

∠CAD=∠CDA=2∠x

이때 △CAD에서 세 내각의 크기의 합은 180°이므로

$20°+2\angle x+2\angle x=180°$

$4\angle x=160°$ $\therefore \angle x=40°$ **답** 40°

0083 전략 이등변삼각형의 성질과 삼각형의 한 외각의 크기는 그와 이웃하지 않는 두 내각의 크기의 합과 같음을 이용한다.

△ABC에서 $\overline{AB}=\overline{AC}$이므로

$\angle ABC=\angle ACB=\dfrac{1}{2}\times(180°-52°)=64°$

$\therefore \angle DCE=\dfrac{1}{2}\times(180°-64°)=58°$

△BCD에서 $\overline{CB}=\overline{CD}$이므로 ∠CBD=∠CDB=∠x

따라서 $\angle x+\angle x=58°$이므로

$\angle x=29°$ **답** ③

0084 전략 두 내각의 크기가 같은 삼각형은 이등변삼각형임을 이용한다.

△ABC에서 $\overline{AB}=\overline{AC}$이므로

$\angle ABC=\angle C=\dfrac{1}{2}\times(180°-36°)=72°$

$\therefore \angle ABD=\dfrac{1}{2}\angle ABC=\dfrac{1}{2}\times 72°=36°$

즉 ∠A=∠ABD=36°이므로 △ABD는 $\overline{DA}=\overline{DB}$인 이등변삼각형이다. ...... (가)

또 △ABD에서 ∠BDC=36°+36°=72°

즉 ∠C=∠BDC=72°이므로 △BCD는 $\overline{BC}=\overline{BD}$인 이등변삼각형이다. ...... (나)

$\therefore \overline{AD}=\overline{BD}=\overline{BC}=10\ cm$ ...... (다)

답 10 cm

채점 기준	비율
(가) △ABD가 이등변삼각형임을 알기	40 %
(나) △BCD가 이등변삼각형임을 알기	30 %
(다) $\overline{AD}$의 길이 구하기	30 %

0085 전략 접은 각의 크기가 같고, 평행선에서 엇각의 크기가 같음을 이용한다.

∠FEG=∠DEG (접은 각), ∠EGF=∠DEG (엇각)

이므로 ∠FEG=∠EGF

즉 △EFG는 $\overline{FE}=\overline{FG}$인 이등변삼각형이므로

$\overline{FE}=\overline{FG}=4\ cm$

따라서 △EFG의 둘레의 길이는

$\overline{EF}+\overline{FG}+\overline{GE}=4+4+6=14\ (cm)$ **답** 14 cm

0086 전략 접은 각의 크기는 같고, 삼각형의 세 내각의 크기의 합은 180°임을 이용한다.

∠DCE=∠A=∠x (접은 각)

$\overline{AB}=\overline{AC}$이므로 ∠B=∠ACB=∠x+24°

△ABC에서 세 내각의 크기의 합은 180°이므로

$\angle x+(\angle x+24°)+(\angle x+24°)=180°$

$3\angle x=132°$ $\therefore \angle x=44°$ **답** ⑤

0087 전략 △ABD≡△ACE임을 이용하여 ∠DAE의 크기를 구한다.

△ABD와 △ACE에서
$\overline{AB}=\overline{AC}$, $\overline{BD}=\overline{CE}$, ∠B=∠C

이므로 △ABD≡△ACE (SAS 합동)

$\therefore \overline{AD}=\overline{AE}$

따라서 △ADE는 $\overline{AD}=\overline{AE}$인 이등변삼각형이므로

$\angle DAE=180°-2\times 75°=30°$ **답** 30°

0088 〔전략〕 합동인 두 삼각형을 찾는다.

△ABC에서 $\overline{AB}=\overline{AC}$이므로

$\angle ABC=\dfrac{1}{2}\times(180°-52°)=64°$

$\therefore \angle EBC=\angle ABC-\angle ABE=64°-36°=28°$

△DBC와 △ECB에서

$\overline{DB}=\overline{EC}$, $\angle DBC=\angle ECB$, $\overline{BC}$는 공통

이므로 △DBC≡△ECB (SAS 합동)

$\therefore \angle DCB=\angle EBC=28°$

따라서 △PBC에서 $\angle x=28°+28°=56°$　　　**답** ④

0089 〔전략〕 두 이등변삼각형 ADE, CEF의 밑각의 크기를 각각 $\angle a$, $\angle b$로 놓고, $\angle x$의 크기를 $\angle a$, $\angle b$에 대한 식으로 나타낸다.

△ADE와 △CEF가 각각 이등변삼각형이므로

$\angle ADE=\angle AED=\angle a$, $\angle CEF=\angle CFE=\angle b$라 하면

$\angle DAE=180°-2\angle a$, $\angle ECF=180°-2\angle b$

△ABC에서 세 내각의 크기의 합은 180°이므로

$(180°-2\angle a)+80°+(180°-2\angle b)=180°$

$2(\angle a+\angle b)=260°$ 　 $\therefore \angle a+\angle b=130°$

$\therefore \angle x=180°-(\angle a+\angle b)$
$=180°-130°=50°$　　　**답** $50°$

0090 〔전략〕 직각삼각형의 합동 조건을 이용하여 각각의 경우 두 직각삼각형이 합동인지 알아본다.

③ RHA 합동　　　④ RHS 합동　　　**답** ③, ④

0091 〔전략〕 △ADB≡△CEA임을 이용하여 $\overline{DB}$, $\overline{EC}$의 길이를 구한다.

△ADB와 △CEA에서

$\angle ADB=\angle CEA=90°$, $\overline{AB}=\overline{CA}$,

$\angle DBA=90°-\angle DAB=\angle EAC$

따라서 △ADB≡△CEA (RHA 합동)이므로

$\overline{DB}=\overline{EA}=4$ cm, $\overline{EC}=\overline{DA}=10$ cm

$\therefore \triangle ABC=(\text{사다리꼴 DBCE의 넓이})-2\triangle ADB$

$=\dfrac{1}{2}\times(\overline{DB}+\overline{EC})\times\overline{DE}$

$\qquad-2\times\left(\dfrac{1}{2}\times\overline{DA}\times\overline{DB}\right)$

$=\dfrac{1}{2}\times(4+10)\times14-2\times\left(\dfrac{1}{2}\times10\times4\right)$

$=98-40=58$ (cm^2)　　　**답** 58 cm^2

0092 〔전략〕 직각삼각형의 합동 조건을 이용하여 합동인 두 직각삼각형을 찾는다.

(1) △AED와 △ACD에서

$\angle AED=\angle ACD=90°$, $\overline{AD}$는 공통, $\overline{AE}=\overline{AC}$이므로

△AED≡△ACD (RHS 합동) 　　…… ㈎

(2) $\overline{AE}=\overline{AC}=6$ cm이므로

$\overline{BE}=\overline{AB}-\overline{AE}=10-6=4$ (cm) 　　…… ㈏

(3) $(\triangle BDE\text{의 둘레의 길이})=\overline{BD}+\overline{DE}+\overline{BE}$
$=(\overline{BD}+\overline{DC})+\overline{BE}$
$=\overline{BC}+\overline{BE}$
$=8+4=12$ (cm)　…… ㈐

답 (1) △ACD, RHS 합동 (2) 4 cm (3) 12 cm

채점 기준	비율
㈎ △AED와 합동인 삼각형을 찾고, 합동 조건 말하기	30 %
㈏ $\overline{BE}$의 길이 구하기	30 %
㈐ △BDE의 둘레의 길이 구하기	40 %

0093 〔전략〕 합동인 두 직각삼각형을 찾는다.

△MPB와 △MQC에서

$\angle MPB=\angle MQC=90°$, $\overline{MB}=\overline{MC}$, $\overline{MP}=\overline{MQ}$

따라서 △MPB≡△MQC (RHS 합동)이므로

$\angle B=\angle C$

$\therefore \angle B=\dfrac{1}{2}\times(180°-65°)=57.5°$　　　**답** $57.5°$

0094 〔전략〕 직각삼각형의 합동 조건과 삼각형의 합동 조건을 이용하여 합동인 삼각형을 찾는다.

△AED와 △ACD에서

$\angle AED=\angle ACD=90°$, $\overline{AD}$는 공통, $\angle EAD=\angle CAD$

이므로 △AED≡△ACD (RHA 합동)

△AED와 △BED에서

$\overline{AE}=\overline{BE}$, $\overline{DE}$는 공통, $\angle AED=\angle BED=90°$

이므로 △AED≡△BED (SAS 합동)

따라서 △AED≡△ACD≡△BED이므로

$\overline{BE}=\overline{AC}$ (①), $\overline{BD}=\overline{AD}$ (②)

④ $\angle BAC=90°-\angle B=90°-\angle DAC=\angle ADC$

⑤ $\angle B+\angle ADC=\angle B+\angle BAC=90°$　　　**답** ③

> **Lecture**
>
> 직각삼각형이라고 해서 직각삼각형의 두 가지 합동 조건만 생각하지 않도록 한다. 합동인 직각삼각형을 찾을 때 삼각형의 세 가지 합동 조건도 이용할 수 있음에 유의한다.

0095 〔전략〕 이등변삼각형의 꼭지각의 이등분선은 밑변을 수직이등분함을 이용한다.

$\overline{AD}$는 이등변삼각형 ABC의 꼭지각의 이등분선이므로

$\overline{AD}\perp\overline{BC}$, $\overline{BD}=\overline{CD}$

$\overline{BD}=\overline{CD}=a$ cm, $\overline{AE}=b$ cm라 하면

$\overline{BD}+\overline{AC}=30$ cm에서 $a+3b=30$ 　　…… ㉠

$\overline{AE}+\overline{BC}=20$ cm에서 $b+2a=20$ 　　…… ㉡

㉠, ㉡을 연립하여 풀면 $a=6$, $b=8$

$\therefore \overline{BC}=2a=2\times6=12$ (cm)　　　**답** 12 cm

2 삼각형의 외심과 내심

0096   **답** ◯

0097   **답** ×

0098   **답** ×

0099   **답** ◯

0100   **답** ×

0101 $\overline{CD}=\overline{BD}=3\,cm$ $\therefore x=3$ **답** 3

0102 $\triangle OBC$에서 $\overline{OB}=\overline{OC}$이므로

$\angle OCB=\dfrac{1}{2}\times(180°-130°)=25°$

$\therefore x=25$ **답** 25

0103 $\angle x+15°+40°=90°$ $\therefore \angle x=35°$ **답** 35°

0104 $\angle x=2\times60°=120°$ **답** 120°

0105   **전략** 삼각형의 외심의 성질을 정확히 이해한다.

① $\overline{OA}=\overline{OB}=\overline{OC}=$(외접원의 반지름의 길이)

② $\overline{OF}$는 $\overline{AC}$의 수직이등분선이므로 $\overline{AF}=\overline{CF}$

④ $\triangle OBC$에서 $\overline{OB}=\overline{OC}$이므로 $\angle OBC=\angle OCB$

⑤ $\triangle OAD$와 $\triangle OBD$에서

$\overline{AD}=\overline{BD}$, $\angle ODA=\angle ODB$, $\overline{OD}$는 공통

이므로 $\triangle OAD\equiv\triangle OBD$ (SAS 합동)   **답** ③

0106   삼각형의 외심은 세 변의 수직이등분선의 교점이고, 삼각형의 외심에서 세 꼭짓점에 이르는 거리는 같다.

따라서 점 O가 $\triangle ABC$의 외심인 것은 ④, ⑤이다.

                           답 ④, ⑤

0107 $\triangle OAD\equiv\triangle OBD$이므로 $\angle BOD=\angle AOD=38°$

따라서 $\triangle OBD$에서

$\angle OBD=180°-(90°+38°)=52°$ **답** 52°

0108   점 O는 $\triangle ABC$의 외심이므로 $\overline{OA}=\overline{OC}$ ······ (가)

이때 $\triangle AOC$의 둘레의 길이가 20 cm이므로

$\overline{OA}+\overline{OC}+8=20,\ 2\overline{OA}=12$

$\therefore \overline{OA}=6\,(cm)$ ······ (나)

따라서 $\triangle ABC$의 외접원의 반지름의 길이는 6 cm이므로 구하는 외접원의 넓이는

$\pi\times6^2=36\pi\,(cm^2)$ ······ (다)

                          답 $36\pi\,cm^2$

채점 기준	비율
(가) $\overline{OA}=\overline{OC}$임을 알기	30 %
(나) $\overline{OA}$의 길이 구하기	40 %
(다) $\triangle ABC$의 외접원의 넓이 구하기	30 %

0109 $\triangle OAD\equiv\triangle OBD$, $\triangle OBE\equiv\triangle OCE$,

$\triangle OCF\equiv\triangle OAF$이므로

$\triangle ABC=\triangle OAB+\triangle OBC+\triangle OCA$

$=2(\triangle OBD+\triangle OBE+\triangle OAF)$

$=2\times\left(13+\dfrac{1}{2}\times4\times3\right)$

$=38\,(cm^2)$ **답** $38\,cm^2$

0110   **전략** 직각삼각형의 외심은 빗변의 중점임을 이용한다.

직각삼각형의 외심은 빗변의 중점이므로

(외접원의 반지름의 길이)$=\dfrac{1}{2}\overline{AC}=\dfrac{1}{2}\times10=5\,(cm)$

따라서 $\triangle ABC$의 외접원의 넓이는

$\pi\times5^2=25\pi\,(cm^2)$ **답** $25\pi\,cm^2$

0111 $\triangle ABC$의 둘레의 길이가 30 cm이므로

$\overline{AB}+12+5=30$ $\therefore \overline{AB}=13\,(cm)$

이때 직각삼각형의 외심은 빗변의 중점이므로

(외접원의 반지름의 길이)$=\dfrac{1}{2}\overline{AB}=\dfrac{13}{2}\,(cm)$

따라서 $\triangle ABC$의 외접원의 둘레의 길이는

$2\pi\times\dfrac{13}{2}=13\pi\,(cm)$ **답** $13\pi\,cm$

0112 $\overline{OA}=\overline{OC}$이므로

$\triangle OBC=\triangle OAB=\dfrac{1}{2}\triangle ABC$

$=\dfrac{1}{2}\times\left(\dfrac{1}{2}\times15\times8\right)=30\,(cm^2)$ **답** $30\,cm^2$

0113   **전략** 점 M이 $\triangle ABC$의 외심이므로 $\overline{MA}=\overline{MB}=\overline{MC}$임을 이용한다.

점 M은 $\triangle ABC$의 외심이므로 $\overline{MB}=\overline{MC}$

$\therefore \angle MBC=\angle C=\angle x$

따라서 $\triangle MBC$에서

$\angle x+\angle x=58°$ $\therefore \angle x=29°$ **답** 29°

0114   점 M은 $\triangle ABC$의 외심이므로 $\overline{MA}=\overline{MC}$

$\therefore \angle MCA=\angle A=30°$

따라서 $\triangle MCA$에서 $\angle BMC=30°+30°=60°$ **답** 60°

0115 $\angle B + \angle C = 90°$이고 $\angle B : \angle C = 2 : 3$이므로

$\angle B = 90° \times \dfrac{2}{5} = 36°$

점 M은 $\triangle ABC$의 외심이므로 $\overline{MA} = \overline{MB}$

$\therefore \angle MAB = \angle B = 36°$

따라서 $\triangle MAB$에서

$\angle AMC = 36° + 36° = 72°$ **답** $72°$

0116 점 O는 $\triangle ABC$의 외심이므로 $\overline{OA} = \overline{OC}$

$\therefore \angle OAC = \angle C = 36°$

$\triangle AOC$에서 $\angle AOH = 36° + 36° = 72°$

따라서 $\triangle AHO$에서

$\angle OAH = 180° - (90° + 72°) = 18°$ **답** $18°$

다른 풀이 점 O는 $\triangle ABC$의 외심이므로 $\overline{OA} = \overline{OC}$

$\therefore \angle OAC = \angle C = 36°$

또 $\triangle AHC$에서 $\angle CAH = 90° - 36° = 54°$

$\therefore \angle OAH = \angle CAH - \angle OAC$

$\qquad\qquad = 54° - 36° = 18°$

0117 **전략** $\angle OAB + \angle OBC + \angle OCA = 90°$임을 이용한다.

$\triangle OBC$에서 $\overline{OB} = \overline{OC}$이므로

$\angle OBC = \angle OCB = \angle x$

$20° + \angle x + 50° = 90°$이므로

$\angle x = 20°$ **답** $20°$

0118 $4\angle x + 2\angle x + 3\angle x = 90°$이므로

$9\angle x = 90°$ $\therefore \angle x = 10°$ **답** $10°$

0119 $\triangle OBC$에서 $\overline{OB} = \overline{OC}$이므로

$\angle OBC = \dfrac{1}{2} \times (180° - 120°) = 30°$

$\angle OAB + 30° + 42° = 90°$이므로

$\angle OAB = 18°$ **답** $18°$

0120 $35° + 26° + \angle OCA = 90°$이므로

$\angle OCA = 29°$

$\triangle OBC$에서 $\overline{OB} = \overline{OC}$이므로

$\angle OCB = \angle OBC = 26°$

$\therefore \angle ACB = \angle OCA + \angle OCB$

$\qquad\qquad = 29° + 26° = 55°$ **답** $55°$

0121 $46° + 20° + \angle OAC = 90°$이므로

$\angle OAC = 24°$

$\triangle OCA$에서 $\overline{OA} = \overline{OC}$이므로

$\angle OCA = \angle OAC = 24°$

따라서 $\triangle OCF$에서

$\angle x = 180° - (90° + 24°) = 66°$ **답** $66°$

0122 $\angle OAB + \angle OBC + \angle OCA = 90°$이고

$\angle OAB : \angle OBC : \angle OCA = 3 : 2 : 1$이므로

$\angle OAB = 90° \times \dfrac{3}{6} = 45°$ ······ ㉮

$\triangle OAB$에서 $\overline{OA} = \overline{OB}$이므로

$\angle OBA = \angle OAB = 45°$

$\therefore \angle AOB = 180° - (45° + 45°) = 90°$ ······ ㉯

답 $90°$

채점 기준	비율
㉮ $\angle OAB$의 크기 구하기	50 %
㉯ $\angle AOB$의 크기 구하기	50 %

0123 오른쪽 그림과 같이 $\overline{OA}$, $\overline{OB}$를 그으면 $\overline{OA} = \overline{OB} = \overline{OC}$

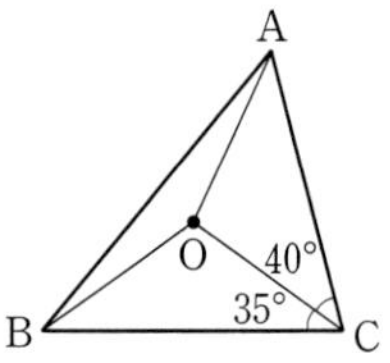

$\triangle OCA$에서

$\angle OAC = \angle OCA = 40°$

$\triangle OBC$에서

$\angle OBC = \angle OCB = 35°$

$\angle OAB + 35° + 40° = 90°$이므로 $\angle OAB = 15°$

$\overline{OA} = \overline{OB}$이므로

$\angle OBA = \angle OAB = 15°$

따라서 $\angle A = \angle OAB + \angle OAC = 15° + 40° = 55°$,

$\qquad \angle B = \angle OBA + \angle OBC = 15° + 35° = 50°$

이므로 $\angle A - \angle B = 5°$ **답** $5°$

0124 **전략** $\angle AOB = 2\angle ACB$임을 이용한다.

$\triangle OBC$에서 $\overline{OB} = \overline{OC}$이므로

$\angle OCB = \angle OBC = 25°$

$\angle ACB = \angle OCA + \angle OCB = 30° + 25° = 55°$

$\therefore \angle AOB = 2\angle ACB = 2 \times 55° = 110°$ **답** $110°$

0125 $\triangle OAB$에서 $\overline{OA} = \overline{OB}$이므로

$\angle OAB = \angle OBA = \angle x$

$\therefore \angle x + \angle y = \dfrac{1}{2} \angle BOC$

$\qquad\qquad = \dfrac{1}{2} \times 100° = 50°$ **답** $50°$

다른 풀이 $\triangle OBC$에서 $\overline{OB} = \overline{OC}$이므로

$\angle OBC = \angle OCB = \dfrac{1}{2} \times (180° - 100°) = 40°$

$\angle x + 40° + \angle y = 90°$이므로 $\angle x + \angle y = 50°$

0126 $\angle AOC = 2\angle B = 2 \times 64° = 128°$

$\triangle OCA$에서 $\overline{OA} = \overline{OC}$이므로

$\angle x = \dfrac{1}{2} \times (180° - 128°) = 26°$ **답** $26°$

다른풀이 $\angle x + \angle ABO + \angle OBC = 90°$

이므로 $\angle x + 64° = 90°$

$\therefore \angle x = 26°$

0127 오른쪽 그림과 같이 $\overline{OC}$를 그으면

$\angle BOC = 2\angle A = 2 \times 48° = 96°$

$\cdots\cdots$ ㈎

$\triangle OBC$에서 $\overline{OB} = \overline{OC}$이므로

$\angle x = \dfrac{1}{2} \times (180° - 96°) = 42°$

$\cdots\cdots$ ㈏

답 $42°$

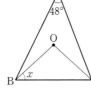

채점 기준	비율
㈎ $\angle BOC$의 크기 구하기	50 %
㈏ $\angle x$의 크기 구하기	50 %

0128 오른쪽 그림과 같이 $\overline{OB}$를 그으면

$\triangle OBC$에서 $\overline{OB} = \overline{OC}$이므로

$\angle OBC = \angle OCB = 40°$

$\therefore \angle BOC = 180° - 2 \times 40° = 100°$

$\therefore \angle BAC = \dfrac{1}{2}\angle BOC$

$= \dfrac{1}{2} \times 100° = 50°$

답 $50°$

0129 $\angle AOB + \angle BOC + \angle COA = 360°$이고

$\angle AOB : \angle BOC : \angle COA = 2 : 3 : 4$이므로

$\angle BOC = 360° \times \dfrac{3}{9} = 120°$

$\therefore \angle BAC = \dfrac{1}{2}\angle BOC = \dfrac{1}{2} \times 120° = 60°$

답 $60°$

0130 오른쪽 그림과 같이 $\overline{OA}$를 그으면

$\overline{OA} = \overline{OB} = \overline{OC}$

$\triangle OAB$에서

$\angle OAB = \angle OBA = 28°$

$\triangle OCA$에서

$\angle OAC = \angle OCA = 42°$

$\therefore \angle x = \angle OAB + \angle OAC = 28° + 42° = 70°$,

$\angle y = 2\angle x = 2 \times 70° = 140°$

$\therefore \angle x + \angle y = 70° + 140° = 210°$

답 $210°$

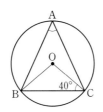

0131 오른쪽 그림과 같이 $\overline{OA}$를 그으면

$\overline{OA} = \overline{OB} = \overline{OC}$

$\triangle OAB$에서

$\angle OAB = \angle OBA = 20°$

$\triangle OCA$에서

$\angle OAC = \angle OCA = 25°$

$\therefore \angle BAC = \angle OAB + \angle OAC = 20° + 25° = 45°$,

$\angle BOC = 2\angle BAC = 2 \times 45° = 90°$

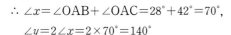

따라서 부채꼴 BOC의 넓이는

$\pi \times 4^2 \times \dfrac{90}{360} = 4\pi$ (cm²)　　**답** 4π cm²

0132 $\triangle OAB$에서 $\overline{OA} = \overline{OB}$이므로

$\angle OAB = \angle B = 35°$

$\therefore \angle AOC = 35° + 35° = 70°$

$\triangle OCA$에서 $\overline{OA} = \overline{OC}$이므로

$\angle OAC = \angle OCA = \dfrac{1}{2} \times (180° - 70°) = 55°$

따라서 점 O′이 $\triangle AOC$의 외심이므로

$\angle OO'C = 2\angle OAC = 2 \times 55° = 110°$　　**답** $110°$

다른풀이 $\triangle OAB$에서 $\overline{OA} = \overline{OB}$이므로

$\angle OAB = \angle B = 35°$

이때 $\triangle ABC$의 외심 O가 $\overline{BC}$ 위에 있으므로 $\triangle ABC$는

$\angle A = 90°$인 직각삼각형이다.

$\therefore \angle OAC = 90° - 35° = 55°$

따라서 점 O′이 $\triangle AOC$의 외심이므로

$\angle OO'C = 2\angle OAC = 2 \times 55° = 110°$

0133 **전략** 삼각형의 외심의 성질을 이용한다.

점 O가 $\triangle ABC$의 외심이므로 $\overline{OA} = \overline{OB} = \overline{OC}$

$\angle OAB = \angle OBA = 30° + 10° = 40°$

$\triangle OCB$에서 $\angle OCB = \angle OBC = 10°$

$\angle BAC = \angle x$라 하면 $\triangle OCA$에서 $\overline{OA} = \overline{OC}$이므로

$\angle OCA = \angle OAC = \angle x - 40°$

$\angle ACB = (\angle x - 40°) - 10° = \angle x - 50°$

$\triangle ABC$에서 세 내각의 크기의 합은 $180°$이므로

$\angle x + 30° + (\angle x - 50°) = 180°$

$2\angle x = 200°$　　$\therefore \angle x = 100°$　　**답** $100°$

다른풀이 $\triangle BOC$에서

$\angle OCB = \angle OBC = 10°$이므로

$\angle BOC = 180° - 2 \times 10° = 160°$

따라서 $\angle a = 360° - 160° = 200°$

이므로 $\angle BAC = \dfrac{1}{2}\angle a = \dfrac{1}{2} \times 200° = 100°$

0134 점 O가 $\triangle ABC$의 외심이므로

$\overline{OA} = \overline{OB} = \overline{OC}$

$\triangle OCA$에서

$\angle OAC = \angle OCA$

$= 35° + 15° = 50°$

$\triangle OCB$에서 $\angle OBC = \angle OCB = 15°$

$\angle ABC = \angle x$라 하면 $\triangle OAB$에서

$\angle OAB = \angle OBA = \angle x + 15°$

$\triangle ABC$에서 세 내각의 크기의 합은 $180°$이므로

$(\angle x + 15° + 50°) + \angle x + 35° = 180°$

$2\angle x = 80°$　　$\therefore \angle x = 40°$　　**답** $40°$

0135 오른쪽 그림과 같이 $\overline{OD}$를 긋고 $\angle ODA=\angle a$, $\angle ODC=\angle b$라 하자.

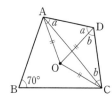

점 O가 △ABC의 외심이므로

$\angle AOC=2\angle B=2\times70^\circ=140^\circ$

점 O가 △ACD의 외심이므로

$\angle OAD=\angle ODA=\angle a$, $\angle OCD=\angle ODC=\angle b$

사각형 AOCD에서

$\angle a+140^\circ+\angle b+(\angle a+\angle b)=360^\circ$이므로

$2(\angle a+\angle b)=220^\circ$ ∴ $\angle a+\angle b=110^\circ$

∴ $\angle D=\angle a+\angle b=110^\circ$ **답** 110°

STEP 1 개념 마스터   p.32 ~ p.33

0136 $\angle OAP=90^\circ$이므로

$\angle x=180^\circ-(90^\circ+30^\circ)=60^\circ$ **답** 60°

0137   **답** ×

0138   **답** ○

0139   **답** ○

0140   **답** ○

0141   **답** ×

0142 $\angle x=\angle ICA=25^\circ$ **답** 25°

0143 $\angle IBC=\angle IBA=35^\circ$이므로

△IBC에서 $\angle x=180^\circ-(35^\circ+20^\circ)=125^\circ$ **답** 125°

0144 $\angle ICB=\angle ICA=30^\circ$이므로

△IBC에서 $\angle IBC=180^\circ-(130^\circ+30^\circ)=20^\circ$

∴ $\angle x=\angle IBC=20^\circ$ **답** 20°

0145 $\angle x+25^\circ+30^\circ=90^\circ$ ∴ $\angle x=35^\circ$ **답** 35°

0146 $\angle x+45^\circ+25^\circ=90^\circ$ ∴ $\angle x=20^\circ$ **답** 20°

0147 $\angle x=90^\circ+\dfrac{1}{2}\times60^\circ=120^\circ$ **답** 120°

0148 $130^\circ=90^\circ+\dfrac{1}{2}\angle x$ ∴ $\angle x=80^\circ$ **답** 80°

0149 $\overline{BD}=\overline{BE}=6$ cm이므로 $\overline{AD}=8-6=2$ (cm)   **답** 2 cm

0150 $\overline{CF}=\overline{CE}=2$ cm이므로 $\overline{AF}=5-2=3$ (cm)

∴ $\overline{AD}=\overline{AF}=3$ cm   **답** 3 cm

0151 $\triangle ABC=\dfrac{1}{2}\times3\times(8+17+15)=60$ (cm^2)   **답** 60 cm^2

STEP 2 유형 마스터   p.34 ~ p.40

0152 전략 삼각형의 내심의 성질을 정확히 이해한다.

① $\overline{ID}=\overline{IE}=\overline{IF}=$(내접원의 반지름의 길이)

② $\overline{CI}$는 $\angle C$의 이등분선이므로 $\angle ICE=\angle ICF$

③ △IAD와 △IAF에서

$\angle ADI=\angle AFI=90^\circ$, $\overline{AI}$는 공통, $\angle IAD=\angle IAF$

이므로 △IAD≡△IAF (RHA 합동)

∴ $\overline{AD}=\overline{AF}$

⑤ △IBD와 △IBE에서

$\angle BDI=\angle BEI=90^\circ$, $\overline{BI}$는 공통, $\angle IBD=\angle IBE$

이므로 △IBD≡△IBE (RHA 합동)   **답** ④

0153 삼각형의 내심은 세 내각의 이등분선의 교점이고, 삼각형의 내심에서 세 변에 이르는 거리는 같다.

따라서 점 I가 △ABC의 내심인 것은 ①, ④이다.

답 ①, ④

0154 △IBC에서 $\angle IBC=180^\circ-(110^\circ+30^\circ)=40^\circ$

∴ $\angle IBA=\angle IBC=40^\circ$ **답** 40°

0155 $\angle IBC=\angle IBA=15^\circ$

따라서 △IBC에서

$\angle BIC=180^\circ-(15^\circ+35^\circ)=130^\circ$ **답** 130°

0156 전략 $\overline{AI}$를 그은 후 삼각형의 내심의 성질을 이용한다.

오른쪽 그림과 같이 $\overline{AI}$를 그으면

$\angle IAB=\dfrac{1}{2}\angle BAC$

$=\dfrac{1}{2}\times70^\circ=35^\circ$

$35^\circ+\angle x+25^\circ=90^\circ$이므로

$\angle x=30^\circ$ **답** 30°

0157 $45°+\angle x+20°=90°$이므로 $\angle x=25°$ **답** $25°$

0158 오른쪽 그림과 같이 $\overline{AI}$를 그 으면 $\angle IAB+20°+30°=90°$ 이므로 $\angle IAB=40°$
$\therefore \angle x=2\angle IAB$
$\qquad =2\times40°=80°$ **답** $80°$

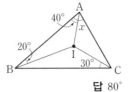

0159 전략 $\angle BIC=90°+\dfrac{1}{2}\angle BAC$임을 이용한다.

$\angle IAC=\angle IAB=23°$이므로

$\angle BAC=23°+23°=46°$

$\therefore \angle BIC=90°+\dfrac{1}{2}\angle BAC$

$\qquad =90°+\dfrac{1}{2}\times46°=113°$ **답** $113°$

0160 $\angle ICB=\angle ICA=30°$이므로

$\triangle IBC$에서 $\angle IBC=180°-(122°+30°)=28°$

$\therefore \angle x=\angle IBC=28°$ ······ (가)

$\angle ABC=28°+28°=56°$이므로

$\angle y=90°+\dfrac{1}{2}\angle ABC=90°+\dfrac{1}{2}\times56°=118°$ ······ (나)

$\therefore \angle x+\angle y=28°+118°=146°$ ······ (다)

답 $146°$

채점 기준	비율
(가) $\angle x$의 크기 구하기	40 %
(나) $\angle y$의 크기 구하기	40 %
(다) $\angle x+\angle y$의 크기 구하기	20 %

0161 $\angle BAC+\angle ABC+\angle ACB=180°$이고

$\angle BAC:\angle ABC:\angle ACB=5:3:2$이므로

$\angle BAC=180°\times\dfrac{5}{10}=90°$

$\therefore \angle BIC=90°+\dfrac{1}{2}\angle BAC$

$\qquad =90°+\dfrac{1}{2}\times90°=135°$ **답** $135°$

0162 점 I가 $\triangle ABC$의 내심이므로

$\angle BIC=90°+\dfrac{1}{2}\angle A=90°+\dfrac{1}{2}\times52°=116°$

점 I′이 $\triangle IBC$의 내심이므로

$\angle BI'C=90°+\dfrac{1}{2}\angle BIC$

$\qquad =90°+\dfrac{1}{2}\times116°=148°$ **답** $148°$

0163 전략 $\overline{AD}=x$ cm로 놓고, 나머지 선분의 길이를 x에 대한 식으로 나타낸다.

$\overline{AD}=x$ cm라 하면 $\overline{AF}=\overline{AD}=x$ cm

$\overline{BE}=\overline{BD}=(5-x)$ cm, $\overline{CE}=\overline{CF}=(7-x)$ cm

이때 $\overline{BC}=\overline{BE}+\overline{CE}$이므로

$8=(5-x)+(7-x)$

$2x=4$ $\therefore x=2$

따라서 $\overline{AD}$의 길이는 2 cm이다. **답** 2 cm

0164 $\overline{AF}=\overline{AD}=2$ cm이므로 $\overline{CE}=\overline{CF}=6-2=4$ (cm)

$\overline{BE}=\overline{BD}=5$ cm

$\therefore \overline{BC}=\overline{BE}+\overline{CE}=5+4=9$ (cm) **답** 9 cm

0165 오른쪽 그림과 같이 $\overline{ID}$, $\overline{IF}$를 그으면

사각형 IECF는 정사각 형이므로

$\overline{CE}=\overline{CF}=\overline{IE}=4$ cm

$\overline{AD}=\overline{AF}=10-4=6$ (cm)

$\overline{BE}=\overline{BD}=26-6=20$ (cm)

$\therefore \overline{BC}=\overline{BE}+\overline{CE}=20+4=24$ (cm) **답** 24 cm

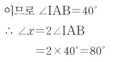

0166 전략 내접원 I의 반지름의 길이를 r cm로 놓고, 삼각형의 넓이 를 이용하여 내접원 I의 반지름의 길이를 구한다.

내접원 I의 반지름의 길이를 r cm라 하면

$84=\dfrac{1}{2}\times r\times(15+14+13)$

$21r=84$ $\therefore r=4$

따라서 내접원 I의 반지름의 길이는 4 cm이다. **답** 4 cm

0167 $60=\dfrac{1}{2}\times4\times(\overline{AB}+\overline{BC}+\overline{CA})$이므로

$2(\overline{AB}+\overline{BC}+\overline{CA})=60$

$\therefore \overline{AB}+\overline{BC}+\overline{CA}=30$ (cm)

따라서 $\triangle ABC$의 둘레의 길이는 30 cm이다. **답** 30 cm

0168 $\triangle ABC$의 내접원 I의 반지름의 길이를 r cm라 하면

$48=\dfrac{1}{2}\times r\times(10+12+10)$

$16r=48$ $\therefore r=3$

$\therefore \triangle IBC=\dfrac{1}{2}\times12\times3=18$ (cm²) **답** 18 cm²

0169 내접원 I의 반지름의 길이를 r cm라 하면

$\dfrac{1}{2}\times8\times6=\dfrac{1}{2}\times r\times(10+8+6)$

$12r=24$ $\therefore r=2$ ······ (가)

$\therefore \triangle IAB=\dfrac{1}{2}\times10\times2=10$ (cm²) ······ (나)

답 10 cm²

채점 기준	비율
(가) 내접원 I의 반지름의 길이 구하기	70 %
(나) $\triangle IAB$의 넓이 구하기	30 %

0170 오른쪽 그림과 같이 $\overline{ID}$를 그으면 사각형 DBEI는 정사각형이므로
$\overline{BD}=\overline{BE}=\overline{IE}=3\text{ cm}$
$\overline{AD}=a\text{ cm},\ \overline{CE}=b\text{ cm}$라 하면

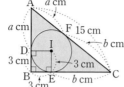

$\overline{AB}=(a+3)\text{ cm},\ \overline{BC}=(b+3)\text{ cm}$
또 $\overline{AF}=\overline{AD}=a\text{ cm},\ \overline{CF}=\overline{CE}=b\text{ cm}$이고
$\overline{AF}+\overline{CF}=15\text{ cm}$이므로 $a+b=15$

$\therefore \triangle ABC=\dfrac{1}{2}\times 3\times\{(a+3)+(b+3)+15\}$
$\qquad\qquad=\dfrac{1}{2}\times 3\times(a+b+21)$
$\qquad\qquad=\dfrac{1}{2}\times 3\times 36=54\ (\text{cm}^2)$　　**답** 54 cm^2

0171 내접원 I의 반지름의 길이를 $r\text{ cm}$라 하면
$\dfrac{1}{2}\times 8\times 15=\dfrac{1}{2}\times r\times(17+8+15)$
$20r=60$　　$\therefore r=3$
$\therefore$ (색칠한 부분의 넓이)
$=$(사각형 IECF의 넓이)$-$(부채꼴 EIF의 넓이)
$=3\times 3-\pi\times 3^2\times\dfrac{1}{4}$
$=9-\dfrac{9}{4}\pi\ (\text{cm}^2)$　　**답** $\left(9-\dfrac{9}{4}\pi\right)\text{cm}^2$

0172 【전략】 삼각형의 내심의 성질과 평행선의 성질을 이용한다.
점 I는 $\triangle ABC$의 내심이므로
$\angle DBI=\angle IBC,\ \angle ECI=\angle ICB$
또 $\overline{DE}\,/\!/\,\overline{BC}$이므로
$\angle DIB=\angle IBC$ (엇각),
$\angle EIC=\angle ICB$ (엇각)

즉 $\angle DIB=\angle DBI,\ \angle EIC=\angle ECI$이므로
$\overline{DI}=\overline{DB},\ \overline{EI}=\overline{EC}$
$\therefore$ ($\triangle ADE$의 둘레의 길이)
$=\overline{AD}+\overline{DE}+\overline{EA}$
$=\overline{AD}+(\overline{DI}+\overline{EI})+\overline{EA}$
$=(\overline{AD}+\overline{DB})+(\overline{EC}+\overline{EA})$
$=\overline{AB}+\overline{AC}$
$=9+8=17\ (\text{cm})$　　**답** 17 cm

0173 점 I는 $\triangle ABC$의 내심이므로
$\angle DBI=\angle IBC,\ \angle ECI=\angle ICB$
또 $\overline{DE}\,/\!/\,\overline{BC}$이므로
$\angle DIB=\angle IBC$ (엇각) (④),
$\angle EIC=\angle ICB$ (엇각)

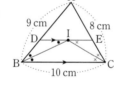

즉 $\angle DIB=\angle DBI,\ \angle EIC=\angle ECI$ (③)
이므로 $\overline{DB}=\overline{DI}$ (①), $\overline{EC}=\overline{EI}$ (②)

⑤ $\overline{DI}=\overline{DB},\ \overline{EI}=\overline{EC}$이므로
$\overline{AD}+\overline{DE}+\overline{EA}=\overline{AD}+(\overline{DI}+\overline{EI})+\overline{EA}$
$\qquad\qquad\qquad\qquad=(\overline{AD}+\overline{DB})+(\overline{EC}+\overline{EA})$
$\qquad\qquad\qquad\qquad=\overline{AB}+\overline{AC}$
$\qquad\qquad\qquad\qquad=12+8=20\ (\text{cm})$　　**답** ⑤

0174 오른쪽 그림과 같이 $\overline{BI},\ \overline{CI}$를 그으면 점 I는 $\triangle ABC$의 내심이므로
$\angle DBI=\angle IBC,$
$\angle ECI=\angle ICB$
또 $\overline{DE}\,/\!/\,\overline{BC}$이므로

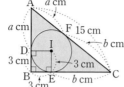

$\angle DIB=\angle IBC$ (엇각), $\angle EIC=\angle ICB$ (엇각)
즉 $\angle DIB=\angle DBI,\ \angle EIC=\angle ECI$이므로
$\overline{DI}=\overline{DB}=4\text{ cm},\ \overline{EI}=\overline{EC}=3\text{ cm}$
$\therefore \overline{DE}=\overline{DI}+\overline{EI}=4+3=7\ (\text{cm})$　　**답** 7 cm

0175 오른쪽 그림과 같이 $\overline{AI},\ \overline{CI}$를 그으면 $\overline{DA}=\overline{DI},\ \overline{EC}=\overline{EI}$이므로
$\overline{AB}+\overline{BC}$
$=(\overline{BD}+\overline{DA})+(\overline{BE}+\overline{EC})$
$=(\overline{BD}+\overline{DI})+(\overline{BE}+\overline{EI})$
$=(\triangle DBE$의 둘레의 길이$)$
$=13\text{ cm}$
$\therefore$ ($\triangle ABC$의 둘레의 길이)$=\overline{AB}+\overline{BC}+\overline{CA}$
$\qquad\qquad\qquad\qquad\qquad=13+9=22\ (\text{cm})$
답 22 cm

0176 【전략】 $\angle BOC=2\angle A,\ \angle BIC=90°+\dfrac{1}{2}\angle A$임을 이용한다.
점 I는 $\triangle ABC$의 내심이므로
$\angle BIC=90°+\dfrac{1}{2}\angle A=90°+\dfrac{1}{2}\times 50°=115°$
점 O는 $\triangle ABC$의 외심이므로
$\angle BOC=2\angle A=2\times 50°=100°$
$\therefore \angle BIC-\angle BOC=115°-100°=15°$　　**답** $15°$

0177 점 I는 $\triangle ABC$의 내심이므로
$130°=90°+\dfrac{1}{2}\angle A$　　$\therefore \angle A=80°$
점 O는 $\triangle ABC$의 외심이므로
$\angle BOC=2\angle A=2\times 80°=160°$　　**답** $160°$

0178 $\triangle OBC$에서 $\overline{OB}=\overline{OC}$이므로 $\angle OCB=\angle OBC=40°$
따라서 $\angle BOC=180°-2\times 40°=100°$이므로
$\angle A=\dfrac{1}{2}\angle BOC=\dfrac{1}{2}\times 100°=50°$

$$\therefore \angle BIC = 90° + \frac{1}{2}\angle A = 90° + \frac{1}{2} \times 50° = 115° \quad \text{답} \; 115°$$

0179 △ABC에서 $\angle A = 180° - (44° + 60°) = 76°$이므로

$\angle BOC = 2\angle A = 2 \times 76° = 152°$

$\angle BIC = 90° + \frac{1}{2}\angle A = 90° + \frac{1}{2} \times 76° = 128°$

$\therefore \angle BOC + \angle BIC = 152° + 128° = 280°$ **답** $280°$

0180 (1) 점 O가 △ABC의 외심이므로

$\angle BOC = 2\angle A = 2 \times 44° = 88°$

△OBC에서 $\overline{OB} = \overline{OC}$이므로

$\angle OBC = \frac{1}{2} \times (180° - 88°) = 46°$ …… (가)

(2) △ABC에서 $\overline{AB} = \overline{AC}$이므로

$\angle ABC = \frac{1}{2} \times (180° - 44°) = 68°$

점 I가 △ABC의 내심이므로

$\angle IBC = \frac{1}{2}\angle ABC = \frac{1}{2} \times 68° = 34°$ …… (나)

(3) $\angle OBI = \angle OBC - \angle IBC$

$= 46° - 34° = 12°$ …… (다)

답 (1) $46°$ (2) $34°$ (3) $12°$

채점 기준	비율
(가) ∠OBC의 크기 구하기	40 %
(나) ∠IBC의 크기 구하기	40 %
(다) ∠OBI의 크기 구하기	20 %

0181 전략 직각삼각형에서 외심과 내심의 성질을 이용한다.

외접원 O의 반지름의 길이는

$\frac{1}{2}\overline{BC} = \frac{1}{2} \times 10 = 5 \; (\text{cm})$

내접원 I의 반지름의 길이를 r cm라 하면

$\frac{1}{2} \times 6 \times 8 = \frac{1}{2} \times r \times (6 + 10 + 8)$

$12r = 24$ $\therefore r = 2$

$\therefore$ (색칠한 부분의 넓이) $=$ (원 O의 넓이) $-$ (원 I의 넓이)

$= \pi \times 5^2 - \pi \times 2^2$

$= 21\pi \; (\text{cm}^2)$ **답** $21\pi \; \text{cm}^2$

0182 외접원의 반지름의 길이는

$\frac{1}{2}\overline{AC} = \frac{1}{2} \times 5 = \frac{5}{2} \; (\text{cm})$

내접원의 반지름의 길이를 r cm라 하면

$\frac{1}{2} \times 3 \times 4 = \frac{1}{2} \times r \times (4 + 3 + 5)$

$6r = 6$ $\therefore r = 1$

따라서 외접원과 내접원의 반지름의 길이의 합은

$\frac{5}{2} + 1 = \frac{7}{2} \; (\text{cm})$ **답** $\frac{7}{2} \; \text{cm}$

0183 $\overline{AB}$가 외접원 O의 지름이므로

△ABC는 $\angle C = 90°$인 직각삼각형이다.

오른쪽 그림과 같이 △ABC와 내접원 I의 접점을 각각 D, E, F라 하고 $\overline{BE} = a$ cm, $\overline{AF} = b$ cm라 하면

$\overline{BC} = (a+1)$ cm, $\overline{AC} = (b+1)$ cm

또 $\overline{BD} = \overline{BE} = a$ cm, $\overline{AD} = \overline{AF} = b$ cm이고

$\overline{BD} + \overline{AD} = 6$ cm이므로 $a + b = 6$

$\therefore \triangle ABC = \frac{1}{2} \times 1 \times \{6 + (a+1) + (b+1)\}$

$= \frac{1}{2} \times 1 \times (a + b + 8)$

$= \frac{1}{2} \times 1 \times (6 + 8) = 7 \; (\text{cm}^2)$ **답** $7 \; \text{cm}^2$

0184 전략 삼각형의 내심의 성질과 외각의 성질을 이용한다.

$\angle BAD = \angle CAD = \angle a$,

$\angle ABE = \angle CBE = \angle b$라 하면

△BCE에서 $\angle x = \angle b + 40°$

△ADC에서 $\angle y = \angle a + 40°$

△ABC에서

$2\angle a + 2\angle b + 40° = 180°$이므로

$2(\angle a + \angle b) = 140°$ $\therefore \angle a + \angle b = 70°$

$\therefore \angle x + \angle y = (\angle b + 40°) + (\angle a + 40°)$

$= 70° + 80° = 150°$ **답** $150°$

0185 $\angle BAD = \angle CAD = \angle a$,

$\angle ABE = \angle CBE = \angle b$라 하면

△BCE에서 $\angle x = \angle b + 70°$

△ADC에서 $\angle y = \angle a + 70°$

△ABC에서

$2\angle a + 2\angle b + 70° = 180°$이므로

$2(\angle a + \angle b) + 110°$ $\therefore \angle a + \angle b = 55°$

$\therefore \angle x + \angle y = (\angle b + 70°) + (\angle a + 70°)$

$= 55° + 140° = 195°$ **답** $195°$

0186 점 I는 △ABC의 내심이므로

$\angle BIC = 90° + \frac{1}{2}\angle A = 90° + \frac{1}{2} \times 54° = 117°$,

$\angle IBC = \angle ABI = 32°$

점 I'은 △DBC의 내심이므로

$\angle IBI' = \frac{1}{2}\angle IBC = \frac{1}{2} \times 32° = 16°$

따라서 △IBI'에서

$\angle II'B = 180° - (117° + 16°) = 47°$ **답** $47°$

0187 점 I가 △DBC의 내심이므로

$$\angle DBI = \frac{1}{2}\angle DBC = \frac{1}{2} \times 48° = 24°$$

△DCA에서 $\overline{DA} = \overline{DC}$이므로

$$\angle DAC = \frac{1}{2} \times 80° = 40°$$

이때 점 I′은 △DCA의 내심이므로

$$\angle DAI' = \frac{1}{2}\angle DAC = \frac{1}{2} \times 40° = 20°$$

따라서 △ABP에서

$$\angle IPI' = 180° - (20° + 24°) = 136°$$ 　　　**답** 136°

0188 $\angle BAD = \angle CAD = \angle a$,

$\angle ABE = \angle CBE = \angle b$라 하면

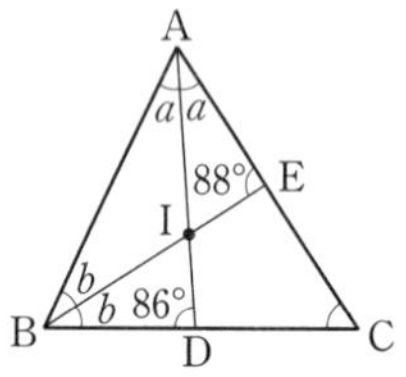

△ABE에서

$2\angle a + \angle b + 88° = 180°$

즉 $2\angle a + \angle b = 92°$ ‥‥‥ ㉠

△ABD에서

$\angle a + 2\angle b + 86° = 180°$

즉 $\angle a + 2\angle b = 94°$ ‥‥‥ ㉡

㉠, ㉡에서 $3(\angle a + \angle b) = 186°$ 　∴ $\angle a + \angle b = 62°$

△ABC에서

$\angle C = 180° - 2(\angle a + \angle b)$

　　$= 180° - 2 \times 62° = 56°$ 　　**답** 56°

0189 △ABC가 정삼각형이므로

$\angle ABC = 60°$

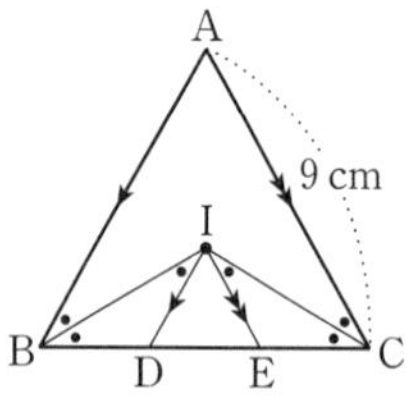

오른쪽 그림과 같이 $\overline{IB}, \overline{IC}$를 그으면 점 I는 △ABC의 내심이므로

$\angle ABI = \angle IBD = 30°$

$\overline{AB} \parallel \overline{ID}$이므로

$\angle BID = \angle ABI = 30°$ (엇각)

∴ $\overline{DB} = \overline{DI}$

또 △IBD에서

$\angle IDE = \angle IBD + \angle BID = 30° + 30° = 60°$

같은 방법으로 하면 $\overline{EC} = \overline{EI}$, $\angle IED = 60°$

따라서 △IDE는 정삼각형이므로

$\overline{BD} = \overline{DI} = \overline{DE} = \overline{EI} = \overline{EC}$

∴ $\overline{DE} = \frac{1}{3}\overline{BC} = \frac{1}{3} \times 9 = 3$ (cm) 　　**답** 3 cm

0190 　**전략**　삼각형의 외심과 내심의 성질을 이용한다.

△ABC에서 $\angle ACB = 180° - (90° + 60°) = 30°$

이때 점 O가 △ABC의 외심이므로

$\overline{OA} = \overline{OB} = \overline{OC}$

따라서 △OBC에서 $\overline{OB} = \overline{OC}$이므로

$\angle OBC = \angle OCB = 30°$

한편 점 I가 △ABC의 내심이므로

$$\angle ICB = \frac{1}{2}\angle ACB = \frac{1}{2} \times 30° = 15°$$

따라서 △PBC에서

$$\angle BPC = 180° - (30° + 15°) = 135°$$ 　　**답** 135°

0191 △ABC에서 $\angle ACB = 180° - (90° + 50°) = 40°$

이때 점 O가 △ABC의 외심이므로

$\overline{OA} = \overline{OB} = \overline{OC}$

따라서 △OBC에서 $\overline{OB} = \overline{OC}$이므로

$\angle OBC = \angle OCB = 40°$

한편 점 I가 △ABC의 내심이므로

$$\angle ICB = \frac{1}{2}\angle ACB = \frac{1}{2} \times 40° = 20°$$

따라서 △PBC에서

$\angle OPC = \angle PBC + \angle PCB$

　　$= 40° + 20° = 60°$ 　　**답** 60°

0192 점 I가 △ABC의 내심이므로

$\angle BAI = \angle CAI = 40°$

∴ $\angle DAE = \angle BAI - \angle BAD = 40° - 25° = 15°$

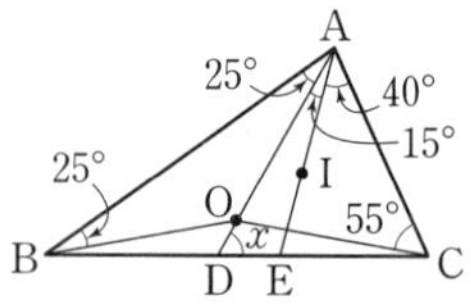

오른쪽 그림과 같이 $\overline{OB}, \overline{OC}$를 그으면 $\overline{OA} = \overline{OB} = \overline{OC}$이므로

$\angle OBA = \angle OAB = 25°$,

$\angle OCA = \angle OAC$

　　$= 15° + 40° = 55°$

점 O가 △ABC의 외심이므로

$\angle OAB + \angle OBC + \angle OCA = 90°$에서

$25° + \angle OBC + 55° = 90°$ 　∴ $\angle OBC = 10°$

따라서 △ABD에서

$\angle x = \angle BAD + \angle ABD$

　　$= 25° + (25° + 10°) = 60°$ 　　**답** 60°

STEP 3 　**내신 마스터** 　　　p.41 ~ p.43

0193 　**전략**　삼각형의 외심의 성질을 정확히 이해한다.

점 O는 △ABC의 외심이므로

$\overline{OA} = \overline{OB} = \overline{OC}$ (④)

$\overline{OA} = \overline{OB}$이므로 $\angle OAD = \angle OBD$ (①)

$\overline{OB} = \overline{OC}$이므로 $\angle OBE = \angle OCE$ (②)

$\overline{OC} = \overline{OA}$이므로 $\angle OCF = \angle OAF$ (③) 　**답** ⑤

0194 　**전략**　점 O는 직각삼각형 ABC의 빗변의 중점이므로 △ABC의 외심임을 파악한다.

$\angle OAB + \angle OAC = 90°$이고 $\angle OAB : \angle OAC = 2 : 1$이므로 $\angle OAC = 90° \times \frac{1}{3} = 30°$

이때 점 O는 직각삼각형 ABC의 빗변의 중점이므로 삼각형 ABC의 외심이다. $\therefore \overline{OA}=\overline{OB}=\overline{OC}$

따라서 △AOC에서 $\overline{OA}=\overline{OC}$이므로

$\angle OCA = \angle OAC = 30°$

$\therefore \angle AOC = 180° - 2 \times 30° = 120°$ **답** 120°

0195 (전략) $\overline{OA}, \overline{OC}$를 긋고 $\angle OAB + \angle OBC + \angle OCA = 90°$임을 이용한다.

오른쪽 그림과 같이 $\overline{OA}, \overline{OC}$를 그으면 $\overline{OA}=\overline{OB}=\overline{OC}$이므로

$\angle OAB = \angle OBA = 30°$,

$\angle OCB = \angle OBC = 15°$

$30° + 15° + \angle OCA = 90°$이므로

$\angle OCA = 45°$

$\therefore \angle C = 15° + 45° = 60°$ **답** ①

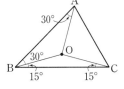

0196 (전략) $\angle OAB + \angle OBC + \angle OCA = 90°$임을 이용한다.

$\angle OBC = 90° \times \dfrac{2}{10} = 18°$

△OBC에서 $\overline{OB}=\overline{OC}$이므로

$\angle OCB = \angle OBC = 18°$

$\therefore \angle BOC = 180° - (18° + 18°) = 144°$ **답** ⑤

0197 (전략) $\overline{OC}$를 긋고 $\angle ACB$의 크기를 구한다.

오른쪽 그림과 같이 $\overline{OC}$를 그으면 $\overline{OA}=\overline{OB}=\overline{OC}$이므로

$\angle OCA = \angle OAC = 20°$,

$\angle OCB = \angle OBC = 30°$

따라서

$\angle ACB = \angle OCA + \angle OCB = 20° + 30° = 50°$ ······ (가)

$\therefore \angle x = 2 \angle ACB = 2 \times 50° = 100°$ ······ (나)

답 100°

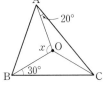

채점 기준	비율
(가) $\angle ACB$의 크기 구하기	50 %
(나) $\angle x$의 크기 구하기	50 %

0198 (전략) 점 O′이 △AOC의 외심임을 이용하여 $\angle OAC$의 크기를 먼저 구한다.

△O′OC에서 $\overline{O'O}=\overline{O'C}$이므로 $\angle O'OC = \angle O'CO = 40°$

$\therefore \angle OO'C = 180° - 2 \times 40° = 100°$

점 O′이 △AOC의 외심이므로

$\angle OAC = \dfrac{1}{2} \angle OO'C = \dfrac{1}{2} \times 100° = 50°$

이때 △ABC의 외심 O가 $\overline{BC}$ 위에 있으므로 △ABC는 $\angle A = 90°$인 직각삼각형이다.

$\therefore \angle OAB = 90° - 50° = 40°$

△OAB에서 $\overline{OA}=\overline{OB}$이므로

$\angle B = \angle OAB = 40°$ **답** 40°

0199 (전략) $\overline{OA}, \overline{OB}$를 긋고 삼각형의 외심의 성질을 이용한다.

오른쪽 그림과 같이 $\overline{OA}, \overline{OB}$를 그으면 $\overline{OA}=\overline{OB}=\overline{OC}$이므로 △OCA에서

$\angle OAC = \angle OCA$

$\qquad = 20° + 30° = 50°$

△OCB에서 $\angle OBC = \angle OCB = 20°$

$\angle BAC = \angle x$라 하면 △OAB에서

$\angle OBA = \angle OAB = \angle x - 50°$

$\angle ABC = (\angle x - 50°) - 20° = \angle x - 70°$

△ABC에서 세 내각의 크기의 합은 180°이므로

$\angle x + (\angle x - 70°) + 30° = 180°, 2\angle x = 220°$

$\therefore \angle x = 110°$, 즉 $\angle BAC = 110°$ **답** 110°

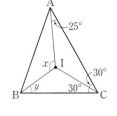

0200 (전략) 삼각형의 내심의 성질을 정확히 이해한다.

③ $\overline{ID}=\overline{IE}=\overline{IF}=$(내접원의 반지름의 길이)   **답** ③

0201 (전략) 삼각형의 내심의 성질을 이용하여 각의 크기를 구한다.

점 I가 △ABC의 내심이므로

$\angle x = 90° + \dfrac{1}{2}\angle C = 90° + \dfrac{1}{2} \times 60° = 120°$ ······ (가)

오른쪽 그림과 같이 $\overline{IC}$를 그으면

$\angle ICA = \angle ICB = 30°$

$25° + \angle y + 30° = 90°$이므로

$\angle y = 35°$ ······ (나)

$\therefore \angle x + \angle y = 120° + 35°$

$\qquad = 155°$ ······ (다)

답 155°

채점 기준	비율
(가) $\angle x$의 크기 구하기	40 %
(나) $\angle y$의 크기 구하기	40 %
(다) $\angle x + \angle y$의 크기 구하기	20 %

0202 (전략) 삼각형의 내접원의 반지름의 길이와 넓이를 이용하여 둘레의 길이를 구한다.

$16 = \dfrac{1}{2} \times 2 \times (\overline{AB} + \overline{BC} + \overline{CA})$이므로

$\overline{AB} + \overline{BC} + \overline{CA} = 16 \text{ (cm)}$

따라서 △ABC의 둘레의 길이는 16 cm이다.   **답** ②

0203 (전략) 내접원 I의 반지름의 길이를 r cm로 놓고, △ABI와 △ABC의 넓이를 각각 r에 대한 식으로 나타낸다.

내접원 I의 반지름의 길이를 r cm라 하면

$\triangle ABI = \dfrac{1}{2} \times 8 \times r = 4r \text{ (cm}^2)$

$$\triangle ABC = \frac{1}{2} \times r \times (8+5+7) = 10r \ (cm^2)$$

$$\therefore \triangle ABI : \triangle ABC = 4r : 10r = 2 : 5 \qquad \text{답 } ③$$

0204 전략 내접원 I의 반지름의 길이를 r cm로 놓고
$\triangle ABC = \frac{1}{2} \times r \times (\triangle ABC$의 둘레의 길이$)$임을 이용한다.

내접원 I의 반지름의 길이를 r cm라 하면

$$\frac{1}{2} \times 8 \times 6 = \frac{1}{2} \times r \times (8+10+6)$$

$$12r = 24 \quad \therefore r = 2$$

이때 점 I가 $\triangle ABC$의 내심이므로

$$\angle BIC = 90° + \frac{1}{2}\angle A = 90° + \frac{1}{2} \times 90° = 135°$$

따라서 색칠한 부채꼴의 넓이는

$$\pi \times 2^2 \times \frac{135}{360} = \frac{3}{2}\pi \ (cm^2) \qquad \text{답 } ④$$

Lecture

오른쪽 그림과 같이 $\angle A = 90°$인 직각
삼각형 ABC에서 내접원 I의 반지름의
길이가 r일 때
$(\triangle ABC$의 넓이$)$

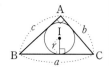

$$= \frac{1}{2}bc = \frac{1}{2}r(a+b+c)$$

0205 전략 삼각형의 내심의 성질과 평행선의 성질을 이용한다.

오른쪽 그림과 같이 $\overline{IB}$, $\overline{IC}$를 그
으면 점 I는 $\triangle ABC$의 내심이
므로
$\angle DBI = \angle IBC$, $\angle ECI = \angle ICB$

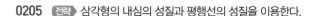

또 $\overline{DE} // \overline{BC}$이므로
$\angle DIB = \angle IBC$ (엇각), $\angle EIC = \angle ICB$ (엇각)
즉 $\angle DIB = \angle DBI$, $\angle EIC = \angle ECI$이므로
$\overline{DI} = \overline{DB}$, $\overline{EI} = \overline{EC}$

$$\therefore (\triangle ADE의 둘레의 길이)$$
$$= \overline{AD} + \overline{DE} + \overline{EA}$$
$$= \overline{AD} + (\overline{DI} + \overline{EI}) + \overline{EA}$$
$$= (\overline{AD} + \overline{DB}) + (\overline{EC} + \overline{EA})$$
$$= \overline{AB} + \overline{AC}$$
$$= 10 + 9 = 19 \ (cm) \qquad \text{답 } 19 \ cm$$

0206 전략 삼각형의 외심과 내심의 성질을 이용하여 각의 크기를 구
한다.

점 O가 $\triangle ABC$의 외심이므로
$\angle BOC = 2\angle A = 2 \times 30° = 60°$
$\triangle OBC$에서 $\overline{OB} = \overline{OC}$이므로

$$\angle OBC = \frac{1}{2} \times (180° - 60°) = 60° \qquad \cdots\cdots \text{(가)}$$

$\triangle ABC$에서 $\overline{AB} = \overline{AC}$이므로

$$\angle ABC = \frac{1}{2} \times (180° - 30°) = 75°$$

점 I가 $\triangle ABC$의 내심이므로

$$\angle IBC = \frac{1}{2}\angle ABC = \frac{1}{2} \times 75° = 37.5° \qquad \cdots\cdots \text{(나)}$$

$$\therefore \angle x = \angle OBC - \angle IBC$$
$$= 60° - 37.5° = 22.5° \qquad \cdots\cdots \text{(다)}$$

답 $22.5°$

채점 기준	비율
(가) $\angle OBC$의 크기 구하기	40 %
(나) $\angle IBC$의 크기 구하기	40 %
(다) $\angle x$의 크기 구하기	20 %

0207 전략 직각삼각형의 외심은 빗변의 중점임을 이용한다.

외접원 O의 반지름의 길이는

$$\frac{1}{2}\overline{AC} = \frac{1}{2} \times 5 = \frac{5}{2} \ (cm)$$

내접원 I의 반지름의 길이를 r cm라 하면

$$\frac{1}{2} \times 4 \times 3 = \frac{1}{2} \times r \times (3+4+5)$$

$$6r = 6 \quad \therefore r = 1$$

따라서 색칠한 부분의 넓이는

$$\pi \times \left(\frac{5}{2}\right)^2 - \pi \times 1^2 = \frac{21}{4}\pi \ (cm^2) \qquad \text{답 } \frac{21}{4}\pi \ cm^2$$

0208 전략 삼각형의 내심의 성질과 외각의 성질을 이용한다.

$\angle BAD = \angle CAD = \angle a$,
$\angle ABE = \angle CBE = \angle b$라
하면

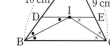

$\triangle ABE$에서
$2\angle a + \angle b + 90° = 180°$
즉 $2\angle a + \angle b = 90° \qquad \cdots\cdots \text{㉠}$
$\triangle ABD$에서
$\angle a + 2\angle b + 105° = 180°$
즉 $\angle a + 2\angle b = 75° \qquad \cdots\cdots \text{㉡}$
㉠, ㉡에서 $3(\angle a + \angle b) = 165° \quad \therefore \angle a + \angle b = 55°$
$\triangle ABC$에서
$$\angle x = 180° - 2(\angle a + \angle b)$$
$$= 180° - 2 \times 55° = 70° \qquad \text{답 } 70°$$

0209 전략 점 D에서 $\overline{AB}$에 수선의 발을 내린 후 합동인 두 직각삼
각형을 찾아본다.

오른쪽 그림과 같이 점 D에서 $\overline{AB}$
에 내린 수선의 발을 P라 하면

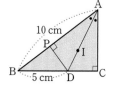

$$\triangle ABD = \frac{1}{2} \times 10 \times \overline{DP} = 15$$

$$\therefore \overline{DP} = 3 \ (cm)$$

한편 △APD와 △ACD에서

∠APD=∠ACD=90°, $\overline{\mathrm{AD}}$는 공통

점 I가 △ABC의 내심이므로 ∠PAD=∠CAD

따라서 △APD≡△ACD (RHA 합동)이므로

$\overline{\mathrm{DC}}=\overline{\mathrm{DP}}=3$ cm

이때 $\overline{\mathrm{AC}}=x$ cm라 하면

$\triangle \mathrm{ABD}=\dfrac{1}{2}\times 5\times x=15$이므로 $x=6$

따라서 $\triangle \mathrm{ADC}=\dfrac{1}{2}\times 3\times 6=9$ (cm²)이므로

$\triangle \mathrm{ABC}=\triangle \mathrm{ABD}+\triangle \mathrm{ADC}$

$\qquad =15+9=24$ (cm²)　　　　　**답** 24 cm²

> **✎ Lecture**
>
> 두 직각삼각형에서
> (1) 빗변의 길이와 한 예각의 크기가 각각 같으면 ➡ RHA 합동
> (2) 빗변의 길이와 다른 한 변의 길이가 각각 같으면 ➡ RHS 합동

0210 **[전략]** 삼각형의 내접원과 접선의 길이를 이용하여 점 C의 좌표를 먼저 구한다.

오른쪽 그림과 같이 △AOB와 내접원의 접점을 각각 D, E, F라 하고, $\overline{\mathrm{OE}}=a$라 하면

$\overline{\mathrm{OD}}=\overline{\mathrm{OE}}=a$,

$\overline{\mathrm{AF}}=\overline{\mathrm{AD}}=6-a$,

$\overline{\mathrm{BF}}=\overline{\mathrm{BE}}=8-a$

이때 $\overline{\mathrm{AF}}+\overline{\mathrm{BF}}=\overline{\mathrm{AB}}$이므로

$(6-a)+(8-a)=10$

$2a=4$　　∴ $a=2$

즉 점 C의 좌표는 $(2,2)$이므로 두 점 $\mathrm{O}(0,0)$, $\mathrm{C}(2,2)$를 지나는 직선의 기울기는 $\dfrac{2-0}{2-0}=1$

따라서 구하는 일차함수의 식은 $y=x$이다.　　**답** $y=x$

> **✎ Lecture**
>
> 두 점 (x_1, y_1), (x_2, y_2)를 지나는 직선을 그래프로 하는 일차함수의 식 구하기 (단, $x_1 \neq x_2$)
> ① 기울기 a를 구한다.
> ➡ $a=\dfrac{y_2-y_1}{x_2-x_1}=\dfrac{y_1-y_2}{x_1-x_2}$
> ② $y=ax+b$에 한 점의 좌표를 대입하여 b의 값을 구한다.

③ 평행사변형

STEP 1 **개념 마스터**　　　　　p.46 ~ p.48

0211 $\overline{\mathrm{AD}} \, / \! / \, \overline{\mathrm{BC}}$이므로 ∠$x$=∠ACB=70° (엇각)

$\overline{\mathrm{AD}} \, / \! / \, \overline{\mathrm{BC}}$이므로 ∠$y$=∠ADB=25° (엇각)

답 ∠x=70°, ∠y=25°

0212 $\overline{\mathrm{AD}} \, / \! / \, \overline{\mathrm{BC}}$이므로 ∠$x$=∠DBC=28° (엇각)

$\overline{\mathrm{AB}} \, / \! / \, \overline{\mathrm{DC}}$이므로 ∠$y$=∠BAC=65° (엇각)

답 ∠x=28°, ∠y=65°

0213 $\overline{\mathrm{AD}}=\overline{\mathrm{BC}}$이므로 x=5

∠B=∠D이므로 y=50　　　　**답** x=5, y=50

0214 $\overline{\mathrm{AB}}=\overline{\mathrm{DC}}$이므로 x=6

△ABC에서 ∠B=180°−(46°+64°)=70°

∠B=∠D이므로 y=70　　　　**답** x=6, y=70

0215 $\overline{\mathrm{OB}}=\overline{\mathrm{OD}}$이므로 x=5

$\overline{\mathrm{OA}}=\overline{\mathrm{OC}}$이므로 y=4　　　　**답** x=5, y=4

0216 $\overline{\mathrm{AC}}=2\overline{\mathrm{OC}}=2\times 6=12$ (cm)이므로 x=12

$\overline{\mathrm{OB}}=\dfrac{1}{2}\overline{\mathrm{BD}}=\dfrac{1}{2}\times 8=4$ (cm)이므로 y=4

답 x=12, y=4

0217 ㉢ 평행사변형의 두 대각선은 서로 다른 것을 이등분하므로

$\overline{\mathrm{OA}}=\overline{\mathrm{OC}}$

㉣ $\overline{\mathrm{AB}} \, / \! / \, \overline{\mathrm{DC}}$이므로 ∠OAB=∠OCD (엇각)

㉿ $\overline{\mathrm{OB}}=\overline{\mathrm{OD}}$, $\overline{\mathrm{OC}}=\overline{\mathrm{OA}}$, ∠BOC=∠DOA (맞꼭지각)

이므로 △OBC≡△ODA (SAS 합동)

따라서 옳은 것은 ㉢, ㉣, ㉿이다.　　**답** ㉢, ㉣, ㉿

0218　　　　　　　　　　**답** $\overline{\mathrm{DC}}$, $\overline{\mathrm{BC}}$

0219　　　　　　　　　　**답** $\overline{\mathrm{DC}}$, $\overline{\mathrm{BC}}$

0220　　　　　　　　**답** ∠BCD, ∠ADC

0221　　　　　　　　　　**답** $\overline{\mathrm{OC}}$, $\overline{\mathrm{OD}}$

0222　　　　　　　　　　**답** $\overline{\mathrm{DC}}$, $\overline{\mathrm{DC}}$

0223　　　**답** ㉮ ∠EBF ㉯ ∠EDF ㉰ ∠BFD

0224　　　　　　**답** ㉮ $\overline{\mathrm{DF}}$ ㉯ $\overline{\mathrm{DF}}$

0225 답 (가) $\overline{OC}$ (나) $\overline{OD}$ (다) $\overline{BE}$ (라) $\overline{DF}$ (마) $\overline{OF}$

0226 $\square ABCD = 4\triangle ODA = 4 \times 20 = 80\,(cm^2)$　　답 $80\,cm^2$

0227 $\triangle OAB = \dfrac{1}{4}\square ABCD = \dfrac{1}{4} \times 100 = 25\,(cm^2)$　답 $25\,cm^2$

0228 $\triangle PAB + \triangle PCD = \dfrac{1}{2}\square ABCD = \dfrac{1}{2} \times 36 = 18\,(cm^2)$

답 $18\,cm^2$

0229 $\triangle PDA + \triangle PBC = \dfrac{1}{2}\square ABCD = \dfrac{1}{2} \times 100 = 50\,(cm^2)$

$\therefore \triangle PBC = 50 - \triangle PDA = 50 - 20 = 30\,(cm^2)$

답 $30\,cm^2$

STEP 2 유형 마스터
p.49 ~ p.60

0230 전략 평행사변형에서 두 쌍의 대변이 각각 평행하므로 엇각의 크기가 같음을 이용한다.

$\overline{AD} \,/\!/\, \overline{BC}$이므로 $\angle DAC = \angle ACB = 60°$ (엇각)

따라서 $\triangle AOD$에서

$\angle AOD = 180° - (60° + 35°) = 85°$　　답 $85°$

0231 $\overline{AB} \,/\!/\, \overline{DC}$이므로 $\angle ABD = \angle BDC = 40°$ (엇각)

$\triangle ABC$에서 $\angle x + 40° + 35° + \angle y = 180°$

$\therefore \angle x + \angle y = 105°$　　답 $105°$

0232 $\overline{AD} \,/\!/\, \overline{BC}$이므로 $\angle y = \angle ADB = 30°$ (엇각)

$\triangle OBC$에서 $\angle x + 30° = 68°$이므로 $\angle x = 38°$

$\therefore \angle x - \angle y = 38° - 30° = 8°$　　답 $8°$

0233 전략 합동인 두 삼각형을 찾아 평행사변형의 성질을 설명한다.

답 (가) $\angle DCA$ (나) $\angle DAC$ (다) $\triangle CDA$ (라) $\overline{CD}$ (마) $\overline{DA}$

0234 답 (가) $\angle CDB$ (나) $\overline{BD}$ (다) ASA (라) $\angle C$

0235 답 (가) $\angle OCD$ (나) $\overline{CD}$ (다) ASA (라) $\overline{OC}$ (마) $\overline{OD}$

0236 전략 평행사변형의 성질을 정확히 이해한다.

④ $\overline{AB} = \overline{BC}$일 때에만 성립한다.　　답 ④

0237 $\angle DCA = \angle CAB = 48°$ (엇각)이므로

$\triangle OCD$에서

$\angle BOC = 48° + 44° = 92°$　　$\therefore x = 92$　　……(가)

$\overline{DC} = \overline{AB} = 12\,cm$이므로 $y = 12$　　……(나)

$\therefore x - y = 92 - 12 = 80$　　……(다)

답 80

채점 기준	비율
(가) x의 값 구하기	40 %
(나) y의 값 구하기	40 %
(다) $x - y$의 값 구하기	20 %

0238 $\overline{AB} = \overline{DC}$이므로 $x + 4 = 2x - 6$　　$\therefore x = 10$

$\therefore \overline{AD} = \overline{BC} = 3x - 10 = 3 \times 10 - 10 = 20$　　답 20

0239 $\angle D = \angle B = 80°$

$\triangle DEC$에서

$\angle DEC = 180° - (80° + 50°) = 50°$　　답 $50°$

0240 $\overline{AD} = \overline{BC}$이므로 $3x + 4 = 5x$　　$\therefore x = 2$

$\therefore \overline{AC} = 2\overline{OA} = 2(4x - 3) = 2 \times 5 = 10$　　답 10

0241 전략 평행선에서 엇각의 크기가 같음을 이용하여 $\overline{DF}$의 길이를 먼저 구한다.

$\overline{AB} \,/\!/\, \overline{DF}$이므로 $\angle DFA = \angle BAF$ (엇각)

이때 $\angle BAF = \angle DAF$이므로 $\angle DFA = \angle DAF$

따라서 $\triangle DAF$는 $\overline{DA} = \overline{DF}$인 이등변삼각형이므로

$\overline{DF} = \overline{DA} = 5\,cm$

$\overline{DC} = \overline{AB} = 3\,cm$이므로

$\overline{CF} = \overline{DF} - \overline{DC} = 5 - 3 = 2\,(cm)$　　답 $2\,cm$

0242 $\overline{AD} \,/\!/\, \overline{BC}$이므로 $\angle CED = \angle ADE$ (엇각)

이때 $\angle ADE = \angle CDE$이므로 $\angle CED = \angle CDE$

따라서 $\triangle CDE$는 $\overline{CD} = \overline{CE}$인 이등변삼각형이므로

$\overline{CE} = \overline{CD} = \overline{AB} = 6\,cm$

$\overline{BC} = \overline{AD} = 10\,cm$이므로

$\overline{BE} = \overline{BC} - \overline{CE} = 10 - 6 = 4\,(cm)$　　답 $4\,cm$

0243 $\overline{AD} \,/\!/\, \overline{BC}$이므로 $\angle AEB = \angle EBC$ (엇각)

이때 $\angle EBC = \angle ABE$이므로 $\angle AEB = \angle ABE$

따라서 $\triangle ABE$는 $\overline{AB} = \overline{AE}$인 이등변삼각형이다.

$\overline{AD} = \overline{BC} = 12\,cm$이므로

$\overline{AB} = \overline{AE} = \overline{AD} - \overline{ED} = 12 - 3 = 9\,(cm)$　　답 $9\,cm$

0244 $\overline{AB} \,/\!/\, \overline{FC}$이므로 $\angle DFE = \angle ABE$ (엇각)

$\overline{AD} \,/\!/\, \overline{BC}$이므로 $\angle DEF = \angle CBE$ (동위각)

이때 $\angle ABE = \angle CBE$이므로 $\angle DFE = \angle DEF$

따라서 $\triangle DFE$는 $\overline{DE} = \overline{DF}$인 이등변삼각형이다.

또 $\angle CBF = \angle CFB$이므로 $\triangle CFB$는 $\overline{CF} = \overline{CB}$인 이등변삼각형이다.

즉 $\overline{CF} = \overline{CB} = 5\,cm$이고 $\overline{CD} = \overline{AB} = 4\,cm$이므로

$\overline{DE} = \overline{DF} = \overline{CF} - \overline{CD} = 5 - 4 = 1\,(cm)$

$\therefore \overline{DE} + \overline{DF} = 1 + 1 = 2\,(cm)$　　답 $2\,cm$

0245 △BEA와 △CEF에서

$\overline{BE}=\overline{CE}$, ∠BEA=∠CEF (맞꼭지각),

∠ABE=∠FCE (엇각)

따라서 △BEA≡△CEF(ASA 합동)이므로

$\overline{CF}=\overline{BA}=\overline{CD}$

∴ $\overline{CF}=\dfrac{1}{2}\overline{DF}=\dfrac{1}{2}\times18=9$ (cm) **답** 9 cm

0246 $\overline{AD}/\!/\overline{BC}$이므로 ∠BEA=∠DAE (엇각)

이때 ∠DAE=∠BAE이므로 ∠BEA=∠BAE

따라서 △BEA는 $\overline{BA}=\overline{BE}$인 이등변삼각형이므로

$\overline{BE}=\overline{BA}=5$ cm

또 $\overline{AD}/\!/\overline{BC}$이므로 ∠CFD=∠ADF (엇각)

이때 ∠ADF=∠CDF이므로 ∠CFD=∠CDF

따라서 △CDF는 $\overline{CD}=\overline{CF}$인 이등변삼각형이므로

$\overline{CF}=\overline{CD}=5$ cm

이때 $\overline{BC}=\overline{AD}=8$ cm이므로

$\overline{BF}=\overline{BC}-\overline{CF}=8-5=3$ (cm)

∴ $\overline{FE}=\overline{BE}-\overline{BF}=5-3=2$ (cm) **답** 2 cm

0247 $\overline{AB}/\!/\overline{FE}$이므로 ∠DEA=∠BAE (엇각)

이때 ∠BAE=∠DAE이므로 ∠DEA=∠DAE

따라서 △DAE는 $\overline{DA}=\overline{DE}$인 이등변삼각형이므로

$\overline{DE}=\overline{DA}=15$ cm

또 $\overline{AB}/\!/\overline{FE}$이므로 ∠CFB=∠ABF (엇각)

이때 ∠ABF=∠CBF이므로 ∠CFB=∠CBF

따라서 △CFB는 $\overline{CB}=\overline{CF}$인 이등변삼각형이므로

$\overline{CF}=\overline{CB}=15$ cm

이때 $\overline{CD}=\overline{AB}=12$ cm이므로

$\overline{DF}=\overline{CF}-\overline{CD}=15-12=3$ (cm)

∴ $\overline{EF}=\overline{DE}+\overline{DF}=15+3=18$ (cm) **답** 18 cm

0248 **전략** ∠A+∠B=180°이고 ∠A=∠C임을 이용한다.

∠A+∠B=180°이고 ∠A : ∠B=5 : 4이므로

∠A=180°$\times\dfrac{5}{9}$=100°

∴ ∠C=∠A=100° **답** 100°

0249 ∠A+∠D=180°에서 100°+∠D=180°

∴ ∠D=80°

이때 △CDE는 $\overline{CD}=\overline{CE}$인 이등변삼각형이므로

∠CED=∠D=80°

∴ ∠AEC=180°-80°=100° **답** 100°

0250 ∠AEB=180°-122°=58°

$\overline{AD}/\!/\overline{BC}$이므로 ∠DAE=∠AEB=58° (엇각)

∠BAE=∠DAE=58°

따라서 △ABE에서

∠B=180°-(58°+58°)=64°

∴ ∠D=∠B=64° **답** 64°

0251 $\overline{AE}/\!/\overline{DC}$이므로 ∠CDE=∠AED=31° (엇각)

∠ADC=2∠CDE=2×31°=62°

∴ ∠x=∠ADC=62° **답** 62°

0252 ∠ADC=∠B=80°이므로

∠ADE=$\dfrac{1}{2}$∠ADC=$\dfrac{1}{2}\times80°$=40°

이때 $\overline{AD}/\!/\overline{BC}$이므로 ∠GEF=∠GDA=40° (엇각)

따라서 △GEF에서

∠x=180°-(90°+40°)=50° **답** 50°

0253 $\overline{AD}/\!/\overline{BE}$이므로 ∠DAE=∠AEC=30° (엇각)

∴ ∠DAC=2∠DAE=2×30°=60° ······ (가)

∠D=∠B=70°이므로 ······ (나)

△ACD에서 ∠x=180°-(60°+70°)=50° ······ (다)

답 50°

채점 기준	비율
(가) ∠DAC의 크기 구하기	40 %
(나) ∠D의 크기 구하기	30 %
(다) ∠x의 크기 구하기	30 %

0254 ∠ADC=∠B=45°이고 ∠ADE : ∠CDE=2 : 1이므로

∠ADE=45°$\times\dfrac{2}{3}$=30°

△AED에서 ∠DAE=180°-(75°+30°)=75°

이때 $\overline{AD}/\!/\overline{BC}$이므로

∠x=∠DAE=75° (엇각) **답** 75°

0255 ∠AFB=180°-160°=20°

$\overline{AD}/\!/\overline{BC}$이므로 ∠FBE=∠AFB=20° (엇각)

∴ ∠ABC=2∠FBE=2×20°=40°

또 ∠BAD+∠ABC=180°이므로

∠BAD=180°-40°=140°

∴ ∠BAE=$\dfrac{1}{2}$∠BAD=$\dfrac{1}{2}\times140°$=70°

따라서 △ABE에서

∠x=∠BAE+∠ABE=70°+40°=110° **답** 110°

0256 ∠ADC=∠B=56°이므로

∠ADF=$\dfrac{1}{2}$∠ADC=$\dfrac{1}{2}\times56°$=28°

△AFD에서 ∠DAF=180°-(90°+28°)=62°

이때 ∠BAD+∠B=180°이므로

(∠x+62°)+56°=180° ∴ ∠x=62° **답** 62°

0257 ∠ABF=∠a라 하면

△ABF에서 ∠BAF=90°−∠a

이때 ∠BAD+∠ABC=180°이므로

$\{(90°-∠a)+∠x\}+(∠a+30°)=180°$

$∠x+120°=180°$ ∴ $∠x=60°$ **답** 60°

0258 **전략** 평행사변형의 두 대각선은 서로 다른 것을 이등분함을 이용한다.

$\overline{OC}=\overline{OA}=7$ cm, $\overline{CD}=\overline{AB}=12$ cm

$\overline{OD}=\frac{1}{2}\overline{BD}=\frac{1}{2}×16=8$ (cm)

∴ (△OCD의 둘레의 길이)$=\overline{OC}+\overline{CD}+\overline{OD}$

$=7+12+8$

$=27$ (cm) **답** 27 cm

0259 $\overline{AC}+\overline{BD}=10$ cm이므로

$\overline{OA}+\overline{OB}=\frac{1}{2}\overline{AC}+\frac{1}{2}\overline{BD}=\frac{1}{2}(\overline{AC}+\overline{BD})$

$=\frac{1}{2}×10=5$ (cm)

∴ (△OAB의 둘레의 길이)$=\overline{AB}+\overline{OA}+\overline{OB}$

$=3+5=8$ (cm) **답** 8 cm

0260 평행사변형의 두 대각선은 서로 다른 것을 이등분하므로

$\overline{OA}=\overline{OC}$ (①), $\overline{OB}=\overline{OD}$ (④)

△AOP와 △COQ에서

$\overline{OA}=\overline{OC}$, ∠PAO=∠QCO (엇각),

∠AOP=∠COQ (맞꼭지각)

따라서 △AOP≡△COQ (ASA 합동) (⑤)이므로

$\overline{OP}=\overline{OQ}$ (③) **답** ②

0261 △OAE와 △OCF에서

$\overline{OA}=\overline{OC}$, ∠OAE=∠OCF (엇각),

∠EOA=∠FOC (맞꼭지각)

따라서 △OAE≡△OCF (ASA 합동)이므로

$\overline{OE}=\overline{OF}=4$ cm, ∠OEA=90°, $\overline{AE}=\overline{CF}=2$ cm

$\overline{BE}=\overline{AB}-\overline{AE}=6-2=4$ (cm)이므로

$△OEB=\frac{1}{2}×\overline{BE}×\overline{OE}$

$=\frac{1}{2}×4×4=8$ (cm²) **답** 8 cm²

0262 **전략** 합동인 두 삼각형을 찾아 사각형의 두 쌍의 대변이 각각 평행함을 보인다.

답 (가) $\overline{DA}$ (나) ∠CAD (다) SAS (라) ∠DCA (마) $\overline{DC}$

0263 (1) △ABC와 △CDA에서

$\overline{AB}=\overline{CD}$, $\overline{BC}=\overline{DA}$, $\overline{AC}$는 공통

∴ △ABC≡△CDA (SSS 합동) …… (가)

(2) ∠BCA=∠DAC이므로 $\overline{AD}/\!/\overline{BC}$

∠BAC=∠DCA이므로 $\overline{AB}/\!/\overline{DC}$

따라서 □ABCD는 두 쌍의 대변이 각각 평행하므로 평행사변형이다. …… (나)

답 (1) 풀이 참조 (2) 풀이 참조

채점 기준	비율
(가) △ABC와 △CDA가 합동임을 설명하기	50 %
(나) □ABCD가 평행사변형임을 설명하기	50 %

0264 **답** (가) 360 (나) 180 (다) ∠DAE (라) $\overline{BC}$ (마) $\overline{DC}$

0265 ⑤ $\overline{AB}/\!/\overline{DC}$ **답** ⑤

0266 **전략** 평행사변형이 되는 다섯 가지 조건 중 어느 하나를 만족하는지 확인한다.

① ∠D=360°−(100°+80°+100°)=80°

즉 □ABCD는 두 쌍의 대각의 크기가 각각 같으므로 평행사변형이다. **답** ①

0267 ① 두 쌍의 대변의 길이가 각각 같으므로 평행사변형이다.

② ∠DAC=∠BCA이므로 $\overline{AD}/\!/\overline{BC}$

즉 한 쌍의 대변이 평행하고 그 길이가 같으므로 평행사변형이다.

③ 두 대각선이 서로 다른 것을 이등분하므로 평행사변형이다.

④ ∠D=360°−(120°+60°+120°)=60°

즉 두 쌍의 대각의 크기가 각각 같으므로 평행사변형이다.

답 ⑤

0268 ① 두 쌍의 대각의 크기가 각각 같으므로 평행사변형이다.

② 두 쌍의 대변이 각각 평행하므로 평행사변형이다.

④ 두 대각선이 서로 다른 것을 이등분하므로 평행사변형이다.

⑤ △AOD≡△COB이면 $\overline{OA}=\overline{OC}$, $\overline{OB}=\overline{OD}$

즉 두 대각선이 서로 다른 것을 이등분하므로 평행사변형이다. **답** ③

0269 ② 두 대각선이 서로 다른 것을 이등분하므로 평행사변형이다. **답** ②

0270 $\overline{AD}=\overline{BC}$이어야 하므로 $2x+2=3x-4$ ∴ $x=6$

$\overline{AB}=\overline{DC}$이어야 하므로 $x+5=y$ ∴ $y=11$

답 $x=6, y=11$

0271 $\overline{AD}/\!/\overline{BC}$이어야 하므로

∠DAC=∠BCA=45° ∴ $x=45$ …… (가)

△ABC에서 ∠BAC=180°−(65°+45°)=70°

이때 $\overline{AB}/\!/\overline{DC}$이어야 하므로

$\angle DCA = \angle BAC = 70°$ $\therefore y = 70$ $\cdots\cdots$ (나)

$\therefore x + y = 45 + 70 = 115$ $\cdots\cdots$ (다)

답 115

채점 기준	비율
(가) x의 값 구하기	30 %
(나) y의 값 구하기	50 %
(다) $x + y$의 값 구하기	20 %

0272 **전략** ▷ □EBFD가 평행사변형이 되는 다섯 가지 조건 중 어느 것을 만족하는지 보인다.

답 (가) $\overline{DF}$ (나) $\overline{CD}$ (다) $\angle DCF$ (라) RHA (마) $\overline{DF}$

0273 **답** (가) $\overline{QC}$ (나) $\overline{QC}$ (다) $\overline{FC}$ (라) $\overline{RC}$ (마) $\overline{RC}$ (바) $\overline{EC}$

0274 **답** (가) $\overline{CF}$ (나) SAS (다) $\overline{GF}$ (라) SAS (마) $\overline{GH}$

0275 $\overline{OA} = \overline{OC}$, $\overline{AP} = \overline{CR}$이므로

$\overline{OP} = \overline{OA} - \overline{AP} = \overline{OC} - \overline{CR} = \overline{OR}$

$\overline{OB} = \overline{OD}$, $\overline{BQ} = \overline{DS}$이므로

$\overline{OQ} = \overline{OB} - \overline{BQ} = \overline{OD} - \overline{DS} = \overline{OS}$

즉 □PQRS는 두 대각선이 서로 다른 것을 이등분하므로 평행사변형이다.

따라서 □PQRS가 평행사변형이 되는 조건으로 가장 알맞은 것은 ④이다.   **답** ④

0276 **전략** ▷ □EBFD가 평행사변형임을 이용한다.

① $\angle ABE = \angle EBF$, $\angle AEB = \angle EBF$ (엇각)

즉 $\angle ABE = \angle AEB$이므로 △ABE는 $\overline{AB} = \overline{AE}$인 이등변삼각형이다.

③ $\angle EBF = \dfrac{1}{2}\angle ABC = \dfrac{1}{2}\angle ADC = \angle EDF$ $\cdots\cdots$ ㉠

$\angle AEB = \angle EBF$ (엇각), $\angle DFC = \angle EDF$ (엇각)이므로 $\angle AEB = \angle DFC$ (④)

$\therefore \angle BED = 180° - \angle AEB$

$= 180° - \angle DFC = \angle BFD$ $\cdots\cdots$ ㉡

㉠, ㉡에서 □EBFD가 평행사변형이므로 $\overline{ED} = \overline{BF}$

⑤ $\angle ABE = \angle AEB = \angle DFC = \angle FDC$

따라서 옳지 않은 것은 ②이다.   **답** ②

0277 □AFCE에서 $\overline{AE} /\!/ \overline{FC}$, $\overline{AE} = \overline{FC}$이므로 □AFCE는 평행사변형이다.

$\therefore \angle x = \angle AEC = 180° - 72° = 108°$ **답** 108°

0278 $\angle BEF = \angle DFE = 90°$이므로 $\overline{BE} /\!/ \overline{DF}$ $\cdots\cdots$ ㉠

△ABE와 △CDF에서

$\angle AEB = \angle CFD = 90°$, $\overline{AB} = \overline{CD}$,

$\angle BAE = \angle DCF$ (엇각)

따라서 △ABE ≡ △CDF (RHA 합동)이므로

$\overline{BE} = \overline{DF}$ $\cdots\cdots$ ㉡

㉠, ㉡에서 □EBFD는 평행사변형이다.

△DEF에서 $\angle EDF = 180° - (90° + 50°) = 40°$이므로

$\angle EBF = \angle EDF = 40°$ **답** 40°

0279 점 O가 두 대각선의 교점이므로 $\overline{OA} = \overline{OC}$ $\cdots\cdots$ ㉠

또 $\overline{OB} = \overline{OD}$이므로 $\overline{OE} = \dfrac{1}{2}\overline{OB} = \dfrac{1}{2}\overline{OD} = \overline{OF}$ $\cdots\cdots$ ㉡

㉠, ㉡에서 □AECF는 평행사변형이므로

$\overline{AE} = \overline{CF}$ (②), $\overline{AF} = \overline{CE}$ (③),

$\angle OEA = \angle OFC$ (엇각) (④),

$\angle OEC = \angle OFA$ (엇각) (⑤)

따라서 옳지 않은 것은 ①이다.   **답** ①

0280 $\overline{AD} = \overline{BC}$이므로

$\overline{AM} = \dfrac{1}{2}\overline{AD} = \dfrac{1}{2}\overline{BC} = \overline{NC}$ (①) $\cdots\cdots$ ㉠

$\overline{AD} /\!/ \overline{BC}$이므로 $\overline{AM} /\!/ \overline{NC}$ $\cdots\cdots$ ㉡

㉠, ㉡에서 □ANCM은 평행사변형이므로

$\overline{AN} /\!/ \overline{MC}$ (③), $\angle MAN = \angle NCM$ (④),

$\angle AMC + \angle MCN = 180°$ (⑤)

따라서 옳지 않은 것은 ②이다.   **답** ②

0281 □AODE에서 $\overline{AO} /\!/ \overline{ED}$이고 $\overline{OA} = \overline{OC} = \overline{ED}$이므로 □AODE는 평행사변형이다.

즉 $\overline{AF} = \overline{FD}$, $\overline{OF} = \overline{FE}$이므로

$\overline{AF} = \dfrac{1}{2}\overline{AD} = \dfrac{1}{2}\overline{BC} = \dfrac{1}{2} \times 8 = 4\,(\text{cm})$

$\overline{OF} = \dfrac{1}{2}\overline{OE} = \dfrac{1}{2}\overline{CD} = \dfrac{1}{2}\overline{AB} = \dfrac{1}{2} \times 6 = 3\,(\text{cm})$

$\therefore \overline{AF} + \overline{OF} = 4 + 3 = 7\,(\text{cm})$ **답** 7 cm

0282 **전략** ▷ 먼저 △OPA와 △OQC가 합동임을 보인다.

△OPA와 △OQC에서

$\overline{OA} = \overline{OC}$, $\angle AOP = \angle COQ$ (맞꼭지각),

$\angle OAP = \angle OCQ$ (엇각)

따라서 △OPA ≡ △OQC (ASA 합동)이므로

△OPA + △OBQ = △OQC + △OBQ

$= △OBC = 7\,(\text{cm}^2)$

$\therefore □ABCD = 4△OBC = 4 \times 7 = 28\,(\text{cm}^2)$ **답** 28 cm²

0283 오른쪽 그림과 같이 점 E를 지나고 $\overline{AB}$에 평행한 직선이 $\overline{AD}$와 만나는 점을 F라 하면 □ABEF, □FECD는 모두 평행사변형이다.

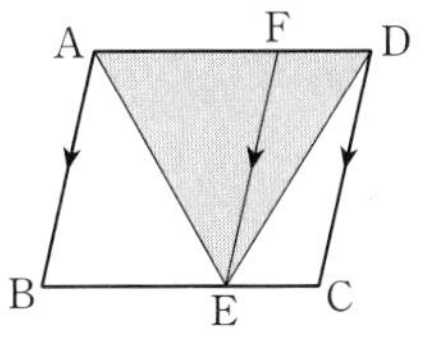

$$\therefore \triangle AED = \triangle AEF + \triangle FED$$
$$= \frac{1}{2}\square ABEF + \frac{1}{2}\square FECD$$
$$= \frac{1}{2}(\square ABEF + \square FECD)$$
$$= \frac{1}{2}\square ABCD$$
$$= \frac{1}{2} \times 70 = 35 \ (\text{cm}^2)$$ 답 $35 \ \text{cm}^2$

0284 $\triangle OAP$와 $\triangle OCQ$에서
$\overline{OA}=\overline{OC}$, $\angle AOP = \angle COQ$ (맞꼭지각),
$\angle OAP = \angle OCQ$ (엇각)
이므로 $\triangle OAP \equiv \triangle OCQ$ (ASA 합동)
$\therefore$ (색칠한 부분의 넓이) $= \triangle OAP + \triangle OBC + \triangle OQD$
$$= \triangle OCQ + \triangle OBC + \triangle OQD$$
$$= \triangle DBC = \frac{1}{2}\square ABCD$$
$$= \frac{1}{2} \times 72 = 36 \ (\text{cm}^2)$$ 답 $36 \ \text{cm}^2$

0285 $\triangle ABD = \frac{1}{2}\square ABCD = \frac{1}{2} \times (8 \times 6) = 24 \ (\text{cm}^2)$
이때 $\overline{MN} = \frac{1}{2}\overline{BD}$이므로
$\triangle AMN = \frac{1}{2}\triangle ABD = \frac{1}{2} \times 24 = 12 \ (\text{cm}^2)$ 답 $12 \ \text{cm}^2$

0286 오른쪽 그림과 같이 $\overline{MN}$을 그으면 $\square ABNM$, $\square MNCD$는 모두 평행사변형이다.

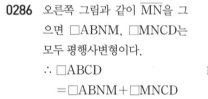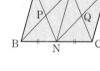

$\therefore \square ABCD$
$= \square ABNM + \square MNCD$
$= 4\triangle PNM + 4\triangle QMN$
$= 4(\triangle PNM + \triangle QMN)$
$= 4\square MPNQ = 4 \times 40 = 160 \ (\text{cm}^2)$ 답 $160 \ \text{cm}^2$

0287 $\triangle BCD = \triangle ABC = 12 \ \text{cm}^2$
이때 $\square BFED$는 두 대각선이 서로 다른 것을 이등분하므로 평행사변형이다.
$\therefore \square BFED = 4\triangle BCD = 4 \times 12 = 48 \ (\text{cm}^2)$ 답 $48 \ \text{cm}^2$

0288 전략 $\triangle PAB + \triangle PCD = \triangle PDA + \triangle PBC$임을 이용한다.
$\triangle PAB + \triangle PCD = \triangle PDA + \triangle PBC$이므로
$\triangle PAB + 17 = 18 + 13 = 31$
$\therefore \triangle PAB = 14 \ (\text{cm}^2)$ 답 $14 \ \text{cm}^2$

0289 $\triangle PAB + \triangle PCD = \frac{1}{2}\square ABCD$이므로
$\square ABCD = 2(\triangle PAB + \triangle PCD)$
$$= 2 \times (12 + 23)$$
$$= 2 \times 35 = 70 \ (\text{cm}^2)$$ 답 $70 \ \text{cm}^2$

0290 $\triangle PDA + \triangle PBC = \frac{1}{2}\square ABCD$이므로 $\cdots\cdots$ ㈎
$25 + \triangle PBC = \frac{1}{2} \times 120 = 60$
$\therefore \triangle PBC = 60 - 25 = 35 \ (\text{cm}^2)$ $\cdots\cdots$ ㈏
답 $35 \ \text{cm}^2$

채점 기준	비율
㈎ $\triangle PDA + \triangle PBC = \frac{1}{2}\square ABCD$임을 알기	60 %
㈏ $\triangle PBC$의 넓이 구하기	40 %

0291 $\triangle ABC = \frac{1}{2}\square ABCD = \frac{1}{2} \times 126 = 63 \ (\text{cm}^2)$이므로
$\triangle PBC = \triangle ABC - \triangle PAB = 63 - 24 = 39 \ (\text{cm}^2)$
$\triangle PBC + \triangle PDA = \frac{1}{2}\square ABCD = 63 \ (\text{cm}^2)$이므로
$39 + \triangle PDA = 63$
$\therefore \triangle PDA = 24 \ (\text{cm}^2)$ 답 $24 \ \text{cm}^2$

0292 $\square ABCD = 7 \times 4 = 28 \ (\text{cm}^2)$
$\triangle PDA + \triangle PBC = \frac{1}{2}\square ABCD$이므로
$\triangle PDA + 5 = \frac{1}{2} \times 28 = 14$
$\therefore \triangle PDA = 14 - 5 = 9 \ (\text{cm}^2)$ 답 $9 \ \text{cm}^2$

0293 $\triangle PAB + \triangle PCD = \frac{1}{2}\square ABCD = \frac{1}{2} \times 168 = 84 \ (\text{cm}^2)$
$\triangle PAB : \triangle PCD = 3 : 1$이므로
$\triangle PAB = 84 \times \frac{3}{4} = 63 \ (\text{cm}^2)$ 답 $63 \ \text{cm}^2$

0294 전략 접은 각의 크기가 같고, 평행선에서 엇각의 크기가 같음을 이용한다.
$\angle FDB = \angle BDC = 42°$ (접은 각)
$\angle FBD = \angle BDC = 42°$ (엇각)
따라서 $\triangle FBD$에서
$\angle x = 180° - (42° + 42°) = 96°$ 답 $96°$

0295 (1) $\triangle ABC$와 $\triangle DBE$에서
$\overline{AB} = \overline{DB}$, $\overline{BC} = \overline{BE}$,
$\angle ABC = 60° - \angle EBA = \angle DBE$
이므로 $\triangle ABC \equiv \triangle DBE$ (SAS 합동)
또 $\triangle ABC$와 $\triangle FEC$에서
$\overline{AC} = \overline{FC}$, $\overline{BC} = \overline{EC}$,
$\angle ACB = 60° - \angle ECA = \angle FCE$
이므로 $\triangle ABC \equiv \triangle FEC$ (SAS 합동)
(2) (1)에 의하여 $\overline{DE} = \overline{AC} = \overline{AF}$, $\overline{EF} = \overline{BA} = \overline{DA}$
따라서 $\square AFED$는 두 쌍의 대변의 길이가 각각 같으므로 평행사변형이다.

(3) □AFED가 평행사변형이므로

$\angle DEF = \angle DAF$

$= 360° - (\angle DAB + \angle BAC + \angle CAF)$

$= 360° - (60° + 104° + 60°) = 136°$

답 (1) △ABC≡△DBE (SAS 합동),

△ABC≡△FEC (SAS 합동)

(2) 두 쌍의 대변의 길이가 각각 같다. (3) 136°

0296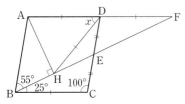

위의 그림과 같이 $\overline{AD}$의 연장선과 $\overline{BE}$의 연장선이 만나는 점을 F라 하면 △EBC와 △EFD에서

$\overline{EC} = \overline{ED}$, $\angle ECB = \angle EDF$ (엇각),

$\angle BEC = \angle FED$ (맞꼭지각)

이므로 △EBC≡△EFD (ASA 합동)

따라서 $\overline{BC} = \overline{FD}$이므로 $\overline{AD} = \overline{BC} = \overline{FD}$

즉 직각삼각형 AHF에서 점 D는 빗변 AF의 중점이므로 △AHF의 외심이다. ∴ $\overline{DA} = \overline{DH} = \overline{DF}$

한편 $\angle DFE = \angle CBE = 25°$이고

△DHF에서 $\angle DHF = \angle DFH = 25°$이므로

$\angle x = 25° + 25° = 50°$ **답** 50°

0297 〔전략〕 평행사변형에서 두 쌍의 대변이 각각 평행하므로 엇각의 크기가 같음을 이용한다.

$\overline{AD} /\!/ \overline{BC}$이므로 $\angle DAC = \angle ACB = \angle y$ (엇각)

$\overline{AB} /\!/ \overline{DC}$이므로 $\angle BAC = \angle ACD = 55°$ (엇각)

△ABD에서 $(55° + \angle y) + 41° + \angle x = 180°$

∴ $\angle x + \angle y = 84°$ **답** 84°

0298 〔전략〕 평행사변형의 두 쌍의 대변의 길이가 각각 같음을 이용한다.

평행사변형 ABCD의 둘레의 길이가 48 cm이므로

$\overline{AB} + \overline{AD} = \frac{1}{2} \times 48 = 24$ (cm)

$\overline{AB} : \overline{AD} = 3 : 5$이므로

$\overline{CD} = \overline{AB} = 24 \times \frac{3}{8} = 9$ (cm) **답** ③

0299 〔전략〕 평행선에서 엇각의 크기가 같음을 이용한다.

(1) $\overline{AD} /\!/ \overline{BC}$이므로 $\angle BEA = \angle DAE$ (엇각)

이때 $\angle DAE = \angle BAE$이므로 $\angle BEA = \angle BAE$

따라서 △BEA는 $\overline{BA} = \overline{BE}$인 이등변삼각형이므로

$\overline{BE} = \overline{BA} = 5$ cm ...... (가)

(2) $\overline{AD} /\!/ \overline{BC}$이므로 $\angle CFD = \angle ADF$ (엇각)

이때 $\angle ADF = \angle CDF$이므로 $\angle CFD = \angle CDF$

따라서 △CDF는 $\overline{CD} = \overline{CF}$인 이등변삼각형이므로

$\overline{CF} = \overline{CD} = 5$ cm ...... (나)

(3) $\overline{BC} = \overline{AD} = 7$ cm, $\overline{BE} = 5$ cm이므로

$\overline{EC} = \overline{BC} - \overline{BE} = 7 - 5 = 2$ (cm)

∴ $\overline{FE} = \overline{FC} - \overline{EC} = 5 - 2 = 3$ (cm) ...... (다)

답 (1) 5 cm (2) 5 cm (3) 3 cm

채점 기준	비율
(가) $\overline{BE}$의 길이 구하기	30 %
(나) $\overline{CF}$의 길이 구하기	30 %
(다) $\overline{FE}$의 길이 구하기	40 %

0300 〔전략〕 □GIFD와 □EBHI가 평행사변형임을 이용한다.

$\overline{AB} /\!/ \overline{GH} /\!/ \overline{DC}$, $\overline{AD} /\!/ \overline{EF} /\!/ \overline{BC}$이므로

□GIFD와 □EBHI는 평행사변형이다.

$\angle GIF = \angle EIH = 65°$ (맞꼭지각)이므로

$\angle IGD = 180° - 65° = 115°$ ∴ $x = 115$

$\overline{BC} = \overline{AD} = 14$ cm, $\overline{BH} = \overline{EI} = 9$ cm이므로

$\overline{HC} = 14 - 9 = 5$ (cm) ∴ $y = 5$

∴ $x + y = 115 + 5 = 120$ **답** ③

0301 〔전략〕 $\angle A + \angle B = 180°$임을 이용하여 $\angle B$의 크기를 먼저 구한다.

$\angle A + \angle B = 180°$이고 $\angle A : \angle B = 3 : 2$이므로

$\angle B = 180° \times \frac{2}{5} = 72°$ ∴ $\angle D = \angle B = 72°$ **답** ④

Lecture

$\angle A + \angle B + \angle C + \angle D = 360°$이고 $\angle A = \angle C$, $\angle B = \angle D$

이므로 $\angle A + \angle B = 180°$, $\angle B + \angle C = 180°$,

$\angle C + \angle D = 180°$, $\angle D + \angle A = 180°$

0302 〔전략〕 평행선에서 엇각의 크기가 같음을 이용하여 $\angle HCD$의 크기를 먼저 구한다.

$\angle HCD = \angle AHF = 54°$ (엇각)이므로

$\angle C = 2\angle HCD = 2 \times 54° = 108°$

이때 $\angle B + \angle C = 180°$이므로 $\angle B + 108° = 180°$

∴ $\angle B = 72°$

한편 $\angle EBC = \frac{1}{2}\angle B = \frac{1}{2} \times 72° = 36°$이므로

$\angle AEB = \angle EBC = 36°$ (엇각)

∴ $\angle x = 180° - \angle AEB = 180° - 36° = 144°$ **답** 144°

0303 〔전략〕 주어진 사각형이 평행사변형이 되는 다섯 가지 조건 중 어느 하나를 만족하는지 확인한다.

㉠ 두 쌍의 대변의 길이가 각각 같다.

ⓛ ∠C＝360°−(118°+61°+61°)＝120°

즉 ∠A≠∠C이므로 대각의 크기가 같지 않다.

ⓒ $\overline{AB}$∥$\overline{DC}$이지만 $\overline{AB}$＝$\overline{DC}$인지는 알 수 없다.

ⓔ 두 대각선이 서로 다른 것을 이등분한다.

따라서 □ABCD가 평행사변형인 것은 ⊙, ⓔ이다.

답 ③

0304 **전략** 평행사변형이 되는 다섯 가지 조건 중 어느 하나를 만족하는지 확인한다.

① 두 쌍의 대변의 길이가 각각 같다.

② 두 쌍의 대각의 크기가 각각 같다.

③ 한 쌍의 대변이 평행하지만 그 길이는 같지 않다.

④ 두 대각선이 서로 다른 것을 이등분한다.

⑤ 한 쌍의 대변이 평행하고 그 길이가 같다.

따라서 □ABCD가 평행사변형이 아닌 것은 ③이다.

답 ③

0305 **전략** 삼각형의 합동 조건을 이용하여 합동인 두 삼각형을 찾는다.

△ABP와 △CDQ에서

∠APB＝∠CQD＝90°, $\overline{AB}$＝$\overline{CD}$,

∠BAP＝∠DCQ (엇각)

따라서 △ABP≡△CDQ (RHA 합동)이므로

$\overline{AP}$＝$\overline{CQ}$ (①), $\overline{BP}$＝$\overline{DQ}$ (②), ∠ABP＝∠CDQ (③)

$\overline{PC}$＝$\overline{PQ}$＋$\overline{QC}$＝$\overline{PQ}$＋$\overline{PA}$＝$\overline{AQ}$ (④)

따라서 옳지 않은 것은 ⑤이다.

답 ⑤

> **Lecture**
>
> 직각삼각형의 합동 조건
>
> (1) 두 직각삼각형의 빗변의 길이와 한 예각의 크기가 각각 같을 때
>   ➡ RHA 합동
>
> (2) 두 직각삼각형의 빗변의 길이와 다른 한 변의 길이가 각각 같을 때 ➡ RHS 합동

0306 **전략** □EBFD가 평행사변형이 되는 다섯 가지 조건 중 어느 것을 만족하는지 찾는다.

□SBQD에서 $\overline{SD}$∥$\overline{BQ}$, $\overline{SD}$＝$\overline{BQ}$이므로 □SBQD는 평행사변형이다. ∴ $\overline{EB}$∥$\overline{DF}$ …… ⊙

□PBRD에서 $\overline{PB}$∥$\overline{DR}$, $\overline{PB}$＝$\overline{DR}$이므로 □PBRD는 평행사변형이다. ∴ $\overline{ED}$∥$\overline{BF}$ …… ⓛ

⊙, ⓛ에서 □EBFD는 두 쌍의 대변이 각각 평행하므로 평행사변형이다.

답 ①

0307 **전략** □AECF가 평행사변형임을 이용한다.

∠BAE＝∠DAE, ∠BEA＝∠DAE (엇각)

즉 ∠BAE＝∠BEA이므로 △BEA는 $\overline{BA}$＝$\overline{BE}$인 이등변삼각형이다.

∴ $\overline{BE}$＝$\overline{BA}$＝11 cm

$\overline{BC}$＝$\overline{AD}$＝16 cm이므로

$\overline{EC}$＝$\overline{BC}$−$\overline{BE}$＝16−11＝5 (cm)

이때 □AECF는 평행사변형이므로

$\overline{AF}$＝$\overline{EC}$＝5 cm, $\overline{AE}$＝$\overline{FC}$＝12 cm

∴ $\overline{AE}$＋$\overline{AF}$＝12＋5＝17 (cm)

답 ④

0308 **전략** 먼저 □AECF가 어떤 사각형인지 알아본다.

□ABCD가 평행사변형이므로

$\overline{OA}$＝$\overline{OC}$, $\overline{OB}$＝$\overline{OD}$

이때 $\overline{BE}$＝$\overline{DF}$이므로

$\overline{OE}$＝$\overline{OB}$−$\overline{BE}$＝$\overline{OD}$−$\overline{DF}$＝$\overline{OF}$

따라서 □AECF는 두 대각선이 서로 다른 것을 이등분하므로 평행사변형이다. …… ㈎

△AEC에서 ∠AEC＝180°−(30°+25°)＝125°

∴ ∠AFC＝∠AEC＝125° …… ㈏

답 125°

채점 기준	비율
㈎ □AECF가 평행사변형임을 알기	70 %
㈏ ∠AFC의 크기 구하기	30 %

0309 **전략** 먼저 □EBFD, □AFCE가 어떤 사각형인지 알아본다.

□EBFD에서 $\overline{ED}$∥$\overline{BF}$, $\overline{ED}$＝$\overline{BF}$이므로 □EBFD는 평행사변형이다.

즉 $\overline{EB}$∥$\overline{DF}$이므로 ∠DFC＝∠EBF＝50° (동위각)

□AFCE에서 $\overline{AE}$∥$\overline{FC}$, $\overline{AE}$＝$\overline{FC}$이므로 □AFCE는 평행사변형이다.

∴ ∠ECF＝∠EAF＝60°

따라서 △HFC에서

∠EHF＝50°+60°＝110°

답 ⑤

0310 **전략** 평행사변형이 되는 조건을 만족하는 사각형을 모두 찾는다.

□ABFC에서 $\overline{AB}$∥$\overline{CF}$, $\overline{AB}$＝$\overline{DC}$＝$\overline{CF}$

즉 한 쌍의 대변이 평행하고 그 길이가 같으므로 □ABFC는 평행사변형이다.

□ACED에서 $\overline{AD}$∥$\overline{CE}$, $\overline{AD}$＝$\overline{BC}$＝$\overline{CE}$

즉 한 쌍의 대변이 평행하고 그 길이가 같으므로 □ACED는 평행사변형이다.

□BFED에서 $\overline{CB}$＝$\overline{CE}$, $\overline{CD}$＝$\overline{CF}$

즉 두 대각선이 서로 다른 것을 이등분하므로 □BFED는 평행사변형이다.

답 풀이 참조

> **Lecture**
>
> • $\overline{AB}$∥$\overline{DC}$이고 점 F는 $\overline{DC}$의 연장선 위의 점이므로 $\overline{AB}$∥$\overline{CF}$
>
> • $\overline{AD}$∥$\overline{BC}$이고 점 E는 $\overline{BC}$의 연장선 위의 점이므로 $\overline{AD}$∥$\overline{CE}$

0311 전략 평행선에서 동위각의 크기가 같음을 이용하여 △DBE가 어떤 삼각형인지 알아본다.

△ABC는 $\overline{AB}=\overline{AC}$인 이등변삼각형이므로 ∠B=∠C

∠C=∠DEB (동위각)이므로 ∠B=∠DEB

즉 △DBE는 $\overline{DB}=\overline{DE}$인 이등변삼각형이다.

이때 □ADEF는 평행사변형이므로

(□ADEF의 둘레의 길이)

$=\overline{AD}+\overline{DE}+\overline{EF}+\overline{FA}$

$=2(\overline{AD}+\overline{DE})=2(\overline{AD}+\overline{DB})$

$=2\overline{AB}=2\times16=32\ (cm)$ **답** 32 cm

0312 전략 먼저 △OEA와 △OFC가 합동임을 보인다.

△OEA와 △OFC에서

$\overline{OA}=\overline{OC}$, ∠OAE=∠OCF (엇각),

∠AOE=∠COF (맞꼭지각)

이므로 △OEA≡△OFC (ASA 합동) ······ ㉮

∴ (색칠한 부분의 넓이)=△OEA+△OBF

$= △OFC+△OBF$

$= △OBC=\dfrac{1}{4}□ABCD$

$=\dfrac{1}{4}\times84=21\ (cm^2)$ ······ ㉯

답 21 cm²

채점 기준	비율
㉮ △OEA≡△OFC임을 알기	50 %
㉯ 색칠한 부분의 넓이 구하기	50 %

0313 전략 $△PDA+△PBC=\dfrac{1}{2}□ABCD$임을 이용한다.

$△PDA+△PBC=\dfrac{1}{2}□ABCD$

$=\dfrac{1}{2}\times140=70\ (cm^2)$

이때 △PDA : △PBC=3 : 4이므로

$△PDA=70\times\dfrac{3}{7}=30\ (cm^2)$ **답** ③

0314 전략 합동인 두 삼각형을 찾아 $\overline{AF}=\overline{DF}$임을 보인다.

△AFE와 △DFC에서

$\overline{AE}=\overline{AB}=\overline{DC}$,

∠AEF=∠DCF (엇각),

∠EAF=∠CDF (엇각)

∴ △AFE≡△DFC (ASA 합동)

따라서 $\overline{AF}=\overline{DF}$이므로

$△CDF=\dfrac{1}{2}□FGCD=\dfrac{1}{2}\times\dfrac{1}{2}□ABCD$

$=\dfrac{1}{4}□ABCD$

$=\dfrac{1}{4}\times16=4\ (cm^2)$ **답** ①

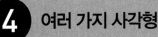

STEP 1 개념 마스터 p.66 ~ p.67

0315 $\overline{OA}=\overline{OC}=4\ cm$ ∴ $x=4$ **답** 4

0316 $\overline{BD}=\overline{AC}=10\ cm$이고

$\overline{OD}=\dfrac{1}{2}\overline{BD}=\dfrac{1}{2}\times10=5\ (cm)$

∴ $x=5$ **답** 5

0317 △OBC는 $\overline{OB}=\overline{OC}$인 이등변삼각형이므로

∠OCB=∠OBC=35° ∴ $x=35$ **답** 35

0318 △ODA는 $\overline{OA}=\overline{OD}$인 이등변삼각형이므로

∠ODA=∠OAD=40°

따라서 △ODA에서

∠AOB=40°+40°=80° ∴ $x=80$ **답** 80

0319 ㉠ 한 내각이 직각인 평행사변형은 직사각형이다.

㉢ 두 대각선의 길이가 같은 평행사변형은 직사각형이다.

따라서 직사각형이 되는 조건은 ㉠, ㉢이다. **답** ㉠, ㉢

0320 $\overline{BC}=\overline{AB}=5\ cm$ ∴ $x=5$ **답** 5

0321 $\overline{OC}=\overline{OA}=3\ cm$ ∴ $x=3$ **답** 3

0322 ∠COD=90° ∴ $x=90$ **답** 90

0323 ∠OCB=∠OAD=35° (엇각)

△OBC에서 ∠BOC=90°이므로

∠OBC=180°-(90°+35°)=55°

∴ $x=55$ **답** 55

0324 ㉠ 두 대각선이 수직으로 만나는 평행사변형은 마름모이다.

㉣ 이웃하는 두 변의 길이가 같은 평행사변형은 마름모이다.

따라서 마름모가 되는 조건은 ㉠, ㉣이다. **답** ㉠, ㉣

0325 $\overline{AC}=\overline{BD}=2\overline{OB}=2\times4=8\ (cm)$ ∴ $x=8$ **답** 8

0326 $\overline{OA}=\dfrac{1}{2}\overline{AC}=\dfrac{1}{2}\overline{BD}=\dfrac{1}{2}\times6=3\ (cm)$

∴ $x=3$ **답** 3

0327 $\overline{AC} \perp \overline{BD}$이므로 $\angle x = 90°$

$\triangle OBC$는 $\overline{OB} = \overline{OC}$인 이등변삼각형이므로

$\angle y = \dfrac{1}{2} \times (180° - 90°) = 45°$ **답** $\angle x = 90°,\ \angle y = 45°$

0328 $\overline{DC} = \overline{AB} = 7$ cm ∴ $x = 7$ **답** 7

0329 $\overline{AC} = \overline{DB} = 3 + 5 = 8$ (cm) ∴ $x = 8$ **답** 8

0330 $\angle C = \angle B = 70°$ ∴ $x = 70$ **답** 70

0331 $\angle C = \angle B = 80°$이고 $\angle C + \angle D = 180°$이므로

$\angle D = 180° - 80° = 100°$ ∴ $x = 100$ **답** 100

0332 $\angle DBC = \angle ADB = 45°$ (엇각)이므로

$\angle C = \angle ABC = 40° + 45° = 85°$ ∴ $x = 85$ **답** 85

0333 $\angle DAC = \angle ACB = 42°$ (엇각)이고 $\angle BAD = \angle D$이므로

$x° + 42° = 105°$ ∴ $x = 63$ **답** 63

STEP 2 유형 마스터 p.68 ~ p.75

0334 전략 직사각형의 네 내각의 크기는 모두 $90°$임을 이용한다.

$\triangle BED$는 $\overline{BE} = \overline{DE}$인 이등변삼각형이므로

$\angle DBE = \angle BDE$

또 $\overline{AD} /\!/ \overline{BC}$이므로 $\angle ADB = \angle DBE$ (엇각)

즉 $\angle ADB = \angle BDE = \angle EDC$이고 $\angle ADC = 90°$이므로

$\angle EDC = \dfrac{1}{3} \times 90° = 30°$

따라서 $\triangle DEC$에서

$\angle DEC = 180° - (30° + 90°) = 60°$ **답** 60°

0335 $\angle BCD = 90°$이므로 $\angle OCD = 90° - \angle x$

$\triangle OCD$에서 $\angle y + 50° + (90° - \angle x) = 180°$

∴ $\angle y - \angle x = 40°$ **답** 40°

다른풀이 $\triangle OBC$에서 $\overline{OB} = \overline{OC}$이므로

$\angle OBC = \angle OCB = \angle x$

따라서 $\angle x + \angle x = 50°$이므로 $\angle x = 25°$

$\triangle OCD$에서 $\overline{OC} = \overline{OD}$이므로

$\angle y = \dfrac{1}{2} \times (180° - 50°) = 65°$

∴ $\angle y - \angle x = 65° - 25° = 40°$

0336 $\angle GAF = 90° - \angle EAF = \angle BAE = 18°$이므로

$\triangle GAF$에서 $\angle x = 180° - (90° + 18°) = 72°$

한편 $\triangle ABE$에서

$\angle AEB = 180° - (90° + 18°) = 72°$

이때 $\angle y = \angle FEC$ (접은 각)이므로

$\angle y = \dfrac{1}{2} \times (180° - 72°) = 54°$ **답** $\angle x = 72°,\ \angle y = 54°$

0337 전략 직사각형의 두 대각선은 길이가 같고, 서로 다른 것을 이등분함을 이용한다.

$\overline{AC} = \overline{BD} = 2\overline{OD} = 2 \times 5 = 10$ (cm)이므로 $x = 10$

$\angle ABC = 90°$이므로 $\angle OBC = 90° - 50° = 40°$

∴ $y = 40$ **답** $x = 10,\ y = 40$

0338 ① 직사각형의 두 대각선은 길이가 같다.

② 직사각형의 두 대각선은 길이가 같고, 서로 다른 것을 이등분한다.

④ 직사각형은 평행사변형이므로 두 쌍의 대변의 길이가 각각 같다.

⑤ $\overline{AB} /\!/ \overline{DC}$이므로 $\angle ABO = \angle CDO$ (엇각)

따라서 옳지 않은 것은 ③이다. **답** ③

0339 **답** (가) $90°$ (나) $\overline{BC}$ (다) SAS

0340 $\overline{OA} = \overline{OC}$이므로

$3x - 5 = 2x + 1$ ∴ $x = 6$ ······ (가)

$\overline{BD} = \overline{AC} = (3x - 5) + (2x + 1)$

$= 5x - 4 = 5 \times 6 - 4 = 26$ ······ (나)

답 26

채점 기준	비율
(가) x의 값 구하기	50 %
(나) $\overline{BD}$의 길이 구하기	50 %

0341 $\triangle OAB$는 $\overline{OA} = \overline{OB}$인 이등변삼각형이므로

$\angle OBA = \angle OAB = 55°$

따라서 $\triangle OAB$에서

$\angle AOD = 55° + 55° = 110°$ **답** 110°

0342 전략 평행사변형이 직사각형이 되려면 한 내각의 크기가 $90°$이거나 두 대각선의 길이가 같아야 한다.

② $\angle BAD + \angle ADC = 180°$이므로

$\angle BAD = \angle ADC$이면 $\angle BAD = \angle ADC = 90°$

즉 □ABCD는 직사각형이다.

③ $\overline{DO} = \overline{CO}$이면 $\overline{BD} = \overline{AC}$이므로 □ABCD는 직사각형이다.

따라서 직사각형이 되는 조건이 아닌 것은 ④이다. **답** ④

0343 $\angle BAD + \angle ABC = 180°$이므로

$\angle BAD = \angle ABC$이면 $\angle BAD = \angle ABC = 90°$

즉 □ABCD는 직사각형이므로 두 대각선은 길이가 같고, 서로 다른 것을 이등분한다.

∴ $\overline{AO} = \overline{BO} = \overline{CO} = \overline{DO}$

따라서 길이가 나머지 넷과 다른 하나는 ⑤이다. **답** ⑤

0344 ③ 두 대각선의 길이가 같다.

⑤ 한 내각의 크기가 90°이다.

따라서 직사각형이 되는 조건은 ③, ⑤이다. **답 ③, ⑤**

0345 **답** ㈎ $\overline{DC}$ ㈏ SSS ㈐ ∠DCB ㈑ ∠CDA ㈒ ∠DAB

0346 **전략** 마름모의 네 변의 길이는 모두 같음을 이용한다.

$\overline{AB}=\overline{BC}=20$ cm이므로 $x=20$

△ACD는 $\overline{DA}=\overline{DC}$인 이등변삼각형이므로

∠DAC=∠DCA=60° ∴ $y=60$

∴ $x+y=20+60=80$ **답 80**

0347 △ABD는 $\overline{AB}=\overline{AD}$인 이등변삼각형이므로

∠ADB=∠ABD=32°

∠A=180°−2×32°=116°

∴ ∠C=∠A=116° **답 116°**

0348 △ABH와 △ACH에서

$\overline{BH}=\overline{CH}$, ∠AHB=∠AHC=90°, $\overline{AH}$는 공통

따라서 △ABH≡△ACH (SAS 합동)이므로

$\overline{AB}=\overline{AC}$

□ABCD가 마름모이므로 $\overline{AB}=\overline{BC}=\overline{CD}=\overline{DA}$

즉 $\overline{AC}=\overline{CD}=\overline{DA}$이므로 △ACD는 정삼각형이다.

∴ ∠D=60° **답 60°**

0349 △ABP와 △ADQ에서

∠APB=∠AQD=90°, $\overline{AB}=\overline{AD}$, ∠ABP=∠ADQ

따라서 △ABP≡△ADQ (RHA 합동)이므로

$\overline{AP}=\overline{AQ}$, ∠BAP=∠DAQ=180°−(90°+50°)=40°

∠BAD=180°−50°=130°이므로

∠PAQ=130°−(40°+40°)=50°

△APQ는 $\overline{AP}=\overline{AQ}$인 이등변삼각형이므로

$\angle x=\dfrac{1}{2}×(180°-50°)=65°$ **답 65°**

0350 □ABCD는 마름모이므로 ∠A=180°−84°=96°

이때 △ABE는 정삼각형이므로

∠EAD=96°−60°=36°, ∠CBE=84°−60°=24°

△AED에서 $\overline{AE}=\overline{AD}$이므로

$\angle x=\dfrac{1}{2}×(180°-36°)=72°$

△BCE에서 $\overline{BC}=\overline{BE}$이므로

$\angle BCE=\dfrac{1}{2}×(180°-24°)=78°$

∴ ∠y=96°−78°=18°

∴ ∠x+∠y=72°+18°=90° **답 90°**

0351 **전략** 마름모는 두 대각선이 서로 다른 것을 수직이등분함을 이용한다.

0352 **답** ㈎ $\overline{AD}$ ㈏ $\overline{BO}$ ㈐ SSS ㈑ 90°

$\overline{BO}=\overline{DO}=6$ cm이므로 $x=6$

∠AOD=90°이므로

△AOD에서 ∠ADO=180°−(90°+60°)=30°

$\overline{AB}=\overline{AD}$이므로 ∠ABO=∠ADO=30° ∴ $y=30$

∴ $x+y=6+30=36$ **답 36**

0353 ① 마름모는 두 대각선이 서로 수직이다.

② $\overline{AO}=\overline{CO}$, $\overline{BO}=\overline{DO}$

③ 마름모는 네 변의 길이가 모두 같다.

④ △ABO와 △CBO에서

$\overline{BO}$는 공통, $\overline{BA}=\overline{BC}$, $\overline{AO}=\overline{CO}$

이므로 △ABO≡△CBO (SSS 합동)

⑤ △ABO≡△CBO이므로 ∠ABO=∠CBO

즉 $\overline{BD}$는 ∠B의 이등분선이다.

따라서 옳지 않은 것은 ②이다. **답 ②**

0354 $\overline{AD}$∥$\overline{BC}$이므로 ∠DBC=∠ADB=35° (엇각)

△OBC에서 ∠BOC=90°이므로

∠x=90°−35°=55°

△BEF에서 ∠BFE=90°−35°=55°이므로

∠y=∠BFE=55° (맞꼭지각)

∴ ∠x+∠y=55°+55°=110° **답 110°**

0355 **전략** 평행사변형이 마름모가 되려면 이웃하는 두 변의 길이가 같거나 두 대각선이 서로 수직이어야 한다.

㉠ 이웃하는 두 변의 길이가 같다.

㉣ 두 대각선이 서로 수직이다.

㉤ ∠CDO=∠ABO=∠CBO이므로 △CDB에서

$\overline{CB}=\overline{CD}$, 즉 이웃하는 두 변의 길이가 같다.

따라서 마름모가 되는 조건은 ㉠, ㉣, ㉤이다. **답 ㉠, ㉣, ㉤**

0356 $\overline{AB}=\overline{BC}$이어야 하므로 $3x-1=x+13$

$2x=14$ ∴ $x=7$

∴ $\overline{CD}=\overline{AB}=3x-1=3×7-1=20$ **답 20**

0357 $\overline{AD}$∥$\overline{BC}$이므로 ∠ADB=∠DBC=35° (엇각)

△AOD에서 ∠AOD=180°−(55°+35°)=90°

즉 $\overline{AC}⊥\overline{BD}$이므로 □ABCD는 마름모이다. ⋯⋯ ㈎

따라서 $\overline{AB}=\overline{AD}=10$ cm이므로 $x=10$ ⋯⋯ ㈏

또 △CDB는 $\overline{CB}=\overline{CD}$인 이등변삼각형이므로

∠CDB=∠CBD=35° ∴ $y=35$ ⋯⋯ ㈐

답 $x=10, y=35$

채점 기준	비율
㈎ □ABCD가 마름모임을 알기	50 %
㈏ x의 값 구하기	25 %
㈐ y의 값 구하기	25 %

0358 전략 합동인 두 삼각형을 찾은 후 이를 이용하여 각의 크기를 구한다.

△APD와 △CPD에서

$\overline{AD}=\overline{CD}$, $\overline{PD}$는 공통, $\angle ADP=\angle CDP=45°$

따라서 △APD≡△CPD (SAS 합동)이므로

$\angle DCP=\angle DAP=22°$

따라서 △PCD에서 $\angle CDP=45°$, $\angle DCP=22°$이므로

$\angle x=\angle CDP+\angle DCP=45°+22°=67°$ 답 67°

0359 △BDE는 $\overline{BD}=\overline{BE}$인 이등변삼각형이므로

$\angle x=\dfrac{1}{2}\times(180°-38°)=71°$ ······ (가)

$\angle ADB=45°$이고 $\angle BDE=\angle BED=71°$이므로

$\angle y=71°-45°=26°$ ······ (나)

$\therefore \angle x+\angle y=71°+26°=97°$ ······ (다)

답 97°

채점 기준	비율
(가) $\angle x$의 크기 구하기	40 %
(나) $\angle y$의 크기 구하기	40 %
(다) $\angle x+\angle y$의 크기 구하기	20 %

0360 $\overline{AB}=\overline{AD}=\overline{AE}$이므로 △ABE는 $\overline{AB}=\overline{AE}$인 이등변삼각형이다.

따라서 $\angle AEB=\angle ABE=30°$이므로

$\angle BAE=180°-2\times30°=120°$

$\angle EAD=\angle BAE-\angle BAD=120°-90°=30°$

이때 △ADE는 $\overline{AD}=\overline{AE}$인 이등변삼각형이므로

$\angle ADE=\dfrac{1}{2}\times(180°-30°)=75°$ 답 75°

0361 $\overline{AB}=\overline{AD}=\overline{AE}$이므로 △AEB는 $\overline{AE}=\overline{AB}$인 이등변삼각형이다.

따라서 $\angle EAB=180°-2\times72°=36°$이므로

$\angle EAD=36°+90°=126°$

이때 △AED는 $\overline{AE}=\overline{AD}$인 이등변삼각형이므로

$\angle ADE=\dfrac{1}{2}\times(180°-126°)=27°$

따라서 △AFD에서

$\angle DFB=\angle DAF+\angle ADE$
$\quad\quad\quad=90°+27°=117°$ 답 117°

0362 △PBC는 정삼각형이므로 $\angle PBC=60°$

$\therefore \angle ABP=90°-60°=30°$

이때 $\overline{AB}=\overline{BC}=\overline{PB}$이므로 △ABP는 이등변삼각형이다.

따라서 $\angle BAP=\dfrac{1}{2}\times(180°-30°)=75°$이므로

$\angle PAD=\angle BAD-\angle BAP$
$\quad\quad\quad=90°-75°=15°$ 답 15°

0363 △ABF에서 $\angle BAF=180°-(90°+28°)=62°$

△ABE와 △CBE에서

$\overline{AB}=\overline{CB}$, $\overline{BE}$는 공통, $\angle ABE=\angle CBE=45°$

따라서 △ABE≡△CBE (SAS 합동)이므로

$\angle x=\angle BAE=62°$ 답 62°

0364 △ABE와 △BCF에서

$\overline{AB}=\overline{BC}$, $\angle ABE=\angle BCF=90°$, $\overline{BE}=\overline{CF}$

따라서 △ABE≡△BCF (SAS 합동)이므로

$\angle BAE=\angle CBF$

이때 △ABE에서 $\angle BAE+\angle AEB=90°$이므로

$\angle CBF+\angle AEB=90°$

따라서 △BEG에서

$\angle BGE=180°-(\angle GBE+\angle GEB)$
$\quad\quad\quad=180°-90°=90°$

$\therefore \angle AGF=\angle BGE=90°$ (맞꼭지각)   답 90°

0365 전략 정사각형의 뜻과 성질을 정확히 이해한다.

㉠ 정사각형은 네 변의 길이가 모두 같다.

㉢, ㉣ 정사각형의 두 대각선은 길이가 같고, 서로 다른 것을 수직이등분한다.

따라서 옳은 것은 ㉠, ㉢, ㉣이다.   답 ㉠, ㉢, ㉣

0366 $\overline{AC}\perp\overline{BD}$이고

$\overline{AO}=\dfrac{1}{2}\overline{AC}=\dfrac{1}{2}\overline{BD}=\dfrac{1}{2}\times6=3\,(cm)$이므로

$\square ABCD=2\triangle ABD$

$\quad\quad\quad=2\times\left(\dfrac{1}{2}\times6\times3\right)$

$\quad\quad\quad=18\,(cm^2)$ 답 18 cm²

0367 △OBP와 △OCQ에서

$\overline{OB}=\overline{OC}$, $\angle OBP=\angle OCQ=45°$,

$\angle BOP=90°-\angle POC=\angle COQ$

따라서 △OBP≡△OCQ (ASA 합동)이므로

$\square OPCQ=\triangle OPC+\triangle OCQ$

$\quad\quad\quad=\triangle OPC+\triangle OBP$

$\quad\quad\quad=\triangle OBC$

$\quad\quad\quad=\dfrac{1}{4}\square ABCD$

$\quad\quad\quad=\dfrac{1}{4}\times(8\times8)=16\,(cm^2)$ 답 16 cm²

0368 전략 평행사변형이 정사각형이 되려면 직사각형이 되는 조건과 마름모가 되는 조건을 모두 만족해야 한다.

① 평행사변형이 직사각형이 되는 조건이다.

③ 평행사변형이 마름모가 되는 조건이다.

⑤ 평행사변형의 성질이다.   답 ②, ④

0369 ① 이웃하는 두 변의 길이가 같다.

④ 두 대각선이 서로 수직이다.

따라서 정사각형이 되는 조건은 ①, ④이다. **답** ①, ④

0370 ② 두 대각선의 길이가 같다.

⑤ 한 내각의 크기가 $90°$이다.

따라서 정사각형이 되는 조건은 ②, ⑤이다. **답** ②, ⑤

0371 전략 $\overline{AD} /\!/ \overline{BC}$이고 $\angle B = \angle BCD$임을 이용한다.

$\overline{AD} /\!/ \overline{BC}$이므로 $\angle ACB = \angle DAC = 28°$ (엇각)

이때 $\angle B = \angle BCD$이므로

$64° = 28° + \angle y$ $\therefore \angle y = 36°$

또 $\angle BCD + \angle D = 180°$이므로

$64° + \angle x = 180°$ $\therefore \angle x = 116°$

$\therefore \angle x - \angle y = 116° - 36° = 80°$ **답** $80°$

0372 등변사다리꼴은 밑변의 양 끝각의 크기가 같은 사다리꼴이다. 따라서 등변사다리꼴인 것은 ②, ④이다. **답** ②, ④

0373 $\triangle ABD$는 $\overline{AB} = \overline{AD}$인 이등변삼각형이므로

$\angle ABD = \angle ADB = 34°$

$\triangle ABD$에서 $\angle A = 180° - (34° + 34°) = 112°$

$\angle A = \angle ADC$이므로 $112° = 34° + \angle x$

$\therefore \angle x = 78°$ **답** $78°$

0374 전략 등변사다리꼴의 뜻과 성질을 정확히 이해한다.

②, ④ $\triangle ABC$와 $\triangle DCB$에서

$\overline{AB} = \overline{DC}$, $\overline{BC}$는 공통, $\angle ABC = \angle DCB$

따라서 $\triangle ABC \equiv \triangle DCB$ (SAS 합동)이므로

$\overline{AC} = \overline{DB}$, $\angle ACB = \angle DBC$

③, ⑤ $\triangle ABD$와 $\triangle DCA$에서

$\overline{AD}$는 공통, $\overline{AB} = \overline{DC}$, $\overline{DB} = \overline{AC}$

따라서 $\triangle ABD \equiv \triangle DCA$ (SSS 합동)이므로

$\angle BAD = \angle CDA$

따라서 옳지 않은 것은 ①이다. **답** ①

0375 $\overline{AC} = \overline{DB}$이므로 $4x - 3 = 2x + 5$

$2x = 8$ $\therefore x = 4$

$\therefore \overline{AD} = x + 4 = 4 + 4 = 8$ **답** 8

0376 **답** ㈀ $\overline{DE}$ ㈁ $\angle DEC$ ㈂ $\overline{DC}$ ㈃ 이등변삼각형

0377 **답** ㈀ $\overline{DC}$ ㈁ $\angle DCB$ ㈂ $\overline{BC}$ ㈃ SAS ㈄ $\overline{DB}$

0378 $\triangle ABC$와 $\triangle DCB$에서

$\overline{AB} = \overline{DC}$, $\overline{BC}$는 공통, $\angle ABC = \angle DCB$

따라서 $\triangle ABC \equiv \triangle DCB$ (SAS 합동)이므로

$\angle ACB = \angle DBC = 35°$

이때 $\overline{AC} /\!/ \overline{DE}$이므로

$\angle x = \angle ACB = 35°$ (동위각) **답** $35°$

0379 전략 꼭짓점 D를 지나고 $\overline{AB}$에 평행한 직선을 긋는다.

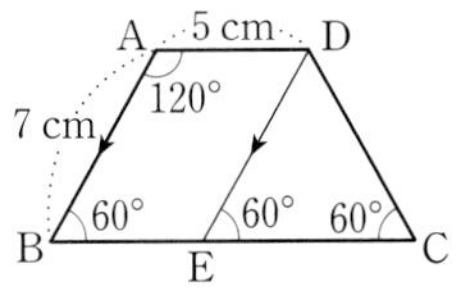

오른쪽 그림과 같이 꼭짓점 D를 지나고 $\overline{AB}$에 평행한 직선을 그어 $\overline{BC}$와 만나는 점을 E라 하면

$\angle C = \angle B = 180° - \angle A$

$= 180° - 120° = 60°$,

$\angle DEC = \angle B = 60°$ (동위각)

따라서 $\triangle DEC$는 정삼각형이므로

$\overline{EC} = \overline{DC} = \overline{AB} = 7 \text{ cm}$

또 $\square ABED$는 평행사변형이므로

$\overline{BE} = \overline{AD} = 5 \text{ cm}$

$\therefore \overline{BC} = \overline{BE} + \overline{EC} = 5 + 7 = 12 \text{ (cm)}$ **답** 12 cm

0380 오른쪽 그림과 같이 꼭짓점 D를 지나고 $\overline{AB}$에 평행한 직선을 그어 $\overline{BC}$와 만나는 점을 E라 하면

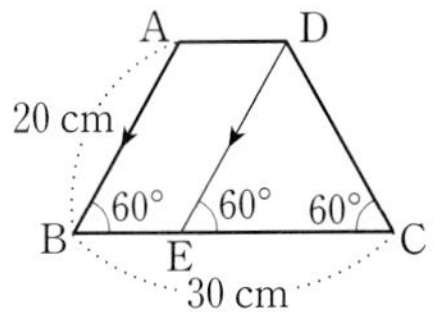

$\angle C = \angle B = 60°$,

$\angle DEC = \angle B = 60°$ (동위각)

따라서 $\triangle DEC$는 정삼각형이므로

$\overline{EC} = \overline{DC} = \overline{AB} = 20 \text{ cm}$

$\square ABED$는 평행사변형이므로

$\overline{AD} = \overline{BE} = 30 - 20 = 10 \text{ (cm)}$ **답** 10 cm

0381 오른쪽 그림과 같이 꼭짓점 A에서 $\overline{BC}$에 내린 수선의 발을 F라 하면

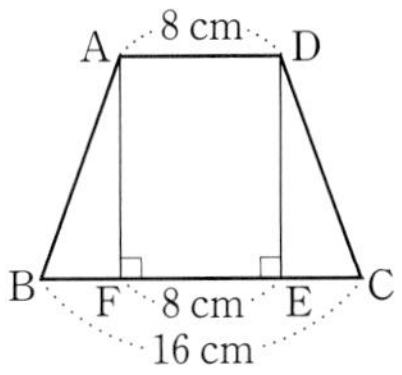

$\triangle ABF$와 $\triangle DCE$에서

$\angle AFB = \angle DEC = 90°$,

$\overline{AB} = \overline{DC}$, $\angle B = \angle C$

따라서 $\triangle ABF \equiv \triangle DCE$ (RHA 합동)이므로

$\overline{BF} = \overline{CE}$

이때 $\overline{FE} = \overline{AD} = 8 \text{ cm}$이므로

$\overline{EC} = \dfrac{1}{2}(\overline{BC} - \overline{FE})$

$= \dfrac{1}{2} \times (16 - 8) = 4 \text{ (cm)}$ **답** 4 cm

0382 오른쪽 그림과 같이 꼭짓점 D를 지나고 $\overline{AB}$에 평행한 직선을 그어 $\overline{BC}$와 만나는 점을 E라 하면 $\square ABED$는 평행사변형이다. ⋯⋯ ㈎

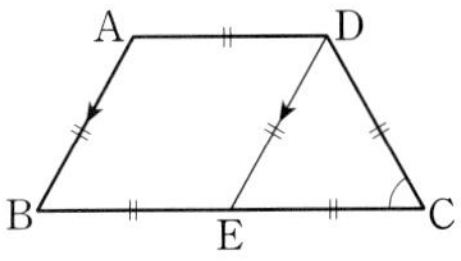

$\therefore \overline{AD} = \overline{BE}$, $\overline{AB} = \overline{DE}$

이때 $\overline{BC} = 2\overline{AD} = 2\overline{BE}$이므로 $\overline{BE} = \overline{EC}$

따라서 $\overline{DE} = \overline{EC} = \overline{CD}$이므로

$\triangle DEC$는 정삼각형이다. ⋯⋯ ㈏

$$\therefore \angle C = 60° \qquad \cdots\cdots \text{(다)}$$

답 60°

채점 기준	비율
(개) $\overline{DE}$를 그어 □ABED가 평행사변형임을 알기	40 %
(내) △DEC가 정삼각형임을 알기	40 %
(대) $\angle C$의 크기 구하기	20 %

STEP 1 개념 마스터 p.76

0383   답 ○, ○, ○, ○, ○

0384   답 ×, ○, ○, ○, ○

0385   답 ×, ×, ×, ○, ○

0386   답 ×, ×, ○, ×, ○

0387   답 ×, ×, ○, ×, ○

0388   답 ×, ×, ×, ○, ○

0389   답 △DBC

0390   답 △ACD

0391
$$\begin{aligned}\triangle OAB &= \triangle ABC - \triangle OBC \\ &= \triangle DBC - \triangle OBC \\ &= \triangle OCD\end{aligned}$$

답 △OCD

0392 $\overline{BD} : \overline{DC} = 4 : 3$이므로 $\triangle ABD : \triangle ADC = 4 : 3$

$\triangle ABD : 30 = 4 : 3$

$\therefore \triangle ABD = 40\ (\text{cm}^2)$

답 40 cm²

0393
$$\begin{aligned}\triangle ABC &= \triangle ABD + \triangle ADC \\ &= 40 + 30 = 70\ (\text{cm}^2)\end{aligned}$$

답 70 cm²

STEP 2 유형 마스터 p.77 ~ p.84

0394 전략 먼저 □EFGH가 어떤 사각형인지 알아본다.

$\angle A + \angle B = 180°$이므로 $\angle EAB + \angle EBA = 90°$

$\therefore \angle HEF = \angle AEB = 90°$

같은 방법으로

$\angle EFG = \angle FGH = \angle GHE = 90°$이므로

□EFGH는 직사각형이다.

③ 마름모 또는 정사각형의 성질이다.

답 ③

0395 △ABP와 △ADQ에서

$\overline{AP} = \overline{AQ}$, $\angle BPA = \angle DQA$,

$\angle B = \angle D$이므로 $\angle BAP = \angle DAQ$

따라서 △ABP ≡ △ADQ (ASA 합동)이므로

$\overline{AB} = \overline{AD}$

즉 □ABCD는 이웃하는 두 변의 길이가 같은 평행사변형이므로 마름모이다.

답 마름모

0396 △ABM과 △DCM에서

$\overline{AB} = \overline{DC}$, $\overline{AM} = \overline{DM}$, $\overline{BM} = \overline{CM}$

따라서 △ABM ≡ △DCM (SSS 합동)이므로

$\angle A = \angle D$

이때 $\angle A + \angle D = 180°$이므로 $\angle A = \angle D = 90°$

즉 □ABCD는 한 내각의 크기가 90°인 평행사변형이므로 직사각형이다.

답 직사각형

0397 (1) △AOF와 △COE에서

$\angle AOF = \angle COE = 90°$, $\overline{OA} = \overline{OC}$,

$\angle OAF = \angle OCE$ (엇각)

따라서 △AOF ≡ △COE (ASA 합동)이므로

$\overline{AF} = \overline{CE}$

또 $\overline{AF} /\!/ \overline{CE}$이므로 □AECF는 평행사변형이다.

이때 □AECF의 두 대각선이 수직으로 만나므로

□AECF는 마름모이다. $\cdots\cdots$ (개)

(2) $\begin{aligned}\overline{AE} = \overline{AF} &= \overline{AD} - \overline{FD} \\ &= \overline{BC} - \overline{FD} \\ &= 10 - 3 = 7\ (\text{cm})\end{aligned}$ $\cdots\cdots$ (내)

답 (1) 마름모 (2) 7 cm

채점 기준	비율
(개) □AECF가 어떤 사각형인지 말하기	60 %
(내) $\overline{AE}$의 길이 구하기	40 %

0398 △AEH와 △BFE에서

$\overline{AH} = \overline{BE}$, $\angle HAE = \angle EBF$,

$\overline{AE} = \overline{AB} - \overline{BE} = \overline{BC} - \overline{CF} = \overline{BF}$이므로

△AEH ≡ △BFE (SAS 합동)

같은 방법으로 하면

△AEH ≡ △BFE ≡ △CGF ≡ △DHG (SAS 합동)

즉 □EFGH는 $\overline{EF} = \overline{FG} = \overline{GH} = \overline{HE}$이고

$\angle E = \angle F = \angle G = \angle H = 90°$이므로 정사각형이다.

답 정사각형

0399 $\angle BEA = \angle FAE$ (엇각)이고 $\angle FAE = \angle BAE$이므로

$\angle BEA = \angle BAE$ $\therefore \overline{AB} = \overline{BE}$ $\cdots\cdots$ ㉠

또 $\angle AFB = \angle FBE$ (엇각)이고 $\angle FBE = \angle ABF$이므로

$\angle AFB = \angle ABF$ $\therefore \overline{AB} = \overline{AF}$ $\cdots\cdots$ ㉡

㉠, ㉡에서 $\overline{AF}=\overline{BE}$이고 $\overline{AF}\,/\!/\,\overline{BE}$이므로 □ABEF는 평행사변형이다.

이때 $\overline{AB}=\overline{AF}$에서 이웃하는 두 변의 길이가 같으므로 □ABEF는 마름모이다.

③, ⑤ 직사각형 또는 정사각형의 성질이다. **답** ③, ⑤

0400 [전략] 평행사변형이 직사각형, 마름모, 정사각형이 되는 조건을 이해한다.

① $\overline{AC}=\overline{BD}$ ➡ 직사각형

⑤ $\overline{AB}=\overline{BC}$ ➡ 마름모 **답** ①, ⑤

0401 ④ 이웃하는 두 변의 길이가 같은 평행사변형은 마름모이다. **답** ④

0402 ⑤ 마름모는 직사각형이 아니다. **답** ⑤

0403 [전략] 여러 가지 사각형의 대각선의 성질을 정확히 이해한다. **답** ③, ⑤

0404 **답** ㉣, ㉤

0405 [전략] 여러 가지 사각형의 각 변의 중점을 연결하여 만든 사각형이 어떤 사각형인지 알아본다.

② 평행사변형의 각 변의 중점을 연결하여 만든 사각형은 평행사변형이다. **답** ②

0406 **답** ②, ⑤

0407 등변사다리꼴의 각 변의 중점을 연결하여 만든 사각형은 마름모이다.

따라서 마름모의 성질이 아닌 것은 ③이다. **답** ③

0408 (1) □EFGH는 사각형의 각 변의 중점을 연결하여 만든 사각형이므로 평행사변형이다. ······ ㈎

(2) $\overline{HG}=\overline{EF}=7\text{ cm}$ ······ ㈏

(3) $\angle EFG=180°-80°=100°$ ······ ㈐

답 (1) 평행사변형 (2) 7 cm (3) $100°$

채점 기준	비율
㈎ □EFGH가 어떤 사각형인지 말하기	40 %
㈏ $\overline{HG}$의 길이 구하기	30 %
㈐ $\angle EFG$의 크기 구하기	30 %

0409 □EFGH는 등변사다리꼴의 각 변의 중점을 연결하여 만든 사각형이므로 마름모이다.

∴ $\overline{EF}=\overline{FG}=\overline{GH}=\overline{HE}=5\text{ cm}$

따라서 □EFGH의 둘레의 길이는

$4\times5=20\text{ (cm)}$ **답** 20 cm

0410 □EFGH는 직사각형의 각 변의 중점을 연결하여 만든 사각형이므로 마름모이다.

∴ $\overline{EF}=\overline{FG}=\overline{GH}=\overline{HE}$, $\overline{EG}\perp\overline{HF}$

따라서 옳은 것은 ①, ③이다. **답** ①, ③

0411 [전략] $\overline{AC}\,/\!/\,\overline{DE}$임을 이용하여 △ACD와 넓이가 같은 삼각형을 찾는다.

$\overline{AC}\,/\!/\,\overline{DE}$이므로 △ACD=△ACE

∴ □ABCD=△ABC+△ACD

$\qquad\qquad=△ABC+△ACE=△ABE$

$\qquad\qquad=\dfrac{1}{2}\times(8+4)\times6=36\text{ (cm}^2)$ **답** 36 cm^2

0412 ① $\overline{AC}\,/\!/\,\overline{DE}$이므로 △ACD=△ACE

② $\overline{AC}\,/\!/\,\overline{DE}$이므로 △DCE=△DAE

④ △ODA=△ACD-△OAC

$\qquad\quad=△ACE-△OAC=△OCE$

⑤ □ABCD=△ABC+△ACD

$\qquad\qquad=△ABC+△ACE=△ABE$

따라서 옳지 않은 것은 ③이다. **답** ③

0413 $\overline{AC}\,/\!/\,\overline{DE}$이므로

△ADC=△AEC=△ABC-△ABE

$\qquad\qquad=40-25=15\text{ (cm}^2)$ **답** 15 cm^2

0414 (1) $\overline{AC}\,/\!/\,\overline{DE}$이므로 △ACD=△ACE

∴ △ACE=△ACD=□ABCD-△ABC

$\qquad\qquad=40-24=16\text{ (cm}^2)$ ······ ㈎

(2) △ABE=△ABC+△ACE

$\qquad\quad=24+16=40\text{ (cm}^2)$ ······ ㈏

답 (1) △ACE, 16 cm^2 (2) 40 cm^2

채점 기준	비율
㈎ △ACD와 넓이가 같은 삼각형을 말하고, 그 삼각형의 넓이 구하기	60 %
㈏ △ABE의 넓이 구하기	40 %

0415 $\overline{AC}\,/\!/\,\overline{DE}$이므로 △ACE=△ACD=$9\text{ cm}^2$

이때 △ABE=$\dfrac{1}{2}\times8\times5=20\text{ (cm}^2)$이므로

△ABC=△ABE-△ACE

$\qquad\qquad=20-9=11\text{ (cm}^2)$ **답** 11 cm^2

0416 $\overline{AB}\,/\!/\,\overline{CD}$이므로 △CBD=△COD

∴ (색칠한 부분의 넓이)=(부채꼴 COD의 넓이)

$\qquad\qquad=\pi\times6^2\times\dfrac{60}{360}=6\pi\text{ (cm}^2)$

답 $6\pi\text{ cm}^2$

0417 전략 높이가 같은 두 삼각형의 넓이의 비는 밑변의 길이의 비와 같음을 이용한다.

$$\triangle AEC = \frac{2}{3}\triangle ABC = \frac{2}{3}\times 60 = 40 \ (cm^2)$$

$$\therefore \ \triangle DEC = \frac{2}{5}\triangle AEC = \frac{2}{5}\times 40 = 16 \ (cm^2)$$

답 $16 \ cm^2$

0418 $\triangle ABM = 3\triangle DBE = 3\times 7 = 21 \ (cm^2)$

$\therefore \ \triangle ABC = 2\triangle ABM = 2\times 21 = 42 \ (cm^2)$ 답 $42 \ cm^2$

0419 $\triangle EBC = \frac{4}{7}\triangle ABC = \frac{4}{7}\times 35 = 20 \ (cm^2)$

$\therefore \ \triangle OCE = \frac{2}{5}\triangle EBC = \frac{2}{5}\times 20 = 8 \ (cm^2)$ 답 $8 \ cm^2$

0420 오른쪽 그림과 같이 $\overline{DC}$를 그으면 $\overline{AC} /\!/ \overline{DE}$이므로

$\triangle ADE = \triangle CDE$

$\therefore \ \square ADFE$

$= \triangle DFE + \triangle ADE$

$= \triangle DFE + \triangle CDE$

$= \triangle DFC = \frac{4}{3}\triangle DBF$

$= \frac{4}{3}\times 9 = 12 \ (cm^2)$

답 $12 \ cm^2$

0421 전략 $\square ABCD$가 평행사변형이고 $\overline{BD} /\!/ \overline{EF}$임을 이용하여 넓이가 같은 삼각형을 찾는다.

$\overline{AD} /\!/ \overline{BC}$이므로 $\triangle ABE = \triangle DBE$

$\overline{BD} /\!/ \overline{EF}$이므로 $\triangle DBE = \triangle DBF$

$\overline{AB} /\!/ \overline{DC}$이므로 $\triangle DBF = \triangle DAF$

$\therefore \ \triangle ABE = \triangle DBE = \triangle DBF = \triangle DAF$

따라서 넓이가 나머지 넷과 다른 하나는 ⑤이다. 답 ⑤

0422 $\overline{AD} /\!/ \overline{BC}$이므로

$\triangle DFC = \triangle AFC$

$\overline{AC} /\!/ \overline{EF}$이므로

$\triangle AFC = \triangle AEC$

$\therefore \ \triangle DFC = \triangle AFC = \triangle AEC$

이때 $\triangle ABC = \frac{1}{2}\square ABCD = \frac{1}{2}\times 50 = 25 \ (cm^2)$이므로

$\triangle AEC = \triangle ABC - \triangle EBC = 25 - 10 = 15 \ (cm^2)$

$\therefore \ \triangle DFC = \triangle AEC = 15 \ cm^2$ 답 $15 \ cm^2$

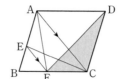

0423 오른쪽 그림과 같이 $\overline{AC}$를 그으면 $\overline{AD} /\!/ \overline{BC}$이므로

$\triangle ABC = \triangle ACD = \triangle AED$

$= 20 \ cm^2$

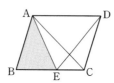

$\triangle AEC = \triangle DEC = 8 \ cm^2$

$\therefore \ \triangle ABE = \triangle ABC - \triangle AEC$

$= 20 - 8 = 12 \ (cm^2)$ 답 $12 \ cm^2$

Lecture

오른쪽 그림과 같은 평행사변형 ABCD에서

(1) $\triangle AED = \triangle ABE + \triangle DEC$

(2) $\square ABCD = 2\triangle AED$

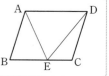

0424 $\overline{AB} /\!/ \overline{DC}$이므로 $\triangle AED = \triangle DBE$ (②)

$\overline{AF} /\!/ \overline{BC}$이므로 $\triangle DBF = \triangle DCF$ (③)

$\triangle DBE = \triangle DBF - \triangle DEF$

$= \triangle DCF - \triangle DEF$

$= \triangle ECF$ (④)

$\therefore \ \triangle AED = \triangle DBE = \triangle ECF$ (⑤)

따라서 옳지 않은 것은 ①이다. 답 ①

0425 오른쪽 그림과 같이 $\overline{BD}$를 그으면 $\overline{AD} /\!/ \overline{BC}$이므로

$\triangle DBE = \triangle ABE = 17 \ cm^2$

$\overline{AF} /\!/ \overline{DC}$이므로

$\triangle BFD = \triangle BFC$

$\therefore \ \triangle EFC = \triangle BFC - \triangle BFE$

$= \triangle BFD - \triangle BFE$

$= \triangle DBE = 17 \ cm^2$ 답 $17 \ cm^2$

0426 전략 평행사변형의 넓이는 한 대각선에 의해 이등분되고, 높이가 같은 삼각형의 넓이의 비는 밑변의 길이의 비와 같음을 이용한다.

$$\triangle ABD = \frac{1}{2}\square ABCD = \frac{1}{2}\times 30 = 15 \ (cm^2)$$

이때 $\overline{BM} = \overline{MN} = \overline{ND}$이므로

$$\triangle AMN = \frac{1}{3}\triangle ABD = \frac{1}{3}\times 15 = 5 \ (cm^2)$$

같은 방법으로 하면 $\triangle CNM = 5 \ cm^2$

$\therefore \ \square AMCN = \triangle AMN + \triangle CNM$

$= 5 + 5 = 10 \ (cm^2)$ 답 $10 \ cm^2$

0427 $\triangle OAB = \frac{1}{4}\square ABCD = \frac{1}{4}\times 64 = 16 \ (cm^2)$

$\therefore \ \triangle OAE = \frac{3}{4}\triangle OAB = \frac{3}{4}\times 16 = 12 \ (cm^2)$

답 $12 \ cm^2$

0428 $\square ABCD$가 마름모이므로 두 대각선은 서로 다른 것을 수직이등분한다. 즉 $\overline{AC} \perp \overline{BD}$이고 $\overline{OB} = \overline{OD}$이므로

$\triangle ABC = \frac{1}{2}\times \overline{AC} \times \overline{BO}$

$= \frac{1}{2}\times 10 \times 10 = 50 \ (cm^2)$

$$\therefore \triangle APC = \frac{3}{5} \triangle ABC$$

$$= \frac{3}{5} \times 50 = 30 \, (\text{cm}^2) \qquad \text{답 } 30 \, \text{cm}^2$$

0429 $\overline{OB} = \overline{OD}$이고 $\overline{MD} = \frac{1}{2}\overline{OD}$이므로

$\overline{BM} : \overline{MD} = 3 : 1$

즉 $\triangle MBC : \triangle DMC = \overline{BM} : \overline{MD} = 3 : 1$이므로

$$\triangle DMC = \frac{1}{3}\triangle MBC = \frac{1}{3} \times 15 = 5 \, (\text{cm}^2)$$

$$\triangle DBC = \triangle MBC + \triangle DMC$$

$$= 15 + 5 = 20 \, (\text{cm}^2)$$

$$\therefore \square ABCD = 2\triangle DBC$$

$$= 2 \times 20 = 40 \, (\text{cm}^2) \qquad \text{답 } 40 \, \text{cm}^2$$

0430 오른쪽 그림과 같이 $\overline{BD}$를 긋고 두 대각선의 교점을 O라 하면 $\triangle OBF$와 $\triangle ODE$에서

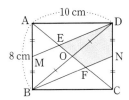

$\overline{OB} = \overline{OD}$,

$\angle BOF = \angle DOE$ (맞꼭지각),

$\angle OBF = \angle ODE$ (엇각)

따라서 $\triangle OBF \equiv \triangle ODE$ (ASA 합동)이므로

$$\square EFND = \triangle ODE + \square OFND$$

$$= \triangle OBF + \square OFND$$

$$= \triangle DBN$$

$$= \frac{1}{2}\triangle DBC$$

$$= \frac{1}{2} \times \left(\frac{1}{2} \times 10 \times 8 \right) = 20 \, (\text{cm}^2) \qquad \text{답 } 20 \, \text{cm}^2$$

> **Lecture**
>
> $\square MBND$에서 $\overline{MB} /\!/ \overline{DN}$, $\overline{MB} = \overline{DN}$이므로
> $\square MBND$는 평행사변형이다.
> 즉 $\overline{MD} /\!/ \overline{BN}$이므로 $\angle OBF = \angle ODE$ (엇각)

0431 오른쪽 그림과 같이 $\overline{AC}$, $\overline{BD}$, $\overline{DM}$을 그으면

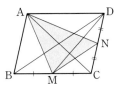

$$\triangle ABM = \frac{1}{2}\triangle ABC$$

$$= \frac{1}{2} \times \frac{1}{2}\square ABCD$$

$$= \frac{1}{4}\square ABCD$$

$$\triangle AND = \frac{1}{2}\triangle ACD = \frac{1}{2} \times \frac{1}{2}\square ABCD$$

$$= \frac{1}{4}\square ABCD$$

$$\triangle NMC = \frac{1}{2}\triangle DMC = \frac{1}{2} \times \frac{1}{2}\triangle DBC$$

$$= \frac{1}{4} \times \frac{1}{2}\square ABCD = \frac{1}{8}\square ABCD$$

$$\therefore \triangle AMN$$

$$= \square ABCD - (\triangle ABM + \triangle AND + \triangle NMC)$$

$$= \square ABCD$$

$$\quad - \left(\frac{1}{4}\square ABCD + \frac{1}{4}\square ABCD + \frac{1}{8}\square ABCD \right)$$

$$= \frac{3}{8}\square ABCD$$

$$= \frac{3}{8} \times 64 = 24 \, (\text{cm}^2) \qquad \text{답 } 24 \, \text{cm}^2$$

0432 전략 $\triangle OAB = \triangle OCD$임을 이용한다.

$\overline{AD} /\!/ \overline{BC}$이므로 $\triangle OAB = \triangle OCD = 30 \, \text{cm}^2$

$\triangle OAB : \triangle AOD = \overline{BO} : \overline{DO} = 3 : 2$이므로

$30 : \triangle AOD = 3 : 2$

$$\therefore \triangle AOD = 20 \, (\text{cm}^2) \qquad \text{답 } 20 \, \text{cm}^2$$

0433 $\overline{AD} /\!/ \overline{BC}$이므로 $\triangle OAB = \triangle OCD = 20 \, \text{cm}^2$

$$\therefore \triangle OBC = \triangle ABC - \triangle OAB$$

$$= 60 - 20 = 40 \, (\text{cm}^2) \qquad \text{답 } 40 \, \text{cm}^2$$

0434 $\overline{AD} /\!/ \overline{BC}$이므로 $\triangle OCD = \triangle OAB = 30 \, \text{cm}^2$

$\overline{BO} : \overline{DO} = \triangle OBC : \triangle OCD = 50 : 30 = 5 : 3$

따라서 $\triangle OAB : \triangle ODA = \overline{BO} : \overline{DO} = 5 : 3$이므로

$30 : \triangle ODA = 5 : 3$ $\therefore \triangle ODA = 18 \, (\text{cm}^2)$

$$\therefore \square ABCD = \triangle OAB + \triangle OBC + \triangle OCD + \triangle ODA$$

$$= 30 + 50 + 30 + 18$$

$$= 128 \, (\text{cm}^2) \qquad \text{답 } 128 \, \text{cm}^2$$

0435 전략 $\triangle FEC = \triangle AFD$임을 이용한다.

$\overline{AB} /\!/ \overline{DC}$이므로 $\triangle AEC = \triangle AED$

$$\therefore \triangle FEC = \triangle AEC - \triangle AEF$$

$$= \triangle AED - \triangle AEF$$

$$= \triangle AFD$$

$\triangle FEC = \triangle AFD = a \, \text{cm}^2$라 하면

$\triangle ABC = \triangle ACD$이므로

$4 + a + \triangle EBC = a + 16$

$$\therefore \triangle EBC = 12 \, (\text{cm}^2) \qquad \text{답 } 12 \, \text{cm}^2$$

0436 $\overline{AB} /\!/ \overline{DC}$이므로 $\triangle DBF = \triangle DAF$

$$\therefore \triangle EBF = \triangle DBF - \triangle DEF$$

$$= \triangle DAF - \triangle DEF$$

$$= \triangle AED$$

$\triangle EBF = \triangle AED = a \, \text{cm}^2$라 하면

$\triangle ABD = \triangle DBC$이므로

$15 + a = \triangle DEF + a + 12$

$$\therefore \triangle DEF = 3 \, (\text{cm}^2) \qquad \text{답 } 3 \, \text{cm}^2$$

0437 $\triangle EBC : \triangle ABE = 9 : 5$이므로

$\triangle EBC = 9k$, $\triangle ABE = 5k$ $(k>0)$라 하면

$\triangle EBC = \triangle ABE + \triangle ECD$에서

$9k = 5k + \triangle ECD$ $\quad \therefore \triangle ECD = 4k$

$\square ABCD = \triangle ABE + \triangle EBC + \triangle ECD$

$\qquad = 5k + 9k + 4k = 18k$

따라서 $\square ABCD$의 넓이는 $\triangle ECD$의 넓이의

$\dfrac{18k}{4k} = \dfrac{9}{2}$(배)이다. **답** $\dfrac{9}{2}$배

0438 $\triangle APD : \triangle PED = \overline{AP} : \overline{PE} = 4 : 5$이므로

$20 : \triangle PED = 4 : 5$ $\quad \therefore \triangle PED = 25 \,(\mathrm{cm}^2)$

$\triangle AED = \triangle APD + \triangle PED$

$\qquad = 20 + 25 = 45 \,(\mathrm{cm}^2)$

$\therefore \square ABCD = 2\triangle AED = 2 \times 45 = 90 \,(\mathrm{cm}^2)$

이때 $\triangle APD + \triangle PBC = \dfrac{1}{2}\square ABCD$이므로

$20 + \triangle PBC = \dfrac{1}{2} \times 90 = 45$

$\therefore \triangle PBC = 25 \,(\mathrm{cm}^2)$ **답** $25\,\mathrm{cm}^2$

0439 오른쪽 그림과 같이 $\overline{AC}$를 그으면

$\overline{AD}\,/\!/\,\overline{CF}$이므로

$\triangle ACF = \triangle DCF$

$\therefore \triangle ACE = \triangle ACF - \triangle ECF$

$\qquad = \triangle DCF - \triangle ECF$

$\qquad = \triangle DEF = 3\,\mathrm{cm}^2$

$\overline{DE} : \overline{EC} = \triangle DEF : \triangle ECF = 3 : 1$이므로

$\triangle AED = 3\triangle ACE = 3 \times 3 = 9 \,(\mathrm{cm}^2)$

$\triangle ACD = \triangle ACE + \triangle AED = 3 + 9 = 12 \,(\mathrm{cm}^2)$

$\therefore \square ABCD = 2\triangle ACD$

$\qquad = 2 \times 12 = 24 \,(\mathrm{cm}^2)$ **답** $24\,\mathrm{cm}^2$

0440 오른쪽 그림과 같이 점 E를 지나고 $\overline{AD}$와 평행한 직선이 $\overline{DC}$와 만나는 점을 G, 점 A에서 $\overline{EG}$에 내린 수선의 발을 H라 하면

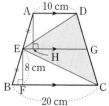

$\triangle AEH$와 $\triangle EBF$에서

$\angle AHE = \angle EFB = 90°$,

$\overline{AE} = \overline{EB}$,

$\angle AEH = \angle EBF$ (동위각)

이므로 $\triangle AEH \equiv \triangle EBF$ (RHA 합동)

따라서 $\overline{AH} = \overline{EF} = 8\,\mathrm{cm}$이므로

$\triangle AED = \dfrac{1}{2} \times 10 \times 8 = 40 \,(\mathrm{cm}^2)$,

$\triangle EBC = \dfrac{1}{2} \times 20 \times 8 = 80 \,(\mathrm{cm}^2)$

$\therefore \triangle ECD = \square ABCD - (\triangle AED + \triangle EBC)$

$\qquad = \dfrac{1}{2} \times (10+20) \times 16 - (40+80)$

$\qquad = 120 \,(\mathrm{cm}^2)$ **답** $120\,\mathrm{cm}^2$

STEP **3** 내신 마스터 p.85 ~ p.87

0441 [전략] 직사각형의 한 내각의 크기는 90°이고, 두 대각선은 길이가 같고 서로 다른 것을 이등분함을 이용한다.

$\angle BCD = 90°$이므로 $\triangle DBC$에서

$\angle BDC = 180° - (38° + 90°) = 52°$ $\quad \therefore x = 52$

$\overline{OA} = \dfrac{1}{2}\overline{AC} = \dfrac{1}{2}\overline{BD} = \dfrac{1}{2} \times 12 = 6\,(\mathrm{cm})$이므로 $y = 6$

$\therefore x + y = 58$ **답** ④

0442 [전략] 접은 각의 크기가 같고, 평행선에서 엇각의 크기가 같음을 이용한다.

$\angle FAE = 90° - 10° = 80°$

$\angle AEF = \angle FEC$ (접은 각), $\angle AFE = \angle FEC$ (엇각)

이므로

$\angle AEF = \angle AFE = \dfrac{1}{2} \times (180° - 80°) = 50°$

$\therefore \angle x = 180° - 50° = 130°$ **답** ③

0443 [전략] 마름모의 네 변의 길이는 모두 같음을 이용한다.

$\angle ODC = \angle ODA = 30°$이므로

$\angle ADC = \angle ODA + \angle ODC = 30° + 30° = 60°$

$\overline{DA} = \overline{DC}$이므로

$\angle DCA = \angle DAC = \dfrac{1}{2} \times (180° - 60°) = 60°$

따라서 $\triangle ACD$는 정삼각형이다. $\cdots\cdots$ ㉮

이때 $\overline{AC} = \overline{AD} = \overline{AB} = 30\,\mathrm{cm}$이므로

$\overline{OA} = \dfrac{1}{2}\overline{AC} = \dfrac{1}{2} \times 30 = 15\,(\mathrm{cm})$ $\cdots\cdots$ ㉯

답 $15\,\mathrm{cm}$

채점 기준	비율
㉮ $\triangle ACD$가 정삼각형임을 알기	60 %
㉯ $\overline{OA}$의 길이 구하기	40 %

0444 [전략] 평행선에서 엇각의 크기가 같음을 이용하여 $\triangle ABC$가 어떤 삼각형인지 알아본다.

$\overline{AB}\,/\!/\,\overline{DC}$이므로 $\angle BAC = \angle DCA$ (엇각)

즉 $\angle BAC = \angle BCA$이므로 $\triangle ABC$는 $\overline{BA} = \overline{BC}$인 이등변삼각형이다.

따라서 □ABCD는 이웃하는 두 변의 길이가 같은 평행사변형이므로 마름모이다.　　　　　　　　**답** 마름모

0445 [전략] 먼저 $\overline{CB}=\overline{CD}$임을 이용하여 ∠CDB의 크기를 구한다.
△CBD에서 $\overline{CB}=\overline{CD}$이므로
$$\angle CDB=\frac{1}{2}\times(180°-126°)=27°$$
△FED에서 ∠DFE=180°−(90°+27°)=63°
∴ ∠x=∠DFE=63°　　　　　　　　**답** ⑤

0446 [전략] 각각의 조건이 추가됨에 따라 어떤 사각형이 되는지 생각해 본다.
$\overline{AB}\,/\!/\,\overline{DC}$, $\overline{AD}\,/\!/\,\overline{BC}$에서 두 쌍의 대변이 각각 평행하므로 □ABCD는 평행사변형이다.
이때 ∠A=90°, $\overline{AB}=\overline{BC}$에서 한 내각의 크기가 90°이고 이웃하는 두 변의 길이가 같으므로 □ABCD는 정사각형이다.　　　　　　　　**답** ⑤

0447 [전략] 정사각형의 한 내각의 크기가 90°임을 이용하여 합동인 두 삼각형을 찾는다.
① ∠FAE=∠FEA=45°이므로
　△AFE는 $\overline{AF}=\overline{EF}$인 이등변삼각형이다.
③ ∠AEF=∠BAC=45°
④, ⑤ △CDE와 △CFE에서
　∠CDE=∠CFE=90°, $\overline{CE}$는 공통, ∠ECD=∠ECF
　따라서 △CDE≡△CFE (RHA 합동)이므로
　∠CED=∠CEF
따라서 옳지 않은 것은 ②이다.　　　　　　　　**답** ②

> **Lecture**
> 정사각형의 한 내각의 크기는 90°이고, 대각선에 의해 이등분된다.
> 즉 ∠BAC=∠DAC=45°

0448 [전략] 정삼각형의 한 내각의 크기는 60°이고, 정사각형의 한 내각의 크기는 90°임을 이용한다.
△PBC는 정삼각형이므로 ∠PCD=90°−60°=30°
이때 $\overline{BC}=\overline{CD}=\overline{CP}$이므로 △CDP는 $\overline{CD}=\overline{CP}$인 이등변삼각형이다.
따라서 $\angle CDP=\frac{1}{2}\times(180°-30°)=75°$이고
∠CDB=45°이므로
∠PDB=∠CDP−∠CDB
　　　　=75°−45°=30°　　　　　　**답** 30°

0449 [전략] 합동인 두 삼각형을 찾아 $\overline{AF}$, $\overline{AE}$의 길이를 구한다.
△ABE와 △DAF에서
∠AEB=∠DFA=90°, $\overline{AB}=\overline{DA}$,
∠BAE=90°−∠DAF=∠ADF

따라서 △ABE≡△DAF (RHA 합동)이므로
$\overline{AF}=\overline{BE}=8$ cm, $\overline{AE}=\overline{DF}=5$ cm
∴ $\overline{EF}=\overline{AF}-\overline{AE}=8-5=3$ (cm)　　**답** 3 cm

0450 [전략] 꼭짓점 A를 지나고 $\overline{DC}$에 평행한 직선을 긋는다. 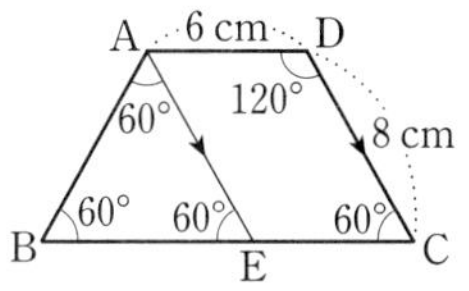
오른쪽 그림과 같이 꼭짓점 A를 지나고 $\overline{DC}$에 평행한 직선이 $\overline{BC}$와 만나는 점을 E라 하면 □AECD는 평행사변형이므로
$\overline{EC}=\overline{AD}=6$ cm
또 ∠B=∠C=180°−∠D=180°−120°=60°이고
∠AEB=∠C=60° (동위각)
따라서 △ABE는 정삼각형이므로
$\overline{BE}=\overline{AB}=\overline{DC}=8$ cm
∴ (□ABCD의 둘레의 길이)
　=$\overline{AB}$+($\overline{BE}+\overline{EC}$)+$\overline{CD}$+$\overline{DA}$
　=8+(8+6)+8+6=36 (cm)　　　**답** 36 cm

0451 [전략] 여러 가지 사각형 사이의 관계를 정확히 이해한다.
① 한 쌍의 대변이 평행하다.
② 다른 한 쌍의 대변이 평행하다.
③, ⑤ 한 내각의 크기가 90°이거나 두 대각선의 길이가 같다.
④ 이웃하는 두 변의 길이가 같거나 두 대각선이 서로 수직이다.
따라서 옳은 것은 ④이다.　　　　　　　　**답** ④

> **Lecture**
> 직사각형이 정사각형이 되는 조건은 평행사변형이 마름모가 되는 조건과 같고, 마름모가 정사각형이 되는 조건은 평행사변형이 직사각형이 되는 조건과 같다.

0452 [전략] 먼저 □PQRS가 어떤 사각형인지 알아본다.
∠DAB+∠ABC=180°이므로 ∠PAB+∠PBA=90°
∴ ∠SPQ=∠APB=90° (맞꼭지각)
같은 방법으로 하면 ∠PQR=∠QRS=∠RSP=90°
따라서 □PQRS는 직사각형이다.　……㉮
이때 직사각형의 두 대각선의 길이는 같으므로
$\overline{SQ}=\overline{PR}=5$ cm　……㉯
　　　　　　　　답 5 cm

채점 기준	비율
㉮ □PQRS가 직사각형임을 알기	60 %
㉯ $\overline{SQ}$의 길이 구하기	40 %

0453 [전략] 먼저 □AFCE가 어떤 사각형인지 알아본다.
△AOE와 △COF에서
$\overline{OA}=\overline{OC}$, ∠AOE=∠COF=90°,
∠EAO=∠FCO (엇각)

따라서 △AOE≡△COF (ASA 합동)이므로

$\overline{AE}=\overline{CF}$

또 $\overline{AE}$∥$\overline{CF}$이므로 □AFCE는 평행사변형이다.

이때 두 대각선이 수직으로 만나므로 □AFCE는 마름모이다.

$\overline{AE}=\overline{CF}=8-3=5\,(cm)$이므로

(□AFCE의 둘레의 길이)$=4\times5=20\,(cm)$ **답** ②

0454 전략 $\overline{AC}$∥$\overline{DE}$임을 이용하여 △ACD와 넓이가 같은 삼각형을 찾는다.

$\overline{AC}$∥$\overline{DE}$이므로 △ACD=△ACE

∴ □ABCD=△ABC+△ACD

$=$△ABC+△ACE

$=24+20=44\,(cm^2)$ **답** $44\,cm^2$

0455 전략 높이가 같은 삼각형의 넓이의 비는 밑변의 길이의 비와 같음을 이용한다.

(1) $\overline{BD}:\overline{DC}=3:1$이므로

$\triangle ABD=\dfrac{3}{4}\triangle ABC$

$=\dfrac{3}{4}\times60=45\,(cm^2)$ ...... (가)

(2) $\overline{AE}:\overline{EC}=3:2$이므로

$\triangle ADE=\dfrac{3}{5}\triangle ADC=\dfrac{3}{5}\times\dfrac{1}{4}\triangle ABC$

$=\dfrac{3}{20}\triangle ABC$

$=\dfrac{3}{20}\times60=9\,(cm^2)$ ...... (나)

(3) $\overline{AE}:\overline{EC}=3:2$이므로

$\triangle EDC=\dfrac{2}{5}\triangle ADC=\dfrac{2}{5}\times\dfrac{1}{4}\triangle ABC$

$=\dfrac{1}{10}\triangle ABC$

$=\dfrac{1}{10}\times60=6\,(cm^2)$ ...... (다)

답 (1) $45\,cm^2$ (2) $9\,cm^2$ (3) $6\,cm^2$

채점 기준	비율
(가) △ABD의 넓이 구하기	30 %
(나) △ADE의 넓이 구하기	35 %
(다) △EDC의 넓이 구하기	35 %

0456 전략 $\overline{AB}$∥$\overline{DC}$, $\overline{BD}$∥$\overline{EF}$임을 이용하여 넓이가 같은 삼각형을 찾아본다.

② $\overline{AB}$∥$\overline{DC}$이므로 △EBD=△EBC

③ $\overline{EF}$∥$\overline{BD}$이므로 △EBD=△FBD

④ $\overline{BD}$∥$\overline{EF}$이므로 △FED=△FEB

∴ △AED=△AEF+△FED

$=$△AEF+△FEB

$=$△ABF

⑤ □EBCD가 평행사변형이 아니므로

△GEB+△GCD≠△GBC+△GDE

따라서 옳지 않은 것은 ①, ⑤이다. **답** ①, ⑤

0457 전략 $\overline{BD}$를 긋고, △EBC와 넓이가 같은 삼각형을 찾아 본다.

오른쪽 그림과 같이 $\overline{BD}$를 그으면 $\overline{AE}$∥$\overline{BC}$이므로

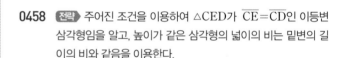

△EBC=△DBC

$=\dfrac{1}{2}\times4\times4$

$=8\,(cm^2)$

$\triangle FBC=\dfrac{1}{2}\times4\times3=6\,(cm^2)$

∴ △EFC=△EBC−△FBC

$=8-6=2\,(cm^2)$ **답** $2\,cm^2$

0458 전략 주어진 조건을 이용하여 △CED가 $\overline{CE}=\overline{CD}$인 이등변삼각형임을 알고, 높이가 같은 삼각형의 넓이의 비는 밑변의 길이의 비와 같음을 이용한다.

∠DEC=∠ADE (엇각)이므로

∠CED=∠CDE ∴ $\overline{CE}=\overline{CD}$

오른쪽 그림과 같이 $\overline{BD}$를 그으면

△DBE : △DEC=$\overline{BE}$: $\overline{EC}$

$=1:4$

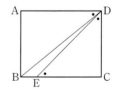

이므로

△DBE$=k$, △DEC$=4k$

($k>0$)라 하면

□ABED=△ABD+△DBE

$=$△DBC+△DBE

$=$△DBE+△DEC+△DBE

$=k+4k+k$

$=6k$

∴ □ABED : △DEC$=6k:4k$

$=3:2$ **답** ②

5 도형의 닮음

STEP 1 개념 마스터   p.90~p.91

0459   답 점 H

0460   답 $\overline{EF}$

0461   답 $\angle G$

0462 $\angle E=\angle B=40°$ 답 $40°$

0463 $\overline{BC}:\overline{EF}=4:6=2:3$ 답 $2:3$

0464 $\overline{AB}:5=2:3$ $\therefore \overline{AB}=\dfrac{10}{3}$ (cm)   답 $\dfrac{10}{3}$ cm

0465 $\overline{FG}:\overline{F'G'}=6:8=3:4$ 답 $3:4$

0466 $8:x=3:4$ $\therefore x=\dfrac{32}{3}$

$12:y=3:4$ $\therefore y=16$ 답 $x=\dfrac{32}{3}, y=16$

0467 답 ㉠과 ㉣: AA 닮음, ㉡과 ㉢: SAS 닮음, ㉢과 ㉥: SSS 닮음

0468 $\triangle ABC$와 $\triangle BDC$에서
$\angle C$는 공통, $\angle BAC=\angle DBC=50°$
$\therefore \triangle ABC \circ \triangle BDC$ (AA 닮음)
       답 $\triangle BDC$, AA 닮음

0469 $\triangle ABC$와 $\triangle DAC$에서
$\overline{AB}:\overline{DA}=4.5:3=3:2$,
$\overline{BC}:\overline{AC}=9:6=3:2$,
$\overline{AC}:\overline{DC}=6:4=3:2$
$\therefore \triangle ABC \circ \triangle DAC$ (SSS 닮음)
       답 $\triangle DAC$, SSS 닮음

0470 $\overline{AC}^2=\overline{CH}\times\overline{CB}$에서 $x^2=3\times(3+9)=36$
$\therefore x=6 \ (\because x>0)$ 답 6

0471 $\overline{AB}^2=\overline{BH}\times\overline{BC}$에서 $5^2=2\times(2+x)$
$2x+4=25$ $\therefore x=\dfrac{21}{2}$ 답 $\dfrac{21}{2}$

STEP 2 유형 마스터   p.92~p.102

0472 전략 닮은 두 삼각형에서 대응하는 점, 대응하는 변, 대응하는 각을 찾아본다.
③ $\overline{BC}$에 대응하는 변은 $\overline{EF}$이다.   답 ③

0473 ① $\angle B=\angle E=180°-(110°+30°)=40°$

② $\angle C=\angle F=110°$

③ $\angle A=\angle D, \angle B=\angle E$

④ $\overline{EF}$에 대응하는 변은 $\overline{BC}$이고 $\overline{BC}=3$ cm이다.

⑤ $\overline{AC}$에 대응하는 변은 $\overline{DF}$이다.

따라서 옳은 것은 ④이다.   답 ④

0474 전략 크기와 관계없이 모양이 같은 도형을 찾는다.
다음 그림의 두 도형은 닮은 도형이 아니다.

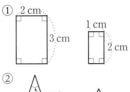

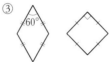

답 ④, ⑤

0475 다음 그림의 두 도형은 닮은 도형이 아니다.

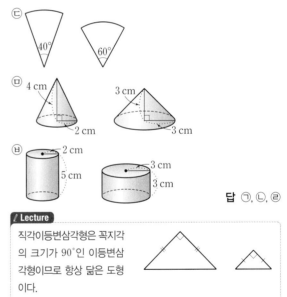

답 ㉠, ㉡, ㉢

Lecture

직각이등변삼각형은 꼭지각의 크기가 90°인 이등변삼각형이므로 항상 닮은 도형이다.

0476 ④ 다음 그림과 같이 두 평행사변형의 한 내각의 크기가 같더라도 닮은 도형이 아닐 수 있다.

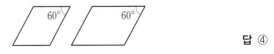

답 ④

0477 전략 닮은 두 평면도형에서 대응하는 변의 길이의 비는 일정하고, 대응하는 각의 크기는 각각 같음을 이용한다.
① $\overline{DC}:\overline{D'C'}=\overline{BC}:\overline{B'C'}=9:6=3:2$

② $\overline{AB}:4=3:2$에서 $\overline{AB}=6\,(cm)$

③ $\angle D=\angle D'=80°$

④ $\angle A'=\angle A=72°$

⑤ $12:\overline{A'D'}=3:2$에서 $\overline{A'D'}=8\,(cm)$

따라서 옳은 것은 ⑤이다. **답** ⑤

0478 ① $\overline{BC}:\overline{GH}=\overline{AB}:\overline{FG}=8:10=4:5$

② $\overline{CD}:6=4:5$에서 $\overline{CD}=\dfrac{24}{5}\,(cm)$

③ $4:\overline{FJ}=4:5$에서 $\overline{FJ}=5\,(cm)$

④ $\angle E=\angle J=120°$

⑤ $\angle H=\angle C=150°$

따라서 옳지 않은 것은 ②이다. **답** ②

0479 $\overline{AD}:\overline{FE}=\overline{AB}:\overline{FA}$이므로

$25:15=15:\overline{FA}$　∴ $\overline{FA}=9\,(cm)$

∴ $\overline{FD}=\overline{AD}-\overline{AF}=25-9=16\,(cm)$ **답** $16\,cm$

0480 (1) $\triangle ABC$와 $\triangle DEF$의 닮음비가 $2:1$이므로

$\overline{AB}:3=2:1$에서 $\overline{AB}=6\,(cm)$

$10:\overline{EF}=2:1$에서 $\overline{EF}=5\,(cm)$

$8:\overline{DF}=2:1$에서 $\overline{DF}=4\,(cm)$ …… (가)

(2) $(\triangle ABC$의 둘레의 길이$)=6+10+8=24\,(cm)$

$(\triangle DEF$의 둘레의 길이$)=3+5+4=12\,(cm)$

…… (나)

(3) $\triangle ABC$와 $\triangle DEF$의 둘레의 길이의 비는

$24:12=2:1$ …… (다)

답 (1) $\overline{AB}=6\,cm$, $\overline{EF}=5\,cm$, $\overline{DF}=4\,cm$

(2) $\triangle ABC$의 둘레의 길이: $24\,cm$,

$\triangle DEF$의 둘레의 길이: $12\,cm$

(3) $2:1$

채점 기준	비율
(가) $\overline{AB}$, $\overline{EF}$, $\overline{DF}$의 길이 각각 구하기	50 %
(나) $\triangle ABC$와 $\triangle DEF$의 둘레의 길이 각각 구하기	30 %
(다) $\triangle ABC$와 $\triangle DEF$의 둘레의 길이의 비 구하기	20 %

Lecture

닮은 두 평면도형에서 두 도형의 둘레의 길이의 비는 두 도형의 닮음비와 같다.

예 다음 그림에서 $\triangle ABC \backsim \triangle DEF$이고 닮음비가 $1:2$일 때,

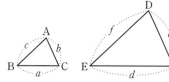

$a:d=b:e=c:f=1:2$　∴ $d=2a, e=2b, f=2c$

따라서 $\triangle ABC$와 $\triangle DEF$의 둘레의 길이의 비는

$(a+b+c):(d+e+f)=(a+b+c):2(a+b+c)$

$=1:2$

0481 □ABCD와 □EFGH의 닮음비가 $2:3$이므로

$6:\overline{EF}=2:3$에서 $\overline{EF}=9\,(cm)$

$8:\overline{FG}=2:3$에서 $\overline{FG}=12\,(cm)$

$4:\overline{EH}=2:3$에서 $\overline{EH}=6\,(cm)$

따라서 □EFGH의 둘레의 길이는

$9+12+12+6=39\,(cm)$ **답** $39\,cm$

다른 풀이 $\overline{CD}:12=2:3$에서 $\overline{CD}=8\,(cm)$

즉 □ABCD의 둘레의 길이는 $6+8+8+4=26\,(cm)$

□EFGH의 둘레의 길이를 $x\,cm$라 하면

□ABCD와 □EFGH의 둘레의 길이의 비가 $2:3$이므로

$26:x=2:3$　∴ $x=39$

따라서 □EFGH의 둘레의 길이는 $39\,cm$이다.

0482 **전략** 닮은 두 입체도형에서 대응하는 모서리의 길이의 비가 일정함을 이용한다.

$4:x=6:12$에서 $x=8$

$3:y=6:12$에서 $y=6$

∴ $x+y=14$ **답** 14

0483 ① $5:\overline{EH}=3:6$에서 $\overline{EH}=10\,(cm)$

③ $\triangle BCD \backsim \triangle FGH$이므로 $\angle BCD=\angle FGH$

⑤ $\triangle ABC$에 대응하는 면은 $\triangle EFG$이다.

따라서 옳지 않은 것은 ⑤이다. **답** ⑤

0484 ③ $\triangle ABC \backsim \triangle A'B'C'$이므로 $\angle ABC=\angle A'B'C'$

$\triangle A'B'C' \equiv \triangle D'E'F'$이므로 $\angle A'B'C'=\angle D'E'F'$

∴ $\angle ABC=\angle A'B'C'=\angle D'E'F'$

⑤ $\triangle ABC \backsim \triangle A'B'C'$

따라서 옳지 않은 것은 ⑤이다. **답** ⑤

0485 두 원기둥의 닮음비는 $4:6=2:3$이므로

두 원기둥의 밑면의 둘레의 길이의 비도 $2:3$이다.

답 $2:3$

0486 처음 원뿔과 원뿔을 밑면에 평행한 평면으로 자를 때 생기는 원뿔은 닮은 도형이고, 닮음비는

$(4+6):4=5:2$

처음 원뿔의 밑면의 반지름의 길이를 $r\,cm$라 하면

$r:2=5:2$　∴ $r=5$

따라서 처음 원뿔의 밑면의 반지름의 길이는 $5\,cm$이다.

답 $5\,cm$

0487 **전략** 삼각형의 닮음 조건 중 어느 것을 만족하는지 알아본다.

③ $\angle C=\angle K=60°$,

$\overline{AC}:\overline{JK}=10:6=5:3$,

$\overline{BC}:\overline{LK}=5:3$

이므로 $\triangle ABC \backsim \triangle JLK$ (SAS 닮음)

⑤ △ABC에서 ∠A=180°−(90°+60°)=30°

즉 ∠A=∠Q=30°, ∠B=∠R=90°이므로

△ABC∽△QRP (AA 닮음)　　　　답 ③, ⑤

0488 ① SSS 닮음　③, ④ SAS 닮음　⑤ AA 닮음　답 ②

0489 ㉠과 ㉢: AA 닮음

㉡과 ㉤: SSS 닮음　　　　　　　　답 ③

0490 전략 주어진 두 삼각형이 닮음이기 위하여 추가될 조건을 생각해 본다.

① △ABC에서 ∠A=75°이면

∠C=180°−(75°+45°)=60°

이때 △DEF에서 ∠E=45°이면

∠B=∠E=45°, ∠C=∠F=60°

이므로 △ABC∽△DEF (AA 닮음)　　답 ①

0491 ㉠ SAS 닮음

㉣, ㉤ SSS 닮음　　　　　　　　답 ④

0492 전략 공통인 ∠C를 끼인각으로 하는 두 쌍의 대응하는 변의 길이의 비가 같은 두 삼각형을 찾는다.

△ABC와 △EDC에서

∠C는 공통,

$\overline{BC}:\overline{DC}=12:4=3:1$,

$\overline{AC}:\overline{EC}=9:3=3:1$

∴ △ABC∽△EDC (SAS 닮음)

$\overline{BA}:\overline{DE}=3:1$에서 $6:\overline{DE}=3:1$

∴ $\overline{DE}=2$ (cm)　　　　　답 2 cm

0493 △ABC와 △AED에서

∠A는 공통,

$\overline{AB}:\overline{AE}=(5+3):4=2:1$,

$\overline{AC}:\overline{AD}=10:5=2:1$

∴ △ABC∽△AED (SAS 닮음)

$\overline{CB}:\overline{DE}=2:1$에서 $12:\overline{DE}=2:1$

∴ $\overline{DE}=6$ (cm)　　　　　답 6 cm

0494 △ABC와 △EBD에서

∠B는 공통,

$\overline{AB}:\overline{EB}=(6+6):8=3:2$,

$\overline{BC}:\overline{BD}=(8+1):6=3:2$

∴ △ABC∽△EBD (SAS 닮음)

$\overline{AC}:\overline{ED}=3:2$에서 $\overline{AC}:5=3:2$

∴ $\overline{AC}=\dfrac{15}{2}$ (cm)　　　　답 $\dfrac{15}{2}$ cm

0495 (1) △ABC와 △DAC에서

∠C는 공통,

$\overline{AC}:\overline{DC}=6:3=2:1$,

$\overline{BC}:\overline{AC}=(9+3):6=2:1$

∴ △ABC∽△DAC (SAS 닮음)　　⋯⋯ ㉮

(2) $\overline{BA}:\overline{AD}=2:1$에서 $10:\overline{AD}=2:1$

∴ $\overline{AD}=5$ (cm)　　　　　⋯⋯ ㉯

답 (1) △ABC∽△DAC (SAS 닮음) (2) 5 cm

채점 기준	비율
㉮ 닮은 두 삼각형을 찾아 기호로 나타내고 닮음 조건 말하기	50 %
㉯ $\overline{AD}$의 길이 구하기	50 %

0496 △ABC와 △DBA에서

∠B는 공통,

$\overline{AB}:\overline{DB}=12:8=3:2$,

$\overline{BC}:\overline{BA}=18:12=3:2$

∴ △ABC∽△DBA (SAS 닮음)

$\overline{CA}:\overline{AD}=3:2$에서 $15:\overline{AD}=3:2$

∴ $\overline{AD}=10$ (cm)　　　　　답 10 cm

0497 $\overline{AD}=k$ cm $(k>0)$라 하면

$\overline{BD}=3\overline{AD}=3k$ (cm)

$\overline{AB}=\overline{AD}+\overline{BD}$

$=k+3k=4k$ (cm)

한편 $\overline{AB}=2\overline{AC}$이므로

$\overline{AC}=\dfrac{1}{2}\overline{AB}=\dfrac{1}{2}\times4k=2k$ (cm)

△ABC와 △ACD에서

∠A는 공통,

$\overline{AB}:\overline{AC}=4k:2k=2:1$,

$\overline{AC}:\overline{AD}=2k:k=2:1$

∴ △ABC∽△ACD (SAS 닮음)

$\overline{BC}:\overline{CD}=2:1$에서 $8:\overline{CD}=2:1$

∴ $\overline{CD}=4$ (cm)　　　　　답 4 cm

0498 전략 ∠A가 공통이고 다른 한 각의 크기가 같은 두 삼각형을 찾는다.

△ABC와 △AED에서

∠A는 공통, ∠C=∠ADE

∴ △ABC∽△AED (AA 닮음)

$\overline{AB}:\overline{AE}=\overline{AC}:\overline{AD}$에서 $(6+6):4=\overline{AC}:6$

∴ $\overline{AC}=18$ (cm)

∴ $\overline{EC}=\overline{AC}-\overline{AE}=18-4=14$ (cm)　답 14 cm

0499 △ABC와 △DAC에서

∠C는 공통, ∠B=∠DAC

∴ △ABC∽△DAC (AA 닮음)

$\overline{AB} : \overline{DA} = \overline{BC} : \overline{AC}$에서 $4 : 3 = 6 : \overline{AC}$

$\therefore \overline{AC} = \dfrac{9}{2}$ (cm)　　　　답 $\dfrac{9}{2}$ cm

0500 (1) △ABC와 △CBD에서

∠B는 공통, ∠A=∠BCD

$\therefore$ △ABC∽△CBD (AA 닮음)　　……⑺

(2) $\overline{AB} : \overline{CB} = \overline{BC} : \overline{BD}$에서 $9 : 6 = 6 : \overline{BD}$

$\therefore \overline{BD} = 4$ (cm)　　　　……⒞

답 (1) △CBD, AA 닮음 (2) 4 cm

채점 기준	비율
⑺ △ABC와 서로 닮음인 삼각형을 찾고 닮음 조건 말하기	50 %
⒞ $\overline{BD}$의 길이 구하기	50 %

0501 △ABC와 △ADB에서

∠A는 공통, ∠C=∠ABD

$\therefore$ △ABC∽△ADB (AA 닮음)

$\overline{AB} : \overline{AD} = \overline{CB} : \overline{BD}$에서 $12 : 8 = 24 : \overline{BD}$

$\therefore \overline{BD} = 16$ (cm)　　　　답 16 cm

0502 △ABC와 △ACD에서

∠A는 공통, ∠B=∠ACD

$\therefore$ △ABC∽△ACD (AA 닮음)

$\overline{AC} : \overline{AD} = \overline{BC} : \overline{CD}$에서 $8 : 6 = 10 : \overline{CD}$

$\therefore \overline{CD} = \dfrac{15}{2}$ (cm)　　　　답 $\dfrac{15}{2}$ cm

0503 전략 평행선에서 엇각의 크기가 같음을 이용하여 닮은 두 삼각형을 찾는다.

△ABC와 △EDA에서

∠BAC=∠DEA (엇각), ∠ACB=∠EAD (엇각)

$\therefore$ △ABC∽△EDA (AA 닮음)

$\overline{AB} : \overline{ED} = \overline{BC} : \overline{DA}$에서 $8 : \overline{ED} = 4 : 3$

$\therefore \overline{ED} = 6$ (cm)

또 $\overline{AC} : \overline{EA} = \overline{BC} : \overline{DA}$에서

$(\overline{EA} + 2) : \overline{EA} = 4 : 3$

$3\overline{EA} + 6 = 4\overline{EA}$　$\therefore \overline{EA} = 6$ (cm)

$\therefore$ (△AED의 둘레의 길이)$= \overline{AE} + \overline{ED} + \overline{DA}$

$= 6 + 6 + 3$

$= 15$ (cm)　　답 15 cm

0504 △AFE와 △CFB에서

∠FAE=∠FCB (엇각), ∠FEA=∠FBC (엇각)

$\therefore$ △AFE∽△CFB (AA 닮음)

$\overline{AE} : \overline{CB} = \overline{AF} : \overline{CF}$에서 $\overline{AE} : 12 = 6 : 8$

$\therefore \overline{AE} = 9$ (cm)

이때 $\overline{AD} = \overline{BC} = 12$ cm이므로

$\overline{ED} = \overline{AD} - \overline{AE} = 12 - 9 = 3$ (cm)　　답 3 cm

0505 △BFE와 △CDE에서

∠BFE=∠CDE (엇각), ∠FBE=∠DCE (엇각)

$\therefore$ △BFE∽△CDE (AA 닮음)

$\overline{BE} : \overline{CE} = \overline{BF} : \overline{CD}$에서 $\overline{BE} : \overline{CE} = 2 : 4 = 1 : 2$

이때 $\overline{BC} = \overline{AD} = 9$ cm이므로

$\overline{CE} = \dfrac{2}{3}\overline{BC} = \dfrac{2}{3} \times 9 = 6$ (cm)　　답 6 cm

0506 전략 ∠A가 공통인 두 직각삼각형은 닮음임을 이용한다.

△ABD와 △ACE에서

∠A는 공통, ∠ADB=∠AEC=90°

$\therefore$ △ABD∽△ACE (AA 닮음)

$\overline{AB} : \overline{AC} = \overline{AD} : \overline{AE}$에서 $8 : 6 = 4 : \overline{AE}$

$\therefore \overline{AE} = 3$ (cm)　　　　답 3 cm

0507 △ABC와 △EBD에서

∠B는 공통, ∠C=∠EDB=90°

$\therefore$ △ABC∽△EBD (AA 닮음)

$\overline{AB} : \overline{EB} = \overline{BC} : \overline{BD}$에서 $(8+6) : 7 = \overline{BC} : 6$

$\therefore \overline{BC} = 12$ (cm)

$\therefore \overline{EC} = \overline{BC} - \overline{BE} = 12 - 7 = 5$ (cm)　　답 5 cm

0508 △ABC와 △EBD에서

∠B는 공통, ∠A=∠BED=90°

$\therefore$ △ABC∽△EBD (AA 닮음)

$\overline{AB} : \overline{EB} = \overline{BC} : \overline{BD}$에서 $\overline{AB} : 16 = (16+14) : 20$

$\therefore \overline{AB} = 24$ (cm)

$\therefore \overline{AD} = \overline{AB} - \overline{BD} = 24 - 20 = 4$ (cm)　　답 4 cm

0509 △ABD와 △CBE에서

∠B는 공통, ∠ADB=∠CEB=90°

$\therefore$ △ABD∽△CBE (AA 닮음)

$\overline{AB} : \overline{CB} = \overline{BD} : \overline{BE}$에서 $8 : 10 = (10-4) : \overline{BE}$

$\therefore \overline{BE} = \dfrac{15}{2}$ (cm)　　　　답 $\dfrac{15}{2}$ cm

0510 △ABE와 △ADF에서

∠B=∠D (평행사변형의 대각), ∠AEB=∠AFD=90°

$\therefore$ △ABE∽△ADF (AA 닮음)

$\overline{AB} : \overline{AD} = \overline{AE} : \overline{AF}$에서 $9 : \overline{AD} = 6 : 8$

$\therefore \overline{AD} = 12$ (cm)　　　　답 12 cm

0511 전략 한 예각의 크기가 같은 두 직각삼각형은 닮음임을 이용하여 닮은 두 직각삼각형을 찾는다.

(i) △ABC와 △FDC에서

∠C는 공통, ∠ABC=∠FDC=90°

$\therefore$ △ABC∽△FDC (AA 닮음)

(ii) △ABC와 △ADE에서

　∠A는 공통, ∠ABC=∠ADE=90°

　∴ △ABC∽△ADE (AA 닮음)

(iii) △FDC와 △FBE에서

　∠F는 공통, ∠FDC=∠FBE=90°

　∴ △FDC∽△FBE (AA 닮음)

(i), (ii), (iii)에 의하여

△ABC∽△FDC∽△FBE∽△ADE (AA 닮음)

④ △EBC와 △EDC는 닮은 도형인지 알 수 없다.

답 ④

0512 △ABC와 △FEC에서

∠C는 공통, ∠B=∠FEC=90°

∴ △ABC∽△FEC (AA 닮음)

$\overline{FE}=x$ cm라 하면

$\overline{AB}:\overline{FE}=\overline{BC}:\overline{EC}$에서 $2:x=3:(3-x)$

$6-2x=3x$, $5x=6$ 　∴ $x=\dfrac{6}{5}$

즉 정사각형 DBEF의 한 변의 길이는 $\dfrac{6}{5}$ cm이므로

그 넓이는 $\dfrac{6}{5}\times\dfrac{6}{5}=\dfrac{36}{25}$ (cm²)

답 $\dfrac{36}{25}$ cm²

0513 △AOF와 △ADC에서

∠A는 공통, ∠AOF=∠D=90°

∴ △AOF∽△ADC (AA 닮음) ⋯⋯ ㈎

$\overline{OF}:\overline{DC}=\overline{AO}:\overline{AD}$에서 $\overline{OF}:6=5:8$

∴ $\overline{OF}=\dfrac{15}{4}$ (cm) ⋯⋯ ㈏

이때 △AOF≡△COE (ASA 합동)이므로 $\overline{OF}=\overline{OE}$

∴ $\overline{EF}=2\overline{OF}=2\times\dfrac{15}{4}=\dfrac{15}{2}$ (cm) ⋯⋯ ㈐

답 $\dfrac{15}{2}$ cm

채점 기준	비율
㈎ △AOF와 △ADC가 닮음임을 알기	40 %
㈏ $\overline{OF}$의 길이 구하기	40 %
㈐ $\overline{EF}$의 길이 구하기	20 %

0514 오른쪽 그림에서

△ABC∽△DBA∽△DAC

∽△EDC∽△EAD

(AA 닮음)

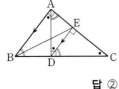

답 ②

0515 전략 $\overline{AC}^2=\overline{CD}\times\overline{CB}$임을 이용한다.

$\overline{AC}^2=\overline{CD}\times\overline{CB}$에서

$5^2=3\times\overline{CB}$ 　∴ $\overline{CB}=\dfrac{25}{3}$ (cm)

∴ $\overline{BD}=\overline{CB}-\overline{CD}=\dfrac{25}{3}-3=\dfrac{16}{3}$ (cm) 　　답 $\dfrac{16}{3}$ cm

0516 ① ∠C=90°−∠CAD=∠DAB

② ∠B=90°−∠C=∠DAC

③ △ABC와 △DBA에서

　∠B는 공통, ∠CAB=∠ADB=90°

　∴ △ABC∽△DBA (AA 닮음)

④ △ABC∽△DAC (AA 닮음)이므로

　$\overline{AC}:\overline{DC}=\overline{BC}:\overline{AC}$ 　∴ $\overline{AC}^2=\overline{CD}\times\overline{CB}$

⑤ △ABD∽△CAD (AA 닮음)이므로

　$\overline{AD}:\overline{CD}=\overline{BD}:\overline{AD}$ 　∴ $\overline{AD}^2=\overline{BD}\times\overline{CD}$

따라서 옳지 않은 것은 ④이다. 　　답 ④

0517 $\overline{AD}^2=\overline{BD}\times\overline{CD}$에서 $4^2=8\times\overline{CD}$

∴ $\overline{CD}=2$ (cm)

∴ △ABC=$\dfrac{1}{2}\times(8+2)\times4=20$ (cm²) 　　답 20 cm²

0518 △ABD∽△CAD (AA 닮음)이므로

$\overline{AB}:\overline{CA}=\overline{BD}:\overline{AD}$에서

$20:15=x:12$ 　∴ $x=16$ ⋯⋯ ㈎

$\overline{AD}^2=\overline{BD}\times\overline{CD}$에서

$12^2=16\times y$ 　∴ $y=9$ ⋯⋯ ㈏

∴ $x-y=16-9=7$ ⋯⋯ ㈐

답 7

채점 기준	비율
㈎ x의 값 구하기	40 %
㈏ y의 값 구하기	40 %
㈐ $x-y$의 값 구하기	20 %

0519 $\overline{AH}^2=\overline{BH}\times\overline{DH}$에서 $\overline{AH}^2=4\times9=36$

∴ $\overline{AH}=6$ (cm) (∵ $\overline{AH}>0$)

∴ □ABCD=2△ABD

$=2\times\left(\dfrac{1}{2}\times\overline{BD}\times\overline{AH}\right)$

$=2\times\left(\dfrac{1}{2}\times13\times6\right)$

$=78$ (cm²) 　　답 78 cm²

0520 직각삼각형 ABC에서 $\overline{AD}^2=\overline{BD}\times\overline{CD}$이므로

$\overline{AD}^2=5\times20=100$ 　∴ $\overline{AD}=10$ (cm) (∵ $\overline{AD}>0$)

점 M은 △ABC의 외심이므로

$\overline{AM}=\overline{BM}=\overline{CM}=\dfrac{25}{2}$ cm

직각삼각형 DMA에서 $\overline{AD}^2=\overline{AE}\times\overline{AM}$이므로

$100=\overline{AE}\times\dfrac{25}{2}$ 　∴ $\overline{AE}=8$ (cm) 　　답 8 cm

0521 전략 크기가 같은 각을 표시하여 닮은 두 직각삼각형을 찾는다.

오른쪽 그림에서

$\triangle ABF \backsim \triangle DFE$

(AA 닮음)이므로

$\overline{AB} : \overline{DF} = \overline{AF} : \overline{DE}$에서

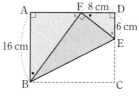

$16 : 8 = \overline{AF} : 6$

$\therefore \overline{AF} = 12$ (cm)

$\therefore \overline{BF} = \overline{BC} = \overline{AD} = 12 + 8 = 20$ (cm)　　　답 20 cm

0522 ④ $\triangle ABF \backsim \triangle DFE$

(AA 닮음)이므로

$\overline{AB} : \overline{DF} = \overline{AF} : \overline{DE}$에서

$\overline{AB} \times \overline{DE} = \overline{AF} \times \overline{DF}$

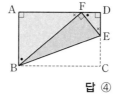

답 ④

0523 $\triangle EBF \equiv \triangle EDF$이므로

$\angle EFD = \angle EFB = 90°$,

$\angle EDF = \angle B$

$\triangle ABC$와 $\triangle FDE$에서

$\angle A = \angle DFE = 90°$, $\angle B = \angle FDE$

$\therefore \triangle ABC \backsim \triangle FDE$ (AA 닮음)

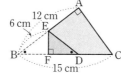

이때 $\overline{DE} = \overline{BE} = 6$ cm이므로

$\overline{AB} : \overline{FD} = \overline{BC} : \overline{DE}$에서

$12 : \overline{FD} = 15 : 6$　$\therefore \overline{FD} = \dfrac{24}{5}$ (cm)

이때 $\overline{FD} = \overline{BF}$이므로

$\overline{CD} = \overline{BC} - 2\overline{FD}$

$= 15 - 2 \times \dfrac{24}{5} = \dfrac{27}{5}$ (cm)　　답 $\dfrac{27}{5}$ cm

0524 (1) $\triangle DBE$와 $\triangle ECF$에서

$\angle B = \angle C = 60°$

$\angle BDE + \angle DEB = 120°$이고

$\angle DEB + \angle CEF = 120°$이므로

$\angle BDE = \angle CEF$

$\therefore \triangle DBE \backsim \triangle ECF$ (AA 닮음)　……(가)

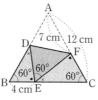

(2) $\overline{EF} = \overline{AF} = 7$ cm이고

$\overline{CF} = \overline{AC} - \overline{AF} = 12 - 7 = 5$ (cm)이므로

$\overline{DE} : \overline{EF} = \overline{BE} : \overline{CF}$에서 $\overline{DE} : 7 = 4 : 5$

$\therefore \overline{DE} = \dfrac{28}{5}$ (cm)

$\therefore \overline{AD} = \overline{DE} = \dfrac{28}{5}$ cm　……(나)

답 (1) $\triangle ECF$, AA 닮음 (2) $\dfrac{28}{5}$ cm

채점 기준	비율
(가) $\triangle DBE$와 서로 닮음인 삼각형을 찾고 닮음 조건 말하기	50 %
(나) $\overline{AD}$의 길이 구하기	50 %

0525 $\angle DBC = \angle EDB$ (엇각),

$\angle EBD = \angle DBC$ (접은 각)

이므로 $\angle EBD = \angle EDB$

따라서 $\triangle EBD$는 $\overline{EB} = \overline{ED}$인

이등변삼각형이므로

$\overline{BF} = \overline{DF} = \dfrac{1}{2}\overline{BD} = \dfrac{1}{2} \times 20 = 10$ (cm)

$\triangle BFE$와 $\triangle BCD$에서

$\angle BFE = \angle C = 90°$, $\angle EBF = \angle DBC$

$\therefore \triangle BFE \backsim \triangle BCD$ (AA 닮음)

$\overline{EF} : \overline{DC} = \overline{BF} : \overline{BC}$에서 $\overline{EF} : 12 = 10 : 16$

$\therefore \overline{EF} = \dfrac{15}{2}$ (cm)　　답 $\dfrac{15}{2}$ cm

0526 오른쪽 그림에서

$\overline{EG} = \overline{AE}$

$= 24 - 9 = 15$ (cm)

이고

$\triangle EBG \backsim \triangle GCH$ (AA 닮음)

이므로

$\overline{EB} : \overline{GC} = \overline{BG} : \overline{CH}$에서 $9 : 12 = 12 : \overline{CH}$

$\therefore \overline{CH} = 16$ (cm)

$\overline{FH} = x$ cm라 하면

$\overline{FI} = \overline{DF} = 24 - (16 + x) = 8 - x$ (cm)

$\triangle EBG \backsim \triangle FIH$ (AA 닮음)이므로

$\overline{EG} : \overline{FH} = \overline{EB} : \overline{FI}$에서 $15 : x = 9 : (8 - x)$

$9x = 120 - 15x$, $24x = 120$　$\therefore x = 5$

$\therefore \overline{FH} = 5$ cm　　답 5 cm

0527 전략 삼각형의 한 외각의 크기는 그와 이웃하지 않는 두 내각의

크기의 합과 같음을 이용하여 닮은 두 삼각형을 찾는다.

$\triangle ABC$와 $\triangle DEF$에서

$\angle EDF = \angle DAC + \angle ACD$

$= \angle DAC + \angle BAE$

$= \angle BAC$

$\angle DEF = \angle BAE + \angle ABE$

$= \angle CBF + \angle ABE$

$= \angle ABC$

$\therefore \triangle ABC \backsim \triangle DEF$ (AA 닮음)

이때 $\overline{DE} : \overline{EF} = \overline{AB} : \overline{BC} = 12 : 10 = 6 : 5$이므로

$\dfrac{\overline{DE}}{\overline{EF}} = \dfrac{6}{5}$　　답 $\dfrac{6}{5}$

0528 $\triangle ABC$와 $\triangle DEF$에서

$\angle EDF = \angle DAC + \angle ACD$

$= \angle DAC + \angle BAE$

$= \angle BAC$

$\angle DEF = \angle BAE + \angle ABE$
$\qquad = \angle CBF + \angle ABE$
$\qquad = \angle ABC$
$\therefore \triangle ABC \backsim \triangle DEF$ (AA 닮음)
$\overline{AB} : \overline{DE} = \overline{BC} : \overline{EF}$에서 $6 : 3 = 7 : \overline{EF}$
$\therefore \overline{EF} = \dfrac{7}{2}$ (cm)
$\overline{AB} : \overline{DE} = \overline{AC} : \overline{DF}$에서 $6 : 3 = 5 : \overline{DF}$
$\therefore \overline{DF} = \dfrac{5}{2}$ (cm)
$\therefore$ ($\triangle DEF$의 둘레의 길이) $= \overline{DE} + \overline{EF} + \overline{DF}$
$\qquad\qquad = 3 + \dfrac{7}{2} + \dfrac{5}{2}$
$\qquad\qquad = 9$ (cm)　　　**답** 9 cm

다른풀이 $\triangle ABC \backsim \triangle DEF$ (AA 닮음)이고 닮음비가
$2 : 1$이다.
이때 $\triangle ABC$의 둘레의 길이가 $6 + 7 + 5 = 18$ (cm)이므로
$\triangle DEF$의 둘레의 길이는
$\dfrac{1}{2} \times 18 = 9$ (cm)

0529 $\triangle AED$에서 $\overline{AE} = \overline{AD}$
이므로
$\angle AED = \angle ADE$
$\triangle ABE$와 $\triangle CBD$에서
$\angle ABE = \angle CBD$
$\angle AEB = 180° - \angle AED$
$\qquad = 180° - \angle ADE$
$\qquad = \angle CDB$
$\therefore \triangle ABE \backsim \triangle CBD$ (AA 닮음)
$\overline{AB} : \overline{CB} = \overline{BE} : \overline{BD}$이므로 $8 : 12 = \overline{BE} : 9$
$\therefore \overline{BE} = 6$ (cm)
$\therefore \overline{ED} = \overline{BD} - \overline{BE} = 9 - 6 = 3$ (cm)　　**답** 3 cm

0530 **전략** 평행사변형의 성질을 이용하여 닮은 삼각형을 찾는다.

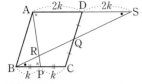

$\overline{BP} = \overline{PC} = k$ $(k > 0)$라 하면
$\triangle QBC \equiv \triangle QSD$ (ASA 합동)이므로
$\overline{BC} = \overline{AD} = \overline{SD} = 2k$
$\triangle RBP$와 $\triangle RSA$에서
$\angle RBP = \angle RSA$ (엇각), $\angle RPB = \angle RAS$ (엇각)
이므로 $\triangle RBP \backsim \triangle RSA$ (AA 닮음)
$\therefore \overline{BR} : \overline{SR} = \overline{BP} : \overline{SA} = k : 4k = 1 : 4$　　**답** 1 : 4

0531 $\overline{BF} = k$ cm $(k > 0)$라 하면
$\overline{BF} : \overline{FC} = 1 : 2$이므로
$\overline{FC} = 2k$ cm
$\overline{AD} = \overline{BC} = 3k$ cm이고
$\overline{EA} : \overline{AD} = 1 : 2$이므로
$\overline{EA} : 3k = 1 : 2$
$\therefore \overline{EA} = \dfrac{3}{2}k$ (cm)

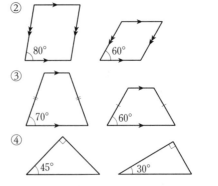

$\triangle GBF$와 $\triangle GDE$에서
$\angle GBF = \angle GDE$ (엇각), $\angle GFB = \angle GED$ (엇각)
이므로 $\triangle GBF \backsim \triangle GDE$ (AA 닮음)
따라서 $\overline{BG} : \overline{DG} = \overline{BF} : \overline{DE} = k : \left(\dfrac{3}{2}k + 3k\right) = 2 : 9$
이므로
$\overline{BG} = \dfrac{2}{11}\overline{BD} = \dfrac{2}{11} \times 11 = 2$ (cm)　　**답** 2 cm

0532 $\triangle EDF : \triangle EFC = 4 : 1$이므로 $\overline{DF} : \overline{CF} = 4 : 1$
$\triangle AFD$와 $\triangle EFC$에서
$\angle FAD = \angle FEC$ (엇각), $\angle ADF = \angle ECF$ (엇각)
이므로 $\triangle AFD \backsim \triangle EFC$ (AA 닮음)
$\overline{AD} : \overline{EC} = \overline{DF} : \overline{CF}$이므로 $\overline{AD} : \overline{EC} = 4 : 1$
이때 $\overline{BC} = \overline{AD}$이므로 $\overline{BC} : \overline{EC} = 4 : 1$
$\therefore \overline{BE} : \overline{CE} = 5 : 1$　　**답** 5 : 1

STEP 3 내신 마스터　　p.103 ~ p.105

0533 **전략** 크기와 관계없이 모양이 같은 도형을 찾는다.
다음 그림의 두 도형은 닮은 도형이 아니다.

② 도형 80° / 60°

③ 도형 70° / 60°

④ 도형 45° / 30°　　**답** ①, ⑤

0534 **전략** 평면도형과 입체도형에서 닮음의 성질을 확인한다.
② 닮은 두 평면도형에서 대응하는 변의 길이의 비는 일정하
다.　　**답** ②

0535 전략 닮은 두 평면도형에서 대응하는 변의 길이의 비가 일정함을 이용한다.

두 평행사변형의 닮음비가 $3:5$이므로

$9:\overline{FG}=3:5$ ∴ $\overline{FG}=15$ (cm)

따라서 □EFGH의 둘레의 길이는

$2\times(15+10)=50$ (cm) **답 ⑤**

0536 전략 (닮은 두 원기둥의 닮음비)=(높이의 비)
$\qquad\qquad\qquad\qquad\qquad$=(밑면의 반지름의 길이의 비)

(1) 두 원기둥 A, B의 닮음비는 $16:20=4:5$

원기둥 B의 밑면의 반지름의 길이를 r cm라 하면

$8:r=4:5$ ∴ $r=10$

따라서 원기둥 B의 밑면의 반지름의 길이는 10 cm이다.
$\qquad\qquad\qquad\qquad\qquad\qquad\qquad$ ······ (가)

(2) 원기둥 A의 밑면의 둘레의 길이는

$2\pi\times8=16\pi$ (cm)

원기둥 B의 밑면의 둘레의 길이는

$2\pi\times10=20\pi$ (cm) ······ (나)

(3) 두 원기둥 A, B의 밑면의 둘레의 길이의 비는

$16\pi:20\pi=4:5$ ······ (다)

답 (1) 10 cm

(2) 원기둥 A : 16π cm, 원기둥 B : 20π cm

(3) $4:5$

채점 기준	비율
(가) 원기둥 B의 밑면의 반지름의 길이 구하기	40 %
(나) 두 원기둥 A, B의 밑면의 둘레의 길이 각각 구하기	40 %
(다) 두 원기둥 A, B의 밑면의 둘레의 길이의 비 구하기	20 %

0537 전략 주어진 두 삼각형이 닮음이기 위하여 추가되어야 할 조건을 생각해 본다.

① △ABC에서 ∠A=60°이면

∠C$=180°-(60°+55°)=65°$

이때 △DEF에서 ∠E=55°이면

∠B=∠E=55°, ∠C=∠F=65°이므로

△ABC∽△DEF (AA 닮음) **답 ①**

0538 전략 공통인 각과 대응하는 두 쌍의 변의 길이의 비를 이용하여 닮은 두 삼각형을 찾는다.

△ABC와 △DBA에서

∠B는 공통,

$\overline{AB}:\overline{DB}=10:5=2:1$,

$\overline{BC}:\overline{BA}=(5+15):10=2:1$

∴ △ABC∽△DBA (SAS 닮음) **답 ②**

0539 전략 ∠C가 공통이고 다른 한 각의 크기가 같은 두 삼각형을 찾는다.

(1) △ABC와 △EDC에서

∠C는 공통, ∠A=∠DEC

∴ △ABC∽△EDC (AA 닮음) ······ (가)

(2) $\overline{BC}:\overline{DC}=\overline{AC}:\overline{EC}$에서 $\overline{BC}:4=6:3$

∴ $\overline{BC}=8$ (cm) ······ (나)

∴ $\overline{BE}=\overline{BC}-\overline{EC}=8-3=5$ (cm) ······ (다)

답 (1) △ABC∽△EDC (AA 닮음) (2) 5 cm

채점 기준	비율
(가) 닮은 두 삼각형을 찾아 기호로 나타내고 닮음 조건 말하기	40 %
(나) $\overline{BC}$의 길이 구하기	40 %
(다) $\overline{BE}$의 길이 구하기	20 %

0540 전략 평행선에서 엇각의 크기가 같음을 이용하여 닮은 두 삼각형을 찾는다.

△ABC와 △DEA에서

∠BAC=∠EDA (엇각), ∠BCA=∠EAD (엇각)

∴ △ABC∽△DEA (AA 닮음)

$\overline{AB}:\overline{DE}=\overline{CB}:\overline{AE}$에서 $6:4=12:\overline{AE}$

∴ $\overline{AE}=8$ (cm) **답 ④**

0541 전략 평행선에서 엇각의 크기가 같음을 이용하여 닮은 두 삼각형을 찾는다.

△AFE와 △CFB에서

∠FAE=∠FCB (엇각), ∠FEA=∠FBC (엇각)

∴ △AFE∽△CFB (AA 닮음)

$\overline{AE}:\overline{CB}=\overline{AF}:\overline{CF}$에서 $15:\overline{CB}=9:12$

∴ $\overline{CB}=20$ (cm)

∴ $\overline{DE}=\overline{AD}-\overline{AE}=\overline{BC}-\overline{AE}$

$\qquad=20-15=5$ (cm) **답 5 cm**

0542 전략 ∠A가 공통인 두 직각삼각형은 닮음임을 이용한다.

△ABE와 △ACD에서

∠A는 공통, ∠AEB=∠ADC=90°

∴ △ABE∽△ACD (AA 닮음)

$\overline{AB}:\overline{AC}=\overline{AE}:\overline{AD}$에서

$(10+4):(6+\overline{EC})=6:4$

$6(6+\overline{EC})=56$ ∴ $\overline{EC}=\dfrac{10}{3}$ (cm) **답 $\dfrac{10}{3}$ cm**

0543 전략 크기가 같은 각을 표시하여 서로 닮음인 직각삼각형을 찾아본다.

① △ABC∽△HBA
$\qquad\qquad$ (AA 닮음)

② △ABC∽△HAC
$\qquad\qquad$ (AA 닮음)

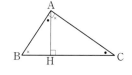

③ $\triangle HBA \circ \triangle HAC$ (AA 닮음)

④ $\overline{AC}^2 = \overline{CH} \times \overline{CB}$에서 $\overline{CB}$의 길이를 구할 수 있고,

$\overline{BH} = \overline{CB} - \overline{CH}$이므로 $\overline{BH}$의 길이를 구할 수 있다.

⑤ $\overline{AB}^2 = \overline{BH} \times \overline{BC}$에서 $\overline{BC}$의 길이를 구할 수 있고,

$\overline{CH} = \overline{BC} - \overline{BH}$이므로 $\overline{CH}$의 길이를 구할 수 있다.

따라서 $\overline{AC}^2 = \overline{CH} \times \overline{CB}$에서 $\overline{AC}$의 길이를 구할 수 있다.

따라서 옳지 않은 것은 ④이다.　　　　　**답** ④

0544 〔전략〕 $\overline{AB}^2 = \overline{BD} \times \overline{BC}$, $\overline{AD}^2 = \overline{BD} \times \overline{CD}$임을 이용하여 $\overline{CD}$, $\overline{AD}$의 길이를 각각 구한다.

$\overline{AB}^2 = \overline{BD} \times \overline{BC}$에서 $10^2 = 8 \times (8+x)$

$8x + 64 = 100$　　∴ $x = \dfrac{9}{2}$　　　　…… (가)

$\overline{AD}^2 = \overline{BD} \times \overline{CD}$에서 $y^2 = 8 \times x = 8 \times \dfrac{9}{2} = 36$

∴ $y = 6$ ($\because y > 0$)　　　　…… (나)

∴ $x + y = \dfrac{9}{2} + 6 = \dfrac{21}{2}$　　　　…… (다)

답 $\dfrac{21}{2}$

채점 기준	비율
(가) x의 값 구하기	40 %
(나) y의 값 구하기	40 %
(다) $x+y$의 값 구하기	20 %

0545 〔전략〕 점 M이 직각삼각형 ABC의 빗변 BC의 중점이므로 $\triangle ABC$의 외심임을 이용한다.

$\overline{AD}^2 = \overline{BD} \times \overline{CD}$에서 $\overline{AD}^2 = 4 \times 1 = 4$

∴ $\overline{AD} = 2$ (cm) ($\because \overline{AD} > 0$)

점 M은 $\triangle ABC$의 외심이므로

$\overline{AM} = \overline{BM} = \overline{CM} = \dfrac{5}{2}$ cm

∴ $\overline{MD} = \overline{BD} - \overline{BM} = 4 - \dfrac{5}{2} = \dfrac{3}{2}$ (cm)

$\triangle AMD = \dfrac{1}{2} \times \overline{MD} \times \overline{AD} = \dfrac{1}{2} \times \overline{AM} \times \overline{DH}$에서

$\dfrac{1}{2} \times \dfrac{3}{2} \times 2 = \dfrac{1}{2} \times \dfrac{5}{2} \times \overline{DH}$

∴ $\overline{DH} = \dfrac{6}{5}$ (cm)　　　　**답** $\dfrac{6}{5}$ cm

0546 〔전략〕 크기가 같은 예각을 찾아 $\triangle ABF$와 서로 닮음인 직각삼각형을 찾는다.

(1) $\triangle ABF$와 $\triangle DFE$에서

∠A = ∠D = 90°, ∠ABF = 90° − ∠AFB = ∠DFE

∴ $\triangle ABF \circ \triangle DFE$ (AA 닮음)　　…… (가)

---

(2) $\overline{DF} = \overline{AD} - \overline{AF} = 5 - 4 = 1$ (cm)

$\overline{AB} : \overline{DF} = \overline{AF} : \overline{DE}$에서 $3 : 1 = 4 : \overline{DE}$

∴ $\overline{DE} = \dfrac{4}{3}$ (cm)　　　　…… (나)

답 (1) $\triangle ABF \circ \triangle DFE$ (AA 닮음) (2) $\dfrac{4}{3}$ cm

채점 기준	비율
(가) $\triangle ABF$와 서로 닮음인 삼각형을 찾아 기호로 나타내고 닮음 조건 말하기	50 %
(나) $\overline{DE}$의 길이 구하기	50 %

0547 〔전략〕 정삼각형의 한 내각의 크기는 60°임을 이용하여 닮은 두 삼각형을 찾는다.

$\triangle DBE$와 $\triangle ECF$에서

∠B = ∠C = 60°

∠BDE + ∠DEB = 120°이고 ∠DEB + ∠CEF = 120°이므로 ∠BDE = ∠CEF

∴ $\triangle DBE \circ \triangle ECF$ (AA 닮음)

$\overline{BD} : \overline{CE} = \overline{BE} : \overline{CF}$에서 $\overline{BD} : 6 = 3 : 4$

∴ $\overline{BD} = \dfrac{9}{2}$ (cm)　　　　**답** $\dfrac{9}{2}$ cm

0548 〔전략〕 A1 용지의 짧은 변(또는 긴 변)의 길이와 A3 용지의 짧은 변(또는 긴 변)의 길이의 비를 구한다.

오른쪽 그림과 같이 A1 용지의 짧은 변의 길이를 a라 하면 A3 용지의 짧은 변의 길이는 $\dfrac{1}{2}a$이다.

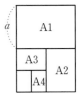

따라서 구하는 닮음비는

$a : \dfrac{1}{2}a = 2 : 1$

답 $2 : 1$

0549 〔전략〕 평행선에서 엇각의 크기가 같음을 이용하여 닮은 두 삼각형을 찾는다.

(1) $\triangle AGE$와 $\triangle CGB$에서

∠GAE = ∠GCB (엇각), ∠GEA = ∠GBC (엇각)

∴ $\triangle AGE \circ \triangle CGB$ (AA 닮음)

(2) $\overline{GA} : \overline{GC} = \overline{AE} : \overline{CB}$에서 $\overline{GA} : \overline{GC} = 1 : 2$

(3) $\triangle AGH$와 $\triangle CGI$에서

∠GAH = ∠GCI (엇각), ∠GHA = ∠GIC (엇각)

∴ $\triangle AGH \circ \triangle CGI$ (AA 닮음)

$\overline{AH} : \overline{CI} = \overline{GA} : \overline{GC}$에서 $\overline{AH} : \overline{CI} = 1 : 2$

이때 $\overline{BI} = \overline{AH}$이므로 $\overline{BI} : \overline{CI} = 1 : 2$

∴ $\overline{BI} : \overline{BC} = 1 : (1+2) = 1 : 3$

답 (1) $\triangle AGE \circ \triangle CGB$ (AA 닮음)

(2) $1 : 2$ (3) $1 : 3$

6 평행선과 선분의 길이의 비

0550 $\overline{AC} : \overline{AE} = \overline{BC} : \overline{DE}$에서

$8 : (8+4) = x : 15$ $\therefore x = 10$ **답** 10

0551 $\overline{AE} : \overline{AC} = \overline{DE} : \overline{BC}$에서

$4 : 8 = x : 10$ $\therefore x = 5$ **답** 5

0552 $\overline{AB} : \overline{BD} = \overline{AC} : \overline{CE}$에서

$(6+3) : 3 = x : 2$ $\therefore x = 6$ **답** 6

0553 $\overline{AE} : \overline{AC} = \overline{DE} : \overline{BC}$에서

$(10-x) : 10 = 8 : 12$ $\therefore x = \dfrac{10}{3}$ **답** $\dfrac{10}{3}$

0554 $6 : (10-6) \neq 5 : 3$이므로 $\overline{BC}$와 $\overline{DE}$는 평행하지 않다.

     답 ×

0555 $4 : 6 = 2 : 3$이므로 $\overline{BC} /\!/ \overline{DE}$ **답** ○

0556 $6 : (6+3) = 10 : 15$이므로 $\overline{BC} /\!/ \overline{DE}$ **답** ○

0557 $8 : 5 \neq 9 : 6$이므로 $\overline{BC}$와 $\overline{DE}$는 평행하지 않다.   **답** ×

0558 $\overline{MN} = \dfrac{1}{2}\overline{BC}$이므로 $x = \dfrac{1}{2} \times 8 = 4$ **답** 4

0559 $\overline{BC} = 2\overline{MN}$이므로 $x = 2 \times 6 = 12$ **답** 12

0560 $\overline{AN} = \overline{NC} = \dfrac{1}{2}\overline{AC}$이므로 $x = \dfrac{1}{2} \times 12 = 6$ **답** 6

0561 $\overline{AB} = 2\overline{NM}$이므로 $x = 2 \times 5 = 10$ **답** 10

0562 $6 : 5 = x : 3$ $\therefore x = \dfrac{18}{5}$ **답** $\dfrac{18}{5}$

0563 $x : 8 = (10-4) : 4$ $\therefore x = 12$ **답** 12

0564 $8 : 6 = x : 12$ $\therefore x = 16$ **답** 16

0565 $6 : x = 12 : (12-4)$ $\therefore x = 4$ **답** 4

0566 $4 : 3 = (3+x) : x$ $\therefore x = 9$ **답** 9

0567 **전략** 삼각형에서 평행선에 의하여 생기는 선분의 길이의 비를 이용한다.

$x : 4 = 6 : 3$에서 $x = 8$

$6 : (6+3) = 10 : y$에서 $y = 15$

$\therefore x + y = 8 + 15 = 23$ **답** 23

0568 $12 : (12+6) = 10 : \overline{BC}$ $\therefore \overline{BC} = 15$ (cm)   **답** 15 cm

0569 $a : b = 3 : 5$에서 $5a = 3b$ $\therefore a = \dfrac{3}{5}b$ **답** $a = \dfrac{3}{5}b$

0570 $4 : \overline{AB} = 3 : 6$에서 $\overline{AB} = 8$ (cm)

$5 : \overline{BC} = 3 : 6$에서 $\overline{BC} = 10$ (cm)

$\therefore$ ($\triangle ABC$의 둘레의 길이)$= \overline{AB} + \overline{BC} + \overline{CA}$

$= 8 + 10 + 6$

$= 24$ (cm)   **답** 24 cm

다른 풀이 $\triangle ABC \backsim \triangle ADE$ (AA 닮음)이고

닮음비는 $\overline{AC} : \overline{AE} = 6 : 3 = 2 : 1$

이때 $\triangle ADE$의 둘레의 길이는 $4 + 5 + 3 = 12$ (cm)이고

($\triangle ABC$의 둘레의 길이) : ($\triangle ADE$의 둘레의 길이)$= 2 : 1$

이므로 ($\triangle ABC$의 둘레의 길이)$= 2 \times 12 = 24$ (cm)

0571 $\overline{BC} /\!/ \overline{DE}$이므로 $\overline{AB} : \overline{BD} = \overline{AC} : \overline{CE}$에서

$18 : 9 = 12 : x$ $\therefore x = 6$

$\overline{BC} /\!/ \overline{GF}$이므로 $\overline{AG} : \overline{AC} = \overline{AF} : \overline{AB}$에서

$4 : 12 = y : 18$ $\therefore y = 6$

$\therefore x - y = 6 - 6 = 0$ **답** 0

0572 $\overline{BC} /\!/ \overline{GF}$이므로 $\overline{AB} : \overline{AF} = \overline{BC} : \overline{FG}$에서

$x : 6 = (4+16) : 8$ $\therefore x = 15$

$\overline{AB} /\!/ \overline{DE}$이므로 $\overline{CE} : \overline{CB} = \overline{DE} : \overline{AB}$에서

$16 : (16+4) = y : 15$ $\therefore y = 12$

$\therefore x + y = 15 + 12 = 27$ **답** 27

0573 $\triangle ABC \backsim \triangle EFC$이므로 $\angle B = \angle EFC$ (동위각)

$\therefore \overline{AB} /\!/ \overline{EF}$

또 $\overline{DE} /\!/ \overline{BC}$이므로 $\square DBFE$는 평행사변형이다.

$\overline{DE} /\!/ \overline{BC}$이고 $\overline{AE} : \overline{EC} = 3 : 2$이므로

$\overline{AB} : \overline{BD} = (3+2) : 2$에서

$15 : \overline{BD} = 5 : 2$ $\therefore \overline{BD} = 6$ (cm)

$\overline{DE} : \overline{BC} = 3 : (3+2)$에서

$\overline{DE} : 20 = 3 : 5$ $\therefore \overline{DE} = 12$ (cm)

$\therefore$ ($\square DBFE$의 둘레의 길이)$= 2 \times (\overline{BD} + \overline{DE})$

$= 2 \times (6 + 12)$

$= 36$ (cm)   **답** 36 cm

0574 전략 △ABF와 △AFC에서 평행선에 의하여 생기는 선분의 길이의 비를 이용한다.

$\overline{BF}\,/\!/\,\overline{DG}$이므로

$6:(6+4)=x:5$　∴ $x=3$

$\overline{BC}\,/\!/\,\overline{DE}$이므로

$\overline{AE}:\overline{AC}=\overline{AD}:\overline{AB}=6:(6+4)=3:5$

$\overline{FC}\,/\!/\,\overline{GE}$이므로 $3:5=2:y$　∴ $y=\dfrac{10}{3}$

∴ $x+y=3+\dfrac{10}{3}=\dfrac{19}{3}$　　답 $\dfrac{19}{3}$

0575 $\overline{BQ}\,/\!/\,\overline{DP}$이므로 $8:(8+x)=4:5$　∴ $x=2$

$\overline{BC}\,/\!/\,\overline{DE}$이므로 $8:2=y:1$　∴ $y=4$

∴ $x+y=2+4=6$　　답 6

0576 $\overline{BC}\,/\!/\,\overline{DE}$이므로 $\overline{DP}:\overline{BQ}=\overline{AP}:\overline{AQ}=\overline{PE}:\overline{QC}$

즉 $\overline{DP}:\overline{BQ}=\overline{PE}:\overline{QC}$이므로

$\overline{DP}:5=6:10$　∴ $\overline{DP}=3\,(\text{cm})$　　답 3 cm

0577 전략 △ABE와 △ABC에서 평행선에 의하여 생기는 선분의 길이의 비를 이용한다.

△ABE에서 $\overline{BE}\,/\!/\,\overline{DF}$이므로

$\overline{AD}:\overline{DB}=\overline{AF}:\overline{FE}=4:3$

△ABC에서 $\overline{BC}\,/\!/\,\overline{DE}$이므로

$\overline{AD}:\overline{DB}=\overline{AE}:\overline{EC}$에서 $4:3=(4+3):\overline{EC}$

∴ $\overline{EC}=\dfrac{21}{4}\,(\text{cm})$　　답 $\dfrac{21}{4}$ cm

0578 △ABC에서 $\overline{BC}\,/\!/\,\overline{DE}$이므로

$\overline{AE}:\overline{EC}=\overline{AD}:\overline{DB}=12:6=2:1$

△ADC에서 $\overline{CD}\,/\!/\,\overline{EF}$이므로

$\overline{AF}:\overline{FD}=\overline{AE}:\overline{EC}=2:1$에서

$(12-\overline{FD}):\overline{FD}=2:1$, $12-\overline{FD}=2\overline{FD}$

$3\overline{FD}=12$　∴ $\overline{FD}=4\,(\text{cm})$　　답 4 cm

0579 △ABC에서 $\overline{BC}\,/\!/\,\overline{DE}$이므로

$\overline{AE}:\overline{EC}=\overline{AD}:\overline{DB}=6:4=3:2$

△ADC에서 $\overline{DC}\,/\!/\,\overline{FE}$이므로

$\overline{AF}:\overline{FD}=\overline{AE}:\overline{EC}=3:2$에서

$\overline{AF}:(6-\overline{AF})=3:2$, $2\overline{AF}=18-3\overline{AF}$

$5\overline{AF}=18$　∴ $\overline{AF}=\dfrac{18}{5}\,(\text{cm})$　　답 $\dfrac{18}{5}$ cm

0580 전략 $\overline{AB}:\overline{AD}=\overline{AC}:\overline{AE}$ 또는 $\overline{AD}:\overline{DB}=\overline{AE}:\overline{EC}$이면 $\overline{BC}\,/\!/\,\overline{DE}$이다.

① $16:4\neq15:5$이므로 $\overline{BC}$와 $\overline{DE}$는 평행하지 않다.

② $(6-2):2\neq3:1$이므로 $\overline{BC}$와 $\overline{DE}$는 평행하지 않다.

③ $3:6\neq4:7$이므로 $\overline{BC}$와 $\overline{DE}$는 평행하지 않다.

④ $4:2\neq(8-3):3$이므로 $\overline{BC}$와 $\overline{DE}$는 평행하지 않다.

⑤ $7.5:10=9:12$이므로 $\overline{BC}\,/\!/\,\overline{DE}$　　답 ⑤

0581 ① $4.5:3\neq5:2$이므로 $\overline{AC}$와 $\overline{DF}$는 평행하지 않다.

② $3:2\neq2:5$이므로 $\overline{AB}$와 $\overline{EF}$는 평행하지 않다.

③ $\overline{AD}:\overline{DB}=\overline{AE}:\overline{EC}=2:3$이므로 $\overline{BC}\,/\!/\,\overline{DE}$

④ $\overline{BD}:\overline{BA}=4.5:(4.5+3)=3:5$

$\overline{BF}:\overline{BC}=5:(5+2)=5:7$

즉 $\overline{BD}:\overline{BA}\neq\overline{BF}:\overline{BC}$이므로 △BDF와 △BAC는 닮은 도형이 아니다.

⑤ △ADE와 △ABC에서

$\overline{AD}:\overline{AB}=\overline{AE}:\overline{AC}=2:5$, ∠A는 공통

이므로 △ADE ∽ △ABC (SAS 닮음)　　답 ③, ⑤

0582 ② $\overline{AD}:\overline{AB}=\overline{AE}:\overline{AC}$이므로 $\overline{BC}\,/\!/\,\overline{DE}$

③ △ADE와 △ABC에서

$\overline{AD}:\overline{AB}=\overline{AE}:\overline{AC}$, ∠A는 공통

이므로 △ADE ∽ △ABC (SAS 닮음)

④ ②에서 $\overline{BC}\,/\!/\,\overline{DE}$이므로 ∠AED=∠C (동위각)

⑤ $\overline{DE}:\overline{BC}=\overline{AD}:\overline{AB}=2:(2+6)=1:4$　　답 ⑤

0583 전략 △ABC와 △DBC에서 두 변의 중점을 연결한 선분의 성질을 이용한다.

△ABC에서 $\overline{AM}=\overline{MB}$, $\overline{AN}=\overline{NC}$이므로

$\overline{BC}=2\overline{MN}=2\times3=6\,(\text{cm})$　∴ $x=6$

△DBC에서 $\overline{DP}=\overline{PB}$, $\overline{DQ}=\overline{QC}$이므로

$\overline{PQ}=\dfrac{1}{2}\overline{BC}=\dfrac{1}{2}\times6=3\,(\text{cm})$　∴ $y=3$

∴ $x+y=6+3=9$　　답 9

0584 $\overline{AM}=\overline{MB}$, $\overline{AN}=\overline{NC}$이므로 $\overline{MN}\,/\!/\,\overline{BC}$

∴ ∠AMN=∠B=63° (동위각), 즉 $x=63$

또 $\overline{MN}=\dfrac{1}{2}\overline{BC}=\dfrac{1}{2}\times8=4\,(\text{cm})$

∴ $y=4$　　답 $x=63$, $y=4$

0585 $\overline{BM}=\overline{MA}$, $\overline{BN}=\overline{NC}$이므로

$\overline{AC}=2\overline{MN}=2\times5=10\,(\text{cm})$　∴ $x=10$

또 $\overline{MN}\,/\!/\,\overline{AC}$이므로 ∠BMN=∠A=75° (동위각)

△BNM에서 ∠BNM=180°−(75°+45°)=60°

∴ $y=60$

∴ $x+y=10+60=70$　　답 70

0586 전략 삼각형의 한 변의 중점을 지나고 다른 한 변에 평행한 선분의 성질을 이용한다.

$\overline{AM}=\overline{MB}$, $\overline{MN}\,/\!/\,\overline{BC}$이므로

$\overline{AN}=\overline{NC}=\dfrac{1}{2}\overline{AC}=\dfrac{1}{2}\times8=4\,(\text{cm})$　∴ $x=4$

$$\overline{MN}=\frac{1}{2}\overline{BC}=\frac{1}{2}\times10=5\,(\text{cm})\qquad\therefore y=5$$
$$\therefore x+y=4+5=9 \qquad\qquad\qquad\text{답 } 9$$

0587 $\overline{AD}=\overline{DB}$, $\overline{DE}\,/\!/\,\overline{BC}$이므로
$$\overline{BC}=2\overline{DE}=2\times8=16\,(\text{cm})$$
□DBFE는 평행사변형이므로 $\overline{BF}=\overline{DE}=8\,\text{cm}$
$$\therefore \overline{FC}=\overline{BC}-\overline{BF}=16-8=8\,(\text{cm})\qquad\text{답 } 8\,\text{cm}$$

0588 △BCM에서 $\overline{CD}=\overline{DM}$, $\overline{DE}\,/\!/\,\overline{MB}$이므로
$$\overline{MB}=2\overline{DE}=2\times3=6\,(\text{cm})$$
점 M은 직각삼각형 ABC의 빗변의 중점이므로 외심이다.
즉 $\overline{MA}=\overline{MC}=\overline{MB}=6\,\text{cm}$
$$\therefore \overline{AC}=\overline{MA}+\overline{MC}=6+6=12\,(\text{cm})\qquad\text{답 } 12\,\text{cm}$$

0589 △ACD에서 $\overline{AO}=\overline{OC}$, $\overline{OE}\,/\!/\,\overline{CD}$이므로
$$\overline{AE}=\overline{ED}=\frac{1}{2}\overline{AD}=\frac{1}{2}\times18=9\,(\text{cm})$$
$$\overline{OE}=\frac{1}{2}\overline{CD}=\frac{1}{2}\times12=6\,(\text{cm})$$
$$\therefore \overline{AE}+\overline{OE}=9+6=15\,(\text{cm})\qquad\text{답 } 15\,\text{cm}$$

0590 △BCF에서 $\overline{BD}=\overline{DC}$, $\overline{BF}\,/\!/\,\overline{DG}$이므로
$$\overline{BF}=2\overline{DG}=2\times3=6\,(\text{cm})\qquad\cdots\cdots\text{㈎}$$
△ADG에서 $\overline{AE}=\overline{ED}$, $\overline{EF}\,/\!/\,\overline{DG}$이므로
$$\overline{EF}=\frac{1}{2}\overline{DG}=\frac{1}{2}\times3=\frac{3}{2}\,(\text{cm})\qquad\cdots\cdots\text{㈏}$$
$$\therefore \overline{BE}=\overline{BF}-\overline{EF}=6-\frac{3}{2}=\frac{9}{2}\,(\text{cm})\qquad\cdots\cdots\text{㈐}$$
$$\text{답 } \frac{9}{2}\,\text{cm}$$

채점 기준	비율
㈎ $\overline{BF}$의 길이 구하기	40 %
㈏ $\overline{EF}$의 길이 구하기	40 %
㈐ $\overline{BE}$의 길이 구하기	20 %

0591 $\overline{AD}\,/\!/\,\overline{ME}\,/\!/\,\overline{BC}$이므로
△DBC에서 $\overline{ME}=\frac{1}{2}\overline{BC}=\frac{1}{2}\times10=5\,(\text{cm})$
△ACD에서 $\overline{NE}=\frac{1}{2}\overline{AD}=\frac{1}{2}\times4=2\,(\text{cm})$
$$\therefore \overline{MN}=\overline{ME}-\overline{NE}=5-2=3\,(\text{cm})\qquad\text{답 } 3\,\text{cm}$$

0592 전략 △AFC와 △BDE에서 두 변의 중점을 연결한 선분의
성질을 이용한다.
△AFC에서 $\overline{AE}=\overline{EF}$, $\overline{AD}=\overline{DC}$이므로
$\overline{ED}\,/\!/\,\overline{FC}$이고 $\overline{FC}=2\overline{ED}=2\times12=24\,(\text{cm})$
△BDE에서 $\overline{BF}=\overline{FE}$, $\overline{FG}\,/\!/\,\overline{ED}$이므로
$$\overline{FG}=\frac{1}{2}\overline{ED}=\frac{1}{2}\times12=6\,(\text{cm})$$
$$\therefore \overline{GC}=\overline{FC}-\overline{FG}=24-6=18\,(\text{cm})\qquad\text{답 } 18\,\text{cm}$$

0593 △AEC에서 $\overline{AD}=\overline{DE}$, $\overline{AF}=\overline{FC}$이므로
$\overline{DF}\,/\!/\,\overline{EC}$, $\overline{EC}=2\overline{DF}$
$\overline{EG}=x\,\text{cm}$라 하면 △BFD에서 $\overline{BE}=\overline{ED}$, $\overline{EG}\,/\!/\,\overline{DF}$이므로
$\overline{DF}=2\overline{EG}=2x\,\text{cm}$
△AEC에서 $\overline{EC}=2\overline{DF}=4x\,\text{cm}$
이때 $\overline{GC}=\overline{EC}-\overline{EG}$이므로 $15=4x-x$
$3x=15$ $\therefore x=5$
$$\therefore \overline{DF}=2x=2\times5=10\,(\text{cm})\qquad\text{답 } 10\,\text{cm}$$

0594 △AFD에서 $\overline{AE}=\overline{EF}$, $\overline{AG}=\overline{GD}$이므로 $\overline{EG}\,/\!/\,\overline{FD}$
$\overline{EG}=x\,\text{cm}\,(x>0)$라 하면 $\overline{FD}=2\overline{EG}=2x\,\text{cm}$
△BCE에서 $\overline{BF}=\overline{FE}$, $\overline{FD}\,/\!/\,\overline{EC}$이므로
$\overline{EC}=2\overline{FD}=4x\,\text{cm}$
이때 $\overline{GC}=\overline{EC}-\overline{EG}$이므로 $12=4x-x$
$3x=12$ $\therefore x=4$, 즉 $\overline{EG}=4\,\text{cm}$ $\qquad\text{답 } 4\,\text{cm}$

0595 △AEC에서 $\overline{AD}=\overline{DE}$, $\overline{AF}=\overline{FC}$이므로
$\overline{DF}\,/\!/\,\overline{EC}$,
$$\overline{DF}=\frac{1}{2}\overline{EC}=\frac{1}{2}\times4=2\,(\text{cm})$$
△BGD에서 $\overline{BE}=\overline{ED}$, $\overline{EC}\,/\!/\,\overline{DG}$이므로
$$\overline{DG}=2\overline{EC}=2\times4=8\,(\text{cm})$$
$$\therefore \overline{FG}=\overline{DG}-\overline{DF}=8-2=6\,(\text{cm})\qquad\text{답 } 6\,\text{cm}$$

0596 오른쪽 그림과 같이 점 D에서 $\overline{CE}$
에 평행한 직선을 그어 $\overline{AB}$와 만
나는 점을 G라 하면
△BCE에서 $\overline{BD}=\overline{DC}$,
$\overline{DG}\,/\!/\,\overline{CE}$이므로
$$\overline{GD}=\frac{1}{2}\overline{EC}=\frac{1}{2}\times8=4\,(\text{cm})\qquad\cdots\cdots\text{㈎}$$
또 $\overline{BG}=\overline{GE}$이고 $\overline{BE}:\overline{EA}=2:1$이므로
$\overline{BG}=\overline{GE}=\overline{EA}$
△AGD에서 $\overline{AE}=\overline{EG}$, $\overline{EF}\,/\!/\,\overline{GD}$이므로
$$\overline{EF}=\frac{1}{2}\overline{GD}=\frac{1}{2}\times4=2\,(\text{cm})\qquad\cdots\cdots\text{㈏}$$
$$\therefore \overline{FC}=\overline{EC}-\overline{EF}=8-2=6\,(\text{cm})\qquad\cdots\cdots\text{㈐}$$
$$\text{답 } 6\,\text{cm}$$

채점 기준	비율
㈎ $\overline{GD}$의 길이 구하기	40 %
㈏ $\overline{EF}$의 길이 구하기	40 %
㈐ $\overline{FC}$의 길이 구하기	20 %

0597 이등변삼각형의 꼭지각의 이등분
선은 밑변을 수직이등분하므로
$$\overline{BD}=\overline{CD}$$
오른쪽 그림과 같이 점 D에서 $\overline{BF}$
에 평행한 직선을 그어 $\overline{AC}$와 만
나는 점을 G라 하면

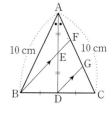

$\triangle ADG$에서 $\overline{AE}=\overline{ED}$, $\overline{EF}\,/\!/\,\overline{DG}$이므로 $\overline{AF}=\overline{FG}$

$\triangle BCF$에서 $\overline{BD}=\overline{DC}$, $\overline{BF}\,/\!/\,\overline{DG}$이므로 $\overline{CG}=\overline{GF}$

따라서 $\overline{AF}=\overline{FG}=\overline{CG}$이므로

$\overline{AF}=\dfrac{1}{3}\overline{AC}=\dfrac{1}{3}\times 10=\dfrac{10}{3}$ (cm)　　　**답** $\dfrac{10}{3}$ cm

---

0598　[전략] 점 A에서 $\overline{BC}$에 평행한 직선을 그은 후 삼각형의 합동과 삼각형의 두 변의 중점을 연결한 선분의 성질을 이용한다.

오른쪽 그림과 같이 점 A에서 $\overline{BC}$에 평행한 직선을 그어 $\overline{DE}$ 와 만나는 점을 F라 하면 $\triangle DBE$에서 $\overline{DA}=\overline{AB}$, $\overline{AF}\,/\!/\,\overline{BE}$이므로

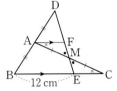

$\overline{AF}=\dfrac{1}{2}\overline{BE}=\dfrac{1}{2}\times 12=6$ (cm)

이때 $\triangle AMF \equiv \triangle CME$ (ASA 합동)이므로

$\overline{EC}=\overline{FA}=6$ (cm)　　　**답** 6 cm

0599　$\triangle ABC$에서 $\overline{AE}=\overline{EB}$, $\overline{EG}\,/\!/\,\overline{BC}$이므로

$\overline{EG}=\dfrac{1}{2}\overline{BC}=\dfrac{1}{2}\times 6=3$ (cm)

$\triangle EFG \equiv \triangle DFC$ (ASA 합동)이므로

$\overline{CD}=\overline{GE}=3\ \text{cm}$, $\overline{GF}=\overline{CF}=2\ \text{cm}$

따라서 $\overline{AG}=\overline{GC}=2+2=4$ (cm)이므로

$\overline{AC}=\overline{AG}+\overline{GC}=4+4=8$ (cm)

$\therefore \overline{CD}+\overline{AC}=3+8=11$ (cm)　　　**답** 11 cm

---

0600　(1) 오른쪽 그림과 같이 점 E에서 $\overline{BD}$에 평행한 직선을 그어 $\overline{AC}$와 만나는 점을 G라 하면 $\triangle ABC$에서 $\overline{AE}=\overline{EB}$, $\overline{EG}\,/\!/\,\overline{BC}$이므로

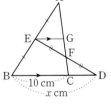

$\overline{EG}=\dfrac{1}{2}\overline{BC}=\dfrac{1}{2}\times 10=5$ (cm)

$\triangle EFG \equiv \triangle DFC$ (ASA 합동)이므로

$\overline{CD}=\overline{GE}=5\ \text{cm}$

$\therefore \overline{BD}=\overline{BC}+\overline{CD}=10+5=15$ (cm)

$\therefore x=15$

(2) 오른쪽 그림과 같이 점 E에서 $\overline{BD}$에 평행한 직선을 그어 $\overline{AC}$와 만나는 점을 G라 하면 $\triangle EFG \equiv \triangle DFC$ (ASA 합동)이므로

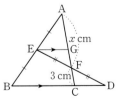

$\overline{GF}=\overline{CF}=3\ \text{cm}$, $\overline{AG}=\overline{GC}=3+3=6$ (cm)

$\therefore \overline{AF}=\overline{AG}+\overline{GF}=6+3=9$ (cm)

$\therefore x=9$　　　**답** (1) 15 (2) 9

0601　[전략] 삼각형의 두 변의 중점을 연결한 선분의 성질을 이용하여 $\triangle DEF$의 세 변의 길이를 구한다.

$\overline{AD}=\overline{DB}$, $\overline{BE}=\overline{EC}$, $\overline{CF}=\overline{FA}$이므로

$\overline{DE}=\dfrac{1}{2}\overline{AC}=\dfrac{1}{2}\times 10=5$ (cm),

$\overline{EF}=\dfrac{1}{2}\overline{AB}=\dfrac{1}{2}\times 14=7$ (cm),

$\overline{FD}=\dfrac{1}{2}\overline{BC}=\dfrac{1}{2}\times 16=8$ (cm)

$\therefore$ ($\triangle DEF$의 둘레의 길이)

$=\overline{DE}+\overline{EF}+\overline{FD}$

$=5+7+8=20$ (cm)　　　**답** 20 cm

0602　① $\triangle ABC$에서 $\overline{AF}=\overline{FC}$, $\overline{BE}=\overline{EC}$이므로 $\overline{AB}\,/\!/\,\overline{FE}$

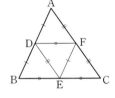

② $\overline{DE}=\dfrac{1}{2}\overline{AC}$이므로 $\overline{DE}=\overline{AF}=\overline{FC}$

③ $\triangle EFD$와 $\triangle ADF$에서 $\overline{EF}=\dfrac{1}{2}\overline{AB}=\overline{AD}$, $\overline{DE}=\dfrac{1}{2}\overline{AC}=\overline{FA}$, $\overline{DF}$는 공통 이므로 $\triangle EFD \equiv \triangle ADF$ (SSS 합동)

④ $\triangle DBE$와 $\triangle FEC$에서 $\overline{DB}=\dfrac{1}{2}\overline{AB}=\overline{FE}$, $\overline{DE}=\dfrac{1}{2}\overline{AC}=\overline{FC}$, $\overline{BE}=\overline{EC}$ 이므로 $\triangle DBE \equiv \triangle FEC$ (SSS 합동)　　　**답** ⑤

0603　$\overline{AD}=\overline{DB}$, $\overline{BE}=\overline{EC}$, $\overline{CF}=\overline{FA}$이므로

$\overline{AB}=2\overline{EF}=2\times 6=12$ (cm),

$\overline{BC}=2\overline{DF}=2\times 9=18$ (cm),

$\overline{CA}=2\overline{DE}=2\times 5=10$ (cm)

$\therefore$ ($\triangle ABC$의 둘레의 길이)$=\overline{AB}+\overline{BC}+\overline{CA}$

$=12+18+10$

$=40$ (cm)　　　**답** 40 cm

0604　[전략] $\overline{EH}=\overline{FG}=\dfrac{1}{2}\overline{BD}$, $\overline{EF}=\overline{HG}=\dfrac{1}{2}\overline{AC}$임을 이용하여 $\square EFGH$의 네 변의 길이를 구한다.

$\overline{EH}=\overline{FG}=\dfrac{1}{2}\overline{BD}=\dfrac{1}{2}\times 18=9$ (cm)

$\overline{EF}=\overline{HG}=\dfrac{1}{2}\overline{AC}=\dfrac{1}{2}\times 12=6$ (cm)

$\therefore$ ($\square EFGH$의 둘레의 길이)

$=\overline{EF}+\overline{FG}+\overline{GH}+\overline{HE}$

$=6+9+6+9=30$ (cm)　　　**답** 30 cm

0605　　　　**답** (개) $\overline{AC}$ (내) $\overline{AC}$ (대) $\overline{HG}$

0606　$\square ABCD$가 직사각형이므로 $\overline{BD}$를 그으면 $\overline{BD}=\overline{AC}=8\ \text{cm}$

$$\overline{EF}=\overline{HG}=\frac{1}{2}\overline{AC}=\frac{1}{2}\times 8=4\,(\text{cm})$$

$$\overline{EH}=\overline{FG}=\frac{1}{2}\overline{BD}=\frac{1}{2}\times 8=4\,(\text{cm})$$

$$\therefore\ (\square EFGH\text{의 둘레의 길이})$$
$$=\overline{EF}+\overline{FG}+\overline{GH}+\overline{HE}$$
$$=4+4+4+4=16\,(\text{cm})$$
답 16 cm

0607 □ABCD가 등변사다리꼴이므로 $\overline{AC}$, $\overline{BD}$를 그으면
$$\overline{AC}=\overline{BD}=2\overline{EH}=2\times 7=14\,(\text{cm})$$
$$\overline{FG}=\frac{1}{2}\overline{BD}=\frac{1}{2}\times 14=7\,(\text{cm})$$
$$\overline{EF}=\overline{HG}=\frac{1}{2}\overline{AC}=\frac{1}{2}\times 14=7\,(\text{cm})$$
$$\therefore\ (\square EFGH\text{의 둘레의 길이})$$
$$=\overline{EF}+\overline{FG}+\overline{GH}+\overline{HE}$$
$$=7+7+7+7=28\,(\text{cm})$$
답 28 cm

0608 $\overline{AE}=\overline{EB}$, $\overline{BF}=\overline{FC}$, $\overline{CG}=\overline{GD}$, $\overline{DH}=\overline{HA}$이므로
$$\overline{EF}/\!/\overline{AC}/\!/\overline{HG},\ \overline{EH}/\!/\overline{BD}/\!/\overline{FG}$$
따라서 □EFGH는 평행사변형이다. ……㈎
이때 $\overline{AC}\perp\overline{BD}$이므로 $\overline{EF}\perp\overline{EH}$
즉 $\angle HEF=90°$이므로 □EFGH는 직사각형이다. …㈏
이때 △ABD에서 $\overline{EH}=\frac{1}{2}\overline{BD}=\frac{1}{2}\times 6=3\,(\text{cm})$
또 △ABC에서 $\overline{EF}=\frac{1}{2}\overline{AC}=\frac{1}{2}\times 8=4\,(\text{cm})$
$$\therefore\ \square EFGH=3\times 4=12\,(\text{cm}^2)$$ ……㈐
답 12 cm²

채점 기준	비율
㈎ □EFGH가 평행사변형임을 알기	20 %
㈏ □EFGH가 직사각형임을 알기	30 %
㈐ □EFGH의 넓이 구하기	50 %

Lecture

사각형의 각 변의 중점을 연결하여 만든 사각형

사각형	등변사다리꼴	평행사변형
➡ 평행사변형	➡ 마름모	➡ 평행사변형
직사각형	마름모	정사각형
➡ 마름모	➡ 직사각형	➡ 정사각형

0609 **전략** 삼각형의 내각의 이등분선의 성질을 이용하여 $\overline{BD}$의 길이를 구한다.
$\overline{AB}:\overline{AC}=\overline{BD}:\overline{CD}$에서
$5:10=\overline{BD}:(12-\overline{BD})$, $10\overline{BD}=60-5\overline{BD}$
$15\overline{BD}=60$ $\therefore\ \overline{BD}=4\,(\text{cm})$
답 4 cm

0610 $\overline{AB}:\overline{AC}=\overline{BD}:\overline{CD}$에서
$12:\overline{AC}=(14-6):6$ $\therefore\ \overline{AC}=9\,(\text{cm})$
답 9 cm

0611 $\overline{BD}:\overline{CD}=\overline{AB}:\overline{AC}=6:8=3:4$
이때 $\overline{AB}/\!/\overline{ED}$이므로
$\overline{CD}:\overline{CB}=\overline{ED}:\overline{AB}$에서
$4:7=\overline{ED}:6$ $\therefore\ \overline{ED}=\frac{24}{7}\,(\text{cm})$
답 $\frac{24}{7}$ cm

0612 ① △ABE와 △ACF에서
$\angle BAE=\angle CAF$, $\angle BEA=\angle CFA=90°$
$\therefore\ \triangle ABE\,\infty\,\triangle ACF$ (AA 닮음)
② △BED와 △CFD에서
$\angle BDE=\angle CDF$ (맞꼭지각), $\angle BED=\angle CFD=90°$
$\therefore\ \triangle BED\,\infty\,\triangle CFD$ (AA 닮음)
③ ①에 의하여 $\overline{AB}:\overline{AC}=\overline{BE}:\overline{CF}$
④ ②에 의하여 $\overline{BE}:\overline{CF}=\overline{BD}:\overline{CD}$
⑤ ③, ④에 의하여 $\overline{AB}:\overline{AC}=\overline{BD}:\overline{CD}=\overline{BE}:\overline{CF}$
따라서 옳지 않은 것은 ⑤이다.
답 ⑤

0613 △ABC와 △DBA에서
$\angle B$는 공통, $\angle C=\angle DAB$
$\therefore\ \triangle ABC\,\infty\,\triangle DBA$ (AA 닮음)
$\overline{AB}:\overline{DB}=\overline{AC}:\overline{DA}$에서
$12:6=20:\overline{DA}$ $\therefore\ \overline{DA}=10\,(\text{cm})$
이때 △ADC에서 $\overline{AE}$가 $\angle A$의 이등분선이므로
$\overline{AD}:\overline{AC}=\overline{DE}:\overline{CE}$에서
$10:20=\overline{DE}:(18-\overline{DE})$
$20\overline{DE}=180-10\overline{DE}$
$30\overline{DE}=180$ $\therefore\ \overline{DE}=6\,(\text{cm})$
답 6 cm

0614 △ABC에서 $\overline{BE}$가 $\angle B$의 이등분선이므로
$\overline{BA}:\overline{BC}=\overline{AE}:\overline{CE}$에서
$6:18=\overline{AE}:(16-\overline{AE})$, $18\overline{AE}=96-6\overline{AE}$
$24\overline{AE}=96$ $\therefore\ \overline{AE}=4\,(\text{cm})$
△ACD에서 $\overline{DF}$가 $\angle D$의 이등분선이므로
$\overline{DA}:\overline{DC}=\overline{AF}:\overline{CF}$에서
$18:6=(16-\overline{CF}):\overline{CF}$, $18\overline{CF}=96-6\overline{CF}$
$24\overline{CF}=96$ $\therefore\ \overline{CF}=4\,(\text{cm})$
$$\therefore\ \overline{EF}=\overline{AC}-(\overline{AE}+\overline{CF})$$
$$=16-(4+4)=8\,(\text{cm})$$
답 8 cm

0615 전략 삼각형의 내각의 이등분선의 성질과 높이가 같은 두 삼각형의 넓이의 비는 밑변의 길이의 비와 같음을 이용한다.

$\overline{BD} : \overline{CD} = \overline{AB} : \overline{AC} = 6 : 10 = 3 : 5$

$\triangle ABD : \triangle ACD = \overline{BD} : \overline{CD}$이므로

$9 : \triangle ACD = 3 : 5$

$\therefore \triangle ACD = 15 \,(\text{cm}^2)$ 　　　　**답** $15 \,\text{cm}^2$

0616 $\triangle ABC = \dfrac{1}{2} \times 4 \times 3 = 6 \,(\text{cm}^2)$

$\overline{BD} : \overline{CD} = \overline{AB} : \overline{AC} = 5 : 3$이므로

$\triangle ABD : \triangle ACD = \overline{BD} : \overline{CD} = 5 : 3$

$\therefore \triangle ABD = \dfrac{5}{8} \triangle ABC$

$\qquad\qquad = \dfrac{5}{8} \times 6 = \dfrac{15}{4} \,(\text{cm}^2)$ 　　**답** $\dfrac{15}{4} \,\text{cm}^2$

0617 $\triangle ABD : \triangle ACD = \overline{BD} : \overline{CD} = \overline{AB} : \overline{AC} = 4 : 3$

이므로

$\triangle ABD : 27 = 4 : 3$ 　$\therefore \triangle ABD = 36 \,(\text{cm}^2)$

이때 $\triangle AED \equiv \triangle ACD$ (RHA 합동)이므로

$\triangle AED = \triangle ACD = 27 \,\text{cm}^2$

$\therefore \triangle BDE = \triangle ABD - \triangle AED$

$\qquad\qquad = 36 - 27 = 9 \,(\text{cm}^2)$ 　　**답** $9 \,\text{cm}^2$

0618 전략 삼각형의 외각의 이등분선의 성질을 이용하여 $\overline{CD}$의 길이를 먼저 구한다.

$\overline{AB} : \overline{AC} = \overline{BD} : \overline{CD}$에서

$9 : 6 = (5 + \overline{CD}) : \overline{CD},\ 30 + 6\overline{CD} = 9\overline{CD}$

$3\overline{CD} = 30$ 　$\therefore \overline{CD} = 10 \,(\text{cm})$

$\therefore \overline{BD} = \overline{BC} + \overline{CD} = 5 + 10 = 15 \,(\text{cm})$ 　**답** $15 \,\text{cm}$

0619 (가) $\triangle ABD$와 $\triangle ECD$에서

$\angle D$는 공통, $\angle B = \angle ECD$ (동위각)

$\therefore \triangle ABD \backsim \triangle ECD$ (AA 닮음)

답 (가) $\triangle ECD$　(나) $\overline{EC}$　(다) $\overline{CD}$
(라) $\angle CEA$　(마) 이등변　(바) $\overline{EC}$

0620 $\overline{AB} : \overline{AC} = \overline{BD} : \overline{CD}$에서

$6 : 4 = (\overline{BC} + 10) : 10,\ 4\overline{BC} + 40 = 60$

$4\overline{BC} = 20$ 　$\therefore \overline{BC} = 5 \,(\text{cm})$

$\triangle ABC : \triangle ACD = \overline{BC} : \overline{CD} = 5 : 10 = 1 : 2$이므로

$\triangle ABC : 18 = 1 : 2$ 　$\therefore \triangle ABC = 9 \,(\text{cm}^2)$

답 $9 \,\text{cm}^2$

0621 (1) $\overline{AB} : \overline{AC} = \overline{BD} : \overline{CD}$에서

$8 : 5 = 16 : \overline{CD}$ 　$\therefore \overline{CD} = 10 \,(\text{cm})$ 　……(가)

(2) $\overline{BC} : \overline{BD} = (16 - 10) : 16 = 3 : 8$ 　……(나)

(3) $\overline{AD} /\!/ \overline{EC}$이므로 $\overline{BE} : \overline{BA} = \overline{BC} : \overline{BD}$에서

$\overline{BE} : 8 = 3 : 8$ 　$\therefore \overline{BE} = 3 \,(\text{cm})$ 　……(다)

답 (1) $10 \,\text{cm}$ (2) $3 : 8$ (3) $3 \,\text{cm}$

채점 기준	비율
(가) $\overline{CD}$의 길이 구하기	40 %
(나) $\triangle BCE$와 $\triangle BDA$의 닮음비 구하기	30 %
(다) $\overline{BE}$의 길이 구하기	30 %

0622 $\overline{AB} : \overline{AC} = \overline{BD} : \overline{CD}$에서

$8 : 6 = 3 : \overline{CD}$ 　$\therefore \overline{CD} = \dfrac{9}{4} \,(\text{cm})$

또 $\overline{AB} : \overline{AC} = \overline{BE} : \overline{CE}$에서

$8 : 6 = (3 + \overline{DE}) : \left(\overline{DE} - \dfrac{9}{4}\right)$

$18 + 6\overline{DE} = 8\overline{DE} - 18,\ 2\overline{DE} = 36$

$\therefore \overline{DE} = 18 \,(\text{cm})$ 　　　　**답** $18 \,\text{cm}$

0623 $\overline{AB} : \overline{AC} = \overline{BD} : \overline{CD}$이므로

$\overline{BD} : \overline{CD} = 6 : 4 = 3 : 2$

$\overline{BD} = 3k \,\text{cm},\ \overline{CD} = 2k \,\text{cm}\,(k > 0)$라 하고

$\overline{CE} = x \,\text{cm}$라 하면

$\overline{AB} : \overline{AC} = \overline{BE} : \overline{CE}$에서 $3 : 2 = (5k + x) : x$

$3x = 10k + 2x$ 　$\therefore x = 10k$

$\therefore \overline{BD} : \overline{DC} : \overline{CE} = 3k : 2k : 10k$

$\qquad\qquad = 3 : 2 : 10$ 　　**답** $3 : 2 : 10$

0624 전략 삼각형의 내심의 성질과 평행선에 의하여 생기는 선분의 길이의 비를 이용한다.

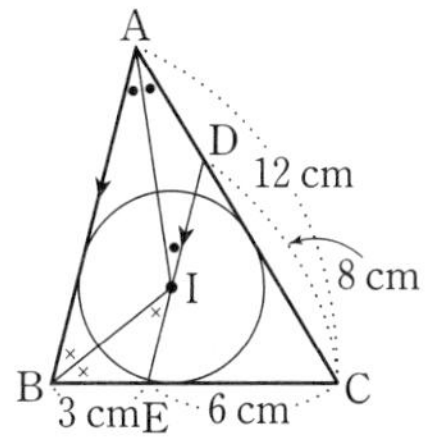

오른쪽 그림과 같이 $\overline{AI},\ \overline{BI}$를 그으면 $\triangle DAI,\ \triangle EIB$는 모두 이등변삼각형이므로

$\overline{DI} = \overline{DA} = 12 - 8 = 4 \,(\text{cm})$

$\overline{EI} = \overline{EB} = 3 \,\text{cm}$

$\therefore \overline{DE} = \overline{DI} + \overline{EI}$

$\qquad\qquad = 4 + 3 = 7 \,(\text{cm})$

이때 $\overline{CD} : \overline{CA} = \overline{DE} : \overline{AB}$에서

$8 : 12 = 7 : \overline{AB}$ 　$\therefore \overline{AB} = \dfrac{21}{2} \,(\text{cm})$ 　**답** $\dfrac{21}{2} \,\text{cm}$

0625 오른쪽 그림과 같이 $\overline{BI},\ \overline{CI}$를 그으면 $\triangle DBI,\ \triangle EIC$는 모두 이등변삼각형이므로

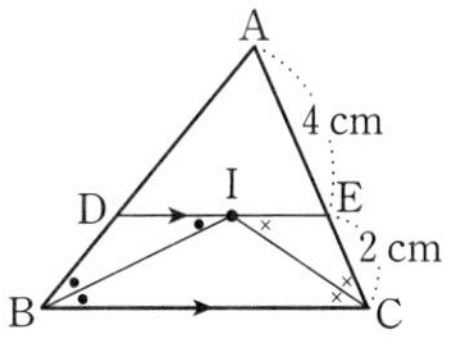

$\overline{DI} = \overline{DB},\ \overline{EI} = \overline{EC} = 2 \,\text{cm}$

$\triangle ADE$의 둘레의 길이가 $15 \,\text{cm}$이므로

$\overline{AD} + \overline{DI} + \overline{EI} + \overline{AE} = 15$에서

$\overline{AD} + \overline{DB} + 2 + 4 = 15$ 　$\therefore \overline{AB} = 9 \,(\text{cm})$

이때 $\overline{AD}:\overline{DB}=\overline{AE}:\overline{EC}$에서

$(9-\overline{DB}):\overline{DB}=4:2,\ 4\overline{DB}=18-2\overline{DB}$

$6\overline{DB}=18$ $\quad\therefore\overline{DB}=3\ (cm)$

$\overline{DI}=\overline{DB}=3\ cm$이므로

$\overline{DE}=\overline{DI}+\overline{EI}=3+2=5\ (cm)$

따라서 $\overline{AE}:\overline{AC}=\overline{DE}:\overline{BC}$에서

$4:6=5:\overline{BC}$ $\quad\therefore\overline{BC}=\dfrac{15}{2}\ (cm)$ **답** $\dfrac{15}{2}\ cm$

0626 $\overline{DE}/\!/\overline{BC}$이고 $\overline{AE}:\overline{EC}=1:2$이므로

$\overline{AD}:\overline{DB}=1:2$

$\overline{DF}/\!/\overline{AC}$이고 $\overline{BD}:\overline{DA}=2:1$이므로

$\overline{BF}:\overline{FC}=2:1$

$\overline{GF}/\!/\overline{AB}$이고 $\overline{CF}:\overline{FB}=1:2$이므로

$\overline{CG}:\overline{GA}=1:2$

이때 $\overline{AE}:\overline{EC}=1:2$이므로 $\overline{AE}=\overline{EG}=\overline{GC}$

$\therefore\overline{EG}=\dfrac{1}{3}\overline{AC}=\dfrac{1}{3}\times9=3\ (cm)$ **답** $3\ cm$

0627 [전략] 삼각형의 두 변의 중점을 연결한 선분의 성질과 $\triangle PQA\circ\triangle PDE$임을 이용한다.

$\triangle BFA$에서 $\overline{BD}=\overline{DA}$, $\overline{BE}=\overline{EF}$이므로

$\overline{DE}/\!/\overline{AF}$, $\overline{AF}=2\overline{DE}$ $\cdots\cdots$ ㉠

$\triangle CDE$에서 $\overline{CF}=\overline{FE}$, $\overline{QF}/\!/\overline{DE}$이므로

$\overline{CQ}=\overline{QD}$, $\overline{DE}=2\overline{QF}$ $\cdots\cdots$ ㉡

㉠, ㉡에 의하여

$\overline{AQ}=\overline{AF}-\overline{QF}=2\overline{DE}-\dfrac{1}{2}\overline{DE}=\dfrac{3}{2}\overline{DE}$

$\triangle PQA\circ\triangle PDE$ (AA 닮음)이므로

$\overline{PQ}:\overline{PD}=\overline{QA}:\overline{DE}$에서

$\overline{PQ}:\overline{PD}=\dfrac{3}{2}\overline{DE}:\overline{DE}=3:2$

$\therefore\overline{CQ}:\overline{QP}:\overline{PD}=\overline{QD}:\overline{QP}:\overline{PD}$

$=(\overline{PQ}+\overline{PD}):\overline{QP}:\overline{PD}$

$=5:3:2$ **답** $5:3:2$

0628 $\overline{BP}:\overline{PQ}:\overline{QD}=5:3:2$이므로

$\overline{QD}=\dfrac{2}{10}\overline{BD}=\dfrac{2}{10}\times30=6\ (cm)$ **답** $6\ cm$

0629 $\overline{AM}=\overline{MC}$이므로

$\triangle BCM=\dfrac{1}{2}\triangle ABC=\dfrac{1}{2}\times60=30\ (cm^2)$

오른쪽 그림과 같이 $\overline{MQ}$를 그으면 $\overline{BP}=\overline{PQ}=\overline{QC}$이므로

$\triangle MQC=\dfrac{1}{3}\triangle BCM=\dfrac{1}{3}\times30$

$=10\ (cm^2)$

$\triangle BQM=\triangle BCM-\triangle MQC$

$=30-10=20\ (cm^2)$

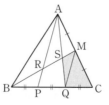

$\overline{BR}:\overline{RS}:\overline{SM}=5:3:2$이므로

$\triangle QMS=\dfrac{2}{10}\triangle BQM=\dfrac{2}{10}\times20=4\ (cm^2)$

$\therefore\square SQCM=\triangle MQC+\triangle QMS$

$=10+4=14\ (cm^2)$ **답** $14\ cm^2$

0630 $\triangle ABD$에서 $\overline{AE}=\overline{EB}$, $\overline{EG}/\!/\overline{BD}$이므로

$\overline{EG}=\dfrac{1}{2}\overline{BD}=\dfrac{1}{2}\times8=4\ (cm)$

$\triangle EFG\circ\triangle CFD$ (AA 닮음)이므로

$\overline{EG}:\overline{CD}=\overline{GF}:\overline{DF}$에서

$4:6=\overline{GF}:3$ $\quad\therefore\overline{GF}=2\ (cm)$

따라서 $\overline{AG}=\overline{GD}=\overline{GF}+\overline{FD}=2+3=5\ (cm)$이므로

$\overline{AF}=\overline{AG}+\overline{GF}=5+2=7\ (cm)$ **답** $7\ cm$

0631 오른쪽 그림과 같이 점 E를 지나고 $\overline{BC}$에 평행한 직선을 그어 $\overline{AD}$, $\overline{AC}$와 만나는 점을 각각 G, H라 하자.

$\overline{EG}=k\ (k>0)$라 하면

$\overline{BD}=2\overline{EG}=2k$

$\overline{BD}:\overline{DC}=1:2$이므로

$\overline{DC}=2\overline{BD}=2\times2k=4k$

$\triangle EFG\circ\triangle CFD$ (AA 닮음)이므로

$\overline{GF}:\overline{DF}=\overline{EG}:\overline{CD}$에서

$\overline{GF}:\overline{DF}=k:4k=1:4$

이때 $\overline{AG}=\overline{GD}$이므로

$\overline{AG}:\overline{GF}:\overline{FD}=\overline{GD}:\overline{GF}:\overline{FD}$

$=(\overline{GF}+\overline{FD}):\overline{GF}:\overline{FD}$

$=5:1:4$

$\therefore\overline{AF}:\overline{FD}=(5+1):4=3:2$ **답** $3:2$

0632 오른쪽 그림과 같이 $\overline{EF}$를 그으면 $\overline{AE}=\overline{EB}$, $\overline{AF}=\overline{FC}$이므로

$\overline{EF}/\!/\overline{BC}$, $\overline{EF}=\dfrac{1}{2}\overline{BC}$

$\triangle EGF\circ\triangle CGD$ (AA 닮음)이고 닮음비는

$\overline{EF}:\overline{CD}=\dfrac{1}{2}\overline{BC}:\dfrac{1}{4}\overline{BC}=2:1$

따라서 $\overline{GE}:\overline{GC}=2:1$이므로

$\triangle EGF=2\triangle FGC=2\times9=18\ (cm^2)$

한편 $\overline{AF}=\overline{FC}$이므로

$\triangle AEF=\triangle ECF=\triangle EGF+\triangle FGC$

$=18+9=27\ (cm^2)$

$\therefore\square AEGF=\triangle AEF+\triangle EGF$

$=27+18=45\ (cm^2)$ **답** $45\ cm^2$

0633 **전략** 등변사다리꼴의 성질과 삼각형의 두 변의 중점을 연결한 선분의 성질을 이용한다.

$\triangle ABD$에서 $\overline{AP}=\overline{PD}$, $\overline{BQ}=\overline{QD}$이므로

$\overline{PQ}/\!/\overline{AB}$, $\overline{PQ}=\dfrac{1}{2}\overline{AB}$ ...... ㉠

$\therefore \angle PQD=\angle ABD=30°$ (동위각)

$\triangle BCD$에서 $\overline{BQ}=\overline{QD}$, $\overline{BR}=\overline{RC}$이므로

$\overline{QR}/\!/\overline{DC}$, $\overline{QR}=\dfrac{1}{2}\overline{DC}$ ...... ㉡

$\therefore \angle BQR=\angle BDC=70°$ (동위각)

$\angle DQR=180°-70°=110°$이므로

$\angle PQR=\angle PQD+\angle DQR=30°+110°=140°$

이때 $\overline{AB}=\overline{DC}$이므로 ㉠, ㉡에서 $\overline{PQ}=\overline{QR}$

따라서 $\triangle QRP$는 이등변삼각형이므로

$\angle QPR=\dfrac{1}{2}\times(180°-140°)=20°$ **답** $20°$

Lecture

등변사다리꼴의 성질

(1) 평행하지 않은 한 쌍의 대변의 길이가 같다.

⇒ $\overline{AB}=\overline{DC}$

(2) 대각선의 길이가 같다.

⇒ $\overline{AC}=\overline{DB}$

0634 $\triangle ABD$에서 $\overline{AM}=\overline{MD}$, $\overline{BP}=\overline{PD}$이므로

$\overline{MP}/\!/\overline{AB}$, $\overline{MP}=\dfrac{1}{2}\overline{AB}$ ...... ㉠

$\therefore \angle MPD=\angle ABD=20°$ (동위각)

$\triangle BCD$에서 $\overline{BP}=\overline{PD}$, $\overline{BN}=\overline{NC}$이므로

$\overline{PN}/\!/\overline{DC}$, $\overline{PN}=\dfrac{1}{2}\overline{DC}$ ...... ㉡

$\therefore \angle BPN=\angle BDC=80°$ (동위각)

$\angle DPN=180°-80°=100°$이므로

$\angle MPN=\angle MPD+\angle DPN=20°+100°=120°$

이때 $\overline{AB}=\overline{DC}$이므로 ㉠, ㉡에서 $\overline{MP}=\overline{PN}$

따라서 $\triangle PNM$은 이등변삼각형이므로

$\angle PNM=\dfrac{1}{2}\times(180°-120°)=30°$ **답** $30°$

0635 $\triangle ABD$에서 $\overline{AM}=\overline{MD}$, $\overline{MP}/\!/\overline{AB}$이므로

$\overline{AB}=2\overline{MP}=2\times4=8\,(\text{cm})$

□ABCD가 등변사다리꼴이므로

$\overline{DC}=\overline{AB}=8\,\text{cm}$

$\triangle BCD$에서 $\overline{BN}=\overline{NC}$, $\overline{PN}/\!/\overline{DC}$이므로

$\overline{PN}=\dfrac{1}{2}\overline{DC}=\dfrac{1}{2}\times8=4\,(\text{cm})$

$\therefore \overline{PN}+\overline{DC}=4+8=12\,(\text{cm})$ **답** $12\,\text{cm}$

0636 **전략** 삼각형의 내심의 성질과 내각의 이등분선의 성질을 이용한다.

$\overline{AD}$가 $\angle A$의 이등분선이므로

$\overline{AB}:\overline{AC}=\overline{BD}:\overline{CD}$에서 $\overline{BD}:\overline{CD}=5:7$

$\therefore \overline{BD}=\dfrac{5}{12}\overline{BC}=\dfrac{5}{12}\times10=\dfrac{25}{6}\,(\text{cm})$

$\overline{BI}$를 그으면 $\overline{BI}$는 $\angle B$의 이등분선이므로

$\overline{BA}:\overline{BD}=\overline{AI}:\overline{ID}$에서

$\overline{AI}:\overline{ID}=5:\dfrac{25}{6}=6:5$ **답** $6:5$

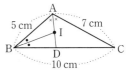

0637 $\overline{AD}$가 $\angle A$의 이등분선이므로

$\overline{AB}:\overline{AC}=\overline{BD}:\overline{CD}$에서

$\overline{BD}:\overline{CD}=5:9$

$\therefore \overline{BD}=\dfrac{5}{14}\overline{BC}$

$=\dfrac{5}{14}\times10=\dfrac{25}{7}\,(\text{cm})$

또 $\overline{BI}$가 $\angle B$의 이등분선이므로

$\overline{BA}:\overline{BD}=\overline{AI}:\overline{DI}$에서

$\overline{AI}:\overline{DI}=5:\dfrac{25}{7}=7:5$

$\therefore \triangle ABI:\triangle BDI=\overline{AI}:\overline{DI}=7:5$ **답** $7:5$

0638 $\overline{BE}=\overline{AB}-\overline{AE}=8-6=2\,(\text{cm})$

$\overline{EF}/\!/\overline{AD}$이므로 $\overline{BF}:\overline{FD}=\overline{BE}:\overline{EA}$에서

$\overline{BF}:3=2:6$ $\therefore \overline{BF}=1\,(\text{cm})$

$\overline{AD}$가 $\angle A$의 이등분선이므로

$\overline{AB}:\overline{AC}=\overline{BD}:\overline{CD}$에서

$8:6=(1+3):\overline{CD}$ $\therefore \overline{CD}=3\,(\text{cm})$

$\therefore \overline{BF}+\overline{CD}=1+3=4\,(\text{cm})$ **답** $4\,\text{cm}$

STEP 1 **개념 마스터** p.122

0639 $8:12=10:x$ $\therefore x=15$ **답** 15

0640 $5:8=x:6$ $\therefore x=\dfrac{15}{4}$ **답** $\dfrac{15}{4}$

0641 □AGFD, □AHCD가 평행사변형이므로

$\overline{AD}=\overline{GF}=\overline{HC}=3$ $\therefore y=3$

$\overline{HC}=3$이므로 $\overline{BH}=9-3=6$

$\triangle ABH$에서 $\overline{EG}/\!/\overline{BH}$이므로

$2:(2+4)=x:6$ $\therefore x=2$ **답** $x=2, y=3$

0642 △ABC에서 $\overline{EG} \parallel \overline{BC}$이므로

$2 : (2+4) = x : 9$ $\quad \therefore x=3$

△CDA에서 $\overline{AD} \parallel \overline{GF}$이므로

$4 : (4+2) = y : 3$ $\quad \therefore y=2$ **답** $x=3, y=2$

0643 △ABE∽△CDE (AA 닮음)이므로

$\overline{BE} : \overline{DE} = \overline{AB} : \overline{CD} = 6 : 4 = 3 : 2$ **답** $3:2$

0644 △BFE∽△BCD (AA 닮음)이므로

$\overline{BF} : \overline{BC} = \overline{BE} : \overline{BD} = 3 : (3+2) = 3 : 5$ **답** $3:5$

0645 △BCD에서 $\overline{EF} \parallel \overline{DC}$이므로

$\overline{BF} : \overline{BC} = \overline{EF} : \overline{DC}$, 즉 $3 : 5 = \overline{EF} : 4$

$5\overline{EF} = 12$ $\quad \therefore \overline{EF} = \dfrac{12}{5}$ **답** $\dfrac{12}{5}$

STEP 2 유형 마스터 p.123 ~ p.128

0646 전략 평행선 사이의 선분의 길이의 비를 이용한다.

$4 : 5 = 3 : x$에서 $x = \dfrac{15}{4}$

$4 : 5 = 2 : y$에서 $y = \dfrac{5}{2}$

$\therefore x + y = \dfrac{15}{4} + \dfrac{5}{2} = \dfrac{25}{4}$ **답** $\dfrac{25}{4}$

0647 $4 : 2 = (x-3) : 3$에서 $2x - 6 = 12$

$2x = 18$ $\quad \therefore x = 9$ **답** 9

0648 $\overline{AB} : \overline{BC} = \overline{DE} : \overline{EF}$이므로

$5 : \overline{BC} = 3 : 9$ $\quad \therefore \overline{BC} = 15$ **답** 15

0649 (1) $4 : 5 = 6 : x$에서 $x = \dfrac{15}{2}$

$4 : 5 = y : 12$에서 $y = \dfrac{48}{5}$

$\therefore xy = \dfrac{15}{2} \times \dfrac{48}{5} = 72$

(2) $x : (14-x) = 6 : 8$에서 $8x = 84 - 6x$

$14x = 84$ $\quad \therefore x = 6$

$6 : 8 = 4 : y$에서 $y = \dfrac{16}{3}$

$\therefore xy = 6 \times \dfrac{16}{3} = 32$ **답** (1) 72 (2) 32

0650 $6 : 16 = 5 : a$에서 $a = \dfrac{40}{3}$

$16 : 8 = \dfrac{40}{3} : b$에서 $b = \dfrac{20}{3}$

$16 : 8 = \overline{PQ} : 12$에서 $\overline{PQ} = 24$

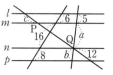

$c : 24 = 6 : 16$에서 $c = 9$

$\therefore a + b + c = \dfrac{40}{3} + \dfrac{20}{3} + 9 = 29$ **답** 29

0651 오른쪽 그림과 같이 세 직선 l, m, n과 평행한 직선 p를 그으면 ...... ㈎

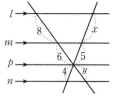

$8 : 6 = x : 5$에서

$x = \dfrac{20}{3}$ ...... ㈏

$6 : y = 5 : 4$에서 $y = \dfrac{24}{5}$ ...... ㈐

답 $x = \dfrac{20}{3}, y = \dfrac{24}{5}$

채점 기준	비율
㈎ 세 직선 l, m, n과 평행한 직선 p 긋기	40 %
㈏ x의 값 구하기	30 %
㈐ y의 값 구하기	30 %

0652 전략 점 A를 지나고 $\overline{DC}$에 평행한 직선을 그어 평행선 사이의 선분의 길이의 비를 이용한다.

오른쪽 그림과 같이 점 A를 지나고 $\overline{DC}$에 평행한 직선을 그어 $\overline{EF}$, $\overline{BC}$와 만나는 점을 각각 G, H라 하면

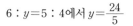

$\overline{GF} = \overline{HC} = \overline{AD} = 5$ cm

$\therefore \overline{BH} = 8 - 5 = 3$ (cm)

이때 △ABH에서 $\overline{EG} : \overline{BH} = \overline{AE} : \overline{AB}$이므로

$\overline{EG} : 3 = 4 : (4+2)$ $\quad \therefore \overline{EG} = 2$ (cm)

$\therefore \overline{EF} = \overline{EG} + \overline{GF} = 2 + 5 = 7$ (cm) **답** 7 cm

0653 오른쪽 그림과 같이 점 A를 지나고 $\overline{A'C'}$에 평행한 직선을 그어 두 직선 m, n과 만나는 점을 각각 D, E라 하면

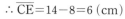

$\overline{DB'} = \overline{EC'} = \overline{AA'} = 8$ cm

$\therefore \overline{CE} = 14 - 8 = 6$ (cm)

이때 △ACE에서 $\overline{BD} : \overline{CE} = \overline{AB} : \overline{AC}$에서

$\overline{BD} : 6 = 4 : (4+4)$ $\quad \therefore \overline{BD} = 3$ (cm)

$\therefore \overline{BB'} = \overline{BD} + \overline{DB'} = 3 + 8 = 11$ (cm) **답** 11 cm

0654 오른쪽 그림과 같이 점 A를 지나고 $\overline{DC}$에 평행한 직선을 그어 $\overline{EF}$, $\overline{BC}$와 만나는 점을 각각 G, H라 하면

$\overline{GF} = \overline{HC} = \overline{AD} = 4$ cm

$\therefore \overline{EG} = 6 - 4 = 2$ (cm)

이때 △ABH에서 $\overline{EG} : \overline{BH} = \overline{AE} : \overline{AB}$이므로

$2 : \overline{BH} = 4 : (4+6)$ $\therefore \overline{BH} = 5$ (cm)

$\therefore \overline{BC} = \overline{BH} + \overline{HC} = 5+4 = 9$ (cm)   **답** 9 cm

0655 오른쪽 그림과 같이 점 A를 지나고 $\overline{DC}$에 평행한 직선을 그어 $\overline{EF}$, $\overline{BC}$와 만나는 점을 각각 G, H라 하자.

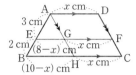

$\overline{AD} = x$ cm라 하면

$\overline{GF} = \overline{HC} = \overline{AD} = x$ cm이므로

$\overline{EG} = (8-x)$ cm, $\overline{BH} = (10-x)$ cm

이때 $\triangle ABH$에서 $\overline{EG} : \overline{BH} = \overline{AE} : \overline{AB}$이므로

$(8-x) : (10-x) = 3 : (3+2)$, $40-5x = 30-3x$

$2x = 10$ $\therefore x = 5$, 즉 $\overline{AD} = 5$ cm   **답** 5 cm

0656 오른쪽 그림과 같이 점 A를 지나고 $\overline{DC}$에 평행한 직선을 그어 $\overline{EF}$, $\overline{BC}$와 만나는 점을 각각 G, H라 하면

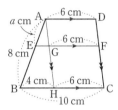

$\overline{GF} = \overline{HC} = \overline{AD} = 6$ cm

$\therefore \overline{BH} = 10-6 = 4$ (cm)

이때 $\triangle ABH$에서 $\overline{EG} : \overline{BH} = \overline{AE} : \overline{AB}$이므로

$\overline{EG} : 4 = a : 8$ $\therefore \overline{EG} = \dfrac{1}{2}a$ (cm)

$\therefore \overline{EF} = \overline{EG} + \overline{GF} = \dfrac{1}{2}a + 6$ (cm)   **답** $\left(\dfrac{1}{2}a+6\right)$ cm

0657 오른쪽 그림과 같이 점 A를 지나고 $\overline{DC}$에 평행한 직선을 그어 $\overline{IJ}$, $\overline{BC}$와 만나는 점을 각각 K, L이라 하면

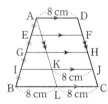

$\overline{KJ} = \overline{LC} = \overline{AD} = 8$ cm

$\therefore \overline{BL} = 16-8 = 8$ (cm)

이때 $\triangle ABL$에서 $\overline{IK} : \overline{BL} = \overline{AI} : \overline{AB}$이므로

$\overline{IK} : 8 = 3 : 4$ $\therefore \overline{IK} = 6$ (cm)

$\therefore \overline{IJ} = \overline{IK} + \overline{KJ} = 6+8 = 14$ (cm)   **답** 14 cm

0658 **전략** $\triangle ABC$에서 $\overline{EG}$의 길이를 구하고, $\triangle ACD$에서 $\overline{GF}$의 길이를 구한다.

$\overline{EG} /\!/ \overline{BC}$이므로 $\overline{EG} : \overline{BC} = \overline{AE} : \overline{AB}$에서

$\overline{EG} : 20 = 6 : (6+9)$ $\therefore \overline{EG} = 8$ (cm)

$\overline{AD} /\!/ \overline{GF}$이므로 $\overline{GF} : \overline{AD} = \overline{CG} : \overline{CA} = \overline{BE} : \overline{BA}$에서

$\overline{GF} : 10 = 9 : (9+6)$ $\therefore \overline{GF} = 6$ (cm)

$\therefore \overline{EF} = \overline{EG} + \overline{GF} = 8+6 = 14$ (cm)   **답** 14 cm

0659 $\overline{EG} /\!/ \overline{BC}$이므로

$\overline{AG} : \overline{AC} = \overline{EG} : \overline{BC}$에서

$\overline{AG} : \overline{AC} = 8 : 12 = 2 : 3$

$\therefore \overline{CG} : \overline{CA} = (3-2) : 3 = 1 : 3$

$\overline{AD} /\!/ \overline{GF}$이므로 $\overline{GF} : \overline{AD} = \overline{CG} : \overline{CA}$에서

$\overline{GF} : 6 = 1 : 3$ $\therefore \overline{GF} = 2$ (cm)   **답** 2 cm

0660 $\overline{AC} : \overline{CE} = \overline{BD} : \overline{DF}$에서

$\overline{BD} : \overline{DF} = 6 : 4 = 3 : 2$

$\overline{GD} : \overline{AB} = \overline{FD} : \overline{FB}$에서

$\overline{GD} : 5 = 2 : (2+3)$ $\therefore \overline{GD} = 2$ (cm)   **답** 2 cm

0661 **전략** $\triangle ABC$에서 $\overline{EN}$의 길이를 구하고, $\triangle ABD$에서 $\overline{EM}$의 길이를 구한다.

$\overline{AE} : \overline{EB} = 2 : 1$이므로 $\triangle ABC$에서

$\overline{EN} : \overline{BC} = \overline{AE} : \overline{AB}$, 즉 $\overline{EN} : 30 = 2 : 3$

$\therefore \overline{EN} = 20$ (cm)

$\triangle ABD$에서

$\overline{EM} : \overline{AD} = \overline{BE} : \overline{BA}$, 즉 $\overline{EM} : 24 = 1 : 3$

$\therefore \overline{EM} = 8$ (cm)

$\therefore \overline{MN} = \overline{EN} - \overline{EM} = 20-8 = 12$ (cm)   **답** 12 cm

0662 $\triangle ABC$에서

$\overline{EN} : \overline{BC} = \overline{AE} : \overline{AB}$, 즉 $\overline{EN} : 20 = 3 : 5$

$\therefore \overline{EN} = 12$ (cm)   …… (가)

$\triangle ABD$에서

$\overline{EM} : \overline{AD} = \overline{BE} : \overline{BA}$, 즉 $\overline{EM} : 12 = 2 : 5$

$\therefore \overline{EM} = \dfrac{24}{5}$ (cm)   …… (나)

$\therefore \overline{MN} = \overline{EN} - \overline{EM} = 12 - \dfrac{24}{5} = \dfrac{36}{5}$ (cm)   …… (다)

답 $\dfrac{36}{5}$ cm

채점 기준	비율
(가) $\overline{EN}$의 길이 구하기	40 %
(나) $\overline{EM}$의 길이 구하기	40 %
(다) $\overline{MN}$의 길이 구하기	20 %

0663 $\triangle ABD$에서

$\overline{BE} : \overline{BA} = \overline{EM} : \overline{AD}$, 즉 $\overline{BE} : (\overline{BE}+4) = 5 : 9$

$9\overline{BE} = 5\overline{BE} + 20$, $4\overline{BE} = 20$ $\therefore \overline{BE} = 5$ (cm)

$\triangle ABC$에서

$\overline{AE} : \overline{AB} = \overline{EN} : \overline{BC}$, 즉 $4 : 9 = \overline{EN} : 18$

$\therefore \overline{EN} = 8$ (cm)

$\therefore \overline{MN} = \overline{EN} - \overline{EM} = 8-5 = 3$ (cm)

답 $\overline{BE} = 5$ cm, $\overline{MN} = 3$ cm

0664 **전략** $\triangle AOD \backsim \triangle COB$임을 이용하여 $\overline{OA} : \overline{OC}$를 구한 후 $\overline{EO}$, $\overline{OF}$의 길이를 구한다.

$\triangle AOD \backsim \triangle COB$ (AA 닮음)이므로

$\overline{OA} : \overline{OC} = \overline{AD} : \overline{CB} = 6 : 10 = 3 : 5$

$\triangle ABC$에서 $\overline{EO} : \overline{BC} = \overline{AO} : \overline{AC}$이므로

$\overline{EO} : 10 = 3 : 8$ $\therefore \overline{EO} = \dfrac{15}{4}$ (cm)

$\triangle ACD$에서 $\overline{OF} : \overline{AD} = \overline{CO} : \overline{CA}$이므로

$\overline{OF} : 6 = 5 : 8$ $\therefore \overline{OF} = \dfrac{15}{4}$ (cm)

$\therefore \overline{EF} = \overline{EO} + \overline{OF} = \dfrac{15}{4} + \dfrac{15}{4} = \dfrac{15}{2}$ (cm)   **답** $\dfrac{15}{2}$ cm

0665 $\triangle AOD \circ \triangle COB$ (AA 닮음)이므로

$\overline{OA} : \overline{OC} = \overline{AD} : \overline{CB} = 10 : 15 = 2 : 3$

$\triangle ACD$에서 $\overline{OF} : \overline{AD} = \overline{CO} : \overline{CA}$이므로

$\overline{OF} : 10 = 3 : 5$ $\therefore \overline{OF} = 6$ (cm)   **답** 6 cm

0666 $\triangle ABC$에서 $\overline{EO} \parallel \overline{BC}$이므로

$\overline{AO} : \overline{AC} = \overline{EO} : \overline{BC} = 3 : 12 = 1 : 4$

$\triangle AOD \circ \triangle COB$ (AA 닮음)이므로

$\overline{AD} : \overline{CB} = \overline{OA} : \overline{OC}$에서

$\overline{AD} : 12 = 1 : 3$ $\therefore \overline{AD} = 4$ (cm)   **답** 4 cm

0667 〔전략〕 $\triangle ABC$에서 $\overline{MF}$의 길이를 구하고, $\triangle ABD$에서 $\overline{ME}$의 길이를 구한다.

$\triangle ABC$에서 $\overline{MF} = \dfrac{1}{2}\overline{BC} = \dfrac{1}{2} \times 12 = 6$ (cm)

$\triangle ABD$에서 $\overline{ME} = \dfrac{1}{2}\overline{AD} = \dfrac{1}{2} \times 8 = 4$ (cm)

$\therefore \overline{EF} = \overline{MF} - \overline{ME} = 6 - 4 = 2$ (cm)   **답** 2 cm

0668 $\triangle ABC$에서 $\overline{MP} = \dfrac{1}{2}\overline{BC} = \dfrac{1}{2} \times 10 = 5$ (cm)

$\therefore x = 5$

$\triangle ACD$에서 $\overline{PN} = \dfrac{1}{2}\overline{AD} = \dfrac{1}{2} \times 7 = \dfrac{7}{2}$ (cm)

$\therefore y = \dfrac{7}{2}$

$\therefore x - y = 5 - \dfrac{7}{2} = \dfrac{3}{2}$ **답** $\dfrac{3}{2}$

0669 오른쪽 그림과 같이 $\overline{AC}$를 긋고 $\overline{MN}$과 만나는 점을 P라 하면

$\triangle ABC$에서

$\overline{MP} = \dfrac{1}{2}\overline{BC} = \dfrac{1}{2} \times 10 = 5$ (cm)

$\triangle ACD$에서

$\overline{PN} = \dfrac{1}{2}\overline{AD} = \dfrac{1}{2} \times 6 = 3$ (cm)

$\therefore \overline{MN} = \overline{MP} + \overline{PN} = 5 + 3 = 8$ (cm)   **답** 8 cm

〔다른 풀이〕 오른쪽 그림과 같이 점 A 를 지나고 $\overline{DC}$에 평행한 직선이 $\overline{MN}$, $\overline{BC}$와 만나는 점을 각각 G, H 라 하면

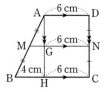

$\overline{GN} = \overline{HC} = \overline{AD} = 6$ (cm)

$\therefore \overline{BH} = 10 - 6 = 4$ (cm)

$\triangle ABH$에서 $\overline{MG} = \dfrac{1}{2}\overline{BH} = \dfrac{1}{2} \times 4 = 2$ (cm)

$\therefore \overline{MN} = \overline{MG} + \overline{GN} = 2 + 6 = 8$ (cm)

0670 $\triangle ABD$에서 $\overline{MP} = \dfrac{1}{2}\overline{AD} = \dfrac{1}{2} \times 6 = 3$ (cm)

이때 $\overline{MQ} = \overline{MP} + \overline{PQ} = 3 + 2 = 5$ (cm)이므로

$\triangle ABC$에서 $\overline{BC} = 2\overline{MQ} = 2 \times 5 = 10$ (cm)   **답** 10 cm

0671 $\triangle ABD$에서 $\overline{MP} = \dfrac{1}{2}\overline{AD} = \dfrac{1}{2} \times 6 = 3$ (cm)

이때 $\overline{MQ} = 2\overline{MP} = 2 \times 3 = 6$ (cm)이므로

$\triangle ABC$에서 $\overline{BC} = 2\overline{MQ} = 2 \times 6 = 12$ (cm)   **답** 12 cm

0672 $\overline{MP} : \overline{PQ} = 7 : 4$이므로

$\overline{MP} = 7k$ cm, $\overline{PQ} = 4k$ cm $(k > 0)$라 하면

$\overline{MQ} = \overline{MP} + \overline{PQ} = 7k + 4k = 11k$ (cm)

$\triangle ABD$에서 $\overline{AD} = 2\overline{MP} = 2 \times 7k = 14k$ (cm)

$\triangle ABC$에서 $\overline{BC} = 2\overline{MQ} = 2 \times 11k = 22k$ (cm)

이때 $\overline{AD} + \overline{BC} = 36$이므로

$14k + 22k = 36$ $\therefore k = 1$

$\therefore \overline{AD} = 14k = 14 \times 1 = 14$ (cm)   **답** 14 cm

0673 〔전략〕 삼각형의 닮음과 평행선 사이의 선분의 길이의 비를 이용한다.

$\triangle ABE \circ \triangle CDE$ (AA 닮음)이므로

$\overline{EB} : \overline{ED} = \overline{AB} : \overline{CD} = 6 : 3 = 2 : 1$

$\therefore \overline{BE} : \overline{BD} = 2 : (2 + 1) = 2 : 3$

$\overline{EF} : \overline{DC} = \overline{BE} : \overline{BD}$에서

$x : 3 = 2 : 3$ $\therefore x = 2$

$\overline{BF} : \overline{BC} = \overline{BE} : \overline{BD}$에서

$y : 10 = 2 : 3$ $\therefore y = \dfrac{20}{3}$

$\therefore x + y = 2 + \dfrac{20}{3} = \dfrac{26}{3}$ **답** $\dfrac{26}{3}$

0674 (1) $\triangle ABE \circ \triangle CDE$ (AA 닮음)이므로

$\overline{EB} : \overline{ED} = \overline{AB} : \overline{CD} = 12 : 8 = 3 : 2$

$\therefore \overline{BE} : \overline{BD} = 3 : (3 + 2) = 3 : 5$

$\overline{EF} : \overline{DC} = \overline{BE} : \overline{BD}$에서

$x : 8 = 3 : 5$ $\therefore x = \dfrac{24}{5}$

(2) $\triangle AEB \circ \triangle CED$ (AA 닮음)이므로

$\overline{EB} : \overline{ED} = \overline{AB} : \overline{CD} = 10 : 15 = 2 : 3$

$\overline{BF} : \overline{BC} = \overline{BE} : \overline{BD}$에서

$x : 20 = 2 : 5$ $\therefore x = 8$ **답** (1) $\dfrac{24}{5}$ (2) 8

0675 $\overline{BE} : \overline{ED} = \overline{BF} : \overline{FC} = 8 : 4 = 2 : 1$

$\triangle ABE \circ \triangle CDE$ (AA 닮음)이므로

$\overline{BA} : \overline{DC} = \overline{EB} : \overline{ED}$에서

$9 : \overline{DC} = 2 : 1$ $\therefore \overline{DC} = \dfrac{9}{2}$ (cm)   **답** $\dfrac{9}{2}$ cm

0676 $\overline{CF} : \overline{CB} = \overline{EF} : \overline{AB} = 6 : 16 = 3 : 8$

$\therefore \overline{BF} : \overline{BC} = (8-3) : 8 = 5 : 8$

$\overline{BF} : \overline{BC} = \overline{EF} : \overline{DC}$에서

$5 : 8 = 6 : \overline{DC}$ $\therefore \overline{DC} = \dfrac{48}{5}$ (cm)   **답** $\dfrac{48}{5}$ cm

0677 (1) $\triangle PAB \backsim \triangle PCD$ (AA 닮음)이므로

$\overline{PB} : \overline{PD} = \overline{AB} : \overline{CD} = 12 : 20 = 3 : 5$

$\therefore \overline{BP} : \overline{BD} = 3 : (3+5) = 3 : 8$

$\overline{PH} : \overline{DC} = \overline{BP} : \overline{BD}$에서

$\overline{PH} : 20 = 3 : 8$ $\therefore \overline{PH} = \dfrac{15}{2}$ (cm)   ……㉮

(2) $\triangle PBC = \dfrac{1}{2} \times \overline{BC} \times \overline{PH}$

$= \dfrac{1}{2} \times 16 \times \dfrac{15}{2} = 60$ (cm²)   ……㉯

답 (1) $\dfrac{15}{2}$ cm (2) 60 cm²

채점 기준	비율
㉮ $\overline{PH}$의 길이 구하기	60 %
㉯ $\triangle PBC$의 넓이 구하기	40 %

0678 $\overline{PB} : \overline{PD} = \overline{AB} : \overline{CD} = 6 : 12 = 1 : 2$이고

$\overline{PM} = \overline{MD}$이므로

$\overline{BP} : \overline{PM} : \overline{MD} = 1 : 1 : 1$ ……㉠

$\overline{CQ} : \overline{QB} = \overline{CP} : \overline{PA} = 2 : 1$이고

$\overline{QN} = \overline{NC}$이므로

$\overline{BQ} : \overline{QN} : \overline{NC} = 1 : 1 : 1$ ……㉡

㉠, ㉡에 의하여 $\overline{BM} : \overline{BD} = \overline{BN} : \overline{BC} = 2 : 3$이므로

$\overline{MN} : \overline{DC} = 2 : 3$에서

$\overline{MN} : 12 = 2 : 3$ $\therefore \overline{MN} = 8$ (cm)   **답** 8 cm

0679 **전략** $\overline{PQ}$의 연장선을 그어 평행선 사이의 선분의 길이의 비를 이용한다.

오른쪽 그림과 같이 $\overline{PQ}$의 연장선 과 $\overline{AB}$의 교점을 E라 하자.

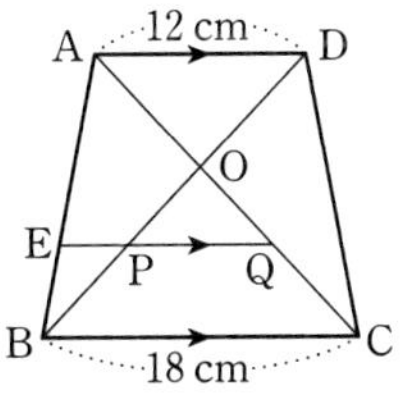

$\overline{AQ} : \overline{QC} = 2 : 1$이므로

$\triangle ABC$에서

$\overline{EQ} : \overline{BC} = \overline{AQ} : \overline{AC}$

즉 $\overline{EQ} : 18 = 2 : 3$

$\therefore \overline{EQ} = 12$ (cm)

또 $\overline{AE} : \overline{EB} = 2 : 1$이므로 $\triangle ABD$에서

$\overline{EP} : \overline{AD} = \overline{BE} : \overline{BA}$, 즉 $\overline{EP} : 12 = 1 : 3$

$\therefore \overline{EP} = 4$ (cm)

$\therefore \overline{PQ} = \overline{EQ} - \overline{EP} = 12 - 4 = 8$ (cm)

따라서 $\triangle ODA$와 $\triangle OPQ$의 닮음비는

$\overline{AD} : \overline{QP} = 12 : 8 = 3 : 2$ **답** 3 : 2

0680 오른쪽 그림과 같이 $\overline{PQ}$의 연장선 과 $\overline{AB}$의 교점을 E라 하자.

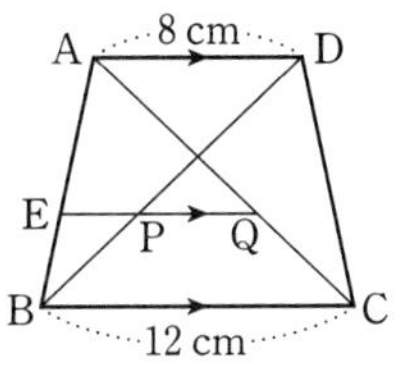

$\overline{AC} : \overline{QC} = 5 : 2$이므로

$\triangle ABC$에서

$\overline{EQ} : \overline{BC} = \overline{AQ} : \overline{AC}$

즉 $\overline{EQ} : 12 = 3 : 5$

$\therefore \overline{EQ} = \dfrac{36}{5}$ (cm)

또 $\overline{BP} : \overline{BD} = 2 : 5$이므로 $\triangle ABD$에서

$\overline{EP} : \overline{AD} = \overline{BP} : \overline{BD}$, 즉 $\overline{EP} : 8 = 2 : 5$

$\therefore \overline{EP} = \dfrac{16}{5}$ (cm)

$\therefore \overline{PQ} = \overline{EQ} - \overline{EP} = \dfrac{36}{5} - \dfrac{16}{5} = 4$ (cm)   **답** 4 cm

0681 $\triangle ABC$에서 $\overline{DE} /\!/ \overline{CA}$이므로

$\overline{BE} : \overline{BA} = \overline{DE} : \overline{CA} = \dfrac{3}{4} : 1 = 3 : 4$

$\triangle ABD$에서 $\overline{EF} /\!/ \overline{AD}$이므로

$\overline{BF} : \overline{BD} = \overline{BE} : \overline{BA} = 3 : 4$

$\triangle BDE$에서 $\overline{FG} /\!/ \overline{DE}$이므로

$\overline{BF} : \overline{BD} = \overline{FG} : \overline{DE}$, 즉 $3 : 4 = \overline{FG} : \dfrac{3}{4}$

$\therefore \overline{FG} = \dfrac{9}{16}$ (cm)   **답** $\dfrac{9}{16}$ cm

STEP 3 **내신 마스터**   p.129 ~ p.131

0682 **전략** 삼각형에서 평행선에 의하여 생기는 선분의 길이의 비를 이용한다.

(1) $\overline{AD} : \overline{AB} = \overline{AE} : \overline{AC}$에서

$10 : x = 12 : 18$ $\therefore x = 15$

(2) $\overline{AE} : \overline{AC} = \overline{DE} : \overline{BC}$에서

$2 : 4 = 4 : x$ $\therefore x = 8$ **답** (1) 15 (2) 8

0683 **전략** $\triangle ABQ$와 $\triangle AQC$에서 평행선에 의하여 생기는 선분의 길이의 비를 이용한다.

$\overline{BC} /\!/ \overline{DE}$이므로

$\overline{DP} : \overline{BQ} = \overline{AP} : \overline{AQ} = \overline{PE} : \overline{QC}$

즉 $\overline{DP} : \overline{BQ} = \overline{PE} : \overline{QC}$에서

$4 : 6 = 6 : \overline{QC}$ $\therefore \overline{QC} = 9$ (cm)   **답** 9 cm

0684 **전략** $\triangle BCD$와 $\triangle BCA$에서 평행선에 의하여 생기는 선분의 길이의 비를 이용한다.

$\triangle BCD$에서 $\overline{BE} : \overline{EC} = \overline{BF} : \overline{FD} = 9 : 6 = 3 : 2$

$\triangle BCA$에서 $\overline{BD} : \overline{DA} = \overline{BE} : \overline{EC}$이므로

$(9+6) : \overline{DA} = 3 : 2$ $\therefore \overline{DA} = 10$ (cm)   **답** ④

0685 전략 선분의 길이의 비가 일정한지 확인하여 $\overline{BC} /\!/ \overline{DE}$인 것을 찾는다.

① $10:5=8:(12-8)$이므로 $\overline{BC} /\!/ \overline{DE}$

② $6:(10-6)\neq5:3$이므로 $\overline{BC}$와 $\overline{DE}$는 평행하지 않다.

③ $6:3=4:2$이므로 $\overline{BC} /\!/ \overline{DE}$

④ $2.5:8\neq2:10$이므로 $\overline{BC}$와 $\overline{DE}$는 평행하지 않다.

⑤ $12:3\neq10:(10-8)$이므로 $\overline{BC}$와 $\overline{DE}$는 평행하지 않다.

따라서 $\overline{BC} /\!/ \overline{DE}$인 것은 ①, ③이다.   답 ①, ③

0686 전략 $\triangle$AFG, $\triangle$BED, $\triangle$CED에서 두 변의 중점을 연결한 선분의 성질을 이용한다.

$\overline{AD}=\overline{DF}=\overline{FB}$, $\overline{AE}=\overline{EG}=\overline{GC}$이므로

$\overline{DE} /\!/ \overline{FG} /\!/ \overline{BC}$

$\triangle$AFG에서 $\overline{FG}=2\overline{DE}=2\times8=16$ (cm)

$\triangle$BED에서 $\overline{FP}=\dfrac{1}{2}\overline{DE}=\dfrac{1}{2}\times8=4$ (cm)

$\triangle$CED에서 $\overline{QG}=\dfrac{1}{2}\overline{DE}=\dfrac{1}{2}\times8=4$ (cm)

$\therefore \overline{PQ}=\overline{FG}-(\overline{FP}+\overline{QG})=16-(4+4)=8$ (cm)

답 8 cm

0687 전략 삼각형의 두 변의 중점을 연결한 선분의 성질을 이용하여 $\square$EHFG의 네 변의 길이를 구한다.

$\overline{EH}=\overline{FG}=\dfrac{1}{2}\overline{AB}=\dfrac{1}{2}\times10=5$ (cm)

$\overline{HF}=\overline{EG}=\dfrac{1}{2}\overline{CD}=\dfrac{1}{2}\times9=\dfrac{9}{2}$ (cm)

$\therefore$ ($\square$EHFG의 둘레의 길이)

$=\overline{EH}+\overline{HF}+\overline{FG}+\overline{GE}$

$=5+\dfrac{9}{2}+5+\dfrac{9}{2}=19$ (cm)   답 19 cm

0688 전략 $\triangle$CED와 $\triangle$ABF에서 두 변의 중점을 연결한 선분의 성질을 이용한다.

$\triangle$ABF에서 $\overline{AD}=\overline{DB}$, $\overline{AE}=\overline{EF}$이므로

$\overline{DE} /\!/ \overline{BF}$, $\overline{BF}=2\overline{DE}$

$\triangle$CED에서 $\overline{GF} /\!/ \overline{DE}$, $\overline{CF}=\overline{FE}$이므로

$\overline{DE}=x$ cm라 하면 $\overline{GF}=\dfrac{1}{2}\overline{DE}=\dfrac{1}{2}x$ (cm)   …… ㈎

$\overline{BF}=2\overline{DE}=2x$ (cm)에서 $12+\dfrac{1}{2}x=2x$ …… ㈏

$\dfrac{3}{2}x=12$ $\therefore x=8$, 즉 $\overline{DE}=8$ cm   …… ㈐

답 8 cm

채점 기준	비율
㈎ $\overline{DE}=x$ cm라 할 때, $\overline{GF}$의 길이를 x의 식으로 나타내기	40 %
㈏ $\overline{BF}$의 길이를 x의 식으로 나타내고 방정식 세우기	40 %
㈐ $\overline{DE}$의 길이 구하기	20 %

0689 전략 점 A에서 $\overline{BC}$에 평행한 직선을 그은 후 삼각형의 합동과 삼각형의 두 변의 중점을 연결한 선분의 성질을 이용한다.

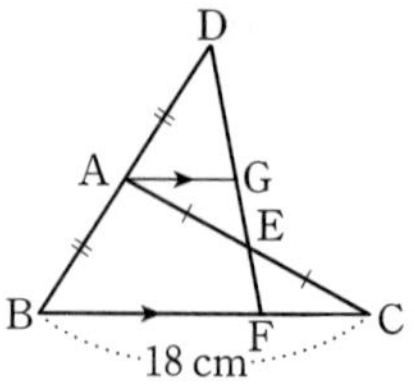

오른쪽 그림과 같이 점 A를 지나고 $\overline{BC}$에 평행한 직선을 그어 $\overline{DF}$와 만나는 점을 G라 하면

$\triangle$AEG$\equiv\triangle$CEF (ASA 합동)

이므로 $\overline{AG}=\overline{CF}$

$\overline{BF}=x$ cm라 하면

$\overline{AG}=\dfrac{1}{2}\overline{BF}=\dfrac{1}{2}x$ (cm), $\overline{CF}=(18-x)$ cm이므로

$\dfrac{1}{2}x=18-x$, $\dfrac{3}{2}x=18$

$\therefore x=12$, 즉 $\overline{BF}=12$ cm   답 12 cm

0690 전략 $\overline{DE}:\overline{BF}$를 구한 후 삼각형의 두 변의 중점을 연결한 선분의 성질을 이용한다.

$\overline{BF} /\!/ \overline{DE}$이므로 $\overline{DE}:\overline{BF}=\overline{AD}:\overline{AB}=8:20=2:5$

따라서 $\overline{DE}=2x$ cm, $\overline{BF}=5x$ cm$(x>0)$라 하면

$\triangle$CEG에서 $\overline{CB}=\overline{BG}$, $\overline{BF} /\!/ \overline{GE}$이므로

$\overline{GE}=2\overline{BF}=2\times5x=10x$ (cm)

$\overline{GD}=\overline{GE}-\overline{DE}=10x-2x=8x$ (cm)

$\therefore \overline{GD}:\overline{DE}=8x:2x=4:1$ 답 4 : 1

0691 전략 삼각형의 두 변의 중점을 연결한 선분의 성질을 이용하여 옳지 않은 것을 찾는다.

$\overline{AE}=\overline{EB}$, $\overline{BF}=\overline{FC}$, $\overline{CG}=\overline{GD}$, $\overline{DH}=\overline{HA}$이므로

$\overline{EF}=\overline{HG}=\dfrac{1}{2}\overline{AC}$ (①), $\overline{EH}=\overline{FG}=\dfrac{1}{2}\overline{BD}$

$\overline{EF} /\!/ \overline{AC} /\!/ \overline{HG}$, $\overline{EH} /\!/ \overline{BD} /\!/ \overline{FG}$ (②)

즉 $\square$EFGH는 평행사변형이다. (④)

⑤ ($\square$EFGH의 둘레의 길이)

$=\overline{EF}+\overline{FG}+\overline{GH}+\overline{HE}$

$=\dfrac{1}{2}\overline{AC}+\dfrac{1}{2}\overline{BD}+\dfrac{1}{2}\overline{AC}+\dfrac{1}{2}\overline{BD}$

$=\overline{AC}+\overline{BD}$ 답 ③

Lecture

사각형의 각 변의 중점을 연결하여 만든 사각형은 평행사변형이다.

0692 전략 등변사다리꼴의 성질과 삼각형의 두 변의 중점을 연결한 선분의 성질을 이용한다.

$\triangle$ACD에서 $\overline{AM}=\overline{MD}$, $\overline{MP} /\!/ \overline{DC}$이므로

$\overline{AP}=\overline{PC}$ (①), $\overline{MP}=\dfrac{1}{2}\overline{DC}=\dfrac{1}{2}\overline{AB}$ (③)

$\triangle$CAB에서 $\overline{BN}=\overline{NC}$, $\overline{PN} /\!/ \overline{AB}$이므로

$\overline{PN}=\dfrac{1}{2}\overline{AB}=\overline{MP}$ (②)

즉 $\triangle$PMN은 $\overline{PM}=\overline{PN}$인 이등변삼각형이므로

$\angle PMQ=\angle PNQ$ (⑤)   답 ④

0693 전략▶ 삼각형의 내각과 외각의 이등분선의 성질을 이용한다.

$\overline{AB} : \overline{AC} = \overline{BD} : \overline{CD}$에서

$6 : 4 = 3 : \overline{CD}$ ∴ $\overline{CD} = 2$ (cm)

$\overline{AB} : \overline{AC} = \overline{BE} : \overline{CE}$에서

$6 : 4 = (5+x) : x$, $6x = 20 + 4x$

$2x = 20$ ∴ $x = 10$ 답 ⑤

0694 전략▶ 삼각형에서 평행선에 의하여 생기는 선분의 길이의 비와 내각의 이등분선의 성질을 이용한다.

$\overline{BE} = \overline{AB} - \overline{AE} = 10 - 6 = 4$ (cm)

$\overline{EF} /\!/ \overline{AD}$이므로 $\overline{BF} : \overline{FD} = \overline{BE} : \overline{EA}$에서

$\overline{BF} : 3 = 4 : 6$ ∴ $\overline{BF} = 2$ (cm)

$\overline{AD}$가 ∠A의 이등분선이므로

$\overline{AB} : \overline{AC} = \overline{BD} : \overline{CD}$에서

$10 : 6 = (2+3) : \overline{CD}$ ∴ $\overline{CD} = 3$ (cm) 답 3 cm

0695 전략▶ 직각삼각형의 닮음과 삼각형의 내각의 이등분선의 성질을 이용한다.

직각삼각형 ABC에서 $\overline{AB} \times \overline{AC} = \overline{BC} \times \overline{AD}$이므로

$20 \times 15 = 25 \times \overline{AD}$ ∴ $\overline{AD} = 12$ (cm)

$\overline{AB}^2 = \overline{BD} \times \overline{BC}$이므로

$20^2 = \overline{BD} \times 25$ ∴ $\overline{BD} = 16$ (cm)

△DAB에서 $\overline{DA} : \overline{DB} = \overline{AE} : \overline{BE}$이므로

$12 : 16 = (20 - \overline{BE}) : \overline{BE}$

$12\overline{BE} = 320 - 16\overline{BE}$, $28\overline{BE} = 320$

∴ $\overline{BE} = \dfrac{80}{7}$ (cm) 답 $\dfrac{80}{7}$ cm

0696 전략▶ 평행선 사이의 선분의 길이의 비를 이용한다.

$2 : 4 = x : 8$에서 $x = 4$

$2 : 4 = (y-6) : 6$에서 $4y - 24 = 12$

$4y = 36$ ∴ $y = 9$

∴ $x + y = 4 + 9 = 13$ 답 13

0697 전략▶ 평행선 사이의 선분의 길이의 비와 삼각형의 닮음을 이용하여 옳지 않은 것을 찾는다.

① $l /\!/ m /\!/ n$이므로 $\overline{AC} : \overline{CE} = \overline{BD} : \overline{DF}$

② △ACG와 △AEF에서

∠A는 공통, ∠ACG = ∠AEF (동위각)

∴ △ACG ∽ △AEF (AA 닮음)

③ $l /\!/ m$이므로 $\overline{FD} : \overline{FB} = \overline{GD} : \overline{AB}$

⑤ ②에서 ∠AFE = ∠AGC이므로

∠CAG + ∠AEF + ∠AGC

= ∠CAG + ∠AEF + ∠AFE = 180° 답 ④

0698 전략▶ 점 A를 지나고 $\overline{DC}$에 평행한 직선을 그어 평행선 사이의 선분의 길이의 비를 이용한다.

오른쪽 그림과 같이 점 A를 지나고 $\overline{DC}$에 평행한 직선을 그어 $\overline{EF}$, $\overline{BC}$와 만나는 점을 각각 G, H라 하면

$\overline{GF} = \overline{HC} = \overline{AD} = 6$ cm

∴ $\overline{BH} = 9 - 6 = 3$ (cm)

이때 △ABH에서 $\overline{EG} : \overline{BH} = \overline{AE} : \overline{AB}$이므로

$\overline{EG} : 3 = 1 : 3$ ∴ $\overline{EG} = 1$ (cm)

∴ $\overline{EF} = \overline{EG} + \overline{GF} = 1 + 6 = 7$ (cm) 답 ④

0699 전략▶ △ABC에서 $\overline{MQ}$의 길이를 구하고, △ABD에서 $\overline{MP}$의 길이를 구한다.

$\overline{AD} /\!/ \overline{MN} /\!/ \overline{BC}$이므로

△ABC에서 $\overline{MQ} = \dfrac{1}{2}\overline{BC} = \dfrac{1}{2} \times 20 = 10$ (cm)

△ABD에서 $\overline{MP} = \dfrac{1}{2}\overline{AD} = \dfrac{1}{2} \times 10 = 5$ (cm)

∴ $\overline{PQ} = \overline{MQ} - \overline{MP} = 10 - 5 = 5$ (cm) 답 5 cm

0700 전략▶ 삼각형의 닮음과 평행선 사이의 선분의 길이의 비를 이용한다.

(1) △EAB ∽ △ECD (AA 닮음)이므로

$\overline{BE} : \overline{DE} = \overline{AB} : \overline{CD} = 10 : 8 = 5 : 4$

∴ $\overline{BF} : \overline{FC} = \overline{BE} : \overline{ED} = 5 : 4$ ······ (가)

(2) $\overline{EF} : \overline{DC} = \overline{BF} : \overline{BC}$에서

$\overline{EF} : 8 = 5 : 9$ ∴ $\overline{EF} = \dfrac{40}{9}$ (cm) ······ (나)

답 (1) 5 : 4 (2) $\dfrac{40}{9}$ cm

채점 기준	비율
(가) $\overline{BF} : \overline{FC}$를 가장 간단한 자연수의 비로 나타내기	50 %
(나) $\overline{EF}$의 길이 구하기	50 %

0701 $9 : x = 2 : 1$에서 $x = \dfrac{9}{2}$

$y : 2 = 2 : 1$에서 $y = 4$ **답** $x = \dfrac{9}{2}, y = 4$

0702 $6 : x = 2 : 1$에서 $x = 3$

$y = \dfrac{1}{2} \times 10 = 5$ **답** $x = 3, y = 5$

0703 $(y-4) : 4 = 2 : 1$에서 $y - 4 = 8$

$\therefore y = 12$ **답** $x = 7, y = 12$

0704 $x = 2 \times 6 = 12$

$(10 - y) : y = 2 : 1$에서 $2y = 10 - y$

$3y = 10$ $\therefore y = \dfrac{10}{3}$ **답** $x = 12, y = \dfrac{10}{3}$

0705 $\triangle \mathrm{GBD} = \dfrac{1}{6} \triangle \mathrm{ABC} = \dfrac{1}{6} \times 12 = 2 \,(\mathrm{cm}^2)$ **답** $2 \,\mathrm{cm}^2$

0706 $\triangle \mathrm{GCA} = \dfrac{1}{3} \triangle \mathrm{ABC} = \dfrac{1}{3} \times 12 = 4 \,(\mathrm{cm}^2)$ **답** $4 \,\mathrm{cm}^2$

0707 $\square \mathrm{GDCE} = \triangle \mathrm{GCD} + \triangle \mathrm{GCE}$

$= \dfrac{1}{6} \triangle \mathrm{ABC} + \dfrac{1}{6} \triangle \mathrm{ABC}$

$= \dfrac{1}{3} \triangle \mathrm{ABC} = \dfrac{1}{3} \times 12 = 4 \,(\mathrm{cm}^2)$ **답** $4 \,\mathrm{cm}^2$

0708 (색칠한 부분의 넓이) $= \triangle \mathrm{GAB} + \triangle \mathrm{GCA}$

$= \dfrac{1}{3} \triangle \mathrm{ABC} + \dfrac{1}{3} \triangle \mathrm{ABC}$

$= \dfrac{2}{3} \triangle \mathrm{ABC}$

$= \dfrac{2}{3} \times 12 = 8 \,(\mathrm{cm}^2)$ **답** $8 \,\mathrm{cm}^2$

0709 $\triangle \mathrm{ADE}$와 $\triangle \mathrm{ABC}$에서

$\angle \mathrm{A}$는 공통, $\angle \mathrm{ADE} = \angle \mathrm{B}$ (동위각)

이므로 $\triangle \mathrm{ADE} \backsim \triangle \mathrm{ABC}$ (AA 닮음)

$\triangle \mathrm{ADE}$와 $\triangle \mathrm{ABC}$의 닮음비는 $6 : (6+4) = 3 : 5$

$\therefore \triangle \mathrm{ADE} : \triangle \mathrm{ABC} = 3^2 : 5^2 = 9 : 25$

    답 $\triangle \mathrm{ADE} \backsim \triangle \mathrm{ABC}, \triangle \mathrm{ADE} : \triangle \mathrm{ABC} = 9 : 25$

0710 A와 B의 닮음비는 $8 : 12 = 2 : 3$ **답** $2 : 3$

0711   **답** $2 : 3$

0712 $2^2 : 3^2 = 4 : 9$ **답** $4 : 9$

0713 $2^3 : 3^3 = 8 : 27$ **답** $8 : 27$

0714 $5\,(\mathrm{cm}) \times 50000 = 250000\,(\mathrm{cm})$

$= 2500\,(\mathrm{m}) = 2.5\,(\mathrm{km})$ **답** $2.5 \,\mathrm{km}$

0715 $6\,(\mathrm{km}) \times \dfrac{1}{50000} = \dfrac{600000}{50000}\,(\mathrm{cm})$

$= 12\,(\mathrm{cm})$ **답** $12 \,\mathrm{cm}$

0716 $20\,(\mathrm{cm}) \times 10000 = 200000\,(\mathrm{cm})$

$= 2000\,(\mathrm{m}) = 2\,(\mathrm{km})$ **답** $2 \,\mathrm{km}$

0717 $5\,(\mathrm{km}) \times \dfrac{1}{10000} = \dfrac{500000}{10000}\,(\mathrm{cm})$

$= 50\,(\mathrm{cm})$ **답** $50 \,\mathrm{cm}$

0718 **전략** 삼각형의 한 중선은 그 삼각형의 넓이를 이등분함을 이용한다.

$\triangle \mathrm{ABC} = 2 \triangle \mathrm{AMC} = 2 \times 2 \triangle \mathrm{NMC}$

$= 4 \triangle \mathrm{NMC} = 4 \times 6 = 24 \,(\mathrm{cm}^2)$ **답** $24 \,\mathrm{cm}^2$

0719 $\triangle \mathrm{ABC} = 2 \triangle \mathrm{ABD} = 2 \times 25 = 50 \,(\mathrm{cm}^2)$ **답** $50 \,\mathrm{cm}^2$

0720 $\triangle \mathrm{ABC} = 2 \triangle \mathrm{ADC} = 2 \times 3 \triangle \mathrm{FDC}$

$= 6 \triangle \mathrm{FDC} = 6 \times 8 = 48 \,(\mathrm{cm}^2)$ **답** $48 \,\mathrm{cm}^2$

0721 **전략** 삼각형의 무게중심의 성질을 이용한다.

$\overline{\mathrm{BD}}$는 $\triangle \mathrm{ABC}$의 중선이므로

$\overline{\mathrm{CD}} = \dfrac{1}{2} \overline{\mathrm{AC}} = \dfrac{1}{2} \times 16 = 8 \,(\mathrm{cm})$ $\therefore x = 8$

점 G가 $\triangle \mathrm{ABC}$의 무게중심이므로

$\overline{\mathrm{GD}} = \dfrac{1}{3} \overline{\mathrm{BD}} = \dfrac{1}{3} \times 21 = 7 \,(\mathrm{cm})$ $\therefore y = 7$

$\therefore x + y = 8 + 7 = 15$ **답** 15

0722 점 G가 $\triangle \mathrm{ABC}$의 무게중심이므로

$\overline{\mathrm{AD}} = \dfrac{3}{2} \overline{\mathrm{AG}} = \dfrac{3}{2} \times 4 = 6 \,(\mathrm{cm})$ $\therefore x = 6$

$\overline{\mathrm{AD}}$는 $\triangle \mathrm{ABC}$의 중선이므로

$\overline{\mathrm{BC}} = 2\overline{\mathrm{BD}} = 2 \times 5 = 10 \,(\mathrm{cm})$ $\therefore y = 10$

$\therefore x + y = 6 + 10 = 16$ **답** 16

0723 $\triangle \mathrm{ABC}$가 직각삼각형이므로 점 M은 $\triangle \mathrm{ABC}$의 외심이다.   …… ㈎

$\therefore \overline{\mathrm{AM}} = \overline{\mathrm{BM}} = \overline{\mathrm{CM}} = \dfrac{1}{2} \overline{\mathrm{AB}} = \dfrac{1}{2} \times 10 = 5 \,(\mathrm{cm})$ … ㈏

점 G가 △ABC의 무게중심이므로

$$\overline{CG}=\frac{2}{3}\overline{CM}=\frac{2}{3}\times5=\frac{10}{3}\ (\text{cm}) \qquad \cdots\cdots\ \text{(다)}$$

답 $\dfrac{10}{3}$ cm

채점 기준	비율
(가) 점 M이 △ABC의 외심임을 알기	20 %
(나) $\overline{CM}$의 길이 구하기	40 %
(다) $\overline{CG}$의 길이 구하기	40 %

0724 전략 △ABC와 △GBC에서 무게중심의 성질을 각각 이용한다.

점 G가 △ABC의 무게중심이므로

$$\overline{GD}=\frac{1}{3}\overline{AD}=\frac{1}{3}\times18=6\ (\text{cm})$$

점 G′이 △GBC의 무게중심이므로

$$\overline{GG'}=\frac{2}{3}\overline{GD}=\frac{2}{3}\times6=4\ (\text{cm})$$

답 4 cm

0725 점 G′이 △GBC의 무게중심이므로

$$\overline{GD}=3\overline{G'D}=3\times2=6\ (\text{cm})$$

점 G가 △ABC의 무게중심이므로

$$\overline{AG}=2\overline{GD}=2\times6=12\ (\text{cm})$$

답 12 cm

0726 점 G′이 △GBC의 무게중심이므로

$$\overline{G'D}=\frac{1}{2}\overline{GG'}=\frac{1}{2}\times6=3\ (\text{cm})$$

$$\therefore \overline{GD}=\overline{GG'}+\overline{G'D}=6+3=9\ (\text{cm}) \qquad \cdots\cdots\ \text{(가)}$$

점 G가 △ABC의 무게중심이므로

$$\overline{AD}=3\overline{GD}=3\times9=27\ (\text{cm}) \qquad \cdots\cdots\ \text{(나)}$$

답 27 cm

채점 기준	비율
(가) $\overline{GD}$의 길이 구하기	60 %
(나) $\overline{AD}$의 길이 구하기	40 %

0727 전략 삼각형의 무게중심의 성질과 평행선에 의해 생기는 선분의 길이의 비를 이용한다.

점 G가 △ABC의 무게중심이므로

$$\overline{BG}=2\overline{GE}=2\times3=6\ (\text{cm}) \qquad \therefore x=6$$

$\overline{GE}\,/\!/\,\overline{DF}$이므로 $\overline{AG}:\overline{AD}=\overline{GE}:\overline{DF}$

즉 $2:3=3:y \qquad \therefore y=\dfrac{9}{2}$

$$\therefore xy=6\times\frac{9}{2}=27$$

답 27

다른풀이 △BCE에서 $\overline{BD}=\overline{CD}$, $\overline{BE}\,/\!/\,\overline{DF}$이므로

$$\overline{DF}=\frac{1}{2}\overline{BE}=\frac{1}{2}\times(6+3)=\frac{9}{2}\ (\text{cm}) \qquad \therefore y=\frac{9}{2}$$

0728 점 G가 △ABC의 무게중심이므로

$$\overline{GM}=\frac{1}{2}\overline{BG}=\frac{1}{2}\times4=2\ (\text{cm}) \qquad \therefore x=2$$

△BCM에서 $\overline{BD}=\overline{DC}$, $\overline{MN}=\overline{NC}$이므로

$$\overline{BM}\,/\!/\,\overline{DN}$$

따라서 $\overline{AG}:\overline{AD}=\overline{GM}:\overline{DN}$이므로

$$2:3=2:y \qquad \therefore y=3$$

$$\therefore y-x=3-2=1$$

답 1

다른풀이 △BCM에서 $\overline{BD}=\overline{DC}$, $\overline{MN}=\overline{NC}$이므로

$$\overline{DN}=\frac{1}{2}\overline{BM}=\frac{1}{2}\times(4+2)=3\ (\text{cm}) \qquad \therefore y=3$$

0729 △EFC에서 $\overline{EF}\,/\!/\,\overline{GD}$이므로 $\overline{CG}:\overline{CE}=\overline{GD}:\overline{EF}$

즉 $2:3=\overline{GD}:3 \qquad \therefore \overline{GD}=2\ (\text{cm})$

점 G가 △ABC의 무게중심이므로

$$\overline{AG}=2\overline{GD}=4\ (\text{cm})$$

답 4 cm

다른풀이 △ABD에서 $\overline{AE}=\overline{EB}$, $\overline{EF}\,/\!/\,\overline{AD}$이므로

$$\overline{AD}=2\overline{EF}=2\times3=6\ (\text{cm})$$

점 G가 △ABC의 무게중심이므로

$$\overline{AG}=\frac{2}{3}\overline{AD}=\frac{2}{3}\times6=4\ (\text{cm})$$

0730 전략 삼각형의 무게중심의 성질과 삼각형에서 선분의 길이의 비를 이용한다.

점 G가 △ABC의 무게중심이므로

$$\overline{AG}=2\overline{GD}=2\times3=6\ (\text{cm}) \qquad \therefore x=6$$

$$\overline{BD}=\frac{1}{2}\overline{BC}=\frac{1}{2}\times12=6\ (\text{cm})$$

△AEG∽△ABD (AA 닮음)이므로

$\overline{AG}:\overline{AD}=\overline{EG}:\overline{BD}$에서 $2:3=y:6 \qquad \therefore y=4$

$$\therefore x+y=6+4=10$$

답 10

0731 오른쪽 그림과 같이 $\overline{AG}$의 연장선이 $\overline{BC}$와 만나는 점을 F라 하면

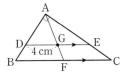

△ADG∽△ABF (AA 닮음)이므로

$\overline{AG}:\overline{AF}=\overline{DG}:\overline{BF}$에서 $2:3=4:\overline{BF}$

$$\therefore \overline{BF}=6\ (\text{cm})$$

이때 점 F는 △ABC의 외심이므로

$$\overline{AF}=\overline{BF}=\overline{CF}=6\ (\text{cm})$$

$$\therefore \overline{AG}=\frac{2}{3}\overline{AF}=\frac{2}{3}\times6=4\ (\text{cm})$$

답 4 cm

0732 오른쪽 그림과 같이 $\overline{BG}$의 연장선이 $\overline{AC}$와 만나는 점을 F라 하면

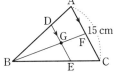

△DBE∽△ABC (AA 닮음)이고

$\overline{DE}:\overline{AC}=\overline{BE}:\overline{BC}=\overline{BG}:\overline{BF}=2:3$이므로

$\overline{DE}:15=2:3 \qquad \therefore \overline{DE}=10\ (\text{cm})$

답 10 cm

0733 $\overline{\mathrm{BE}}=\overline{\mathrm{ED}}=\dfrac{1}{2}\overline{\mathrm{BD}}$, $\overline{\mathrm{DF}}=\overline{\mathrm{FC}}=\dfrac{1}{2}\overline{\mathrm{DC}}$이고

$\overline{\mathrm{BD}}=\overline{\mathrm{DC}}$이므로 $\overline{\mathrm{BE}}=\overline{\mathrm{ED}}=\overline{\mathrm{DF}}=\overline{\mathrm{FC}}$

$\therefore \overline{\mathrm{EF}}=\dfrac{1}{2}\overline{\mathrm{BC}}=\dfrac{1}{2}\times18=9\,(\mathrm{cm})$ ...... ㈎

$\triangle\mathrm{AGG'}\backsim\triangle\mathrm{AEF}$ (SAS 닮음)이므로

$\overline{\mathrm{AG}}:\overline{\mathrm{AE}}=\overline{\mathrm{GG'}}:\overline{\mathrm{EF}}$에서

$2:3=\overline{\mathrm{GG'}}:9$ $\therefore \overline{\mathrm{GG'}}=6\,(\mathrm{cm})$ ...... ㈏

답 6 cm

채점 기준	비율
㈎ $\overline{\mathrm{EF}}$의 길이 구하기	40 %
㈏ $\overline{\mathrm{GG'}}$의 길이 구하기	60 %

0734 오른쪽 그림과 같이 $\overline{\mathrm{AG}}$, $\overline{\mathrm{AG'}}$의 연장선이 $\overline{\mathrm{BC}}$와 만나는 점을 각각 E, F라 하면

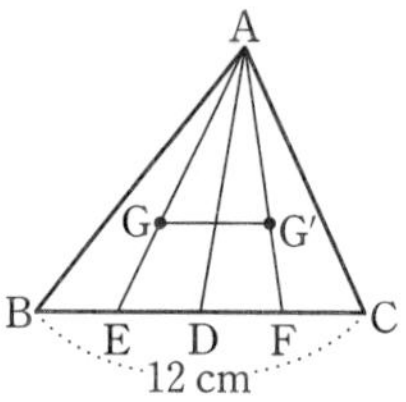

$\overline{\mathrm{EF}}=\dfrac{1}{2}\overline{\mathrm{BC}}=\dfrac{1}{2}\times12=6\,(\mathrm{cm})$

$\triangle\mathrm{AGG'}\backsim\triangle\mathrm{AEF}$ (SAS 닮음)이므로

$\overline{\mathrm{AG}}:\overline{\mathrm{AE}}=\overline{\mathrm{GG'}}:\overline{\mathrm{EF}}$에서

$2:3=\overline{\mathrm{GG'}}:6$ $\therefore \overline{\mathrm{GG'}}=4\,(\mathrm{cm})$ **답** 4 cm

0735 **전략** $\square\mathrm{GDCE}=\triangle\mathrm{GCD}+\triangle\mathrm{GCE}=\dfrac{1}{3}\triangle\mathrm{ABC}$임을 파악한다.

$\triangle\mathrm{GAB}+\square\mathrm{GDCE}$

$=\triangle\mathrm{GAB}+(\triangle\mathrm{GCD}+\triangle\mathrm{GCE})$

$=\dfrac{1}{3}\triangle\mathrm{ABC}+\dfrac{1}{6}\triangle\mathrm{ABC}+\dfrac{1}{6}\triangle\mathrm{ABC}$

$=\dfrac{2}{3}\triangle\mathrm{ABC}=\dfrac{2}{3}\times72=48\,(\mathrm{cm}^2)$ **답** 48 cm²

0736 ⑤ $\triangle\mathrm{GBF}=\dfrac{1}{6}\triangle\mathrm{ABC}$, $\triangle\mathrm{GCA}=\dfrac{1}{3}\triangle\mathrm{ABC}$이므로

$2\triangle\mathrm{GBF}=\triangle\mathrm{GCA}$ **답** ⑤

0737 (1) $\triangle\mathrm{GDE}=\dfrac{1}{2}\triangle\mathrm{GDC}=\dfrac{1}{2}\times\dfrac{1}{6}\triangle\mathrm{ABC}$

$=\dfrac{1}{12}\triangle\mathrm{ABC}=\dfrac{1}{12}\times36=3\,(\mathrm{cm}^2)$

(2) $\triangle\mathrm{ADE}=\dfrac{1}{3}\triangle\mathrm{AGC}=\dfrac{1}{3}\times\dfrac{1}{3}\triangle\mathrm{ABC}$

$=\dfrac{1}{9}\triangle\mathrm{ABC}=\dfrac{1}{9}\times36=4\,(\mathrm{cm}^2)$

답 (1) 3 cm² (2) 4 cm²

0738 (1) $\triangle\mathrm{ABC}=\dfrac{1}{2}\times8\times6=24\,(\mathrm{cm}^2)$

$\therefore \triangle\mathrm{GDC}=\dfrac{1}{6}\triangle\mathrm{ABC}=\dfrac{1}{6}\times24=4\,(\mathrm{cm}^2)$ ...... ㈎

(2) $\triangle\mathrm{GDC}=4\,\mathrm{cm}^2$이고 $\overline{\mathrm{CG}}:\overline{\mathrm{GE}}=2:1$이므로

$\triangle\mathrm{GED}=\dfrac{1}{2}\triangle\mathrm{GDC}=\dfrac{1}{2}\times4=2\,(\mathrm{cm}^2)$ ...... ㈏

답 (1) 4 cm² (2) 2 cm²

채점 기준	비율
㈎ $\triangle\mathrm{GDC}$의 넓이 구하기	50 %
㈏ $\triangle\mathrm{GED}$의 넓이 구하기	50 %

0739 **전략** 두 점 G, G'이 각각 $\triangle\mathrm{ABC}$, $\triangle\mathrm{GBC}$의 무게중심임을 이용한다.

$\triangle\mathrm{GBG'}=\dfrac{2}{3}\triangle\mathrm{GBD}=\dfrac{2}{3}\times\dfrac{1}{6}\triangle\mathrm{ABC}$

$=\dfrac{1}{9}\triangle\mathrm{ABC}=\dfrac{1}{9}\times54=6\,(\mathrm{cm}^2)$ **답** 6 cm²

0740 $\triangle\mathrm{GCA}=\dfrac{1}{3}\triangle\mathrm{ABC}=\dfrac{1}{3}\times108=36\,(\mathrm{cm}^2)$

$\triangle\mathrm{G'BD}=\dfrac{1}{3}\triangle\mathrm{GBD}=\dfrac{1}{3}\times\dfrac{1}{6}\triangle\mathrm{ABC}$

$=\dfrac{1}{18}\triangle\mathrm{ABC}=\dfrac{1}{18}\times108=6\,(\mathrm{cm}^2)$

$\therefore \triangle\mathrm{GCA}+\triangle\mathrm{G'BD}=36+6=42\,(\mathrm{cm}^2)$ **답** 42 cm²

0741 $\triangle\mathrm{GBG'}+\triangle\mathrm{GCG'}=\dfrac{2}{3}\triangle\mathrm{GBD}+\dfrac{2}{3}\triangle\mathrm{GCD}$

$=\dfrac{2}{3}\times\dfrac{1}{6}\triangle\mathrm{ABC}+\dfrac{2}{3}\times\dfrac{1}{6}\triangle\mathrm{ABC}$

$=\dfrac{1}{9}\triangle\mathrm{ABC}+\dfrac{1}{9}\triangle\mathrm{ABC}$

$=\dfrac{2}{9}\triangle\mathrm{ABC}$

따라서 $\triangle\mathrm{GBG'}$와 $\triangle\mathrm{GCG'}$의 넓이의 합은 $\triangle\mathrm{ABC}$의 넓이의 $\dfrac{2}{9}$배이다. **답** $\dfrac{2}{9}$배

0742 **전략** 두 점 P, Q는 각각 $\triangle\mathrm{ABC}$, $\triangle\mathrm{ACD}$의 무게중심임을 이용한다.

$\overline{\mathrm{BM}}=\overline{\mathrm{MC}}$, $\overline{\mathrm{AO}}=\overline{\mathrm{OC}}$, $\overline{\mathrm{CN}}=\overline{\mathrm{ND}}$이므로

두 점 P, Q는 각각 $\triangle\mathrm{ABC}$, $\triangle\mathrm{ACD}$의 무게중심이다.

이때 $\overline{\mathrm{BO}}=\overline{\mathrm{DO}}=\dfrac{1}{2}\overline{\mathrm{BD}}=\dfrac{1}{2}\times15=\dfrac{15}{2}\,(\mathrm{cm})$이므로

$\overline{\mathrm{PO}}=\dfrac{1}{3}\overline{\mathrm{BO}}=\dfrac{1}{3}\times\dfrac{15}{2}=\dfrac{5}{2}\,(\mathrm{cm})$

$\overline{\mathrm{OQ}}=\dfrac{1}{3}\overline{\mathrm{DO}}=\dfrac{1}{3}\times\dfrac{15}{2}=\dfrac{5}{2}\,(\mathrm{cm})$

$\therefore \overline{\mathrm{PQ}}=\overline{\mathrm{PO}}+\overline{\mathrm{OQ}}=\dfrac{5}{2}+\dfrac{5}{2}=5\,(\mathrm{cm})$ **답** 5 cm

0743 (1) $\overline{\mathrm{AO}}=\overline{\mathrm{OC}}$, $\overline{\mathrm{CM}}=\overline{\mathrm{MD}}$이므로 점 P는 $\triangle\mathrm{ACD}$의 무게중심이다.

이때 $\overline{\mathrm{OD}}=\dfrac{1}{2}\overline{\mathrm{BD}}=\dfrac{1}{2}\times24=12\,(\mathrm{cm})$이므로

$\overline{\mathrm{OP}}=\dfrac{1}{3}\overline{\mathrm{OD}}=\dfrac{1}{3}\times12=4\,(\mathrm{cm})$ $\therefore x=4$

(2) 오른쪽 그림과 같이 $\overline{AC}$를
그어 $\overline{BD}$와 만나는 점을 O
라 하면 $\overline{BM}=\overline{MC}$,
$\overline{AO}=\overline{OC}$, $\overline{CN}=\overline{ND}$이므
로 두 점 P, Q는 각각
△ABC, △ACD의 무게중심이다.

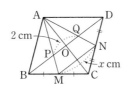

따라서 $\overline{BP}=2\overline{PO}$, $\overline{QD}=2\overline{OQ}$이므로
$$\begin{aligned}\overline{BD}&=\overline{BP}+\overline{PQ}+\overline{QD}\\&=2\overline{PO}+(\overline{PO}+\overline{OQ})+2\overline{OQ}\\&=3(\overline{PO}+\overline{OQ})=3\overline{PQ}\\&=3\times2=6\,(\text{cm})\end{aligned}$$
△BCD에서 $\overline{BM}=\overline{MC}$, $\overline{CN}=\overline{ND}$이므로
$$\overline{MN}=\frac{1}{2}\overline{BD}=\frac{1}{2}\times6=3\,(\text{cm})\qquad\therefore x=3$$

답 (1) 4 (2) 3

0744 ① 점 P는 △ABD의 무게중심이므로
$\overline{BP}:\overline{PM}=2:1$
② 점 Q는 △BCD의 무게중심이므로
$\overline{QN}=\frac{1}{3}\overline{DN}$
③ $\overline{AO}=\overline{OC}$이고
$\overline{AP}:\overline{PO}=2:1$, $\overline{CQ}:\overline{QO}=2:1$이므로
$\overline{AP}:\overline{PQ}:\overline{QC}=1:1:1$
④ $\overline{PO}=\frac{1}{3}\overline{AO}=\frac{1}{3}\times\frac{1}{2}\overline{AC}=\frac{1}{6}\overline{AC}$
⑤ $\overline{AP}:\overline{PQ}:\overline{QC}=1:1:1$이므로
$\overline{AP}:\overline{PC}=1:2$
따라서 옳지 않은 것은 ⑤이다.

답 ⑤

0745 전략 $\overline{AC}$를 그은 후 두 점 P, Q가 각각 △ABC, △ACD의
무게중심임을 이용한다.
오른쪽 그림과 같이 $\overline{AC}$를 그어
$\overline{BD}$와 만나는 점을 O라 하면
점 P는 △ABC의 무게중심이므
로

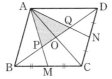

$$\begin{aligned}\triangle APO&=\frac{1}{6}\triangle ABC\\&=\frac{1}{6}\times\frac{1}{2}\square ABCD\\&=\frac{1}{12}\square ABCD=\frac{1}{12}\times72=6\,(\text{cm}^2)\end{aligned}$$
점 Q는 △ACD의 무게중심이므로
$$\begin{aligned}\triangle AOQ&=\frac{1}{6}\triangle ACD=\frac{1}{6}\times\frac{1}{2}\square ABCD\\&=\frac{1}{12}\square ABCD=\frac{1}{12}\times72=6\,(\text{cm}^2)\end{aligned}$$
$$\begin{aligned}\therefore\triangle APQ&=\triangle APO+\triangle AOQ\\&=6+6=12\,(\text{cm}^2)\end{aligned}$$

답 12 cm²

다른풀이 $\triangle ABD=\frac{1}{2}\square ABCD=\frac{1}{2}\times72=36\,(\text{cm}^2)$
$\overline{BP}:\overline{PQ}:\overline{QD}=1:1:1$이므로
$$\triangle APQ=\frac{1}{3}\triangle ABD=\frac{1}{3}\times36=12\,(\text{cm}^2)$$

0746 오른쪽 그림과 같이 $\overline{BD}$를 그으면
점 G는 △DBC의 무게중심이므
로

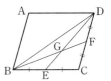

(1) $\triangle GBE=\frac{1}{6}\triangle DBC$
$$\begin{aligned}&=\frac{1}{6}\times\frac{1}{2}\square ABCD\\&=\frac{1}{12}\square ABCD=\frac{1}{12}\times24=2\,(\text{cm}^2)\end{aligned}$$
(2) $\square GECF=\frac{1}{3}\triangle DBC$
$$\begin{aligned}&=\frac{1}{3}\times\frac{1}{2}\square ABCD\\&=\frac{1}{6}\square ABCD=\frac{1}{6}\times24=4\,(\text{cm}^2)\end{aligned}$$

답 (1) 2 cm² (2) 4 cm²

0747 오른쪽 그림과 같이 $\overline{BD}$를 그으면
점 P는 △ABD의 무게중심이므
로
$$\begin{aligned}\triangle ABD&=3\triangle ABP\\&=3\times4=12\,(\text{cm}^2)\end{aligned}$$
$$\begin{aligned}\therefore\square ABCD&=2\triangle ABD\\&=2\times12=24\,(\text{cm}^2)\end{aligned}$$

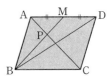

답 24 cm²

0748 점 E는 △ABD의 무게중심이므로
$$\begin{aligned}\square MEOD&=\frac{1}{3}\triangle ABD=\frac{1}{3}\times\frac{1}{2}\square ABCD\\&=\frac{1}{6}\square ABCD\\&=\frac{1}{6}\times48=8\,(\text{cm}^2)\end{aligned}$$
점 F는 △DBC의 무게중심이므로
$$\begin{aligned}\triangle DOF&=\frac{1}{6}\triangle DBC=\frac{1}{6}\times\frac{1}{2}\square ABCD\\&=\frac{1}{12}\square ABCD\\&=\frac{1}{12}\times48=4\,(\text{cm}^2)\end{aligned}$$
$$\begin{aligned}\therefore\square MEFD&=\square MEOD+\triangle DOF\\&=8+4=12\,(\text{cm}^2)\end{aligned}$$

답 12 cm²

다른풀이 △EOB≡△FOD (SAS 합동)이므로
$$\begin{aligned}\square MEFD&=\triangle MBD=\frac{1}{2}\triangle ABD\\&=\frac{1}{2}\times\frac{1}{2}\square ABCD=\frac{1}{4}\square ABCD\\&=\frac{1}{4}\times48=12\,(\text{cm}^2)\end{aligned}$$

0749 오른쪽 그림과 같이 $\overline{BD}$를 그어 $\overline{AC}$와 만나는 점을 O라 하면 점 G는 $\triangle ABD$의 무게중심이므로

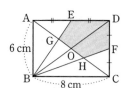

$$\square EGOD = \frac{1}{3} \triangle ABD$$
$$= \frac{1}{3} \times \frac{1}{2} \square ABCD$$
$$= \frac{1}{6} \square ABCD$$
$$= \frac{1}{6} \times 8 \times 6$$
$$= 8 \, (\text{cm}^2)$$

점 H는 $\triangle BCD$의 무게중심이므로

$$\square DOHF = \frac{1}{3} \triangle BCD$$
$$= \frac{1}{3} \times \frac{1}{2} \square ABCD$$
$$= \frac{1}{6} \square ABCD$$
$$= \frac{1}{6} \times 8 \times 6$$
$$= 8 \, (\text{cm}^2)$$

$\therefore$ (오각형 EGHFD의 넓이)
$$= \square EGOD + \square DOHF$$
$$= 8 + 8 = 16 \, (\text{cm}^2)$$

답 $16 \, \text{cm}^2$

0750 오른쪽 그림과 같이 $\overline{AC}$를 그어 $\overline{BD}$와 만나는 점을 O라 하면 두 점 P, Q는 각각 $\triangle ABC$, $\triangle ACD$의 무게중심이므로

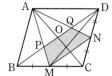

(오각형 PMCNQ의 넓이)
$$= \square PMCO + \square OCNQ$$
$$= \frac{1}{3} \triangle ABC + \frac{1}{3} \triangle ACD$$
$$= \frac{1}{3} \times \frac{1}{2} \square ABCD + \frac{1}{3} \times \frac{1}{2} \square ABCD$$
$$= \frac{1}{6} \square ABCD + \frac{1}{6} \square ABCD$$
$$= \frac{1}{3} \square ABCD$$
$$= \frac{1}{3} \times 72 = 24 \, (\text{cm}^2)$$

$$\triangle NMC = \frac{1}{2} \triangle DMC = \frac{1}{2} \times \frac{1}{2} \triangle DBC$$
$$= \frac{1}{4} \triangle DBC = \frac{1}{4} \times \frac{1}{2} \square ABCD$$
$$= \frac{1}{8} \square ABCD$$
$$= \frac{1}{8} \times 72 = 9 \, (\text{cm}^2)$$

$\therefore$ $\square PMNQ$ = (오각형 PMCNQ의 넓이) $- \triangle NMC$
$$= 24 - 9 = 15 \, (\text{cm}^2)$$

답 $15 \, \text{cm}^2$

0751 전략 닮음비가 $m : n$인 두 평면도형의 넓이의 비는 $m^2 : n^2$임을 이용한다.

① $\triangle AOD \backsim \triangle COB$ (AA 닮음)이고 닮음비는 $\overline{AD} : \overline{CB} = 3 : 5$이므로
$\triangle AOD : \triangle COB = 3^2 : 5^2 = 9 : 25$
즉 $9 : \triangle COB = 9 : 25$에서 $\triangle COB = 25 \, (\text{cm}^2)$

② $\overline{BO} : \overline{DO} = 5 : 3$이므로 $\triangle ABO : \triangle AOD = 5 : 3$
즉 $\triangle ABO : 9 = 5 : 3$에서 $\triangle ABO = 15 \, (\text{cm}^2)$
$\therefore \triangle ABD = \triangle AOD + \triangle ABO$
$\qquad = 9 + 15 = 24 \, (\text{cm}^2)$

③ $\overline{AD} \,/\!/\, \overline{BC}$이므로 $\triangle ACD = \triangle ABD = 24 \, \text{cm}^2$

④ $\triangle ABC = \triangle ABO + \triangle COB$
$\qquad = 15 + 25 = 40 \, (\text{cm}^2)$

⑤ $\square ABCD = \triangle AOD + \triangle ABO + \triangle COB + \triangle DOC$
$\qquad = 9 + 15 + 25 + 15 = 64 \, (\text{cm}^2)$

따라서 옳은 것은 ⑤이다.

답 ⑤

0752 (A의 넓이) : (B의 넓이) $= 3^2 : 5^2 = 9 : 25$이므로
(A의 넓이) $: 125 = 9 : 25$
$\therefore$ (A의 넓이) $= 45 \, (\text{cm}^2)$

답 $45 \, \text{cm}^2$

0753 $\triangle ADE \backsim \triangle ACB$ (AA 닮음)이고 닮음비는
$\overline{AE} : \overline{AB} = 6 : (4+8) = 1 : 2$이므로
$\triangle ADE : \triangle ACB = 1^2 : 2^2 = 1 : 4$
$\triangle ADE : 40 = 1 : 4$
$\therefore \triangle ADE = 10 \, (\text{cm}^2)$

답 $10 \, \text{cm}^2$

0754 $\triangle ADE \backsim \triangle ABC$ (AA 닮음)이고 닮음비는
$\overline{AD} : \overline{AB} = 4 : 10 = 2 : 5$이므로
$\triangle ADE : \triangle ABC = 2^2 : 5^2 = 4 : 25$
$12 : \triangle ABC = 4 : 25 \qquad \therefore \triangle ABC = 75 \, (\text{cm}^2)$
$\therefore \square DBCE = \triangle ABC - \triangle ADE$
$\qquad = 75 - 12 = 63 \, (\text{cm}^2)$

답 $63 \, \text{cm}^2$

0755 세 원의 닮음비는 $\overline{AB} : \overline{AC} : \overline{AD} = 1 : 2 : 3$이므로
$\overline{AB}, \overline{AC}, \overline{AD}$를 각각 지름으로 하는 세 원의 넓이를 S_1, S_2, S_3이라 하면
$S_1 : S_2 : S_3 = 1^2 : 2^2 : 3^2 = 1 : 4 : 9$
이때 색칠한 부분의 넓이는 $S_3 - S_2$이므로
$S_1 : (S_3 - S_2) = 1 : (9 - 4) = 1 : 5$에서
$S_1 : 25\pi = 1 : 5 \qquad \therefore S_1 = 5\pi$

답 5π

0756 $A_3, A_2, A_1, \triangle ABC$의 닮음비는 $1 : 2 : 4 : 8$이므로
(A_3의 넓이) $: \triangle ABC = 1^2 : 8^2 = 1 : 64$
(A_3의 넓이) $: 48 = 1 : 64$
$\therefore$ (A_3의 넓이) $= \frac{3}{4} \, (\text{cm}^2)$

답 $\frac{3}{4} \, \text{cm}^2$

0757 전략 닮음비가 $m:n$인 두 입체도형의 겉넓이의 비는 $m^2:n^2$임을 이용한다.

두 삼각기둥 A, B의 닮음비가 $4:6=2:3$이므로

겉넓이의 비는 $2^2:3^2=4:9$

삼각기둥 A의 겉넓이를 $S\ \text{cm}^2$라 하면

$S:108=4:9$ ∴ $S=48\ (\text{cm}^2)$ **답** $48\ \text{cm}^2$

0758 두 원뿔 A, B의 닮음비가 $4:5$이므로

겉넓이의 비는 $4^2:5^2=16:25$

원뿔 A의 겉넓이를 $S\ \text{cm}^2$라 하면

$S:125=16:25$ ∴ $S=80\ (\text{cm}^2)$ **답** $80\ \text{cm}^2$

0759 두 상자의 닮음비는 $1:2$이므로

겉넓이의 비는 $1^2:2^2=1:4$

큰 상자를 포장하는 데 $x\ \text{cm}^2$의 포장지가 필요하다고 하면

$90:x=1:4$ ∴ $x=360\ (\text{cm}^2)$ **답** $360\ \text{cm}^2$

0760 전략 닮음비가 $m:n$인 두 입체도형의 부피의 비는 $m^3:n^3$임을 이용한다.

두 멜론의 닮음비는 $10:15=2:3$이므로

부피의 비는 $2^3:3^3=8:27$

큰 멜론의 가격을 x원이라 하면

$4000:x=8:27$ ∴ $x=13500$(원) **답** 13500원

0761 두 컵의 닮음비는 $\dfrac{3}{5}:1=3:5$이므로

부피의 비는 $3^3:5^3=27:125$

큰 컵의 부피를 $V\ \text{cm}^3$라 하면

$135:V=27:125$ ∴ $V=625\ (\text{cm}^3)$ **답** $625\ \text{cm}^3$

0762 세 입체도형 P, (P+Q), (P+Q+R)의 닮음비가

$1:2:3$이므로 부피의 비는

$1^3:2^3:3^3=1:8:27$

따라서 세 입체도형 P, Q, R의 부피의 비는

$1:(8-1):(27-8)=1:7:19$ ...... ㈎

입체도형 R의 부피를 $V\ \text{cm}^3$라 하면

$21\pi:V=7:19$ ∴ $V=57\pi\ (\text{cm}^3)$ ...... ㈏

답 $57\pi\ \text{cm}^3$

채점 기준	비율
㈎ 세 입체도형 P, Q, R의 부피의 비 구하기	60 %
㈏ 입체도형 R의 부피 구하기	40 %

0763 전략 겉넓이의 비를 이용하여 닮음비를 구한 후 부피의 비를 구한다.

두 직육면체 A, B의 겉넓이의 비는

$32:50=16:25=4^2:5^2$

이므로 닮음비는 $4:5$

따라서 부피의 비는 $4^3:5^3=64:125$

직육면체 A의 부피를 $V\ \text{cm}^3$라 하면

$V:1000=64:125$ ∴ $V=512\ (\text{cm}^3)$ **답** $512\ \text{cm}^3$

0764 (1) 두 원기둥 A, B의 옆넓이의 비가 $9:16=3^2:4^2$이므로

닮음비는 $3:4$

(2) 두 원기둥 A, B의 닮음비가 $3:4$이므로 부피의 비는

$3^3:4^3=27:64$ **답** (1) $3:4$ (2) $27:64$

0765 두 사면체 A, B의 겉넓이의 비가 $4:9=2^2:3^2$이므로

닮음비는 $2:3$

따라서 부피의 비는 $2^3:3^3=8:27$

사면체 A의 부피를 $V\ \text{cm}^3$라 하면

$V:81=8:27$ ∴ $V=24\ (\text{cm}^3)$ **답** $24\ \text{cm}^3$

0766 전략 물이 담긴 부분과 전체 그릇의 닮음비를 구한다.

물이 담긴 부분과 전체 그릇의 닮음비는 $\dfrac{1}{2}:1=1:2$이므로 부피의 비는 $1^3:2^3=1:8$

물을 채우는 데 걸리는 시간과 채워지는 물의 양은 정비례하므로 물을 가득 채울 때까지 더 걸리는 시간을 x분이라 하면

$20:x=1:(8-1)=1:7$

∴ $x=140$(분) **답** 140분

0767 물이 담긴 부분과 전체 그릇의 닮음비는 $\dfrac{2}{3}:1=2:3$이므로 부피의 비는 $2^3:3^3=8:27$

물의 부피를 $x\ \text{cm}^3$라 하면

$x:351=8:27$ ∴ $x=104\ (\text{cm}^3)$ **답** $104\ \text{cm}^3$

0768 물이 담긴 부분과 전체 그릇의 닮음비는 $4:10=2:5$이므로 부피의 비는 $2^3:5^3=8:125$

물을 채우는 데 걸리는 시간과 채워지는 물의 양은 정비례하므로 물을 가득 채울 때까지 더 걸리는 시간을 x분이라 하면

$16:x=8:(125-8)=8:117$

∴ $x=234$(분) **답** 234분

0769 전략 닮은 두 삼각형을 찾아 길이의 비가 일정함을 이용하여 $\overline{\text{AB}}$의 길이를 구한다.

$\triangle\text{ABC}\backsim\triangle\text{DEF}$ (AA 닮음)이므로

$\overline{\text{AB}}:\overline{\text{DE}}=\overline{\text{BC}}:\overline{\text{EF}}$에서

$\overline{\text{AB}}:144=200:120$ ∴ $\overline{\text{AB}}=240\ (\text{cm})$

답 $240\ \text{cm}$

0770 $\triangle\text{ABC}\backsim\triangle\text{EDC}$ (AA 닮음)이므로

$\overline{\text{AB}}:\overline{\text{ED}}=\overline{\text{BC}}:\overline{\text{DC}}$에서

$\overline{\text{AB}}:1.6=6:1.2$ ∴ $\overline{\text{AB}}=8\ (\text{m})$ **답** $8\ \text{m}$

0771 $\triangle ABC \circ \triangle AB'C'$ (AA 닮음)이므로

$\overline{AB} : \overline{AB'} = \overline{BC} : \overline{B'C'}$에서

$2 : (2+6) = 1.2 : \overline{B'C'}$ $\quad \therefore \overline{B'C'} = 4.8$ (m) **답** 4.8 m

0772 $\triangle ACD \circ \triangle FED$ (AA 닮음)이므로

$\overline{AC} : \overline{FE} = \overline{CD} : \overline{ED}$

$\overline{AC} : 7 = 24 : 8$ $\quad \therefore \overline{AC} = 21$ (m)

$\therefore \overline{AB} = \overline{AC} - \overline{BC} = 21 - 8 = 13$ (m) **답** 13 m

0773

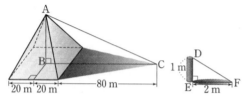

위의 그림에서 $\triangle ABC \circ \triangle DEF$ (AA 닮음)이므로

$\overline{AB} : \overline{DE} = \overline{BC} : \overline{EF}$

$\overline{AB} : 1 = (20+80) : 2$ $\quad \therefore \overline{AB} = 50$ (m) **답** 50 m

0774

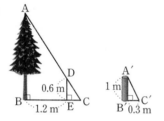

위의 그림과 같이 벽면이 그림자를 가리지 않았다고 할 때,
$\overline{AD}$의 연장선과 $\overline{BE}$의 연장선의 교점을 C라 하자.

$\triangle DEC \circ \triangle A'B'C'$ (AA 닮음)이므로

$\overline{EC} : \overline{B'C'} = \overline{DE} : \overline{A'B'}$

$\overline{EC} : 0.3 = 0.6 : 1$ $\quad \therefore \overline{EC} = 0.18$ (m)

또 $\triangle ABC \circ \triangle A'B'C'$ (AA 닮음)이므로

$\overline{AB} : \overline{A'B'} = \overline{BC} : \overline{B'C'}$

$\overline{AB} : 1 = (1.2 + 0.18) : 0.3$ $\quad \therefore \overline{AB} = 4.6$ (m)

답 4.6 m

0775 **전략** (실제 길이) $= \dfrac{\text{(축도에서의 길이)}}{\text{(축척)}}$ 임을 이용한다.

(1) (실제 거리) $= 13$ (cm) $\times 100000$

$\qquad\qquad\quad = 1300000$ (cm)

$\qquad\qquad\quad = 13000$ (m) $= 13$ (km)

(2) 축척이 $\dfrac{1}{100000}$ 이므로 지도에서의 땅의 넓이와 실제 땅의 넓이의 비는

$1^2 : 100000^2 = 1 : 10000000000$

지도에서 60 cm²인 땅의 실제 넓이를 x cm²라 하면

$60 : x = 1 : 10000000000$

$x = 600000000000$ (cm²) $= 60$ (km²)

답 (1) 13 km (2) 60 km²

0776 $\triangle ABC \circ \triangle ADE$ (AA 닮음)이므로

$\overline{AB} : \overline{AD} = \overline{BC} : \overline{DE}$에서

$\overline{AB} : (\overline{AB}+2) = 7 : 11$, $11\overline{AB} = 7\overline{AB} + 14$

$4\overline{AB} = 14$ $\quad \therefore \overline{AB} = \dfrac{7}{2}$ (cm)

따라서 실제 강의 폭은

$\dfrac{7}{2}$ (cm) $\times 20000 = 70000$ (cm) $= 700$ (m) **답** 700 m

0777 (실제 거리) $= 6$ (cm) $\times 500000$

$\qquad\qquad\quad = 3000000$ (cm) $= 30$ (km)

따라서 왕복하는 거리는 60 km이므로 시속 40 km로 왕복하는 데 걸리는 시간은 $\dfrac{60}{40} = \dfrac{3}{2} = 1\dfrac{1}{2}$ (시간), 즉 1시간 30분이다.

답 1시간 30분

0778 **전략** 삼각형의 무게중심의 성질과 닮음을 이용한다.

$\overline{AF} = \overline{FB}$, $\overline{AE} = \overline{EC}$이므로 $\overline{FE} /\!/ \overline{BC}$

따라서 $\triangle FGH \circ \triangle CGD$ (AA 닮음)이므로

$\overline{GH} : \overline{GD} = \overline{GF} : \overline{GC}$에서

$2 : \overline{GD} = 1 : 2$ $\quad \therefore \overline{GD} = 4$ (cm)

이때 점 G가 $\triangle ABC$의 무게중심이므로

$\overline{AD} = 3\overline{GD} = 3 \times 4 = 12$ (cm) **답** 12 cm

0779 점 G가 $\triangle ABC$의 무게중심이므로

$\overline{GD} = \dfrac{1}{3}\overline{AD} = \dfrac{1}{3} \times 15 = 5$ (cm)

$\overline{AF} = \overline{FB}$, $\overline{AE} = \overline{EC}$이므로 $\overline{FE} /\!/ \overline{BC}$

따라서 $\triangle FGH \circ \triangle CGD$ (AA 닮음)이므로

$\overline{HG} : \overline{DG} = \overline{GF} : \overline{GC}$에서

$\overline{HG} : 5 = 1 : 2$ $\quad \therefore \overline{HG} = \dfrac{5}{2}$ (cm) **답** $\dfrac{5}{2}$ cm

0780 ③ $\triangle FGE \circ \triangle DGB$ (AA 닮음)이므로

$\overline{FG} : \overline{DG} = \overline{GE} : \overline{GB} = 1 : 2$

④ $\overline{FG} = k$ cm $(k>0)$라 하면 $\overline{GD} = 2k$ cm

$\overline{AG} = 2\overline{GD} = 4k$ (cm)

$\therefore \overline{AF} = 4k - k = 3k$ (cm)

$\therefore \overline{AF} : \overline{FG} = 3k : k = 3 : 1$

⑤ $\overline{FE} : \overline{BD} = 1 : 2$이고 $\overline{BC} = 2\overline{BD}$이므로

$\overline{FE} : \overline{BC} = 1 : 4$

따라서 옳지 않은 것은 ④이다. **답** ④

0781 **전략** 삼각형의 무게중심의 성질을 이용한다.

$\overline{AF} : \overline{FG} = 3 : 1$이므로 $\overline{AF} : \overline{AG} = 3 : 4$

$\therefore \triangle AEF = \dfrac{3}{4}\triangle AEG = \dfrac{3}{4} \times \dfrac{1}{6}\triangle ABC$

$\qquad\qquad = \dfrac{1}{8}\triangle ABC = \dfrac{1}{8} \times 120$

$\qquad\qquad = 15$ (cm²) **답** 15 cm²

다른 풀이 $\triangle AEF \infty \triangle ABD$ (AA 닮음)이고 닮음비는

$1 : 2$이므로 넓이의 비는 $1^2 : 2^2 = 1 : 4$

$\therefore \triangle AEF = \dfrac{1}{4}\triangle ABD = \dfrac{1}{4} \times \dfrac{1}{2}\triangle ABC$

$\qquad\qquad = \dfrac{1}{8}\triangle ABC = \dfrac{1}{8} \times 120 = 15 \ (\text{cm}^2)$

0782 $\triangle BCE$에서 $\overline{BD} = \overline{DC}$, $\overline{CE} /\!/ \overline{DF}$이므로

$\overline{BF} = \overline{FE}$

오른쪽 그림과 같이 $\overline{DE}$를 그으면

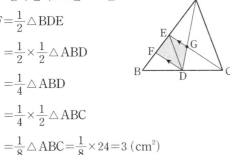

$\triangle DEF = \dfrac{1}{2}\triangle BDE$

$\qquad\quad = \dfrac{1}{2} \times \dfrac{1}{2}\triangle ABD$

$\qquad\quad = \dfrac{1}{4}\triangle ABD$

$\qquad\quad = \dfrac{1}{4} \times \dfrac{1}{2}\triangle ABC$

$\qquad\quad = \dfrac{1}{8}\triangle ABC = \dfrac{1}{8} \times 24 = 3 \ (\text{cm}^2)$

$\triangle DGE = \dfrac{1}{3}\triangle AED = \dfrac{1}{3} \times \dfrac{1}{2}\triangle ABD$

$\qquad\quad = \dfrac{1}{6}\triangle ABD = \dfrac{1}{6} \times \dfrac{1}{2}\triangle ABC$

$\qquad\quad = \dfrac{1}{12}\triangle ABC = \dfrac{1}{12} \times 24 = 2 \ (\text{cm}^2)$

$\therefore \square EFDG = \triangle DEF + \triangle DGE$

$\qquad\qquad\quad = 3 + 2 = 5 \ (\text{cm}^2)$ **답** $5 \ \text{cm}^2$

0783 오른쪽 그림과 같이 $\overline{BG}$, $\overline{BG'}$
의 연장선을 그어 $\overline{AC}$와 만나
는 점을 각각 Q, R라 하면
$\triangle BG'G$와 $\triangle BRQ$에서
$\angle B$는 공통,
$\overline{BG} : \overline{BQ} = \overline{BG'} : \overline{BR} = 2 : 3$

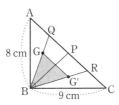

이므로 $\triangle BG'G \infty \triangle BRQ$ (SAS 닮음)

따라서 $\triangle BG'G : \triangle BRQ = 2^2 : 3^2 = 4 : 9$이므로

$\triangle BG'G = \dfrac{4}{9}\triangle BRQ = \dfrac{4}{9} \times \dfrac{1}{2}\triangle ABC$

$\qquad\qquad = \dfrac{2}{9}\triangle ABC = \dfrac{2}{9} \times \left(\dfrac{1}{2} \times 9 \times 8\right)$

$\qquad\qquad = 8 \ (\text{cm}^2)$ **답** $8 \ \text{cm}^2$

STEP 3 내신 마스터 *p.147 ~ p.149*

0784 **전략** 삼각형의 한 중선은 그 삼각형의 넓이를 이등분하고, 높
이가 같은 삼각형의 넓이의 비는 밑변의 길이의 비와 같음을 이
용한다.

$\triangle AED = \dfrac{1}{3}\triangle ABD = \dfrac{1}{3} \times \dfrac{1}{2}\triangle ABC$

$\qquad\qquad = \dfrac{1}{6}\triangle ABC = \dfrac{1}{6} \times 36 = 6 \ (\text{cm}^2)$ **답** $6 \ \text{cm}^2$

Lecture

오른쪽 그림에서
$\overline{BP} : \overline{CP} = m : n$이면
$\triangle ABP : \triangle ACP = m : n$

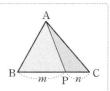

0785 **전략** 직각삼각형에서 빗변의 중점은 직각삼각형의 외심임을
이용한다.

$\triangle ABC$가 직각삼각형이므로 점 M은 $\triangle ABC$의 외심이다.
이때 $\overline{BM} = 3\overline{GM} = 3 \times 2 = 6 \ (\text{cm})$이고
$\overline{AM} = \overline{BM} = \overline{CM}$이므로
$\overline{AC} = 2\overline{BM} = 2 \times 6 = 12 \ (\text{cm})$ **답** ③

0786 **전략** 삼각형의 무게중심의 성질을 이용한다.

점 G가 $\triangle ABC$의 무게중심이므로
$\overline{GD} = \dfrac{1}{3}\overline{AD} = \dfrac{1}{3} \times 27 = 9 \ (\text{cm})$
점 G'이 $\triangle GBC$의 무게중심이므로
$\overline{GG'} = \dfrac{2}{3}\overline{GD} = \dfrac{2}{3} \times 9 = 6 \ (\text{cm})$ **답** ④

0787 **전략** 삼각형의 무게중심의 성질과 평행선에 의해 생기는 선분
의 길이의 비를 이용한다.

점 G는 $\triangle ABC$의 무게중심이므로
$\overline{GD} = \dfrac{1}{2}\overline{AG} = \dfrac{1}{2} \times 10 = 5 \ (\text{cm})$
$\triangle CEF$에서 $\overline{EF} /\!/ \overline{GD}$이므로
$\overline{CG} : \overline{CE} = \overline{GD} : \overline{EF}$, 즉 $2 : 3 = 5 : \overline{EF}$

$\therefore \overline{EF} = \dfrac{15}{2} \ (\text{cm})$ **답** $\dfrac{15}{2} \ \text{cm}$

0788 **전략** 점 G는 $\triangle ADC$의 무게중심임을 이용하여 $\triangle ADE$의
넓이를 구한다.

점 G는 $\triangle ADC$의 무게중심이므로
$\triangle ADE = \dfrac{1}{2}\triangle ADC = \dfrac{1}{2} \times 6\triangle AFG$

$\qquad\qquad = 3\triangle AFG = 3 \times 4 = 12 \ (\text{cm}^2)$

$\therefore \triangle ABE = 2\triangle ADE = 2 \times 12 = 24 \ (\text{cm}^2)$

답 $24 \ \text{cm}^2$

0789 **전략** 높이가 같은 삼각형의 넓이의 비는 밑변의 길이의 비와 같
음을 이용한다.

(1) $\overline{AG} : \overline{GD} = 2 : 1$이므로
$\triangle ADF = 3\triangle GDF = 3 \times 3 = 9 \ (\text{cm}^2)$

이때 $\overline{AF}:\overline{FC}=\overline{AG}:\overline{GD}=2:1$이므로

$$\triangle FDC=\frac{1}{2}\triangle ADF=\frac{1}{2}\times9=\frac{9}{2}\ (cm^2) \quad \cdots\cdots\ (가)$$

(2) $\triangle ABC=2\triangle ADC=2(\triangle ADF+\triangle FDC)$

$$=2\times\left(9+\frac{9}{2}\right)=27\ (cm^2) \quad \cdots\cdots\ (나)$$

답 (1) $\frac{9}{2}\ cm^2$ (2) $27\ cm^2$

채점 기준	비율
(가) $\triangle FDC$의 넓이 구하기	60 %
(나) $\triangle ABC$의 넓이 구하기	40 %

0790 전략 삼각형의 무게중심의 성질과 삼각형의 두 변의 중점을 연결한 선분의 성질을 이용하여 옳지 않은 것을 찾는다.

① $\triangle BCD$에서 $\overline{BM}=\overline{MC}$, $\overline{CN}=\overline{ND}$이므로
$\overline{MN}/\!/\overline{BD}$

② 두 점 P, Q가 각각 $\triangle ABC$, $\triangle ACD$의 무게중심이므로
$\overline{BP}:\overline{PO}=2:1$, $\overline{DQ}:\overline{QO}=2:1$
$\overline{OB}=\overline{OD}$이므로 $\overline{BP}=\overline{PQ}=\overline{QD}$

③ $\square OCNQ=\frac{1}{3}\triangle ACD=\frac{1}{3}\times\frac{1}{2}\square ABCD$

$$=\frac{1}{6}\square ABCD$$

$$\therefore\ 6\square OCNQ=\square ABCD$$

④ $\triangle APO=\frac{1}{6}\triangle ABC=\frac{1}{12}\square ABCD$

$\triangle AQO=\frac{1}{6}\triangle ACD=\frac{1}{12}\square ABCD$

$$\therefore\ \triangle APO=\triangle AQO$$

하지만 $\triangle APO$와 $\triangle AQO$가 합동인지는 알 수 없다.

⑤ $\triangle AMN$에서 $\overline{PQ}/\!/\overline{MN}$이므로
$\overline{PQ}:\overline{MN}=\overline{AP}:\overline{AM}=2:3$

따라서 옳지 않은 것은 ④이다. **답** ④

0791 전략 $\overline{AC}$를 그은 후 두 점 E, F가 각각 $\triangle ABC$와 $\triangle ACD$의 무게중심임을 이용한다.

오른쪽 그림과 같이 $\overline{AC}$를 그어 $\overline{BD}$와 만나는 점을 O라 하면 점 E는 $\triangle ABC$의 무게중심이므로

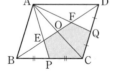

$\square EPCO=\frac{1}{3}\triangle ABC$

$$=\frac{1}{3}\times\frac{1}{2}\square ABCD$$

$$=\frac{1}{6}\square ABCD$$

$$=\frac{1}{6}\times30=5\ (cm^2)$$

점 F는 $\triangle ACD$의 무게중심이므로

$\square OCQF=\frac{1}{3}\triangle ACD$

$$=\frac{1}{3}\times\frac{1}{2}\square ABCD$$

$$=\frac{1}{6}\square ABCD$$

$$=\frac{1}{6}\times30=5\ (cm^2)$$

$\therefore$ (오각형 EPCQF의 넓이)
$=\square EPCO+\square OCQF$
$=5+5=10\ (cm^2)$ **답** ③

0792 전략 닮음비가 $m:n$인 두 평면도형의 넓이의 비는 $m^2:n^2$임을 이용한다.

$\triangle AOD \backsim \triangle COB$ (AA 닮음)이고 닮음비는
$\overline{AD}:\overline{CB}=5:10=1:2$

$\overline{BO}:\overline{DO}=2:1$이므로 $\triangle ABO:\triangle AOD=2:1$
즉 $\triangle ABO:4=2:1$에서 $\triangle ABO=8\ (cm^2)$

$\overline{AO}:\overline{OC}=1:2$이므로 $\triangle AOD:\triangle DOC=1:2$
즉 $4:\triangle DOC=1:2$에서 $\triangle DOC=8\ (cm^2)$

$\triangle AOD:\triangle COB=1^2:2^2=1:4$
즉 $4:\triangle COB=1:4$에서 $\triangle COB=16\ (cm^2)$

$\therefore\ \square ABCD=4+8+16+8=36\ (cm^2)$ **답** ②

0793 전략 닮음비가 $m:n$인 두 평면도형의 넓이의 비는 $m^2:n^2$임을 이용한다.

$\triangle ADF \backsim \triangle AEG \backsim \triangle ABC$ (SAS 닮음)이고 닮음비는
$\overline{AD}:\overline{AE}:\overline{AB}=1:2:3$이므로
$\triangle ADF:\triangle AEG:\triangle ABC=1^2:2^2:3^2=1:4:9$

한편, $\square DEGF:\square EBCG=(4-1):(9-4)=3:5$이므로
$\square DEGF:25=3:5$ $\therefore\ \square DEGF=15\ (cm^2)$

답 $15\ cm^2$

0794 전략 두 밀랍 인형의 닮음비를 이용하여 부피의 비를 구한다.

두 밀랍 인형의 닮음비는 $\frac{1}{3}:\frac{1}{6}=2:1$이므로 부피의 비는
$2^3:1^3=8:1$

따라서 $\frac{1}{3}$ 크기의 인형에 사용된 밀랍의 양은 $\frac{1}{6}$ 크기의 인형에 사용된 밀랍의 양의 8배이다. **답** 8배

0795 전략 두 원뿔 A, B의 겉넓이의 비를 이용하여 닮음비를 구한다.

두 원뿔 A, B의 겉넓이의 비가 $9:16=3^2:4^2$이므로
닮음비는 $3:4$
원뿔 A의 밑면의 반지름의 길이를 $r\ cm$라 하면
$r:14=3:4$ $\therefore\ r=\frac{21}{2}\ (cm)$

따라서 원뿔 A의 밑면의 둘레의 길이는

$2\pi \times \dfrac{21}{2} = 21\pi$ (cm) **답** ⑤

0796 전략 ▶ 두 공의 겉넓이의 비를 이용하여 닮음비를 구한다.

두 공의 겉넓이의 비가 $48 : 75 = 16 : 25 = 4^2 : 5^2$이므로

닮음비는 $4 : 5$

따라서 부피의 비는 $4^3 : 5^3 = 64 : 125$이므로

작은 공을 500개 만들 수 있는 양의 찰흙으로 큰 공을

$\dfrac{64 \times 500}{125} = 256$(개)를 만들 수 있다. **답** 256개

0797 전략 ▶ 물이 담긴 부분과 전체 그릇의 닮음비를 먼저 구한다.

물을 전체 높이의 $\dfrac{2}{5}$만큼 채웠으므로 물이 담긴 부분과 전체

그릇의 닮음비는 $\dfrac{2}{5} : 1 = 2 : 5$ ...... (가)

따라서 부피의 비는 $2^3 : 5^3 = 8 : 125$

물을 채우는 데 걸리는 시간과 채워지는 물의 양은 정비례하

므로 물을 가득 채울 때까지 더 걸리는 시간을 x분이라 하면

$x : 250 = (125-8) : 125$ ...... (나)

∴ $x = 234$(분) ...... (다)

답 234분

채점 기준	비율
(가) 물이 담긴 부분과 전체 그릇의 닮음비 구하기	30 %
(나) 비례식 세우기	50 %
(다) 물을 가득 채울 때까지 더 걸리는 시간 구하기	20 %

0798 전략 ▶ (축도에서의 길이)=(실제 길이)×(축척)임을 이용하여 축도에서의 가로, 세로의 길이를 구한다.

축도에서의 가로의 길이는

$500 \text{ (m)} \times \dfrac{1}{5000} = 50000 \text{ (cm)} \times \dfrac{1}{5000} = 10 \text{ (cm)}$

축도에서의 세로의 길이는

$200 \text{ (m)} \times \dfrac{1}{5000} = 20000 \text{ (cm)} \times \dfrac{1}{5000} = 4 \text{ (cm)}$

따라서 축도에서의 직사각형 모양의 땅의 넓이는

$10 \times 4 = 40 \text{ (cm}^2)$ **답** 40 cm²

다른 풀이 축척이 $\dfrac{1}{5000}$이므로

축도에서의 땅의 넓이와 실제 땅의 넓이의 비는

$1^2 : 5000^2 = 1 : 25000000$

이때 실제 땅의 넓이는

$500 \times 200 = 100000 \text{ (m}^2) = 1000000000 \text{ (cm}^2)$

이므로 축도에서의 직사각형 모양의 땅의 넓이를 $x \text{ cm}^2$라

하면

$x : 1000000000 = 1 : 25000000$

$25x = 1000$ ∴ $x = 40 \text{ (cm}^2)$

따라서 축도에서의 직사각형 모양의 땅의 넓이는 40 cm²이
다.

0799 전략 ▶ (실제 길이)=$\dfrac{(축도에서의 길이)}{(축척)}$임을 이용한다.

$\overline{AB}$의 실제 길이는

$6 \text{ (cm)} \times 200 = 1200 \text{ (cm)} = 12 \text{ (m)}$

따라서 실제 탑의 높이는

$12 + 1.7 = 13.7 \text{ (m)}$ **답** ⑤

0800 전략 ▶ 삼각형의 무게중심의 성질과 닮음을 이용한다.

② $\overline{AD} = a$라 하면

$\overline{AH} = \dfrac{1}{2}a$, $\overline{HG} = \overline{HD} - \overline{GD} = \dfrac{1}{2}a - \dfrac{1}{3}a = \dfrac{1}{6}a$이므로

$\overline{AH} : \overline{HG} = \dfrac{1}{2}a : \dfrac{1}{6}a = 3 : 1$

③ $\triangle GBC \backsim \triangle GEF$ (SAS 닮음)이고

닮음비가 $\overline{GB} : \overline{GE} = 2 : 1$이므로

넓이의 비는 $2^2 : 1^2 = 4 : 1$

∴ $\triangle GBC = 4\triangle GEF$

④ ②에서 $\overline{AH} : \overline{HG} = 3 : 1$이므로 $\triangle GEH = \dfrac{1}{4}\triangle GAE$

이때 $\triangle GAE = \triangle GCE$이므로 $\triangle GEH = \dfrac{1}{4}\triangle GCE$

∴ $\triangle GCE = 4\triangle GEH$

⑤ ②에서 $\overline{AH} : \overline{HG} = 3 : 1$이므로

$\triangle GHF = \dfrac{1}{4}\triangle GAF = \dfrac{1}{4} \times \dfrac{1}{6}\triangle ABC$

$= \dfrac{1}{24}\triangle ABC$

따라서 옳지 않은 것은 ⑤이다. **답** ⑤

0801 전략 ▶ $\triangle A_5B_5C_5$와 $\triangle ABC$의 닮음비를 구한다.

$\triangle A_5B_5C_5$, $\triangle A_4B_4C_4$, $\triangle A_3B_3C_3$, $\triangle A_2B_2C_2$, $\triangle A_1B_1C_1$,

$\triangle ABC$의 닮음비는 $1 : 2 : 4 : 8 : 16 : 32$이므로

$\triangle A_5B_5C_5 : \triangle ABC = 1^2 : 32^2 = 1 : 1024$

$\triangle A_5B_5C_5 : 256 = 1 : 1024$

∴ $\triangle A_5B_5C_5 = \dfrac{1}{4}$ **답** $\dfrac{1}{4}$

Lecture

$\triangle ABC$와 $\triangle A_1B_1C_1$에서
$\overline{AB} : \overline{A_1B_1} = \overline{BC} : \overline{B_1C_1}$
$= \overline{CA} : \overline{C_1A_1}$
$= 2 : 1$
∴ $\triangle ABC \backsim \triangle A_1B_1C_1$
(SSS 닮음)

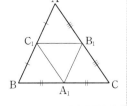

8 피타고라스 정리

STEP 1 개념 마스터 p.152~p.155

0802 $x^2=4^2+3^2=25$
$\therefore x=5$ ($\because x>0$) 답 5

0803 $x^2=15^2-9^2=144$
$\therefore x=12$ ($\because x>0$) 답 12

0804 $x^2=25^2-24^2=49$
$\therefore x=7$ ($\because x>0$) 답 7

0805 $x^2=17^2-8^2=225$
$\therefore x=15$ ($\because x>0$) 답 15

0806 답 $\triangle$BCH, $\triangle$GCA, $\triangle$GCJ, $\square$JKGC

0807 (색칠한 부분의 넓이)$=\overline{\text{BC}}^2$
$=5^2+3^2=34$ 답 34

0808 (색칠한 부분의 넓이)$=\overline{\text{AC}}^2$
$=4^2-2^2=12$ 답 12

0809 $\triangle$ABC에서 $\overline{\text{AB}}^2=5^2+3^2=34$
이때 $\triangle$ABC$\equiv$$\triangle$EAD$\equiv$$\triangle$GEF$\equiv$$\triangle$BGH이므로
$\square$AEGB는 정사각형이다.
$\therefore \square$AEGB$=\overline{\text{AB}}^2=34$ (cm^2) 답 34 cm^2

0810 ㉠ $3^2+4^2=5^2$이므로 직각삼각형이다.
㉡ $9^2+8^2\neq12^2$이므로 직각삼각형이 아니다.
㉢ $6^2+5^2\neq8^2$이므로 직각삼각형이 아니다.
㉣ $15^2+8^2=17^2$이므로 직각삼각형이다.
따라서 직각삼각형인 것은 ㉠, ㉣이다. 답 ㉠, ㉣

0811 $6^2+8^2=10^2$이므로 직각삼각형이다. 답 ○

0812 $5^2+12^2=13^2$이므로 직각삼각형이다. 답 ○

0813 $4^2+4^2\neq7^2$이므로 직각삼각형이 아니다. 답 ×

0814 $10^2+14^2\neq21^2$이므로 직각삼각형이 아니다. 답 ×

0815 답 14, 8, 14, 64, 100, 9

0816 $10^2<7^2+8^2$이므로 예각삼각형이다. 답 예

0817 $8^2>4^2+5^2$이므로 둔각삼각형이다. 답 둔

0818 $17^2=8^2+15^2$이므로 직각삼각형이다. 답 직

0819 $16^2>7^2+11^2$이므로 둔각삼각형이다. 답 둔

0820 $12^2>5^2+9^2$이므로 둔각삼각형이다. 답 둔

0821 $16^2<9^2+14^2$이므로 예각삼각형이다. 답 예

0822 $13^2=5^2+12^2$이므로 직각삼각형이다. 답 직

0823 $41^2=40^2+9^2$이므로 직각삼각형이다. 답 직

0824 $3^2+x^2=7^2+5^2$ $\therefore x^2=65$ 답 65

0825 $4^2+10^2=8^2+x^2$ $\therefore x^2=52$ 답 52

0826 $4^2+5^2=x^2+6^2$ $\therefore x^2=5$ 답 5

0827 $6^2+8^2=4^2+x^2$ $\therefore x^2=84$ 답 84

0828 색칠한 부분의 넓이를 S cm^{2}라 하면
$13\pi+S=25\pi$ $\therefore S=12\pi$ (cm^2) 답 12π cm^2

0829 색칠한 부분의 넓이를 S cm^{2}라 하면
$S=4\pi+10\pi=14\pi$ (cm^2) 답 14π cm^2

0830 (색칠한 부분의 넓이)$=\triangle$ABC$=6$ cm^2 답 6 cm^2

0831 $\triangle$ABC$=7+3=10$ (cm^2) 답 10 cm^2

STEP 2 유형 마스터 p.156 ~ p.164

0832 전략 피타고라스 정리를 이용한다.
$\overline{\text{BC}}^2=10^2-8^2=36$
$\therefore \overline{\text{BC}}=6$ (cm) ($\because \overline{\text{BC}}>0$)
$\therefore \triangle$ABC$=\dfrac{1}{2}\times6\times8=24$ (cm^2) 답 24 cm^2

0833 $\square$ABCD의 넓이가 36 cm^{2}이므로
$\overline{\text{AB}}=\overline{\text{BC}}=6$ (cm) ($\because \overline{\text{AB}}>0$)
$\square$CEFG의 넓이가 4 cm^{2}이므로
$\overline{\text{CE}}=2$ (cm) ($\because \overline{\text{CE}}>0$)
따라서 $\triangle$ABE에서
$\overline{\text{BE}}=\overline{\text{BC}}+\overline{\text{CE}}=6+2=8$ (cm)
$\overline{\text{AE}}^2=6^2+8^2=100$
$\therefore \overline{\text{AE}}=10$ (cm) ($\because \overline{\text{AE}}>0$) 답 10 cm

0834 $\triangle ABC$에서 $\overline{BC}^2=12^2+9^2=225$

$\therefore \overline{BC}=15\,(\text{cm})\,(\because \overline{BC}>0)$

이때 점 G가 $\triangle ABC$의 무게중심이므로

$\overline{AD}=\overline{BD}=\overline{CD}=\dfrac{1}{2}\overline{BC}=\dfrac{1}{2}\times 15=\dfrac{15}{2}\,(\text{cm})$

$\therefore \overline{GD}=\dfrac{1}{3}\overline{AD}=\dfrac{1}{3}\times\dfrac{15}{2}=\dfrac{5}{2}\,(\text{cm})$ **답** $\dfrac{5}{2}$ cm

참고

삼각형의 무게중심은 세 중선의 길이를 각 꼭짓점으로부터 각각 2 : 1로 나눈다.

0835 전략 $\triangle ADC$에서 $\overline{AC}$의 길이를 먼저 구한 후 $\triangle ABC$에서 $\overline{AB}$의 길이를 구한다.

$\triangle ADC$에서 $\overline{AC}^2=17^2-8^2=225$

$\therefore \overline{AC}=15\,(\text{cm})\,(\because \overline{AC}>0)$

$\triangle ABC$에서 $\overline{AB}^2=(12+8)^2+15^2=625$

$\therefore \overline{AB}=25\,(\text{cm})\,(\because \overline{AB}>0)$ **답** 25 cm

0836 $\triangle ABH$에서 $\overline{AH}^2=20^2-16^2=144$

$\therefore \overline{AH}=12\,(\text{cm})\,(\because \overline{AH}>0)$ ⋯⋯ ㈎

$\triangle AHC$에서 $\overline{HC}^2=13^2-12^2=25$

$\therefore \overline{HC}=5\,(\text{cm})\,(\because \overline{HC}>0)$ ⋯⋯ ㈏

$\therefore \triangle ABC=\dfrac{1}{2}\times 21\times 12=126\,(\text{cm}^2)$ ⋯⋯ ㈐

답 126 cm²

채점 기준	비율
㈎ $\overline{AH}$의 길이 구하기	35 %
㈏ $\overline{HC}$의 길이 구하기	35 %
㈐ $\triangle ABC$의 넓이 구하기	30 %

0837 $\triangle ABC$에서 $\overline{BC}^2=10^2-6^2=64$

$\therefore \overline{BC}=8\,(\because \overline{BC}>0)$

이때 $\overline{AB}:\overline{AC}=\overline{BD}:\overline{CD}$이므로 $\overline{CD}=x$라 하면

$10:6=(8-x):x$

$10x=6(8-x),\ 10x=48-6x$

$16x=48$ $\therefore x=3$, 즉 $\overline{CD}=3$ **답** 3

0838 전략 꼭짓점 D에서 $\overline{BC}$에 수선을 그은 후 피타고라스 정리를 이용한다.

오른쪽 그림과 같이 꼭짓점 D에서 $\overline{BC}$에 내린 수선의 발을 H라 하면

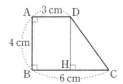

$\overline{BH}=\overline{AD}=3\,\text{cm}$이므로

$\overline{HC}=6-3=3\,(\text{cm})$

$\overline{DH}=\overline{AB}$이므로

$\triangle DHC$에서 $\overline{CD}^2=4^2+3^2=25$

$\therefore \overline{CD}=5\,(\text{cm})\,(\because \overline{CD}>0)$ **답** 5 cm

0839 오른쪽 그림과 같이 꼭짓점 A에서 $\overline{BC}$에 내린 수선의 발을 H라 하면

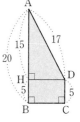

$\overline{HC}=\overline{AD}=9\,\text{cm}$이므로

$\overline{BH}=15-9=6\,(\text{cm})$

$\triangle ABH$에서 $\overline{AH}^2=10^2-6^2=64$

$\therefore \overline{AH}=8\,(\text{cm})\,(\because \overline{AH}>0)$

$\overline{DC}=\overline{AH}=8\,\text{cm}$이므로 $\triangle DBC$에서

$\overline{BD}^2=15^2+8^2=289$

$\therefore \overline{BD}=17\,(\text{cm})\,(\because \overline{BD}>0)$ **답** 17 cm

0840 오른쪽 그림과 같이 꼭짓점 D에서 $\overline{AB}$에 내린 수선의 발을 H라 하면

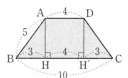

$\overline{HB}=\overline{DC}=5$이므로

$\overline{AH}=20-5=15$

$\triangle AHD$에서 $\overline{HD}^2=17^2-15^2=64$

$\therefore \overline{HD}=8\,(\because \overline{HD}>0)$

$\therefore \square ABCD=\dfrac{1}{2}\times(20+5)\times 8=100$ **답** 100

0841 오른쪽 그림과 같이 두 꼭짓점 A, D에서 $\overline{BC}$에 내린 수선의 발을 각각 H, H′이라 하면

$\overline{BH}=\overline{CH'}$

$\quad=\dfrac{1}{2}\times(10-4)=3$ ⋯⋯ ㈎

$\triangle ABH$에서 $\overline{AH}^2=5^2-3^2=16$

$\therefore \overline{AH}=4\,(\because \overline{AH}>0)$ ⋯⋯ ㈏

$\therefore \square ABCD=\dfrac{1}{2}\times(4+10)\times 4=28$ ⋯⋯ ㈐

답 28

채점 기준	비율
㈎ $\overline{BH}$의 길이 구하기	40 %
㈏ $\overline{AH}$의 길이 구하기	30 %
㈐ $\square ABCD$의 넓이 구하기	30 %

참고

(1) 등변사다리꼴 : 아랫변의 양 끝 각의 크기가 같은 사다리꼴, 즉 $\overline{AD}/\!/\overline{BC}$, $\angle B=\angle C$

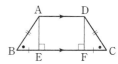

(2) 등변사다리꼴의 성질

① $\overline{AB}=\overline{DC}$

② 두 꼭짓점 A, D에서 $\overline{BC}$에 내린 수선의 발을 각각 E, F라 하면 $\overline{BE}=\overline{CF}$

0842 전략 직사각형의 가로의 길이를 $4a$ cm, 세로의 길이를 $3a$ cm로 놓고 피타고라스 정리를 이용한다.

가로의 길이를 $4a$ cm, 세로의 길이를 $3a$ cm라 하면

(단, $a>0$)

$(4a)^2+(3a^2)=10^2$

$16a^2+9a^2=100$, $25a^2=100$, $a^2=4$

$\therefore a=2$ (cm) $(\because a>0)$

따라서 직사각형의 가로의 길이는 $4\times2=8$ (cm),

세로의 길이는 $3\times2=6$ (cm)이므로 둘레의 길이는

$2\times(8+6)=28$ (cm)　　　　　　　　　　**답** ②

0843 △ABD에서 $\overline{BD}^2=5^2+12^2=169$

$\therefore \overline{BD}=13$ (cm) $(\because \overline{BD}>0)$

이때 $\overline{AB}\times\overline{AD}=\overline{BD}\times\overline{AH}$에서

$5\times12=13\times\overline{AH}$　　$\therefore \overline{AH}=\dfrac{60}{13}$ (cm)　　**답** $\dfrac{60}{13}$ cm

0844 [전략] $\square ADEB+\square CHIA=\square BFGC$임을 이용한다.

$\square ADEB+\square CHIA=\square BFGC$이므로

$\square BFGC=27+22=49$ (cm²)

$\therefore \overline{BF}=7$ $(\because \overline{BF}>0)$　　　　　　　**답** 7 cm

0845 $\square ADEB+\square CHIA=\square BFGC$이므로

$\square ADEB=28-8=20$ (cm²)　　　　　**답** 20 cm²

0846 $\overline{BF}/\!/\overline{AK}$이므로

△FKJ=△BFJ

　　　=△BFA

$\overline{EB}/\!/\overline{DC}$이므로

△EBA=△EBC

이때 △BFA≡△BCE

(SAS 합동)이므로

△FKJ=△EBA　　　　　…… (가)

△ABC에서 $\overline{AB}^2=5^2-3^2=16$이므로

$\overline{AB}=4$ $(\because \overline{AB}>0)$　　　　…… (나)

$\therefore$ △FKJ=△EBA

　　　$=\dfrac{1}{2}\square ADEB=\dfrac{1}{2}\times4^2=8$　　…… (다)

답 8

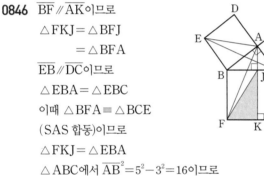

채점 기준	비율
(가) △FKJ=△EBA임을 설명하기	40 %
(나) $\overline{AB}$의 길이 구하기	30 %
(다) △FKJ의 넓이 구하기	30 %

0847 △ABD의 넓이가 32 cm²이므로 $\overline{AB}$를 한 변으로 하는 정
사각형의 넓이는

$\overline{AB}^2=2\,$△ABD$=2\times32=64$ (cm²)

$\therefore \overline{AB}=8$ (cm) $(\because \overline{AB}>0)$

따라서 △ABC에서

$\overline{AC}^2=12^2-8^2=80$이므로

△AEC$=\dfrac{1}{2}\overline{AC}^2=\dfrac{1}{2}\times80=40$ (cm²)　　**답** 40 cm²

0848 ① $\overline{AK}/\!/\overline{CG}$이므로 △JGC=△AGC

②, ④ △AGC≡△HBC (SAS 합동)이므로

　△AGC=△BCH

　$\overline{BI}/\!/\overline{CH}$이므로 △ACH=△BCH=△AGC

③ $\square$ACHI가 정사각형이므로

　△AHI=△ACH=△AGC

따라서 넓이가 △AGC의 넓이와 다른 하나는 ⑤이다.

답 ⑤

0849 ① △ABC에서 $\overline{BC}^2=8^2+6^2=100$

　$\therefore \overline{BC}=10$ $(\because \overline{BC}>0)$

② $\square$JKGC=$\square$CHIA$=6^2=36$

③ △EBC와 △ABF에서

　$\overline{EB}=\overline{AB}$, $\overline{BC}=\overline{BF}$, $\angle EBC=\angle ABF$

　이므로 △EBC≡△ABF (SAS 합동)

④ $\overline{EB}/\!/\overline{DC}$이므로

　△AEC=△ABC$=\dfrac{1}{2}\times6\times8=24$

　△ABF=△EBC=△EBA

　　　$=\dfrac{1}{2}\square ADEB=\dfrac{1}{2}\times8^2=32$

　$\therefore$ △AEC≠△ABF

⑤ $\square$BFGC=$\square$BFKJ+$\square$JKGC

　　　$=\square ADEB+\square CHIA$

따라서 옳지 않은 것은 ④이다.　　　　　　**답** ④

0850 [전략] △AEH≡△BFE≡△CGF≡△DHG이므로
$\square$EFGH는 정사각형이다.

△AEH≡△BFE≡△CGF≡△DHG이므로

$\square$EFGH는 정사각형이다.

$\square$EFGH의 넓이가 289이므로 $\overline{EH}=17$ $(\because \overline{EH}>0)$

△AEH에서 $\overline{AH}^2=17^2-8^2=225$

$\therefore \overline{AH}=15$ $(\because \overline{AH}>0)$

$\overline{AD}=15+8=23$이므로

$\square$ABCD$=\overline{AD}^2=23^2=529$　　　　　　　　**답** 529

0851 △AEH≡△BFE≡△CGF≡△DHG이므로

$\square$EFGH는 정사각형이다.

$\overline{AH}=10-6=4$ (cm)이므로 △AEH에서

$\overline{EH}^2=6^2+4^2=52$

$\therefore \square$EFGH$=\overline{EH}^2=52$ (cm²)　　　　　　**답** 52 cm²

0852 △AFE≡△BGF≡△CHG≡△DEH이므로

$\square$EFGH는 정사각형이다.

$\square$EFGH의 넓이가 169 cm²이므로

$\overline{EF}=13$ (cm) $(\because \overline{EF}>0)$

△AFE에서 $\overline{AF}^2=13^2-5^2=144$

$\therefore \overline{AF}=12$ (cm) $(\because \overline{AF}>0)$

$\overline{AB}=12+5=17$ (cm)이므로

$\square ABCD=\overline{AB}^2=17^2=289$ (cm^2) 답 289 cm^2

0853 <u>전략</u> $\square EFGH$는 한 변의 길이가 $\overline{EF}$인 정사각형이다.

$\triangle ABE$에서 $\overline{BE}^2=5^2-4^2=9$

$\therefore \overline{BE}=3$ ($\because \overline{BE}>0$)

이때 4개의 직각삼각형이 모두 합동이므로 $\square EFGH$는 한 변의 길이가 $\overline{EF}$인 정사각형이다.

$\overline{EF}=\overline{BF}-\overline{BE}=4-3=1$이므로

$\square EFGH=\overline{EF}^2=1^2=1$ 답 1

<u>다른 풀이</u>

$\triangle ABE$에서 $\overline{BE}^2=5^2-4^2=9$

$\therefore \overline{BE}=3$ ($\because \overline{BE}>0$)

$\therefore \square EFGH=\square ABCD-4\triangle ABE$

$\qquad =5\times5-4\times\left(\dfrac{1}{2}\times3\times4\right)$

$\qquad =25-24=1$

0854 $\square EFGH$의 넓이가 16 cm^{2}이므로

$\overline{FG}=4$ (cm) ($\because \overline{FG}>0$)

$\therefore \overline{FC}=\overline{FG}+\overline{GC}=4+4=8$ (cm)

$\triangle BCF$에서 $\overline{BC}^2=4^2+8^2=80$

$\therefore \square ABCD=\overline{BC}^2=80$ (cm^2) 답 80 cm^2

0855 ① $\overline{BQ}=\overline{AP}=5$ cm이므로 $\triangle ABQ$에서

$\overline{AQ}^2=13^2-5^2=144$

$\therefore \overline{AQ}=12$ (cm) ($\because \overline{AQ}>0$)

② $\overline{PQ}=\overline{AQ}-\overline{AP}=12-5=7$ (cm)

③ $\triangle ABQ=\dfrac{1}{2}\times12\times5=30$ (cm^2)

④ $\square PQRS=7^2=49$ (cm^2)

⑤ $\square ABCD=13^2=169$ (cm^2)이므로

$\square PQRS\neq\dfrac{1}{3}\square ABCD$

따라서 옳지 않은 것은 ⑤이다. 답 ⑤

0856 <u>전략</u> (가장 긴 변의 길이의 제곱)=(나머지 두 변의 길이의 제곱의 합)인지 확인한다.

① $2^2+4^2\neq5^2$　　　　② $\left(\dfrac{5}{2}\right)^2+6^2=\left(\dfrac{13}{2}\right)^2$

③ $4^2+8^2\neq9^2$　　　　④ $10^2+13^2\neq19^2$

⑤ $9^2+40^2=41^2$

따라서 직각삼각형인 것은 ②, ⑤이다. 답 ②, ⑤

0857 ① $2^2+5^2\neq6^2$　　　　② $5^2+4^2\neq7^2$

③ $7^2+24^2=25^2$　　　　④ $8^2+12^2\neq15^2$

⑤ $7^2+8^2\neq10^2$

따라서 직각삼각형인 것은 ③이다. 답 ③

0858 (i) x가 가장 긴 변의 길이일 때

$x^2=8^2+10^2$　 $\therefore x^2=164$

(ii) 10이 가장 긴 변의 길이일 때

$10^2=8^2+x^2$　 $\therefore x^2=36$

(i), (ii)에서 x^2의 값은 36, 164이다. 답 36, 164

0859 <u>전략</u> 삼각형의 세 변의 길이 사이의 관계와 둔각삼각형이 되는 조건을 동시에 만족시키는 자연수 a의 값을 구한다.

삼각형의 세 변의 길이 사이의 관계에 의하여

$5-3<a<3+5$　 $\therefore 2<a<8$

그런데 $a>5$이므로 $5<a<8$　　　　$\cdots\cdots$ ㉠

가장 긴 변의 길이가 a인 둔각삼각형이 되려면

$a^2>3^2+5^2$　 $\therefore a^2>34$　　　　$\cdots\cdots$ ㉡

따라서 ㉠, ㉡을 모두 만족시키는 자연수 a의 값은 6, 7이다.

답 6, 7

0860 삼각형의 세 변의 길이 사이의 관계에 의하여

$7-4<a<4+7$　 $\therefore 3<a<11$

그런데 $a>7$이므로 $7<a<11$　　 $\cdots\cdots$ ㉠　$\cdots\cdots$ ㈎

가장 긴 변의 길이가 a인 예각삼각형이 되려면

$a^2<4^2+7^2$　 $\therefore a^2<65$　　 $\cdots\cdots$ ㉡　$\cdots\cdots$ ㈏

따라서 ㉠, ㉡을 모두 만족시키는 자연수 a의 값은 8이다.

$\cdots\cdots$ ㈐

답 8

채점 기준	비율
㈎ 삼각형의 세 변의 길이 사이의 관계를 이용하여 a 의 값의 범위 구하기	40 %
㈏ 예각삼각형이 되도록 하는 a^2의 값의 범위 구하기	40 %
㈐ 조건을 모두 만족시키는 a의 값 구하기	20 %

0861 삼각형의 세 변의 길이 사이의 관계에 의하여

$10-6<a<6+10$　 $\therefore 4<a<16$

그런데 $a<10$이므로 $4<a<10$　　　　$\cdots\cdots$ ㉠

가장 긴 변의 길이가 10인 둔각삼각형이 되려면

$10^2>6^2+a^2$　 $\therefore a^2<64$　　　　$\cdots\cdots$ ㉡

따라서 ㉠, ㉡을 모두 만족시키는 자연수 a의 값은 5, 6, 7이다. 답 5, 6, 7

0862 <u>전략</u> 가장 긴 변의 길이의 제곱과 나머지 두 변의 길이의 제곱의 합의 대소를 비교한다.

① $4^2>2^2+3^2$이므로 둔각삼각형이다.

② $6^2>3^2+4^2$이므로 둔각삼각형이다.

③ $8^2>4^2+5^2$이므로 둔각삼각형이다.

④ $15^2=9^2+12^2$이므로 직각삼각형이다.

⑤ $13^2<8^2+11^2$이므로 예각삼각형이다.

답 ⑤

0863 $7^2 > 3^2 + 5^2$, 즉 $\overline{CA}^2 > \overline{AB}^2 + \overline{BC}^2$ 이므로 $\triangle ABC$는 $\angle B > 90°$인 둔 각삼각형이다.

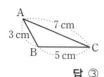

답 ③

0864 ④ $a^2 < b^2 + c^2$에서 a가 가장 긴 변의 길이라는 조건이 없으 므로 $\triangle ABC$가 예각삼각형인지 알 수 없다. 답 ④

0865 $\triangle ABC$의 세 변의 길이를 각각 $4k, 5k, 6k\,(k>0)$라 하면 가장 긴 변의 길이는 $6k$이므로 $(6k)^2 < (4k)^2 + (5k)^2$ 따라서 $\triangle ABC$는 예각삼각형이다. 답 ①

0866 $\triangle ABC$에서 $\overline{AC}^2 = 8^2 - 6^2 = 28$ $\triangle ACD$에서 $28 > 4^2 + 3^2$ 따라서 $\triangle ACD$는 $\angle D > 90°$인 둔각삼각형이다. 답 ③

0867 (i) 세 변의 길이가 $3\,cm, 4\,cm, 5\,cm$인 경우 : $5^2 = 3^2 + 4^2$이므로 직각삼각형

(ii) 세 변의 길이가 $3\,cm, 4\,cm, 6\,cm$인 경우 : $6^2 > 3^2 + 4^2$이므로 둔각삼각형

(iii) 세 변의 길이가 $3\,cm, 5\,cm, 6\,cm$인 경우 : $6^2 > 3^2 + 5^2$이므로 둔각삼각형

(iv) 세 변의 길이가 $3\,cm, 5\,cm, 7\,cm$인 경우 : $7^2 > 3^2 + 5^2$이므로 둔각삼각형

(v) 세 변의 길이가 $3\,cm, 6\,cm, 7\,cm$인 경우 : $7^2 > 3^2 + 6^2$이므로 둔각삼각형

(vi) 세 변의 길이가 $4\,cm, 5\,cm, 6\,cm$인 경우 : $6^2 < 4^2 + 5^2$이므로 예각삼각형

(vii) 세 변의 길이가 $4\,cm, 5\,cm, 7\,cm$인 경우 : $7^2 > 4^2 + 5^2$이므로 둔각삼각형

(viii) 세 변의 길이가 $4\,cm, 6\,cm, 7\,cm$인 경우 : $7^2 < 4^2 + 6^2$이므로 예각삼각형

(ix) 세 변의 길이가 $5\,cm, 6\,cm, 7\,cm$인 경우 : $7^2 < 5^2 + 6^2$이므로 예각삼각형

따라서 예각삼각형의 개수는 3개, 둔각삼각형의 개수는 5개 이므로 $a = 3, b = 5$ $\therefore b - a = 5 - 3 = 2$ 답 2

참고

세 변의 길이가 $3\,cm, 4\,cm, 7\,cm$인 경우에 $3+4=7$이므로 삼 각형을 만들 수 없다.

0868 **전략** 먼저 피타고라스 정리를 이용하여 $\overline{BC}$의 길이를 구한다. $\triangle ABC$에서 $\overline{BC}^2 = 12^2 + 5^2 = 169$ $\therefore \overline{BC} = 13\,(\because \overline{BC} > 0)$ 이때 $\overline{AC}^2 = \overline{CH} \times \overline{CB}$에서 $5^2 = \overline{CH} \times 13$ $\therefore \overline{CH} = \dfrac{25}{13}$ 답 $\dfrac{25}{13}$

0869 $\triangle BCD$에서 $\overline{BD}^2 = 5^2 - 3^2 = 16$ $\therefore \overline{BD} = 4\,(\because \overline{BD} > 0)$ 이때 $\overline{CD}^2 = \overline{AD} \times \overline{BD}$에서 $3^2 = \overline{AD} \times 4$ $\therefore \overline{AD} = \dfrac{9}{4}$ 답 $\dfrac{9}{4}$

0870 $\overline{AB}^2 = \overline{BH} \times \overline{BC}$에서 $15^2 = \overline{BH} \times 25$ $\therefore \overline{BH} = 9$ $\triangle ABH$에서 $\overline{AH}^2 = 15^2 - 9^2 = 144$ $\therefore \overline{AH} = 12\,(\because \overline{AH} > 0)$ 답 ⑤

0871 **전략** $\overline{AD}^2 + \overline{BE}^2 = \overline{AB}^2 + \overline{DE}^2$임을 이용한다. $\triangle ABC$에서 $\overline{AB}^2 = 3^2 + 4^2 = 25$ $\therefore \overline{AB} = 5\,(\because \overline{AB} > 0)$ $\therefore \overline{AD}^2 + \overline{BE}^2 = \overline{AB}^2 + \overline{DE}^2$ $= 5^2 + 2^2 = 29$ 답 29

0872 삼각형의 두 변의 중점을 연결한 선분의 성질에 의하여 $\overline{DE} = \dfrac{1}{2}\overline{AC} = \dfrac{1}{2} \times 8 = 4$ $\therefore \overline{AE}^2 + \overline{CD}^2 = \overline{AC}^2 + \overline{DE}^2$ $= 8^2 + 4^2 = 80$ 답 80

0873 삼각형의 두 변의 중점을 연결한 선분의 성질에 의하여 $\overline{DE} = x$라 하면 $\overline{AC} = 2\overline{DE} = 2x$ 또 점 G는 $\triangle ABC$의 무게중심이므로 $\overline{AE} = 3\overline{GE} = 3 \times 3 = 9$ $\overline{CD} = 3\overline{GD} = 3 \times 4 = 12$ $\overline{AC}^2 + \overline{DE}^2 = \overline{AE}^2 + \overline{CD}^2$에서 $(2x)^2 + x^2 = 9^2 + 12^2, 5x^2 = 225$ $\therefore x^2 = 45$, 즉 $\overline{DE}^2 = 45$ 답 45

0874 **전략** $\overline{AB}^2 + \overline{CD}^2 = \overline{AD}^2 + \overline{BC}^2$임을 이용한다. $\overline{AB}^2 + \overline{CD}^2 = \overline{AD}^2 + \overline{BC}^2$에서 $4^2 + 5^2 = \overline{AD}^2 + 3^2$ $\therefore \overline{AD}^2 = 32$ 답 32

0875 $\triangle AED$에서 $\overline{AD}^2 = 3^2 + 5^2 = 34$ $\overline{AB}^2 + \overline{CD}^2 = \overline{AD}^2 + \overline{BC}^2$에서 $\overline{AB}^2 + 13^2 = 34 + 15^2$ $\therefore \overline{AB}^2 = 90$ 답 90

0876 $\overline{AB}^2 + \overline{CD}^2 = \overline{AD}^2 + \overline{BC}^2$에서 $5^2 + \overline{CD}^2 = 4^2 + 7^2$ $\therefore \overline{CD}^2 = 40$ $\triangle OCD$에서 $\overline{OD}^2 = 40 - 2^2 = 36$ $\therefore \overline{OD} = 6\,(\because \overline{OD} > 0)$ $\therefore \triangle OCD = \dfrac{1}{2} \times 2 \times 6 = 6$ 답 6

0877 전략 (P의 넓이)+(Q의 넓이)=(R의 넓이)임을 이용한다.

(P의 넓이)+(Q의 넓이)=(R의 넓이)이므로

(P의 넓이)+(Q의 넓이)+(R의 넓이)=2×(R의 넓이)

이때 반원 R의 넓이는

$\dfrac{1}{2}\times\pi\times 8^2=32\pi$ (cm²)

따라서 세 반원 P, Q, R의 넓이의 합은

$2\times 32\pi=64\pi$ (cm²)　　　　**답** 64π cm²

0878 $S_1+S_2=\dfrac{9}{2}\pi+8\pi=\dfrac{25}{2}\pi$

따라서 $\overline{BC}$를 지름으로 하는 반원의 넓이가 $\dfrac{25}{2}\pi$이므로

$\dfrac{1}{2}\times\pi\times\left(\dfrac{\overline{BC}}{2}\right)^2=\dfrac{25}{2}\pi$에서 $\overline{BC}^2=100$

$\therefore \overline{BC}=10\ (\because \overline{BC}>0)$　　　　**답** 10

0879 $S_1=S_2+S_3$이므로

$S_2=S_1-S_3=50\pi-18\pi=32\pi$ (cm²) …… (가)

$S_3=\dfrac{1}{2}\times\pi\times\left(\dfrac{\overline{AC}}{2}\right)^2=18\pi$에서 $\overline{AC}^2=144$

$\therefore \overline{AC}=12$ (cm) $(\because \overline{AC}>0)$ …… (나)

$S_2=\dfrac{1}{2}\times\pi\times\left(\dfrac{\overline{BC}}{2}\right)^2=32\pi$에서 $\overline{BC}^2=256$

$\therefore \overline{BC}=16$ (cm) $(\because \overline{BC}>0)$ …… (다)

$\therefore \triangle ABC=\dfrac{1}{2}\times 16\times 12=96$ (cm²) …… (라)

답 96 cm²

채점 기준	비율
(가) S_2의 값 구하기	20 %
(나) $\overline{AC}$의 길이 구하기	30 %
(다) $\overline{BC}$의 길이 구하기	30 %
(라) $\triangle ABC$의 넓이 구하기	20 %

0880 전략 색칠한 부분의 넓이는 △ABC의 넓이와 같음을 이용한다.

△ABC에서 $\overline{AC}^2=13^2-5^2=144$

$\therefore \overline{AC}=12$ (cm) $(\because \overline{AC}>0)$

이때 색칠한 부분의 넓이는 △ABC의 넓이와 같으므로

(색칠한 부분의 넓이)$=\dfrac{1}{2}\times 5\times 12$

$=30$ (cm²)　　　　**답** 30 cm²

0881 색칠한 부분의 넓이는 △ABC의 넓이와 같으므로

$\dfrac{1}{2}\times 8\times\overline{AC}=24$　　$\therefore \overline{AC}=6$ (cm)

△ABC에서 $\overline{BC}^2=8^2+6^2=100$

$\therefore \overline{BC}=10$ (cm) $(\because \overline{BC}>0)$　　**답** 10 cm

0882 오른쪽 그림과 같이 $\overline{BD}$를 그으면

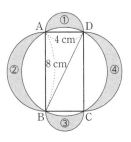

①+②=△ABD

③+④=△BCD

∴ (색칠한 부분의 넓이)

　=①+②+③+④

　=△ABD+△BCD

　=□ABCD

　=$4\times 8=32$ (cm²)　　　**답** 32 cm²

0883 전략 필요한 부분의 전개도를 그려 최단 거리와 길이가 같은 선분을 찾는다.

오른쪽 전개도에서 구하는 최단 거리는 $\overline{BH}$의 길이와 같다.

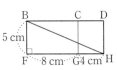

$\overline{BH}^2=5^2+12^2=169$

$\therefore \overline{BH}=13$ (cm) $(\because \overline{BH}>0)$

답 13 cm

0884 오른쪽 전개도에서 구하는 최단 거리는 $\overline{AD'}$의 길이와 같다.

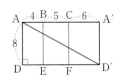

$\overline{AD'}^2=8^2+15^2=289$

$\therefore \overline{AD'}=17$ $(\because \overline{AD'}>0)$

답 17

0885 오른쪽 전개도에서 구하는 실의 최소 길이는 $\overline{AB'}$의 길이와 같다.

$\overline{AB'}^2=(4\pi)^2+(3\pi)^2=25\pi^2$

$\therefore \overline{AB'}=5\pi$ $(\because \overline{AB'}>0)$

답 5π

STEP 3 내신 마스터　　　　　p.165 ~ p.167

0886 전략 피타고라스 정리를 이용한다.

$\overline{BC}^2=25^2-7^2=576$

$\therefore \overline{BC}=24\ (\because \overline{BC}>0)$

$\therefore \triangle ABC=\dfrac{1}{2}\times 24\times 7=84$　　**답** 84

0887 전략 △ABD에서 x의 값을 구한 후 △ADC에서 y의 값을 구한다.

△ABD에서

$x^2=17^2-15^2=64$　　$\therefore x=8\ (\because x>0)$

△ADC에서

$y^2=10^2-8^2=36$　　$\therefore y=6\ (\because y>0)$

$\therefore x+y=8+6=14$　　　**답** ①

0888 전략 ▶ 피타고라스 정리를 이용하여 원뿔의 높이를 구한다.

원뿔의 높이를 h cm라 하면

$h^2=5^2-3^2=16$ ∴ $h=4$ (cm) (∵ $h>0$)

∴ (원뿔의 부피)$=\frac{1}{3}\times\pi\times3^2\times4=12\pi$ (cm³) **답** ④

0889 전략 ▶ △ABE에서 피타고라스 정리를 이용하여 $\overline{BE}$의 길이를 구한다.

$\overline{AE}=\overline{AD}=15$이므로

△ABE에서

$\overline{BE}^2=15^2-9^2=144$

∴ $\overline{BE}=12$ (∵ $\overline{BE}>0$)

∴ $\overline{EC}=15-12=3$

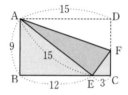

...... (가)

△ABE∽△ECF (AA 닮음)이므로

$\overline{AB}:\overline{EC}=\overline{BE}:\overline{CF}$에서 ...... (나)

$9:3=12:\overline{CF}$

∴ $\overline{CF}=4$ ...... (다)

답 4

채점 기준	비율
(가) $\overline{EC}$의 길이 구하기	40 %
(나) △ABE∽△ECF (AA 닮음)임을 이용하여 비례식 세우기	40 %
(다) $\overline{CF}$의 길이 구하기	20 %

0890 전략 ▶ 점 B에서 $\overline{AC}$에 수선을 그은 후 피타고라스 정리를 이용한다.

오른쪽 그림과 같이 점 B에서 $\overline{AC}$에 내린 수선의 발을 H라 하면

$\overline{HC}=\overline{BD}=5$ m이므로

$\overline{AH}=11-5=6$ (m)

$\overline{HB}=\overline{CD}=8$ m

△AHB에서

$\overline{AB}^2=6^2+8^2=100$

∴ $\overline{AB}=10$ (m) (∵ $\overline{AB}>0$)

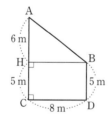

따라서 새가 날아간 거리는 10 m이다. **답** 10 m

0891 전략 ▶ □BFGC=□ADEB+□CHIA임을 이용한다.

□BFGC=□ADEB+□CHIA이므로

□ADEB$=65-40=25$ (cm²)

∴ $\overline{AB}=5$ (cm) (∵ $\overline{AB}>0$) **답** 5 cm

0892 전략 ▶ △AEH의 넓이가 15 cm²임을 이용하여 $\overline{AH}$의 길이를 구한다.

△AEH의 넓이가 15 cm²이므로

$\frac{1}{2}\times\overline{AH}\times10=15$ ∴ $\overline{AH}=3$ (cm)

△AEH에서 $\overline{EH}^2=10^2+3^2=109$

이때 △AEH≡△BFE≡△CGF≡△DHG (SAS 닮음)

이므로 □EFGH는 정사각형이다.

∴ □EFGH$=\overline{EH}^2=109$ (cm²) **답** ④

0893 전략 ▶ □EFGH는 한 변의 길이가 $\overline{HE}$인 정사각형이다.

□ABCD의 넓이가 45 cm²이므로 $\overline{AB}^2=45$

△ABE에서 $\overline{AE}^2=45-3^2=36$

∴ $\overline{AE}=6$ (cm) (∵ $\overline{AE}>0$)

$\overline{AH}=\overline{BE}=3$ cm이므로 $\overline{HE}=6-3=3$ (cm)

이때 4개의 직각삼각형이 모두 합동이므로 □EFGH는 한 변의 길이가 $\overline{HE}$인 정사각형이다.

∴ □EFGH$=\overline{HE}^2=3^2=9$ (cm²) **답** ⑤

0894 전략 ▶ △EBD는 $\overline{EB}=\overline{BD}$인 직각이등변삼각형임을 이용한다.

△ABE≡△CDB이므로 $\overline{EB}=\overline{BD}$

∠AEB+∠EBA=90°, ∠AEB=∠CBD이므로

∠EBA+∠DBC=90°에서 ∠EBD=90°

따라서 △EBD는 $\overline{EB}=\overline{BD}$인 직각이등변삼각형이고 넓이가 26 cm²이므로 $\frac{1}{2}\overline{BE}^2=26$ ∴ $\overline{BE}^2=52$

△ABE에서 $\overline{EA}^2=52-6^2=16$

∴ $\overline{EA}=4$ (cm) (∵ $\overline{EA}>0$)

이때 $\overline{BC}=\overline{EA}=4$ cm이므로

$\overline{AC}=\overline{AB}+\overline{BC}=6+4=10$ (cm)

또 $\overline{CD}=\overline{AB}=6$ cm이므로

□EACD$=\frac{1}{2}\times(4+6)\times10=50$ (cm²) **답** 50 cm²

0895 전략 ▶ (가장 긴 변의 길이의 제곱)≠(나머지 두 변의 길이의 제곱의 합)이면 직각삼각형이 아님을 이용한다.

① $8^2+15^2=17^2$ ② $5^2+8^2\neq10^2$

③ $5^2+12^2=13^2$ ④ $7^2+10^2\neq14^2$

⑤ $\left(\frac{3}{4}\right)^2+1^2=\left(\frac{5}{4}\right)^2$

따라서 직각삼각형이 아닌 것은 ②, ④이다. **답** ②, ④

0896 전략 ▶ 점 A에서 x축에 내린 수선의 발을 H라 할 때, 점 A의 좌표는 ($\overline{OH}$의 길이, $\overline{AH}$의 길이)임을 이용한다.

$\overline{OA}^2+\overline{AB}^2=\overline{OB}^2$이므로 △AOB는 ∠A=90°인 직각삼각형이다.

오른쪽 그림과 같이 점 A에서 x축에 내린 수선의 발을 H라 하면

$\overline{AO}\times\overline{AB}=\overline{OB}\times\overline{AH}$에서

$6\times8=10\times\overline{AH}$

∴ $\overline{AH}=\frac{24}{5}$

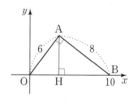

또 $\overline{AO}^2 = \overline{OH} \times \overline{OB}$에서

$6^2 = \overline{OH} \times 10$ $\therefore \overline{OH} = \dfrac{18}{5}$

따라서 점 A의 좌표는 $\left(\dfrac{18}{5}, \dfrac{24}{5}\right)$이다.   답 $\left(\dfrac{18}{5}, \dfrac{24}{5}\right)$

0897 전략 삼각형의 세 변의 길이 사이의 관계와 둔각삼각형이 되는 조건을 동시에 만족시키는 자연수 x의 값을 구한다.

삼각형의 세 변의 길이 사이의 관계에 의하여

$20 - 10 < x < 10 + 20$ $\therefore 10 < x < 30$

이때 20이 가장 긴 변의 길이이므로

$10 < x < 20$ ...... ㉠

∠B가 둔각이므로 $20^2 > x^2 + 10^2$

$\therefore x^2 < 300$ ...... ㉡

따라서 ㉠, ㉡을 모두 만족시키는 자연수 x의 값은 11, 12, 13, 14, 15, 16, 17의 7개이다.   답 ④

0898 전략 (가장 긴 변의 길이의 제곱)<(나머지 두 변의 길이의 제곱의 합)인 것을 찾는다.

㉠ $9^2 < 6^2 + 8^2$이므로 예각삼각형이다.

㉡ $12^2 < 8^2 + 9^2$이므로 예각삼각형이다.

㉢ $12^2 > 6^2 + 8^2$이므로 둔각삼각형이다.

㉣ $14^2 > 8^2 + 9^2$이므로 둔각삼각형이다.

㉤ $12^2 > 6^2 + 9^2$이므로 둔각삼각형이다.

㉥ $14^2 < 9^2 + 12^2$이므로 예각삼각형이다.

따라서 예각삼각형인 것은 ㉠, ㉡, ㉥이다.   답 ③

0899 전략 $\overline{BD}$의 길이를 구한 후 $\overline{CD}^2 = \overline{DF} \times \overline{DB}$임을 이용한다.

△BCD에서 $\overline{BD}^2 = 4^2 + 3^2 = 25$

$\therefore \overline{BD} = 5$ (cm) ($\because \overline{BD} > 0$) ...... (가)

이때 $\overline{CD}^2 = \overline{DF} \times \overline{DB}$에서

$3^2 = \overline{DF} \times 5$ $\therefore \overline{DF} = \dfrac{9}{5}$ (cm)

△ABE ≡ △CDF (RHA 합동)이므로

$\overline{BE} = \overline{DF} = \dfrac{9}{5}$ cm ...... (나)

$\therefore \overline{EF} = \overline{BD} - (\overline{BE} + \overline{DF})$

$= 5 - \left(\dfrac{9}{5} + \dfrac{9}{5}\right) = \dfrac{7}{5}$ (cm) ...... (다)

답 $\dfrac{7}{5}$ cm

채점 기준	비율
(가) $\overline{BD}$의 길이 구하기	30 %
(나) $\overline{DF}$, $\overline{BE}$의 길이 구하기	50 %
(다) $\overline{EF}$의 길이 구하기	20 %

0900 전략 x절편, y절편을 구하여 $\overline{OA}$, $\overline{OB}$의 길이를 각각 구한 후 피타고라스 정리를 이용하여 $\overline{AB}$의 길이를 구한다.

$3x - 4y + 12 = 0$에 $y = 0$을 대입하면

$3x + 12 = 0$ $\therefore x = -4$

$3x - 4y + 12 = 0$에 $x = 0$을 대입하면

$-4y + 12 = 0$ $\therefore y = 3$

따라서 직선 $3x - 4y + 12 = 0$의 x절편은 -4, y절편은 3이 므로 $\overline{OA} = 4$, $\overline{OB} = 3$

△AOB에서 $\overline{AB}^2 = 4^2 + 3^2 = 25$

$\therefore \overline{AB} = 5$ ($\because \overline{AB} > 0$)

$\overline{OA}^2 = \overline{AH} \times \overline{AB}$에서

$4^2 = \overline{AH} \times 5$ $\therefore \overline{AH} = \dfrac{16}{5}$ 답 $\dfrac{16}{5}$

0901 전략 $\overline{AE}^2 + \overline{BD}^2 = \overline{AB}^2 + \overline{DE}^2$임을 이용한다.

$\overline{AE}^2 + \overline{BD}^2 = \overline{AB}^2 + \overline{DE}^2$이므로

$\overline{AE}^2 + \overline{BD}^2 = 7^2 + 3^2 = 58$ 답 ⑤

0902 전략 $\overline{AB}^2 + \overline{CD}^2 = \overline{AD}^2 + \overline{BC}^2$임을 이용한다.

$\overline{AB}^2 + \overline{CD}^2 = \overline{AD}^2 + \overline{BC}^2$에서

$x^2 + 8^2 = y^2 + 7^2$

$\therefore y^2 - x^2 = 8^2 - 7^2 = 15$ 답 ③

0903 전략 직각삼각형 ABC와 넓이가 같은 도형을 찾는다.

△ABC에서

$\overline{AC}^2 = 17^2 - 15^2 = 64$

$\therefore \overline{AC} = 8$ ($\because \overline{AC} > 0$)

(㉠의 넓이) + (㉡의 넓이)는

△ABC의 넓이와 같으므로

(색칠한 부분의 넓이) = 2△ABC

$= 2 \times \left(\dfrac{1}{2} \times 15 \times 8\right) = 120$ 답 120

0904 전략 필요한 부분의 전개도를 그려 최단 거리와 길이가 같은 선분을 찾는다.

오른쪽 전개도에서 구하는 최단 거리는 $\overline{DF}$의 길이와 같다.

$\overline{DF}^2 = 5^2 + 12^2 = 169$

$\therefore \overline{DF} = 13$ (cm) ($\because \overline{DF} > 0$)

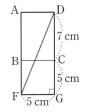

답 13 cm

0905 전략 필요한 부분의 전개도를 그려 최단 거리와 길이가 같은 선분을 찾는다.

오른쪽 전개도에서 최단 거리는 $\overline{AB'}$의 길이와 같다.

$\overline{AB'}^2 = (13\pi)^2 - (12\pi)^2 = 25\pi^2$

$\therefore \overline{AB'} = 5\pi$ ($\because \overline{AB'} > 0$)   답 5π

9 경우의 수

STEP 1 개념 마스터
p.170 ~ p.171

0906 일어날 수 있는 모든 경우는 1, 2, 3, 4, 5, 6의 6가지 **답** 6

0907 짝수의 눈이 나오는 경우는 2, 4, 6의 3가지 **답** 3

0908 3 이상의 눈이 나오는 경우는 3, 4, 5, 6의 4가지 **답** 4

0909 소수의 눈이 나오는 경우는 2, 3, 5의 3가지 **답** 3

0910 4의 배수는 4, 8, 12의 3가지 **답** 3

0911 14의 약수는 1, 2, 7, 14의 4가지 **답** 4

0912 3의 배수는 3, 6, 9, 12의 4가지 **답** 4

0913 7의 배수는 7의 1가지 **답** 1

0914 $4+1=5$ **답** 5

0915 $4+5=9$ **답** 9

0916 $3 \times 2 = 6$ **답** 6

0917 음료수는 우유, 두유, 주스의 3가지, 호빵은 단팥, 야채, 피자의 3가지이므로 구하는 방법의 수는
$3 \times 3 = 9$ **답** 9

0918 동전이 앞면이 나오는 경우는 앞의 1가지
주사위에서 소수의 눈이 나오는 경우는 2, 3, 5의 3가지
따라서 구하는 경우의 수는
$1 \times 3 = 3$ **답** 3

0919 첫 번째에 3의 배수의 눈이 나오는 경우는 3, 6의 2가지
두 번째에 4의 약수의 눈이 나오는 경우는 1, 2, 4의 3가지
따라서 구하는 경우의 수는 $2 \times 3 = 6$ **답** 6

0920 $2 \times 2 \times 2 = 8$ **답** 8

0921 $6 \times 6 = 36$ **답** 36

0922 $2 \times 2 \times 6 = 24$ **답** 24

STEP 2 유형 마스터
p.172 ~ p.178

0923 **전략** 주어진 조건에 맞는 경우를 빠짐없이 센다.
1부터 20까지의 자연수 중 3으로 나누었을 때의 나머지가 1인 수는 1, 4, 7, 10, 13, 16, 19의 7가지 **답** 7

0924 1부터 10까지의 자연수 중 소수는 2, 3, 5, 7의 4가지 **답** 4

0925 1부터 20까지의 자연수 중
① 소수는 2, 3, 5, 7, 11, 13, 17, 19의 8가지
② 7의 배수는 7, 14의 2가지
③ 17 이상의 수는 17, 18, 19, 20의 4가지
④ 두 자리 자연수는 10, 11, 12, …, 20의 11가지
⑤ 5보다 작거나 15보다 큰 수는 1, 2, 3, 4, 16, 17, 18, 19, 20의 9가지
따라서 옳은 것은 ③이다. **답** ③

0926 **전략** 서로 다른 두 개의 주사위를 동시에 던질 때 일어나는 경우를 순서쌍으로 나타내어 본다.
두 눈의 수의 합이 6인 경우는
$(1, 5), (2, 4), (3, 3), (4, 2), (5, 1)$의 5가지 **답** 5

0927 2의 배수의 눈이 나오는 경우는 2, 4, 6의 3가지 **답** 3

0928 두 눈의 수의 차가 3인 경우는
$(1, 4), (2, 5), (3, 6), (4, 1), (5, 2), (6, 3)$의 6가지
답 6

0929 **전략** 액수가 가장 큰 돈인 1000원짜리 지폐의 개수부터 정한 후 500원짜리, 100원짜리 동전의 개수를 각각 구한다.
3700원을 지불하는 방법을 표로 나타내면 다음과 같다.

1000원	3개	2개	2개	1개	1개
500원	1개	3개	2개	5개	4개
100원	2개	2개	7개	2개	7개

따라서 구하는 방법의 수는 5이다. **답** 5

0930 (1) 1100원을 지불하는 방법을 표로 나타내면 다음과 같다.

500원	2개	1개
100원	1개	6개

따라서 구하는 방법의 수는 2이다.

(2)
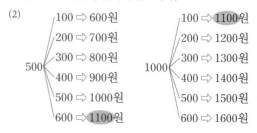

이때 1100원은 중복되므로 지불할 수 있는 금액의 모든
경우의 수는 11이다. **답** (1) 2 (2) 11

0931 12500원을 지불하는 방법을 표로 나타내면 다음과 같다.

5000원	2장	2장	2장	2장	2장	2장	2장	1장	1장	1장	1장
1000원	2장	2장	1장	1장	1장	0장	0장	0장	5장	5장	5장	4장
500원	1개	0개	3개	2개	1개	5개	4개	3개	5개	4개	3개	5개
100원	0개	5개	0개	5개	10개	0개	5개	10개	0개	5개	10개	10개

따라서 구하는 방법의 수는 12이다. **답** 12

0932 **전략** 버스를 이용하는 것과 지하철을 이용하는 것은 동시에 일어나지 않으므로 합의 법칙을 이용한다.
버스 노선은 3가지, 지하철 노선은 2가지이므로 구하는 경우의 수는 3+2=5 **답** 5

0933 탕수육 세트는 3가지, 깐풍기 세트는 4가지이므로 하나의 세트를 선택하여 주문하는 경우의 수는
3+4=7 **답** 7

0934 예술 동아리는 2가지, 체육 동아리는 4가지이므로 구하는 경우의 수는 2+4=6 **답** 6

0935 **전략** 소수가 적힌 카드가 나오는 경우와 6의 배수가 적힌 카드가 나오는 경우를 구한다.
소수가 적힌 카드가 나오는 경우는
2, 3, 5, 7, 11, 13, 17, 19의 8가지
6의 배수가 적힌 카드가 나오는 경우는
6, 12, 18의 3가지
따라서 구하는 경우의 수는 8+3=11 **답** 11

0936 2의 배수가 적힌 공이 나오는 경우는 2, 4, 6, 8의 4가지
5의 배수가 적힌 공이 나오는 경우는 5의 1가지
따라서 구하는 경우의 수는 4+1=5 **답** 5

0937 4의 배수가 적힌 카드가 나오는 경우는
4, 8, 12, 16, 20, 24, 28의 7가지
28의 약수가 적힌 카드가 나오는 경우는
1, 2, 4, 7, 14, 28의 6가지
4의 배수이면서 28의 약수가 적힌 카드가 나오는 경우는
4, 28의 2가지
따라서 구하는 경우의 수는 7+6-2=11 **답** 11

0938 **전략** 두 눈의 수의 합이 5인 경우와 10인 경우를 각각 구한 후 합의 법칙을 이용한다.

두 눈의 수의 합이 5인 경우는
(1, 4), (2, 3), (3, 2), (4, 1)의 4가지
두 눈의 수의 합이 10인 경우는
(4, 6), (5, 5), (6, 4)의 3가지
따라서 구하는 경우의 수는 4+3=7 **답** 7

0939 두 눈의 수의 차가 3인 경우는
(1, 4), (2, 5), (3, 6), (4, 1), (5, 2), (6, 3)의 6가지
...... (가)
두 눈의 수의 차가 5인 경우는
(1, 6), (6, 1)의 2가지 ...... (나)
따라서 구하는 경우의 수는 6+2=8 ...... (다)
답 8

채점 기준	비율
(가) 두 눈의 수의 차가 3인 경우의 수 구하기	40 %
(나) 두 눈의 수의 차가 5인 경우의 수 구하기	40 %
(다) 답 구하기	20 %

0940 두 눈의 수의 합이 4인 경우는
(1, 3), (2, 2), (3, 1)의 3가지
두 눈의 수의 합이 8인 경우는
(2, 6), (3, 5), (4, 4), (5, 3), (6, 2)의 5가지
두 눈의 수의 합이 12인 경우는 (6, 6)의 1가지
따라서 구하는 경우의 수는 3+5+1=9 **답** 9

0941 두 눈의 수의 차가 1인 경우는
(1, 2), (2, 1), (2, 3), (3, 2), (3, 4), (4, 3), (4, 5), (5, 4), (5, 6), (6, 5)의 10가지
두 눈의 수의 차가 0인 경우는
(1, 1), (2, 2), (3, 3), (4, 4), (5, 5), (6, 6)의 6가지
따라서 구하는 경우의 수는 10+6=16 **답** 16

0942 **전략** A가 m개, B가 n개 있을 때, A와 B를 각각 1개씩 선택하는 경우의 수 ⟹ $m \times n$
자음 카드를 한 장 고르는 경우의 수는 3이고 그 각각의 경우에 대하여 모음 카드를 한 장 고르는 경우의 수가 3이므로 구하는 글자의 개수는 3×3=9 **답** 9

0943 수학 문제집을 한 권 사는 경우의 수는 4이고 그 각각의 경우에 대하여 영어 문제집을 한 권 사는 경우의 수는 3이므로 구하는 경우의 수는 4×3=12 **답** 12

0944 티셔츠를 하나 고르는 경우의 수는 5이고 그 각각의 경우에 대하여 바지를 하나 고르는 경우의 수는 3이므로 구하는 경우의 수는 5×3=15 **답** 15

0945 김밥을 하나 주문하는 경우의 수는 5이고 그 각각에 대하여 라면을 하나 주문하는 경우의 수는 4이므로 구하는 경우의 수는

$5 \times 4 = 20$

답 20

0946 (전략) 유미네 집에서 학교를 거쳐 학원까지 가는 경우와 유미네 집에서 학원까지 바로 가는 경우로 나누어 생각한다.

(ⅰ) 유미네 집에서 학교를 거쳐 학원까지 가는 경우의 수는
$3 \times 2 = 6$

(ⅱ) 유미네 집에서 학원까지 바로 가는 경우의 수는 1

따라서 구하는 경우의 수는

$6 + 1 = 7$

답 7

0947 $4 \times 3 = 12$

답 12

0948 등산로가 6가지 있고, 내려올 때는 올라갈 때와 다른 길을 택하여 내려오므로 구하는 등산 코스는

$6 \times 5 = 30$(가지)

답 30가지

0949 (ⅰ) A 마을에서 출발하여 B 마을을 거쳐 C 마을까지 가는 경우의 수는 $3 \times 2 = 6$

(ⅱ) A 마을에서 출발하여 C 마을까지 바로 가는 경우의 수는 2

따라서 구하는 경우의 수는

$6 + 2 = 8$

답 8

0950 (전략) 각각의 경우의 수를 구한 후 곱의 법칙을 이용한다.

동전 2개가 서로 다른 면이 나오는 경우는
(앞, 뒤), (뒤, 앞)의 2가지

주사위에서 6의 약수의 눈이 나오는 경우는
1, 2, 3, 6의 4가지

따라서 구하는 경우의 수는

$2 \times 4 = 8$

답 8

0951 동전이 뒷면이 나오는 경우는 뒤의 1가지

주사위에서 짝수의 눈이 나오는 경우는 2, 4, 6의 3가지

따라서 구하는 경우의 수는

$1 \times 3 = 3$

답 3

0952 첫 번째에 4 이하의 눈이 나오는 경우는 1, 2, 3, 4의 4가지

두 번째에 소수의 눈이 나오는 경우는 2, 3, 5의 3가지

따라서 구하는 경우의 수는

$4 \times 3 = 12$

답 12

0953 두 눈의 수의 곱이 홀수가 되는 경우는 (홀수)×(홀수)일 때이다.

한 개의 주사위에서 홀수의 눈이 나오는 경우는 1, 3, 5의 3가지이므로 구하는 경우의 수는 $3 \times 3 = 9$

답 9

0954 (전략) 전등 한 개로 신호를 나타낼 수 있는 경우는 켜거나 끄는 2가지이다.

전등 한 개로 신호를 나타낼 수 있는 경우는 켜질 때와 꺼질 때의 2가지이므로 전등 3개로 만들 수 있는 신호의 개수는

$2 \times 2 \times 2 = 8$

답 8

다른 풀이 세 전등 A, B, C가 각각 켜진 경우를 ○, 꺼진 경우를 ×로 표시하여 순서쌍으로 나타내면 다음과 같다.

(○, ○, ○), (○, ○, ×), (○, ×, ○), (×, ○, ○),
(○, ×, ×), (×, ○, ×), (×, ×, ○), (×, ×, ×)

따라서 만들 수 있는 신호의 개수는 8이다.

0955 전구 한 개로 신호를 나타낼 수 있는 경우는 켜질 때와 꺼질 때의 2가지이므로 전구 5개로 만들 수 있는 신호의 개수는

$2 \times 2 \times 2 \times 2 \times 2 = 32$

이때 전구가 모두 꺼진 경우는 신호로 생각하지 않으므로 구하는 신호의 개수는

$32 - 1 = 31$

답 31

0956 깃발 한 개로 신호를 나타낼 수 있는 경우는 들어 올릴 때와 내릴 때의 2가지이므로 깃발 4개로 만들 수 있는 신호의 개수는

$2 \times 2 \times 2 \times 2 = 16$

이때 깃발을 모두 내린 경우는 신호로 생각하지 않으므로 구하는 신호의 개수는

$16 - 1 = 15$

답 15

0957 (전략) 가위바위보를 할 때 한 사람이 낼 수 있는 것은 가위, 바위, 보의 3가지이다.

가위바위보를 할 때 한 사람이 낼 수 있는 것은 가위, 바위, 보의 3가지이므로 구하는 경우의 수는

$3 \times 3 \times 3 = 27$

답 27

0958 창민이와 정희가 가위바위보를 내는 경우를 순서쌍 (창민, 정희)로 나타내면

① 모든 경우의 수는 $3 \times 3 = 9$

② 정희가 이기는 경우는
(보, 가위), (가위, 바위), (바위, 보)의 3가지

③ 창민이가 이기는 경우는
(가위, 보), (바위, 가위), (보, 바위)의 3가지

④ 서로 비기는 경우는
(가위, 가위), (바위, 바위), (보, 보)의 3가지

⑤ 승부가 결정되는 경우는
(창민이가 이기는 경우)+(정희가 이기는 경우)
$= 3 + 3 = 6$(가지)

따라서 옳은 것은 ②이다.

답 ②

0959 태양, 지용, 진구 세 사람이 가위바위보를 내는 경우를 순서쌍 (태양, 지용, 진구)로 나타내면

(i) 태양이만 이기는 경우
  (가위, 보, 보), (바위, 가위, 가위), (보, 바위, 바위)의 3가지

(ii) 태양이와 지용이가 함께 이기는 경우
  (가위, 가위, 보), (바위, 바위, 가위), (보, 보, 바위)의 3가지

(iii) 태양이와 진구가 함께 이기는 경우
  (가위, 보, 가위), (바위, 가위, 바위), (보, 바위, 보)의 3가지

따라서 구하는 경우의 수는
$3+3+3=9$　　　　　　　**답** 9

0960 모든 경우의 수는 $3\times3\times3=27$

승호, 재진, 민재 세 사람이 가위바위보를 내는 경우를 순서쌍 (승호, 재진, 민재)로 나타내면 비기는 경우는 다음과 같다.

(i) 모두 같은 것을 내는 경우
  (가위, 가위, 가위), (바위, 바위, 바위), (보, 보, 보)의 3가지

(ii) 모두 다른 것을 내는 경우
  (가위, 바위, 보), (가위, 보, 바위), (바위, 가위, 보), (바위, 보, 가위), (보, 가위, 바위), (보, 바위, 가위)의 6가지

(i), (ii)에서 비기는 경우의 수는 $3+6=9$

따라서 승부가 결정되는 경우의 수는
(모든 경우의 수)$-$(비기는 경우의 수)
$=27-9=18$　　　　　　　**답** 18

0961 [전략] A 지점에서 B 지점까지, B 지점에서 C 지점까지 최단 거리로 가는 방법의 수를 각각 구한 후 곱의 법칙을 이용한다.

오른쪽 그림에서

(i) A 지점에서 B 지점까지 최단 거리로 가는 방법의 수는 2

(ii) B 지점에서 C 지점까지 최단 거리로 가는 방법의 수는 6

따라서 구하는 방법의 수는
$2\times6=12$　　　　　　　**답** 12

✎ Lecture

오른쪽 그림의 A 지점에서 B 지점까지 최단 거리로 가는 방법의 수
① A 지점에서 오른쪽과 위로 가는 방법의 수를 각각 적는다.
② 만나는 점에서 방법의 수를 더한다.
➡ A 지점에서 B 지점까지 최단 거리로 가는 방법의 수: 6

0962 오른쪽 그림에서 P 지점에서 출발하여 Q 지점까지 최단 거리로 가는 방법의 수는 10
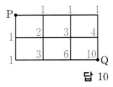
　　　　　　　답 10

0963 오른쪽 그림에서

(i) 학교에서 도서관까지 최단 거리로 가는 방법의 수는 6

(ii) 도서관에서 집까지 최단 거리로 가는 방법의 수는 3

따라서 구하는 방법의 수는
$6\times3=18$　　　　　　　**답** 18

0964 [전략] $x=2$를 주어진 방정식에 대입한 후 이를 만족하는 순서쌍 (a, b)를 구해 본다.

x에 대한 방정식 $ax=b$의 해가 2이므로 $2a=b$를 만족한다.
$2a=b$를 만족하는 순서쌍 (a, b)는
$(1, 2), (2, 4), (3, 6)$의 3가지　　**답** 3

0965 x에 대한 방정식 $ax=b$에서

(i) $x=3$이면 $3a=b$이므로
  $3a=b$를 만족하는 순서쌍 (a, b)는
  $(1, 3), (2, 6)$의 2가지

(ii) $x=6$이면 $6a=b$이므로
  $6a=b$를 만족하는 순서쌍 (a, b)는
  $(1, 6)$의 1가지

따라서 구하는 경우의 수는
$2+1=3$　　　　　　　**답** 3

0966 $3x+y<8$을 만족하는 순서쌍 (x, y)는
$(1, 1), (1, 2), (1, 3), (1, 4), (2, 1)$의 5가지　**답** 5

0967 점 $P(a, b)$가 직선 $y=-x+5$ 위에 있으므로 $b=-a+5$를 만족한다. $a+b=5$를 만족하는 순서쌍 (a, b)는
$(1, 4), (2, 3), (3, 2), (4, 1)$의 4가지　**답** 4

STEP 1 개념 마스터　　　　　　p.179

0968 $4\times3\times2\times1=24$　　　　**답** 24

0969 $4\times3=12$　　　　　　**답** 12

0970 $4\times3\times2=24$　　　　**답** 24

0971 $(3\times2\times1)\times(2\times1)=12$　　**답** 12

0972 십의 자리에 올 수 있는 숫자는 4가지, 일의 자리에 올 수 있는 숫자는 십의 자리에 온 숫자를 제외한 3가지이므로 구하는 자연수의 개수는

$4 \times 3 = 12$ **답** 12

0973 십의 자리에 올 수 있는 숫자는 0을 제외한 4가지, 일의 자리에 올 수 있는 숫자는 십의 자리에 온 숫자를 제외한 4가지이므로 구하는 자연수의 개수는

$4 \times 4 = 16$ **답** 16

0974 $4 \times 3 = 12$ **답** 12

0975 $4 \times 3 \times 2 = 24$ **답** 24

0976 $\dfrac{4 \times 3}{2 \times 1} = 6$ **답** 6

0977 $\dfrac{4 \times 3 \times 2}{3 \times 2 \times 1} = 4$ **답** 4

STEP **2** 유형 마스터   p.180 ~ p.186

0978 **전략** 네 사람이 달리는 순서를 정하는 경우의 수는 4명을 한 줄로 세우는 경우의 수와 같다.

4명을 한 줄로 세우는 경우의 수와 같으므로

$4 \times 3 \times 2 \times 1 = 24$ **답** 24

0979 $5 \times 4 \times 3 \times 2 \times 1 = 120$ **답** 120

0980 4명을 한 줄로 세우는 경우의 수와 같으므로

$4 \times 3 \times 2 \times 1 = 24$ **답** 24

0981 **전략** n명 중에서 r명을 뽑아서 일렬로 세우는 경우의 수는

$\underbrace{n \times (n-1) \times (n-2) \times \cdots \times \{n-(r-1)\}}_{r개}$ (단, $n \geq r$)

(1) $5 \times 4 = 20$

(2) $5 \times 4 \times 3 = 60$ **답** (1) 20 (2) 60

0982 6명 중에서 3명을 뽑아 한 줄로 세우는 경우의 수와 같으므로 $6 \times 5 \times 4 = 120$ **답** 120

0983 5명 중에서 3명을 뽑아 한 줄로 세우는 경우의 수와 같으므로 $5 \times 4 \times 3 = 60$ **답** 60

0984 **전략** 민지와 현석이의 위치는 고정시키고 나머지 3명을 한 줄로 세우는 경우만 생각하면 된다.

민지를 맨 앞에, 현석이를 맨 뒤에 고정시키고 나머지 3명을 한 줄로 세우면 되므로 구하는 경우의 수는

$3 \times 2 \times 1 = 6$ **답** 6

0985 지영이를 한가운데 고정시키고 나머지 6명을 한 줄로 세우면 되므로 구하는 경우의 수는

$6 \times 5 \times 4 \times 3 \times 2 \times 1 = 720$ **답** 720

0986 (ⅰ) E가 맨 앞에 오는 경우의 수: $4 \times 3 \times 2 \times 1 = 24$

(ⅱ) A가 맨 앞에 오는 경우의 수: $4 \times 3 \times 2 \times 1 = 24$

따라서 구하는 경우의 수는

$24 + 24 = 48$ **답** 48

0987 부□□□모 또는 모□□□부의 2가지 경우로 나누어 생각한다.   ⋯⋯ ㈎

각각의 경우에서 □□□에 자녀 3명을 한 줄로 세우는 경우의 수는

$3 \times 2 \times 1 = 6$ ⋯⋯ ㈏

따라서 구하는 경우의 수는

$2 \times 6 = 12$ ⋯⋯ ㈐

답 12

채점 기준	비율
㈎ 부□□□모, 모□□□부의 2가지 경우로 나누기	40 %
㈏ 각각의 경우 자녀 3명을 한 줄로 세우는 경우의 수 구하기	40 %
㈐ 답 구하기	20 %

0988 **전략** 이웃하여 서는 부모님을 하나로 묶어 생각한다. 이때 부모님이 자리를 바꾸는 경우에 유의한다.

부모님을 하나로 묶어 5명을 한 줄로 세우는 경우의 수는

$5 \times 4 \times 3 \times 2 \times 1 = 120$

이때 부모님이 자리를 바꾸는 경우의 수는

$2 \times 1 = 2$

따라서 구하는 경우의 수는

$120 \times 2 = 240$ **답** 240

0989 은영이와 진수를 하나로 묶어 4명을 한 줄로 세우는 경우의 수는

$4 \times 3 \times 2 \times 1 = 24$

이때 은영이와 진수가 자리는 정해져 있으므로 구하는 경우의 수는 24 **답** 24

0990 (1) 여학생 3명을 하나로 묶어 4명을 한 줄로 세우는 경우의 수는

$4 \times 3 \times 2 \times 1 = 24$

이때 여학생끼리 자리를 바꾸는 경우의 수는

$3 \times 2 \times 1 = 6$

따라서 구하는 경우의 수는

$24 \times 6 = 144$

(2) 여학생 3명을 하나로 묶고 남학생 3명을 하나로 묶어 2명을 한 줄로 세우는 경우의 수는

$2 \times 1 = 2$

이때 여학생끼리 자리를 바꾸는 경우의 수는

$3 \times 2 \times 1 = 6$

또 남학생끼리 자리를 바꾸는 경우의 수는

$3 \times 2 \times 1 = 6$

따라서 구하는 경우의 수는

$2 \times 6 \times 6 = 72$

답 (1) 144 (2) 72

0991 전략 먼저 색칠할 영역의 순서를 정하고 각각의 영역에 칠할 수 있는 색의 가짓수를 구해 본다.

A에 칠할 수 있는 색은 4가지

B에 칠할 수 있는 색은 A에 칠한 색을 제외한 3가지

C에 칠할 수 있는 색은 A, B에 칠한 색을 제외한 2가지

D에 칠할 수 있는 색은 A, C에 칠한 색을 제외한 2가지

따라서 구하는 경우의 수는

$4 \times 3 \times 2 \times 2 = 48$

답 48

0992 (1) A, B, C에 칠할 수 있는 색은 각각 4가지이므로 구하는 경우의 수는

$4 \times 4 \times 4 = 64$

(2) A에 칠할 수 있는 색은 4가지

B에 칠할 수 있는 색은 A에 칠한 색을 제외한 3가지

C에 칠할 수 있는 색은 A, B에 칠한 색을 제외한 2가지

따라서 구하는 경우의 수는

$4 \times 3 \times 2 = 24$

(3) A에 칠할 수 있는 색은 4가지

B에 칠할 수 있는 색은 A에 칠한 색을 제외한 3가지

C에 칠할 수 있는 색은 B에 칠한 색을 제외한 3가지

따라서 구하는 경우의 수는

$4 \times 3 \times 3 = 36$

답 (1) 64 (2) 24 (3) 36

0993 A에 칠할 수 있는 색은 4가지

B에 칠할 수 있는 색은 A에 칠한 색을 제외한 3가지

C에 칠할 수 있는 색은 B에 칠한 색을 제외한 3가지

D에 칠할 수 있는 색은 C에 칠한 색을 제외한 3가지

따라서 구하는 경우의 수는

$4 \times 3 \times 3 \times 3 = 108$

답 108

0994 전략 십의 자리에 온 숫자는 일의 자리에 올 수 없다.

십의 자리에 올 수 있는 숫자는 6가지

일의 자리에 올 수 있는 숫자는 십의 자리에 온 숫자를 제외한 5가지

따라서 두 자리 자연수의 개수는

$6 \times 5 = 30$

답 30

0995 홀수가 되려면 일의 자리 숫자가 1 또는 3 또는 5이어야 한다.

(i) □1인 경우: 21, 31, 41, 51의 4개

(ii) □3인 경우: 13, 23, 43, 53의 4개

(iii) □5인 경우: 15, 25, 35, 45의 4개

따라서 홀수의 개수는

$4 + 4 + 4 = 12$

답 12

0996 (i) 1□□인 경우: 십의 자리에 올 수 있는 숫자는 1을 제외한 4가지, 일의 자리에 올 수 있는 숫자는 1과 십의 자리에 온 숫자를 제외한 3가지이므로

$4 \times 3 = 12$(개)

(ii) 21□인 경우: 213, 214, 215의 3개

23□인 경우: 231, 234, 235의 3개

24□인 경우: 241, 243, 245의 3개

따라서 250보다 작은 세 자리 자연수의 개수는

$12 + 3 + 3 + 3 = 21$

답 21

0997 (i) 42□인 경우: 425의 1개

43□인 경우: 431, 432, 435의 3개

45□인 경우: 451, 452, 453의 3개

(ii) 5□□인 경우: $4 \times 3 = 12$(개)

따라서 423보다 큰 세 자리 자연수의 개수는

$1 + 3 + 3 + 12 = 19$

답 19

0998 전략 십의 자리에는 0이 올 수 없음에 주의한다.

십의 자리에 올 수 있는 숫자는 0을 제외한 4가지

일의 자리에 올 수 있는 숫자는 십의 자리에 온 숫자를 제외한 4가지

따라서 두 자리 자연수의 개수는

$4 \times 4 = 16$

답 16

0999 백의 자리에 올 수 있는 숫자는 0을 제외한 5가지

십의 자리에 올 수 있는 숫자는 6가지

일의 자리에 올 수 있는 숫자는 6가지

따라서 세 자리 자연수의 개수는

$5 \times 6 \times 6 = 180$

답 180

1000 짝수가 되려면 일의 자리 숫자가 0 또는 2 또는 4이어야 한다.

······ ㉮

(i) □□0인 경우: 백의 자리에 올 수 있는 숫자는 0을 제외한 4가지, 십의 자리에 올 수 있는 숫자는 백의 자리에 온 숫자와 0을 제외한 3가지이므로

$4 \times 3 = 12$(개)

(ii) □□2인 경우: 백의 자리에 올 수 있는 숫자는 0, 2를 제외한 3가지, 십의 자리에 올 수 있는 숫자는 백의 자리에 온 숫자와 2를 제외한 3가지이므로

$3 \times 3 = 9$(개)

(iii) □□4인 경우: 백의 자리에 올 수 있는 숫자는 0, 4를 제외한 3가지, 십의 자리에 올 수 있는 숫자는 백의 자리에 온 숫자와 4를 제외한 3가지이므로

$3 \times 3 = 9$(개) ······ (나)

따라서 짝수의 개수는 $12 + 9 + 9 = 30$ ······ (다)

답 30

채점 기준	비율
(가) 짝수가 되기 위한 일의 자리 숫자 구하기	20 %
(나) 각 경우에 대하여 짝수의 개수 구하기	각 20 %
(다) 답 구하기	20 %

1001 (i) 1□인 경우: 10, 12, 13의 3개

(ii) 2□인 경우: 20, 21의 2개

따라서 23보다 작은 두 자리 자연수의 개수는

$3 + 2 = 5$ **답** 5

1002 5의 배수가 되려면 일의 자리 숫자가 0 또는 5이어야 한다.

(i) □□0인 경우: $5 \times 4 = 20$(개)

(ii) □□5인 경우: $4 \times 4 = 16$(개)

따라서 5의 배수의 개수는

$20 + 16 = 36$ **답** 36

1003 [전략] 대표와 부대표를 각각 1명씩 뽑는 것은 자격이 다른 대표 2명을 뽑는 것과 같다.

6명 중에서 자격이 다른 대표 2명을 뽑는 경우의 수와 같으므로

$6 \times 5 = 30$ **답** 30

1004 (1) 5명 중에서 자격이 다른 대표 2명을 뽑는 경우의 수와 같으므로 $5 \times 4 = 20$

(2) 5명 중에서 자격이 다른 대표 3명을 뽑는 경우의 수와 같으므로 $5 \times 4 \times 3 = 60$ **답** (1) 20 (2) 60

1005 7명 중에서 사격이 다른 대표 3명을 뽑는 경우의 수와 같으므로

$7 \times 6 \times 5 = 210$ **답** 210

1006 여학생 대표를 뽑는 경우의 수는 5

대표로 뽑힌 여학생 1명을 제외한 남학생 3명, 여학생 4명 중에서 남녀 부대표를 각각 1명씩 뽑는 경우의 수는

$3 \times 4 = 12$

따라서 구하는 경우의 수는

$5 \times 12 = 60$ **답** 60

1007 (i) 대표가 남학생인 경우

대표를 뽑는 경우의 수는 3, 대표로 뽑힌 남학생 1명을 제외한 남학생 2명, 여학생 4명 중에서 남녀 부대표를 각각 1명씩 뽑는 경우의 수는 $2 \times 4 = 8$이므로

$3 \times 8 = 24$

(ii) 대표가 여학생인 경우

대표를 뽑는 경우의 수는 4, 대표로 뽑힌 여학생 1명을 제외한 남학생 3명, 여학생 3명 중에서 남녀 부대표를 각각 1명씩 뽑는 경우의 수는 $3 \times 3 = 9$이므로

$4 \times 9 = 36$

따라서 구하는 경우의 수는

$24 + 36 = 60$ **답** 60

1008 [전략] 대의원 2명을 뽑는 것은 자격이 같은 대표 2명을 뽑는 것과 같다.

8명 중에서 자격이 같은 대표 2명을 뽑는 경우의 수와 같으므로

$\dfrac{8 \times 7}{2 \times 1} = 28$ **답** 28

1009 5명 중에서 반장 1명을 뽑는 경우의 수는 5 ······ (가)

반장으로 뽑힌 1명을 제외한 4명 중에서 부반장 2명을 뽑는 경우의 수는

$\dfrac{4 \times 3}{2 \times 1} = 6$ ······ (나)

따라서 구하는 경우의 수는

$5 \times 6 = 30$ ······ (다)

답 30

채점 기준	비율
(가) 반장 1명을 뽑는 경우의 수 구하기	30 %
(나) 부반장 2명을 뽑는 경우의 수 구하기	40 %
(다) 답 구하기	30 %

1010 (i) 대표 2명이 모두 남학생인 경우: $\dfrac{4 \times 3}{2 \times 1} = 6$(가지)

(ii) 대표 2명이 모두 여학생인 경우: $\dfrac{3 \times 2}{2 \times 1} = 3$(가지)

따라서 구하는 경우의 수는

$6 + 3 = 9$ **답** 9

1011 [전략] 순서를 생각하지 않으므로 자격이 같은 대표 2명을 뽑는 경우의 수와 같다.

7명 중에서 자격이 같은 대표 2명을 뽑는 경우의 수와 같으므로

$\dfrac{7 \times 6}{2 \times 1} = 21$(번) **답** 21번

1012 4명 중에서 자격이 같은 대표 2명을 뽑는 경우의 수와 같으므로

$\dfrac{4 \times 3}{2 \times 1} = 6$(번) **답** 6번

1013 5명 중에서 자격이 같은 대표 2명을 뽑는 경우의 수와 같으므로

$\dfrac{5 \times 4}{2 \times 1} = 10$(번) **답** 10번

1014 전략 7개의 점 중 어느 세 점도 일직선 위에 있지 않으므로 선분의 개수는 자격이 같은 대표 2명을 뽑는 경우의 수와 같다.

선분의 개수는 7개의 점 중에서 순서를 생각하지 않고 2개의 점을 선택하는 경우의 수와 같으므로

$$\frac{7 \times 6}{2 \times 1} = 21$$

답 21

1015 선분의 개수는 5개의 점 중에서 순서를 생각하지 않고 2개의 점을 선택하는 경우의 수와 같으므로

$$a = \frac{5 \times 4}{2 \times 1} = 10 \qquad \cdots\cdots ㈎$$

삼각형의 개수는 5개의 점 중에서 순서를 생각하지 않고 3개의 점을 선택하는 경우의 수와 같으므로

$$b = \frac{5 \times 4 \times 3}{3 \times 2 \times 1} = 10 \qquad \cdots\cdots ㈏$$

$$\therefore a + b = 10 + 10 = 20 \qquad \cdots\cdots ㈐$$

답 20

채점 기준	비율
㈎ a의 값 구하기	40 %
㈏ b의 값 구하기	40 %
㈐ $a+b$의 값 구하기	20 %

1016 삼각형의 개수는 6개의 점 중에서 순서를 생각하지 않고 3개의 점을 선택하는 경우의 수와 같으므로

$$\frac{6 \times 5 \times 4}{3 \times 2 \times 1} = 20$$

답 20

1017 전략 백의 자리 숫자가 1, 2, 3, 4인 자연수의 개수를 차례대로 구해 나간다.

(i) 1□□인 경우: $3 \times 2 = 6$(개)

(ii) 2□□인 경우: $3 \times 2 = 6$(개)

(iii) 3□□인 경우: $3 \times 2 = 6$(개)

따라서 작은 수부터 크기순으로 나열했을 때, 18번째인 수는 백의 자리 숫자가 3인 수 중 가장 큰 수이므로 342이다.

답 342

1018 (i) 4□□인 경우: $3 \times 2 = 6$(개)

(ii) 3□□인 경우: $3 \times 2 = 6$(개)

(iii) 24□인 경우: 241, 243의 2개

따라서 큰 수부터 크기순으로 나열했을 때, 14번째인 수는 24□인 수 중 가장 작은 수이므로 241이다. **답** 241

1019 (i) a□□□인 경우: $3 \times 2 \times 1 = 6$(개)

(ii) b□□□인 경우: $3 \times 2 \times 1 = 6$(개)

(iii) ca□□인 경우: $2 \times 1 = 2$(개)

(iv) cb□□인 경우: $2 \times 1 = 2$(개) $\qquad \cdots\cdots ㈎$

즉 $cdab$의 앞에 $6 + 6 + 2 + 2 = 16$(개)가 있으므로 $cdab$는 17번째에 온다. $\qquad \cdots\cdots ㈏$

답 17번째

채점 기준	비율
㈎ a□□□, b□□□, ca□□, cb□□인 경우의 수 구하기	각 20 %
㈏ 답 구하기	20 %

1020 전략 일직선 위에 있는 4개의 점 중에서 3개의 점을 선택하는 경우에는 삼각형이 만들어지지 않음에 주의한다.

7개의 점 중에서 순서를 생각하지 않고 3개의 점을 선택하는 경우의 수는

$$\frac{7 \times 6 \times 5}{3 \times 2 \times 1} = 35$$

이때 일직선 위에 있는 네 점 B, C, D, E 중에서 3개의 점을 선택하는 경우에는 삼각형이 만들어지지 않는다.

즉 선택한 3개의 점이 일직선 위에 있는 경우의 수는

$$\frac{4 \times 3 \times 2}{3 \times 2 \times 1} = 4$$

따라서 삼각형의 개수는

$$35 - 4 = 31$$

답 31

다른 풀이 (i) 세 점이 모두 반원의 호 위에 있는 경우:
△AGF의 1개

(ii) 두 점이 반원의 호 위에 있는 경우: 세 점 A, G, F 중에서 2개, 네 점 B, C, D, E 중에서 1개를 선택하는 경우의 수와 같으므로

$$\frac{3 \times 2}{2 \times 1} \times 4 = 12(개)$$

(iii) 한 점이 반원의 호 위에 있는 경우: 세 점 A, G, F 중에서 1개, 네 점 B, C, D, E 중에서 2개를 선택하는 경우의 수와 같으므로

$$3 \times \frac{4 \times 3}{2 \times 1} = 18(개)$$

따라서 삼각형의 개수는

$$1 + 12 + 18 = 31$$

1021 8개의 점 중에서 순서를 생각하지 않고 3개의 점을 선택하는 경우의 수는

$$\frac{8 \times 7 \times 6}{3 \times 2 \times 1} = 56$$

이때 일직선 위에 있는 5개의 점 중에서 3개의 점을 선택하는 경우에는 삼각형이 만들어지지 않는다.

즉 선택한 3개의 점이 일직선 위에 있는 경우의 수는

$$\frac{5 \times 4 \times 3}{3 \times 2 \times 1} = 10$$

따라서 삼각형의 개수는

$$56 - 10 = 46$$

답 46

1022 6개의 점 중에서 순서를 생각하지 않고 3개의 점을 선택하는 경우의 수는

$$\frac{6 \times 5 \times 4}{3 \times 2 \times 1} = 20$$

이때 선택한 3개의 점이 일직선 위에 있는
경우는 오른쪽 그림과 같이 3가지
따라서 삼각형의 개수는

$20-3=17$

답 17

STEP **3** 내신 마스터　　　　　p.187 ~ p.189

1023 **전략** 액수가 가장 큰 돈인 100원짜리 동전의 개수부터 정한 후
50원, 10원짜리 동전의 개수를 각각 구한다.
500원을 지불하는 방법을 표로 나타내면 다음과 같다.

100원	5개	4개	4개	3개	3개	2개
50원	0개	2개	1개	4개	3개	5개
10원	0개	0개	5개	0개	5개	5개

따라서 구하는 방법의 수는 6이다. **답** 6

1024 **전략** 두 눈의 수의 차가 소수, 즉 2 또는 3 또는 5인 경우로 나누
어 생각한다.
두 눈의 수의 차가 2인 경우는 $(1, 3), (2, 4), (3, 1), (3, 5),$
$(4, 2), (4, 6), (5, 3), (6, 4)$의 8가지
두 눈의 수의 차가 3인 경우는 $(1, 4), (2, 5), (3, 6), (4, 1),$
$(5, 2), (6, 3)$의 6가지
두 눈의 수의 차가 5인 경우는 $(1, 6), (6, 1)$의 2가지
　　　　　　　　　　　　　　　　　　 …… (가)
따라서 구하는 경우의 수는
　　　　　　　　　　　　　　　　　　 …… (나)
$8+6+2=16$

답 16

채점 기준	비율
(가) 두 눈의 수의 차가 2 또는 3 또는 5인 경우의 수 각각 구하기	각 25 %
(나) 답 구하기	25 %

/ Lecture
두 주사위 A, B의 두 눈의 수의 차가 2인 경우
➡ (A의 눈의 수)−(B의 눈의 수)=2 또는
　(B의 눈의 수)−(A의 눈의 수)=2

1025 **전략** 각각의 경우의 수를 구해 본다.
㉠ $5 \times 3 = 15$
㉡ 짝수는 2, 4, 6의 3가지이고, 6의 약수는 1, 2, 3, 6의 4가
지이므로 구하는 경우의 수는 $3 \times 4 = 12$
㉢ 20의 약수는 1, 2, 4, 5, 10, 20의 6가지
따라서 경우의 수가 작은 것부터 순서대로 나열하면 ㉢, ㉡,
㉠이다. **답** ⑤

1026 **전략** 숫자를 중복하여 사용할 수 있음에 유의하여 경우의 수를
구한다.
첫 번째 □에 올 수 있는 숫자는 0부터 9까지의 10가지,
두 번째 □에 올 수 있는 숫자는 0부터 9까지의 10가지
따라서 만들 수 있는 비밀번호의 개수는
$10 \times 10 = 100$ **답** 100

1027 **전략** 곱의 법칙을 이용한다.
한 손가락에서 나올 수 있는 지문은 4가지이므로 왼손의 다
섯 손가락에서 나올 수 있는 지문의 형태는
$4 \times 4 \times 4 \times 4 \times 4 = 4^5$(가지) **답** ④

1028 **전략** 곱의 법칙을 이용한다.
치마 또는 바지가 $3+2=5$(가지), 티셔츠가 5가지, 신발이 6
가지, 겉옷이 2가지 있으므로 구하는 경우의 수는
$5 \times 5 \times 6 \times 2 = 300$ **답** 300

1029 **전략** P 지점에서 Q 지점까지, Q 지점에서 R 지점까지 최단 거
리로 가는 방법의 수를 각각 구한 후 곱의 법칙을 이용한다.
오른쪽 그림에서
(ⅰ) P 지점에서 Q 지점까지
　최단 거리로 가는 방법의
　수는 4
(ⅱ) Q 지점에서 R 지점까지
　최단 거리로 가는 방법의 수는 4
따라서 구하는 방법의 수는
$4 \times 4 = 16$ **답** 16

1030 **전략** $x+2y=8$을 만족하는 순서쌍 (x, y)를 구한다.
$x+2y=8$을 만족하는 순서쌍 (x, y)는
$(2, 3), (4, 2), (6, 1)$의 3가지 **답** ②

1031 **전략** 삼각형이 만들어지려면 가장 긴 변의 길이가 나머지 두 변
의 길이의 합보다 작아야 함을 이용한다.
(가장 긴 변의 길이)<(나머지 두 변의 길이의 합)이 되는 경
우는
$(3\,cm, 4\,cm, 5\,cm), (3\,cm, 5\,cm, 7\,cm),$
$(4\,cm, 5\,cm, 7\,cm)$의 3가지
따라서 만들 수 있는 삼각형의 개수는 3이다. **답** 3

/ Lecture

세 변의 길이	세 변의 길이 사이의 관계	삼각형의 작도 가능 여부
3, 4, 5	$5<3+4$	○
3, 4, 7	$7=3+4$	×
3, 5, 7	$7<3+5$	○
4, 5, 7	$7<4+5$	○

1032 〈전략〉 앞면이 x번 나온다고 하면 뒷면은 $(5-x)$번 나오는 것을 이용하여 x에 대한 방정식을 세운다.

한 개의 동전을 5번 던져서 앞면이 x번 나온다고 하면 뒷면은 $(5-x)$번 나오므로 점 P가 3에 오려면
$(+1)\times x+(-1)\times(5-x)=3$ ∴ $x=4$
즉 앞면이 4번, 뒷면이 1번 나오는 경우를 순서쌍으로 나타내면
(앞, 앞, 앞, 앞, 뒤), (앞, 앞, 앞, 뒤, 앞), (앞, 앞, 뒤, 앞, 앞),
(앞, 뒤, 앞, 앞, 앞), (뒤, 앞, 앞, 앞, 앞)의 5가지 **답** 5

1033 〈전략〉 소연이의 위치는 고정되어 있으므로 나머지 4명을 한 줄로 세우는 경우만 생각하면 된다.

소연이를 한가운데 고정시키고 나머지 4명을 한 줄로 세우면 되므로 구하는 경우의 수는
$4\times3\times2\times1=24$ **답** ②

1034 〈전략〉 국어, 도덕, 수학을 1과목으로 생각한다.

국어, 도덕, 수학을 1과목으로 생각하여 4과목을 일렬로 나열하는 경우의 수는
$4\times3\times2\times1=24$
이때 국어와 수학의 순서를 바꾸는 경우의 수는 $2\times1=2$
따라서 구하는 경우의 수는 $24\times2=48$ **답** ⑤

1035 〈전략〉 먼저 색칠할 영역의 순서를 정하고 각각의 영역에 칠할 수 있는 색의 가짓수를 구해 본다.

A에 칠할 수 있는 색은 4가지
B에 칠할 수 있는 색은 A에 칠한 색을 제외한 3가지
C에 칠할 수 있는 색은 A, B에 칠한 색을 제외한 2가지
D에 칠할 수 있는 색은 C에 칠한 색을 제외한 3가지
따라서 구하는 경우의 수는
$4\times3\times2\times3=72$ **답** 72

1036 〈전략〉 일의 자리 숫자가 1 또는 3 또는 5인 경우로 나누어 생각한다.

홀수가 되려면 일의 자리 숫자가 1 또는 3 또는 5이어야 한다.
(i) □□1인 경우: 백의 자리에 올 수 있는 숫자는 0과 1을 제외한 4가지, 십의 자리에 올 수 있는 숫자는 1과 백의 자리에 온 숫자를 제외한 4가지이므로
$4\times4=16$(개)
(ii) □□3인 경우: 백의 자리에 올 수 있는 숫자는 0과 3을 제외한 4가지, 십의 자리에 올 수 있는 숫자는 3과 백의 자리에 온 숫자를 제외한 4가지이므로
$4\times4=16$(개)

(iii) □□5인 경우: 백의 자리에 올 수 있는 숫자는 0과 5를 제외한 4가지, 십의 자리에 올 수 있는 숫자는 5와 백의 자리에 온 숫자를 제외한 4가지이므로
$4\times4=16$(개)
따라서 홀수의 개수는 $16+16+16=48$ **답** 48

1037 〈전략〉 백의 자리 숫자가 4, 3, 2, 1인 자연수의 개수를 차례로 구해 나간다.

(i) 4□□인 경우: $4\times3=12$(개) ······ ㉮
(ii) 3□□인 경우: $4\times3=12$(개) ······ ㉯
(i), (ii)에서 $12+12=24$이므로 큰 수부터 크기순으로 나열했을 때, 26번째인 수는 백의 자리 숫자가 2인 수 중 두 번째로 큰 수이다.
백의 자리 숫자가 2인 수를 큰 수부터 크기순으로 나열하면 243, 241, 240, …이므로 구하는 수는 241이다. ······ ㉰
답 241

채점 기준	비율
㉮ 4□□인 경우의 수 구하기	30 %
㉯ 3□□인 경우의 수 구하기	30 %
㉰ 26번째로 큰 수 구하기	40 %

1038 〈전략〉 남학생 대표 3명을 뽑는 경우의 수와 여학생 대표 2명을 뽑는 경우의 수를 각각 구하여 곱한다.

(i) 남학생 6명 중에서 대표 3명을 뽑는 경우의 수는
$$\frac{6\times5\times4}{3\times2\times1}=20$$
(ii) 여학생 4명 중에서 대표 2명을 뽑는 경우의 수는
$$\frac{4\times3}{2\times1}=6$$
따라서 구하는 경우의 수는
$20\times6=120$ **답** ②

Lecture
① n명 중에서 자격이 같은 대표 2명을 뽑는 경우의 수
→ 자격이 다른 대표 2명을 뽑는 경우의 수
⇒ $\dfrac{n\times(n-1)}{2\times1}$
→ 뽑은 2명을 한 줄로 세우는 경우의 수
② n명 중에서 자격이 같은 대표 3명을 뽑는 경우의 수
→ 자격이 다른 대표 3명을 뽑는 경우의 수
⇒ $\dfrac{n\times(n-1)\times(n-2)}{3\times2\times1}$
→ 뽑은 3명을 한 줄로 세우는 경우의 수

1039 〈전략〉 총 경기 수는 7개 반 중에서 순서를 생각하지 않고 2개 반을 뽑는 경우의 수와 같다.

7명 중에서 자격이 같은 대표 2명을 뽑는 경우의 수와 같으므로
$$\frac{8\times7}{2\times1}=28$$(번) **답** 28번

1040 <u>전략</u> 연우가 회장으로 뽑히는 경우와 부회장으로 뽑히는 경우로 나누어 생각한다.

(i) 연우가 회장으로 뽑히는 경우

나머지 4명 중에서 부회장 2명을 뽑으면 되므로 그 경우의 수는

$\dfrac{4 \times 3}{2 \times 1} = 6$ ...... (가)

(ii) 연우가 부회장으로 뽑히는 경우

나머지 4명 중에서 회장 1명, 부회장 1명을 뽑으면 되므로 그 경우의 수는

$4 \times 3 = 12$ ...... (나)

따라서 구하는 경우의 수는

$6 + 12 = 18$ ...... (다)

답 18

채점 기준	비율
(가) 연우가 회장으로 뽑히는 경우의 수 구하기	40 %
(나) 연우가 부회장으로 뽑히는 경우의 수 구하기	40 %
(다) 답 구하기	20 %

1041 <u>전략</u> (적어도 한 명은 여자가 뽑히는 경우의 수)
＝(모든 경우의 수)－(2명 모두 남자가 뽑히는 경우의 수)

모든 경우의 수는 6명 중에서 대표 2명을 뽑는 경우의 수이므로

$\dfrac{6 \times 5}{2 \times 1} = 15$

2명 모두 남자가 뽑히는 경우의 수는 남자 3명 중에서 대표 2명을 뽑는 경우의 수이므로

$\dfrac{3 \times 2}{2 \times 1} = 3$

따라서 구하는 경우의 수는

$15 - 3 = 12$

답 12

1042 <u>전략</u> 한 계단씩 또는 두 계단씩 6계단을 오르는 경우를 생각해 본다.

(i) 두 계단씩 3번 오르는 경우

$(2, 2, 2)$의 1가지

(ii) 두 계단씩 2번, 한 계단씩 2번 오르는 경우

$(2, 2, 1, 1), (2, 1, 2, 1), (2, 1, 1, 2), (1, 2, 2, 1),$
$(1, 2, 1, 2), (1, 1, 2, 2)$의 6가지

(iii) 두 계단씩 1번, 한 계단씩 4번 오르는 경우

$(2, 1, 1, 1, 1), (1, 2, 1, 1, 1), (1, 1, 2, 1, 1),$
$(1, 1, 1, 2, 1), (1, 1, 1, 1, 2)$의 5가지

(iv) 한 계단씩 6번 오르는 경우

$(1, 1, 1, 1, 1, 1)$의 1가지

따라서 구하는 경우의 수는

$1 + 6 + 5 + 1 = 13$

답 ③

---

⑩ 확률

STEP**1** 개념 마스터   p.192

1043 $2 + 4 = 6$ **답** 6

1044 $\dfrac{4}{6} = \dfrac{2}{3}$ **답** $\dfrac{2}{3}$

1045 $\dfrac{2}{6} = \dfrac{1}{3}$ **답** $\dfrac{1}{3}$

1046 20 이하의 자연수 중 12의 약수는

1, 2, 3, 4, 6, 12의 6가지

따라서 구하는 확률은 $\dfrac{6}{20} = \dfrac{3}{10}$ **답** $\dfrac{3}{10}$

1047 20 이하의 자연수 중 소수는

2, 3, 5, 7, 11, 13, 17, 19의 8가지

따라서 구하는 확률은 $\dfrac{8}{20} = \dfrac{2}{5}$ **답** $\dfrac{2}{5}$

1048 $\dfrac{5}{5+4} = \dfrac{5}{9}$ **답** $\dfrac{5}{9}$

1049 주머니에는 흰 바둑돌 또는 검은 바둑돌만 있으므로 이 주머니에서 바둑돌 한 개를 꺼내면 항상 흰 바둑돌 또는 검은 바둑돌이 나온다.   **답** 1

1050 주머니에는 빨간 바둑돌이 없으므로 빨간 바둑돌을 꺼내는 경우는 없다.   **답** 0

1051 9 이하의 자연수 중 4의 배수는 4, 8의 2가지

따라서 구하는 확률은 $\dfrac{2}{9}$ **답** $\dfrac{2}{9}$

1052 (카드에 적힌 숫자가 4의 배수가 아닐 확률)
＝1－(카드에 적힌 숫자가 4의 배수일 확률)
$= 1 - \dfrac{2}{9} = \dfrac{7}{9}$ **답** $\dfrac{7}{9}$

STEP2 유형 마스터   p.193 ~ p.196

1053 <u>전략</u> (사건 A가 일어날 확률)

$= \dfrac{(\text{사건 } A \text{가 일어나는 경우의 수})}{(\text{모든 경우의 수})}$

서로 다른 두 개의 주사위를 동시에 던질 때 일어나는 모든 경우의 수는 $6 \times 6 = 36$

두 눈의 수의 합이 5인 경우는

$(1, 4), (2, 3), (3, 2), (4, 1)$의 4가지

따라서 구하는 확률은 $\dfrac{4}{36}=\dfrac{1}{9}$　　　　답 $\dfrac{1}{9}$

1054 모든 경우의 수는 31

숫자 2가 들어가는 날짜를 선택하는 경우는

2, 12, 20, 21, 22, 23, 24, 25, 26, 27, 28, 29의 12가지

따라서 구하는 확률은 $\dfrac{12}{31}$　　　　답 $\dfrac{12}{31}$

1055 모든 경우의 수는 $2\times2\times2\times2=16$

윷의 평편한 면을 ○, 볼록한 면을 ×라 하면

걸이 나오는 경우는 $(○, ○, ○, ×), (○, ○, ×, ○),$

$(○, ×, ○, ○), (×, ○, ○, ○)$의 4가지

따라서 구하는 확률은 $\dfrac{4}{16}=\dfrac{1}{4}$　　　　답 $\dfrac{1}{4}$

1056 $\dfrac{3}{3+5+x}=\dfrac{1}{4}$이므로 $12=8+x$

$\therefore x=4$　　　　답 4

1057 전략 각각의 경우의 수를 구한 후 이를 이용하여 확률을 구한다.

모든 경우의 수는 $4\times4=16$

(i) 3□인 경우: 32, 34의 2가지

(ii) 4□인 경우: 40, 41, 42, 43의 4가지

(i), (ii)에서 32 이상인 경우의 수는 $2+4=6$

따라서 구하는 확률은 $\dfrac{6}{16}=\dfrac{3}{8}$　　　　답 $\dfrac{3}{8}$

1058 모든 경우의 수는 $5\times4=20$

3의 배수인 경우는 12, 15, 21, 24, 42, 45, 51, 54의 8가지

따라서 구하는 확률은 $\dfrac{8}{20}=\dfrac{2}{5}$　　　　답 $\dfrac{2}{5}$

1059 모든 경우의 수는 $5\times4\times3\times2\times1=120$

수호와 찬열이가 양 끝에 서는 경우의 수는

$(3\times2\times1)\times2=12$

따라서 구하는 확률은 $\dfrac{12}{120}=\dfrac{1}{10}$　　　　답 $\dfrac{1}{10}$

1060 모든 경우의 수는 $5\times4\times3\times2\times1=120$

여학생끼리 이웃하여 서는 경우의 수는

$(4\times3\times2\times1)\times2=48$

따라서 구하는 확률은 $\dfrac{48}{120}=\dfrac{2}{5}$　　　　답 $\dfrac{2}{5}$

1061 모든 경우의 수는 $\dfrac{6\times5}{2\times1}=15$　　　　…… ㈎

재학생 3명 중에서 대표 2명을 뽑는 경우의 수는

$\dfrac{3\times2}{2\times1}=3$　　　　…… ㈏

따라서 구하는 확률은 $\dfrac{3}{15}=\dfrac{1}{5}$　　　　…… ㈐

답 $\dfrac{1}{5}$

채점 기준	비율
㈎ 모든 경우의 수 구하기	30 %
㈏ 재학생 3명 중에서 대표 2명을 뽑는 경우의 수 구하기	50 %
㈐ 답 구하기	20 %

1062 (1) 모든 경우의 수는 $8\times7=56$

수지가 회장으로 뽑히는 경우의 수는 수지를 제외한 7명 중에서 부회장 1명을 뽑는 경우의 수와 같으므로 7

따라서 구하는 확률은 $\dfrac{7}{56}=\dfrac{1}{8}$

(2) 모든 경우의 수는 $\dfrac{8\times7\times6}{3\times2\times1}=56$

수지가 뽑히는 경우의 수는 수지를 제외한 7명 중에서 대표 2명을 뽑는 경우의 수와 같으므로

$\dfrac{7\times6}{2\times1}=21$

따라서 구하는 확률은 $\dfrac{21}{56}=\dfrac{3}{8}$　　　　답 (1) $\dfrac{1}{8}$ (2) $\dfrac{3}{8}$

1063 전략 주어진 방정식을 만족하는 순서쌍 (x, y)를 구해 본다.

모든 경우의 수는 $6\times6=36$

$2x+y=7$을 만족하는 순서쌍 (x, y)는

$(1, 5), (2, 3), (3, 1)$의 3가지

따라서 구하는 확률은 $\dfrac{3}{36}=\dfrac{1}{12}$　　　　답 $\dfrac{1}{12}$

1064 모든 경우의 수는 $6\times6=36$

$y>18-3x$를 만족하는 순서쌍 (x, y)는 $(5, 4), (5, 5),$

$(5, 6), (6, 1), (6, 2), (6, 3), (6, 4), (6, 5), (6, 6)$의 9가지

따라서 구하는 확률은 $\dfrac{9}{36}=\dfrac{1}{4}$　　　　답 $\dfrac{1}{4}$

1065 x의 값은 2, 4, 6, 8, 10 중 하나이고 y의 값은 1, 3, 5, 7, 9 중 하나이므로 모든 경우의 수는 $5\times5=25$

$2x-y=3$을 만족하는 순서쌍 (x, y)는

$(2, 1), (4, 5), (6, 9)$의 3가지

따라서 구하는 확률은 $\dfrac{3}{25}$　　　　답 $\dfrac{3}{25}$

1066 모든 경우의 수는 $6\times6=36$

일차방정식 $ax=b$의 해는 $x=\dfrac{b}{a}$

이때 $\dfrac{b}{a}$가 자연수이려면 b는 a의 배수이어야 한다.

$a=1$일 때, $b=1, 2, 3, 4, 5, 6$의 6가지

$a=2$일 때, $b=2, 4, 6$의 3가지

$a=3$일 때, $b=3, 6$의 2가지

$a=4$일 때, $b=4$의 1가지

$a=5$일 때, $b=5$의 1가지

$a=6$일 때, $b=6$의 1가지

즉 $\dfrac{b}{a}$가 자연수인 경우는 $6+3+2+1+1+1=14$(가지)

따라서 구하는 확률은 $\dfrac{14}{36}=\dfrac{7}{18}$　　　　답 $\dfrac{7}{18}$

> **Lecture**
>
> a, b는 주사위의 눈의 수이므로 그 값은 $1, 2, 3, 4, 5, 6$ 중 하나이다.

1067 **전략** 확률의 성질을 정확히 이해한다.

① 어떤 사건이 일어날 확률을 p라 하면 $0 \le p \le 1$이다.

답 ①

1068 ① $\dfrac{1}{6}$　　② 1　　③ 0

④ 모든 경우의 수는 $2 \times 2 = 4$

앞면이 1개 이상 나오는 경우는 (앞, 뒤), (뒤, 앞), (앞, 앞)

의 3가지이므로 그 확률은 $\dfrac{3}{4}$

⑤ 모든 경우의 수는 $3 \times 3 = 9$

비기는 경우는 (가위, 가위), (바위, 바위), (보, 보)의 3가지

이므로 그 확률은 $\dfrac{3}{9}=\dfrac{1}{3}$

답 ②

1069 **전략** (사건 A가 일어나지 않을 확률)

$=1-$(사건 A가 일어날 확률)

모든 경우의 수는 $\dfrac{5 \times 4}{2 \times 1} = 10$

소미가 뽑히는 경우의 수는 소미를 제외한 4명 중에서 대표

1명을 뽑는 경우의 수인 4이므로 그 확률은 $\dfrac{4}{10}=\dfrac{2}{5}$

∴ (소미가 뽑히지 않을 확률)

$=1-$(소미가 뽑힐 확률)

$=1-\dfrac{2}{5}=\dfrac{3}{5}$　　　　답 $\dfrac{3}{5}$

1070 (남동생이 이길 확률)$=$(현수가 질 확률)

$=1-$(현수가 이길 확률)

$=1-\dfrac{5}{8}=\dfrac{3}{8}$　　　　답 $\dfrac{3}{8}$

1071 50개의 전구 중 불량품이 4개 있으므로 전구 1개를 뽑았을

때 불량품일 확률은 $\dfrac{4}{50}=\dfrac{2}{25}$

∴ (불량품이 아닐 확률)$=1-$(불량품일 확률)

$=1-\dfrac{2}{25}=\dfrac{23}{25}$　　　　답 $\dfrac{23}{25}$

1072 모든 경우의 수는 $6 \times 6 = 36$

두 눈의 수가 서로 같은 경우는

$(1, 1), (2, 2), (3, 3), (4, 4), (5, 5), (6, 6)$의 6가지

이므로 그 확률은 $\dfrac{6}{36}=\dfrac{1}{6}$

∴ (두 눈의 수가 서로 다를 확률)

$=1-$(두 눈의 수가 서로 같을 확률)

$=1-\dfrac{1}{6}=\dfrac{5}{6}$　　　　답 $\dfrac{5}{6}$

1073 **전략** (적어도 $\sim$일 확률)$=1-$(모두 $\sim$가 아닐 확률)

모든 경우의 수는 $\dfrac{7 \times 6}{2 \times 1} = 21$

대표 2명에 모두 여학생이 뽑히는 경우의 수는 $\dfrac{3 \times 2}{2 \times 1} = 3$

이므로 그 확률은 $\dfrac{3}{21}=\dfrac{1}{7}$

∴ (적어도 1명은 남학생이 뽑힐 확률)

$=1-$(2명 모두 여학생이 뽑힐 확률)

$=1-\dfrac{1}{7}=\dfrac{6}{7}$　　　　답 $\dfrac{6}{7}$

1074 모든 경우의 수는 $2 \times 2 \times 2 = 8$

모두 앞면이 나오는 경우는 (앞, 앞, 앞)의 1가지이므로

그 확률은 $\dfrac{1}{8}$

∴ (적어도 한 개는 뒷면이 나올 확률)

$=1-$(모두 앞면이 나올 확률)

$=1-\dfrac{1}{8}=\dfrac{7}{8}$　　　　답 $\dfrac{7}{8}$

1075 모든 경우의 수는 $6 \times 6 = 36$

4가 한 번도 나오지 않는 경우의 수는 $5 \times 5 = 25$

이므로 그 확률은 $\dfrac{25}{36}$

∴ (적어도 한 번은 4가 나올 확률)

$=1-$(4가 한 번도 나오지 않을 확률)

$=1-\dfrac{25}{36}=\dfrac{11}{36}$　　　　답 $\dfrac{11}{36}$

1076 **전략** 두 직선의 교점의 x좌표가 2이므로 $x=2$일 때 y의 값이 같음을 이용한다.

모든 경우의 수는 $6 \times 6 = 36$

두 직선 $y=4x-a$, $y=x+b$의 교점의 x좌표가 2이므로

$8-a=2+b$　　∴ $a+b=6$

이때 $a+b=6$을 만족하는 순서쌍 (a, b)는

$(1, 5), (2, 4), (3, 3), (4, 2), (5, 1)$의 5가지

따라서 구하는 확률은 $\dfrac{5}{36}$　　　　답 $\dfrac{5}{36}$

1077 모든 경우의 수는 $6 \times 6 = 36$

두 직선 $y = ax + 3$, $y = -x + b$의 교점의 x좌표가 1이므로

$a + 3 = -1 + b$ $\therefore a - b = -4$

이때 $a - b = -4$를 만족하는 순서쌍 (a, b)는

$(1, 5)$, $(2, 6)$의 2가지

따라서 구하는 확률은 $\dfrac{2}{36} = \dfrac{1}{18}$ **답** $\dfrac{1}{18}$

1078 모든 경우의 수는 $6 \times 6 = 36$ …… (가)

$ax + by = 18$에 $x = 2$, $y = 4$를 대입하면 $2a + 4b = 18$

즉 $a + 2b = 9$이므로 이를 만족하는 순서쌍 (a, b)는

$(1, 4)$, $(3, 3)$, $(5, 2)$의 3가지   …… (나)

따라서 구하는 확률은 $\dfrac{3}{36} = \dfrac{1}{12}$ …… (다)

답 $\dfrac{1}{12}$

채점 기준	비율
(가) 모든 경우의 수 구하기	30 %
(나) 직선 $ax + by = 18$이 점 $(2, 4)$를 지나는 경우의 수 구하기	50 %
(다) 답 구하기	20 %

1079 모든 경우의 수는 $6 \times 6 = 36$

두 일차함수의 그래프가 평행하려면 기울기가 같고 y절편이 서로 달라야 한다.

즉 $a = 1$이고 $b \neq 3$이어야 하므로 이를 만족하는 순서쌍 (a, b)는 $(1, 1)$, $(1, 2)$, $(1, 4)$, $(1, 5)$, $(1, 6)$의 5가지

따라서 구하는 확률은 $\dfrac{5}{36}$ **답** $\dfrac{5}{36}$

STEP 1 개념 마스터   p.197 ~ p.198

1080 10 이하의 자연수 중 3보다 작은 수는 1, 2의 2가지

따라서 구하는 확률은 $\dfrac{2}{10} = \dfrac{1}{5}$ **답** $\dfrac{1}{5}$

1081 10 이하의 자연수 중 7보다 큰 수는 8, 9, 10의 3가지

따라서 구하는 확률은 $\dfrac{3}{10}$ **답** $\dfrac{3}{10}$

1082 (3보다 작거나 7보다 클 확률)

$=$ (3보다 작을 확률) $+$ (7보다 클 확률)

$= \dfrac{1}{5} + \dfrac{3}{10} = \dfrac{5}{10} = \dfrac{1}{2}$ **답** $\dfrac{1}{2}$

1083 모든 경우의 수는 $6 \times 6 = 36$

두 눈의 수의 합이 2인 경우는 $(1, 1)$의 1가지

따라서 구하는 확률은 $\dfrac{1}{36}$ **답** $\dfrac{1}{36}$

1084 모든 경우의 수는 $6 \times 6 = 36$

두 눈의 수의 합이 4인 경우는

$(1, 3)$, $(2, 2)$, $(3, 1)$의 3가지

따라서 구하는 확률은 $\dfrac{3}{36} = \dfrac{1}{12}$ **답** $\dfrac{1}{12}$

1085 (합이 2 또는 4일 확률)

$=$ (합이 2일 확률) $+$ (합이 4일 확률)

$= \dfrac{1}{36} + \dfrac{1}{12} = \dfrac{4}{36} = \dfrac{1}{9}$ **답** $\dfrac{1}{9}$

1086   **답** $\dfrac{1}{2}$

1087   **답** $\dfrac{1}{2}$

1088 (두 개의 동전 모두 앞면이 나올 확률)

$=$ (100원짜리 동전이 앞면이 나올 확률)

     $\times$ (500원짜리 동전이 앞면이 나올 확률)

$= \dfrac{1}{2} \times \dfrac{1}{2} = \dfrac{1}{4}$ **답** $\dfrac{1}{4}$

1089   **답** $\dfrac{1}{2}$

1090 홀수는 1, 3, 5의 3가지이므로 그 확률은

$\dfrac{3}{6} = \dfrac{1}{2}$ **답** $\dfrac{1}{2}$

1091 (동전은 앞면이 나오고, 주사위는 홀수의 눈이 나올 확률)

$=$ (동전은 앞면이 나올 확률) $\times$ (주사위는 홀수의 눈이 나올 확률)

$= \dfrac{1}{2} \times \dfrac{1}{2} = \dfrac{1}{4}$ **답** $\dfrac{1}{4}$

1092 $\dfrac{5}{8} \times \dfrac{5}{\underline{8}} = \dfrac{25}{64}$ **답** $\dfrac{25}{64}$

     └ 꺼낸 구슬을 다시 넣었으므로

1093 $\dfrac{5}{8} \times \dfrac{4}{\underline{7}} = \dfrac{5}{14}$ **답** $\dfrac{5}{14}$

     └ 꺼낸 구슬을 다시 넣지 않았으므로

1094 $\dfrac{4}{10} \times \dfrac{4}{10} = \dfrac{4}{25}$ **답** $\dfrac{4}{25}$

1095 $\dfrac{4}{10} \times \dfrac{3}{9} = \dfrac{2}{15}$ **답** $\dfrac{2}{15}$

1096 전체 8칸 중 홀수가 적혀 있는 부분은 5칸이므로

구하는 확률은 $\dfrac{5}{8}$ **답** $\dfrac{5}{8}$

1097 전체 12칸 중 색칠한 부분은 6칸이므로

구하는 확률은 $\dfrac{6}{12} = \dfrac{1}{2}$ ... 답 $\dfrac{1}{2}$

1098 $\dfrac{1}{2} \times \dfrac{1}{2} = \dfrac{1}{4}$ ... 답 $\dfrac{1}{4}$

STEP 2 유형 마스터

p.199 ~ p.205

1099 전략 두 사건 A, B가 동시에 일어나지 않을 때, 사건 A 또는 사건 B가 일어날 확률은 각각의 확률을 더해서 구한다.

모든 경우의 수는 $6 \times 6 = 36$

(i) 두 눈의 수의 합이 3인 경우는

$(1, 2)$, $(2, 1)$의 2가지

이므로 그 확률은 $\dfrac{2}{36}$

(ii) 두 눈의 수의 합이 8인 경우는

$(2, 6)$, $(3, 5)$, $(4, 4)$, $(5, 3)$, $(6, 2)$의 5가지

이므로 그 확률은 $\dfrac{5}{36}$

따라서 구하는 확률은

$\dfrac{2}{36} + \dfrac{5}{36} = \dfrac{7}{36}$ ... 답 $\dfrac{7}{36}$

1100 카드에 적힌 수가 5보다 작은 경우는 1, 2, 3, 4의 4가지이므로 그 확률은 $\dfrac{4}{10}$

카드에 적힌 수가 8보다 큰 경우는 9, 10의 2가지이므로 그 확률은 $\dfrac{2}{10}$

따라서 구하는 확률은

$\dfrac{4}{10} + \dfrac{2}{10} = \dfrac{6}{10} = \dfrac{3}{5}$ ... 답 $\dfrac{3}{5}$

1101 탄산음료를 선호할 확률은 $\dfrac{45}{100}$

주스를 선호할 확률은 $\dfrac{20}{100}$

따라서 구하는 확률은

$\dfrac{45}{100} + \dfrac{20}{100} = \dfrac{65}{100} = \dfrac{13}{20}$ ... 답 $\dfrac{13}{20}$

1102 3의 배수인 경우는 ③, 6, 9, 12의 4가지이므로 그 확률은 $\dfrac{4}{12}$

소수인 경우는 2, ③, 5, 7, 11의 5가지이므로 그 확률은 $\dfrac{5}{12}$

3의 배수이면서 소수인 경우는 ③의 1가지이므로 그 확률은 $\dfrac{1}{12}$

따라서 구하는 확률은

$\dfrac{4}{12} + \dfrac{5}{12} - \dfrac{1}{12} = \dfrac{8}{12} = \dfrac{2}{3}$ ... 답 $\dfrac{2}{3}$

Lecture

두 사건 A, B가 중복되어 일어나는 경우가 있을 때

(사건 A 또는 사건 B가 일어날 확률)

=(사건 A가 일어날 확률)+(사건 B가 일어날 확률)

－(두 사건 A, B가 중복되어 일어날 확률)

1103 전략 두 사건 A, B가 동시에 일어날 확률은 각각의 확률을 곱해서 구한다.

A 주머니에서 흰 공이 나올 확률은 $\dfrac{2}{5}$

B 주머니에서 검은 공이 나올 확률은 $\dfrac{4}{7}$

따라서 구하는 확률은

$\dfrac{2}{5} \times \dfrac{4}{7} = \dfrac{8}{35}$ ... 답 $\dfrac{8}{35}$

1104 $\dfrac{4}{5} \times \dfrac{7}{10} = \dfrac{14}{25}$ ... 답 $\dfrac{14}{25}$

1105 한 개의 동전을 던질 때 앞면이 나올 확률은 $\dfrac{1}{2}$

한 개의 주사위를 던질 때 3의 배수의 눈이 나오는 경우는 3, 6의 2가지이므로 그 확률은 $\dfrac{2}{6} = \dfrac{1}{3}$

따라서 구하는 확률은

$\dfrac{1}{2} \times \dfrac{1}{2} \times \dfrac{1}{3} = \dfrac{1}{12}$ ... 답 $\dfrac{1}{12}$

1106 한나가 합격할 확률을 p라 하면

정훈이와 한나가 함께 합격할 확률이 $\dfrac{1}{2}$이므로

$\dfrac{2}{3} \times p = \dfrac{1}{2}$ $\therefore p = \dfrac{3}{4}$

따라서 한나가 합격할 확률은 $\dfrac{3}{4}$이다. ... 답 $\dfrac{3}{4}$

1107 전략 (적어도 ~일 확률)=1－(모두 ~가 아닐 확률)

(적어도 한 개의 주사위에서 짝수의 눈이 나올 확률)

=1－(두 개의 주사위에서 모두 홀수의 눈이 나올 확률)

$= 1 - \dfrac{1}{2} \times \dfrac{1}{2}$

$= 1 - \dfrac{1}{4} = \dfrac{3}{4}$ ... 답 $\dfrac{3}{4}$

1108 (전구에 불이 들어올 확률)

=(두 스위치 A, B 중 적어도 한 개는 닫힐 확률)

=1－(두 스위치 A, B가 모두 열릴 확률)

$= 1 - \left(1 - \dfrac{2}{5}\right) \times \left(1 - \dfrac{3}{5}\right)$

$= 1 - \dfrac{3}{5} \times \dfrac{2}{5}$

$= 1 - \dfrac{6}{25} = \dfrac{19}{25}$ ... 답 $\dfrac{19}{25}$

1109 (적어도 한 나라가 월드컵 본선에 진출할 확률)

= 1 − (세 나라 모두 월드컵 본선에 진출하지 못할 확률)

$= 1 - \left(1 - \dfrac{3}{4}\right) \times \left(1 - \dfrac{1}{3}\right) \times \left(1 - \dfrac{2}{5}\right)$

$= 1 - \dfrac{1}{4} \times \dfrac{2}{3} \times \dfrac{3}{5}$

$= 1 - \dfrac{1}{10} = \dfrac{9}{10}$　　　　　　**답** $\dfrac{9}{10}$

1110 (적어도 하루는 비가 올 확률)

= 1 − (내일과 모레 모두 비가 오지 않을 확률)

$= 1 - \left(1 - \dfrac{70}{100}\right) \times \left(1 - \dfrac{40}{100}\right)$

$= 1 - \dfrac{3}{10} \times \dfrac{6}{10}$

$= 1 - \dfrac{9}{50} = \dfrac{41}{50}$

따라서 구하는 확률은

$\dfrac{41}{50} \times 100 = 82 \, (\%)$　　　　　**답** $82\,\%$

1111 전략 두 공이 같은 색인 경우는 두 공 모두 파란 공이거나 두 공 모두 빨간 공인 경우이다.

A, B 두 주머니에서 모두 파란 공을 꺼낼 확률은

$\dfrac{3}{7} \times \dfrac{5}{7} = \dfrac{15}{49}$

A, B 두 주머니에서 모두 빨간 공을 꺼낼 확률은

$\dfrac{4}{7} \times \dfrac{2}{7} = \dfrac{8}{49}$

따라서 구하는 확률은

$\dfrac{15}{49} + \dfrac{8}{49} = \dfrac{23}{49}$　　　　**답** $\dfrac{23}{49}$

1112 동전은 앞면이 나오고, 주사위는 2의 배수의 눈이 나올 확률은 $\dfrac{1}{2} \times \dfrac{1}{2} = \dfrac{1}{4}$

동전은 뒷면이 나오고, 주사위는 소수의 눈이 나올 확률은

$\dfrac{1}{2} \times \dfrac{1}{2} = \dfrac{1}{4}$

따라서 구하는 확률은

$\dfrac{1}{4} + \dfrac{1}{4} = \dfrac{1}{2}$　　　　　**답** $\dfrac{1}{2}$

1113 $a+b$가 짝수인 경우는 a, b가 모두 짝수이거나 a, b가 모두 홀수일 때이다. ······ ㈎

(ⅰ) a, b가 모두 짝수일 때

$\left(1 - \dfrac{1}{3}\right) \times \left(1 - \dfrac{3}{4}\right) = \dfrac{2}{3} \times \dfrac{1}{4} = \dfrac{1}{6}$ ······ ㈏

(ⅱ) a, b가 모두 홀수일 때

$\dfrac{1}{3} \times \dfrac{3}{4} = \dfrac{1}{4}$ ······ ㈐

따라서 구하는 확률은 $\dfrac{1}{6} + \dfrac{1}{4} = \dfrac{5}{12}$ ······ ㈑

답 $\dfrac{5}{12}$

채점 기준	비율
㈎ $a+b$가 짝수인 경우 구하기	20 %
㈏ a, b가 모두 짝수일 확률 구하기	30 %
㈐ a, b가 모두 홀수일 확률 구하기	30 %
㈑ 답 구하기	20 %

Lecture

① (짝수)+(짝수)=(짝수)　　② (짝수)+(홀수)=(홀수)

③ (홀수)+(짝수)=(홀수)　　④ (홀수)+(홀수)=(짝수)

1114 전략 꺼낸 공을 다시 넣으므로 전체 공의 개수는 변하지 않는다.

처음에 꺼낸 공이 빨간 공일 확률은 $\dfrac{3}{7}$

두 번째에 꺼낸 공이 빨간 공일 확률은 $\dfrac{3}{7}$

따라서 구하는 확률은

$\dfrac{3}{7} \times \dfrac{3}{7} = \dfrac{9}{49}$　　　　　**답** $\dfrac{9}{49}$

1115 (적어도 하나는 보라색 클립일 확률)

= 1 − (둘 다 초록색 클립일 확률)

$= 1 - \dfrac{2}{6} \times \dfrac{2}{6}$

$= 1 - \dfrac{1}{9} = \dfrac{8}{9}$　　　　　**답** $\dfrac{8}{9}$

1116 (B가 당첨 제비를 뽑을 확률)

= (A가 당첨 제비를 뽑고 B도 당첨 제비를 뽑을 확률)

　 + (A는 당첨 제비를 뽑지 않고 B는 당첨 제비를 뽑을 확률)

$= \dfrac{2}{10} \times \dfrac{2}{10} + \dfrac{8}{10} \times \dfrac{2}{10}$

$= \dfrac{1}{25} + \dfrac{4}{25} = \dfrac{1}{5}$　　　　**답** $\dfrac{1}{5}$

1117 전략 꺼낸 구슬을 다시 넣지 않으므로 전체 구슬의 개수가 변함에 주의한다.

첫 번째에 꺼낸 구슬이 노란 구슬일 확률은 $\dfrac{4}{6} = \dfrac{2}{3}$

두 번째에 꺼낸 구슬이 노란 구슬일 확률은 $\dfrac{3}{5}$

따라서 구하는 확률은

$\dfrac{2}{3} \times \dfrac{3}{5} = \dfrac{2}{5}$　　　　　**답** $\dfrac{2}{5}$

1118 카드에 적힌 수가 홀수인 경우는 1, 3, 5, 7의 4가지이므로 첫번째에 홀수가 나올 확률은 $\dfrac{4}{7}$

카드에 적힌 수가 짝수인 경우는 2, 4, 6의 3가지이므로 두 번째에 짝수가 나올 확률은 $\dfrac{3}{6} = \dfrac{1}{2}$

따라서 구하는 확률은

$\dfrac{4}{7} \times \dfrac{1}{2} = \dfrac{2}{7}$　　　　　**답** $\dfrac{2}{7}$

1119 (적어도 한 개는 불량품일 확률)

$=1-$(2개 모두 불량품이 아닐 확률)

$=1-\dfrac{6}{10}\times\dfrac{5}{9}$

$=1-\dfrac{1}{3}=\dfrac{2}{3}$ 답 $\dfrac{2}{3}$

1120 전략 한 사람만 당첨권을 뽑는 경우는 현우만 뽑거나 현진이만 뽑는 경우이다.

(한 사람만 당첨권을 뽑을 확률)

$=$(현우는 당첨권을 뽑고 현진이는 당첨권을 뽑지 않을 확률)

$\quad+$(현우는 당첨권을 뽑지 않고 현진이는 당첨권을 뽑을 확률)

$=\dfrac{3}{10}\times\dfrac{7}{9}+\dfrac{7}{10}\times\dfrac{3}{9}$

$=\dfrac{7}{30}+\dfrac{7}{30}=\dfrac{7}{15}$ 답 $\dfrac{7}{15}$

1121 (유진이가 당첨 제비를 뽑을 확률)

$=$(병우가 당첨 제비를 뽑고 유진이도 당첨 제비를 뽑을 확률)

$\quad+$(병우는 당첨 제비를 뽑지 않고 유진이는 당첨 제비를 뽑을 확률)

$=\dfrac{3}{8}\times\dfrac{2}{7}+\dfrac{5}{8}\times\dfrac{3}{7}$

$=\dfrac{6}{56}+\dfrac{15}{56}=\dfrac{3}{8}$ 답 $\dfrac{3}{8}$

1122 (1) 해나가 당첨권을 뽑을 확률은 $\dfrac{1}{3}$

(2) 해나가 당첨권을 뽑지 않고, 시온이가 당첨권을 뽑을 확률은 $\dfrac{2}{3}\times\dfrac{1}{2}=\dfrac{1}{3}$

(3) 해나, 시온이가 당첨권을 뽑지 않고, 은유가 당첨권을 뽑을 확률은 $\dfrac{2}{3}\times\dfrac{1}{2}\times1=\dfrac{1}{3}$

(4) 해나, 시온, 은유가 당첨권을 뽑을 확률은 모두 같으므로 가장 유리한 사람은 없다.

답 (1) $\dfrac{1}{3}$ (2) $\dfrac{1}{3}$ (3) $\dfrac{1}{3}$ (4) 가장 유리한 사람은 없다.

1123 전략 세아만 맞히는 경우는 세아는 맞히고 시윤이는 맞히지 못하는 경우이다.

(세아만 문제를 맞힐 확률)

$=$(세아가 문제를 맞힐 확률)

$\quad\times$(시윤이가 문제를 맞히지 못할 확률)

$=\dfrac{1}{4}\times\left(1-\dfrac{2}{3}\right)$

$=\dfrac{1}{4}\times\dfrac{1}{3}=\dfrac{1}{12}$ 답 $\dfrac{1}{12}$

1124 (A, B 두 문제 중 한 문제만 맞힐 확률)

$=$(A 문제만 맞힐 확률)$+$(B 문제만 맞힐 확률)

$=\dfrac{3}{4}\times\left(1-\dfrac{4}{5}\right)+\left(1-\dfrac{3}{4}\right)\times\dfrac{4}{5}$

$=\dfrac{3}{4}\times\dfrac{1}{5}+\dfrac{1}{4}\times\dfrac{4}{5}$

$=\dfrac{3}{20}+\dfrac{4}{20}=\dfrac{7}{20}$ 답 $\dfrac{7}{20}$

1125 (A, B 두 문제 중 적어도 한 문제는 맞힐 확률)

$=1-$(두 문제 모두 틀릴 확률) ……㉮

$=1-\left(1-\dfrac{2}{3}\right)\times\left(1-\dfrac{3}{5}\right)$

$=1-\dfrac{1}{3}\times\dfrac{2}{5}$

$=1-\dfrac{2}{15}=\dfrac{13}{15}$ ……㉯

답 $\dfrac{13}{15}$

채점 기준	비율
㉮ 구하는 확률을 어떤 사건이 일어나지 않을 확률을 이용하여 나타내기	30 %
㉯ 답 구하기	70 %

1126 ○, × 문제에서 한 문제를 맞힐 확률과 틀릴 확률은 각각 $\dfrac{1}{2}$ 이다.

∴ (5문제 중 적어도 한 문제는 맞힐 확률)

$=1-$(5문제 모두 틀릴 확률)

$=1-\dfrac{1}{2}\times\dfrac{1}{2}\times\dfrac{1}{2}\times\dfrac{1}{2}\times\dfrac{1}{2}$

$=1-\dfrac{1}{32}=\dfrac{31}{32}$ 답 $\dfrac{31}{32}$

Lecture

(1) ○, × 문제 ➡ 한 문제를 맞힐 확률: $\dfrac{1}{2}$, 틀릴 확률: $\dfrac{1}{2}$

(2) 오지선다형 문제 ➡ 한 문제를 맞힐 확률: $\dfrac{1}{5}$, 틀릴 확률: $\dfrac{4}{5}$

1127 전략 (두 사람이 만나지 못할 확률)$=1-$(두 사람이 만날 확률)

(두 사람이 만나지 못할 확률)

$=1-$(두 사람이 만날 확률)

$=1-\dfrac{3}{5}\times\dfrac{1}{3}$

$=1-\dfrac{1}{5}=\dfrac{4}{5}$ 답 $\dfrac{4}{5}$

1128 (두 사람이 만나서 축구를 할 확률)

$=$(두 사람 모두 약속을 지킬 확률)

$=\left(1-\dfrac{1}{7}\right)\times\left(1-\dfrac{1}{5}\right)$

$=\dfrac{6}{7}\times\dfrac{4}{5}=\dfrac{24}{35}$ 답 $\dfrac{24}{35}$

1129 (준규와 예슬이가 만나지 못할 확률)

$=1-$(준규와 예슬이가 만날 확률)

$=1-0.7\times0.8$

$=1-0.56=0.44$ **답** $0.44\left(또는 \dfrac{11}{25}\right)$

1130 내일 두 사람이 만나서 함께 등산을 하려면 내일 비가 오지 않고 두 사람 모두 약속을 지켜야 하므로

(내일 두 사람이 만나서 함께 등산할 확률)

$=\left(1-\dfrac{30}{100}\right)\times\dfrac{75}{100}\times\dfrac{80}{100}$

$=\dfrac{7}{10}\times\dfrac{3}{4}\times\dfrac{4}{5}=\dfrac{21}{50}$

따라서 구하는 확률은

$\dfrac{21}{50}\times100=42\,(\%)$ **답** $42\,\%$

1131 전략 새가 총에 맞는 경우는 적어도 한 사람이 명중시키는 경우이다.

(새가 총에 맞을 확률)

$=$(세 사람 중 적어도 한 사람이 명중시킬 확률)

$=1-$(세 사람 모두 명중시키지 못할 확률)

$=1-\left(1-\dfrac{4}{5}\right)\times\left(1-\dfrac{3}{4}\right)\times\left(1-\dfrac{2}{3}\right)$

$=1-\dfrac{1}{5}\times\dfrac{1}{4}\times\dfrac{1}{3}=1-\dfrac{1}{60}=\dfrac{59}{60}$ **답** $\dfrac{59}{60}$

1132 (적어도 한 사람은 명중시킬 확률)

$=1-$(두 사람 모두 명중시키지 못할 확률)

$=1-\left(1-\dfrac{3}{5}\right)\times\left(1-\dfrac{1}{4}\right)$

$=1-\dfrac{2}{5}\times\dfrac{3}{4}=1-\dfrac{3}{10}=\dfrac{7}{10}$ **답** $\dfrac{7}{10}$

1133 (2발 이하로 총을 쏘았을 때, 과녁에 명중시킬 확률)

$=$(첫 번째에 명중시킬 확률)

　　$+$(첫 번째에 명중시키지 못하고 두 번째에 명중시킬 확률)

$=\dfrac{5}{8}+\dfrac{3}{8}\times\dfrac{5}{8}=\dfrac{5}{8}+\dfrac{15}{64}=\dfrac{55}{64}$ **답** $\dfrac{55}{64}$

1134 전략 (승부가 결정될 확률)$=1-$(두 사람이 비길 확률)

모든 경우의 수는 $3\times3=9$

택연이와 유리가 가위바위보를 하는 경우를 순서쌍 (택연, 유리)로 나타내면 두 사람이 비기는 경우는

(가위, 가위), (바위, 바위), (보, 보) 3가지

이므로 그 확률은 $\dfrac{3}{9}=\dfrac{1}{3}$

$\therefore$ (승부가 결정될 확률)$=1-$(두 사람이 비길 확률)

$=1-\dfrac{1}{3}=\dfrac{2}{3}$ **답** $\dfrac{2}{3}$

1135 모든 경우의 수는 $3\times3=9$

(1) (두 사람이 서로 다른 것을 낼 확률)

$=1-$(두 사람이 서로 같은 것을 낼 확률)

$=1-\dfrac{3}{9}=\dfrac{2}{3}$ ← (가위, 가위), (바위, 바위), (보, 보)의 3가지

(2) 두 사람이 비길 확률은 $\dfrac{3}{9}=\dfrac{1}{3}$

윤희와 영아가 가위바위보를 하는 경우를 순서쌍 (윤희, 영아)로 나타내면 윤희가 이기는 경우는

(가위, 보), (바위, 가위), (보, 바위)의 3가지

이므로 그 확률은 $\dfrac{3}{9}=\dfrac{1}{3}$

따라서 구하는 확률은

$\dfrac{1}{3}\times\dfrac{1}{3}=\dfrac{1}{9}$ **답** (1) $\dfrac{2}{3}$ (2) $\dfrac{1}{9}$

1136 모든 경우의 수는 $3\times3\times3=27$ ······ ㈎

효린, 산들, 형식이가 가위바위보를 하는 경우를 순서쌍 (효린, 산들, 형식)으로 나타내면

(ⅰ) 효린이만 이기는 경우

(가위, 보, 보), (바위, 가위, 가위), (보, 바위, 바위)의 3가지

이므로 그 확률은 $\dfrac{3}{27}=\dfrac{1}{9}$

(ⅱ) 효린이와 산들이가 같이 이기는 경우

(가위, 가위, 보), (바위, 바위, 가위), (보, 보, 바위)의 3가지이므로 그 확률은 $\dfrac{3}{27}=\dfrac{1}{9}$

(ⅲ) 효린이와 형식이가 같이 이기는 경우

(가위, 보, 가위), (바위, 가위, 바위), (보, 바위, 보)의 3가지이므로 그 확률은 $\dfrac{3}{27}=\dfrac{1}{9}$ ······ ㈏

따라서 구하는 확률은

$\dfrac{1}{9}+\dfrac{1}{9}+\dfrac{1}{9}=\dfrac{1}{3}$ ······ ㈐

답 $\dfrac{1}{3}$

채점 기준	비율
㈎ 모든 경우의 수 구하기	20 %
㈏ 효린이가 이기는 각 경우의 확률 구하기	각 20 %
㈐ 효린이가 이기는 확률 구하기	20 %

1137 전략 (도형에서 사건 A가 일어날 확률)

$=\dfrac{(도형에서 사건\,A에 해당하는 부분의 넓이)}{(도형의 전체 넓이)}$

(8점을 얻을 확률)$=$(B 영역을 맞힐 확률)

$=\dfrac{(\text{B 영역의 넓이})}{(\text{도형의 전체 넓이})}$

$=\dfrac{\pi\times4^2-\pi\times2^2}{\pi\times6^2}$

$=\dfrac{12\pi}{36\pi}=\dfrac{1}{3}$ **답** $\dfrac{1}{3}$

1138 $\dfrac{1}{3} \times \dfrac{1}{4} = \dfrac{1}{12}$

답 $\dfrac{1}{12}$

1139 4의 배수는 4, 8, 12, 16의 4가지이므로

4의 배수를 가리킬 확률은 $\dfrac{4}{16}$

5의 배수는 5, 10, 15의 3가지이므로

5의 배수를 가리킬 확률은 $\dfrac{3}{16}$

따라서 구하는 확률은

$\dfrac{4}{16} + \dfrac{3}{16} = \dfrac{7}{16}$

답 $\dfrac{7}{16}$

1140 전략 수요일에 비가 왔을 때, 같은 주 금요일에 비가 오지 않는 경우를 표로 나타내어 본다.

비가 온 날을 ○, 비가 오지 않은 날을 ×로 표시할 때

(i)

수	목	금
○	○	×

인 경우의 확률은

$\dfrac{1}{5} \times \left(1 - \dfrac{1}{5}\right) = \dfrac{1}{5} \times \dfrac{4}{5} = \dfrac{4}{25}$

(ii)

수	목	금
○	×	×

인 경우의 확률은

$\left(1 - \dfrac{1}{5}\right) \times \left(1 - \dfrac{1}{4}\right) = \dfrac{4}{5} \times \dfrac{3}{4} = \dfrac{3}{5}$

따라서 구하는 확률은

$\dfrac{4}{25} + \dfrac{3}{5} = \dfrac{19}{25}$

답 $\dfrac{19}{25}$

1141 눈이 온 날을 ○, 눈이 오지 않은 날을 ×로 표시할 때

(i)

월	화	수
○	○	○

인 경우의 확률은

$\dfrac{1}{3} \times \dfrac{1}{3} = \dfrac{1}{9}$

(ii)

월	화	수
○	×	○

인 경우의 확률은

$\left(1 - \dfrac{1}{3}\right) \times 2 \times \dfrac{2}{5} = \dfrac{2}{3} \times \dfrac{2}{5} = \dfrac{4}{15}$

따라서 구하는 확률은

$\dfrac{1}{9} + \dfrac{4}{15} = \dfrac{17}{45}$

답 $\dfrac{17}{45}$

1142 걸어간 날을 A, 버스를 타고 간 날을 B로 표시할 때

(i)

화	수	목
A	A	B

인 경우의 확률은

$\left(1 - \dfrac{1}{4}\right) \times \dfrac{1}{4} = \dfrac{3}{4} \times \dfrac{1}{4} = \dfrac{3}{16}$

(ii)

화	수	목
A	B	B

인 경우의 확률은

$\dfrac{1}{4} \times \dfrac{1}{2} = \dfrac{1}{8}$

따라서 구하는 확률은

$\dfrac{3}{16} + \dfrac{1}{8} = \dfrac{5}{16}$

답 $\dfrac{5}{16}$

1143 전략 점 P가 꼭짓점 D에 오려면 두 눈의 수의 합이 3 또는 7 또는 11이어야 한다.

모든 경우의 수는 $6 \times 6 = 36$

점 P가 꼭짓점 D에 오려면 주사위를 두 번 던져서 나온 두 눈의 수의 합이 3 또는 7 또는 11이어야 한다.

(i) 두 눈의 수의 합이 3인 경우는 (1, 2), (2, 1)의 2가지이므로 그 확률은 $\dfrac{2}{36}$

(ii) 두 눈의 수의 합이 7인 경우는 (1, 6), (2, 5), (3, 4), (4, 3), (5, 2), (6, 1)의 6가지이므로 그 확률은 $\dfrac{6}{36}$

(iii) 두 눈의 수의 합이 11인 경우는 (5, 6), (6, 5)의 2가지이므로 그 확률은 $\dfrac{2}{36}$

따라서 구하는 확률은

$\dfrac{2}{36} + \dfrac{6}{36} + \dfrac{2}{36} = \dfrac{5}{18}$

답 $\dfrac{5}{18}$

1144 점 P가 꼭짓점 A에 오려면 주사위를 던져서 나온 눈의 수가 3 또는 6이어야 하므로 그 확률은 $\dfrac{2}{6} = \dfrac{1}{3}$

점 P가 꼭짓점 B에 오려면 주사위를 던져서 나온 눈의 수가 1 또는 4이어야 하므로 그 확률은 $\dfrac{2}{6} = \dfrac{1}{3}$

따라서 구하는 확률은

$\dfrac{1}{3} \times \dfrac{1}{3} = \dfrac{1}{9}$

답 $\dfrac{1}{9}$

1145 전략 앞면이 나온 횟수를 x번이라 하면 뒷면이 나온 횟수는 $(3-x)$번임을 이용하여 x에 대한 방정식을 세운다.

모든 경우의 수는 $2 \times 2 \times 2 = 8$

동전을 3번 던질 때, 앞면이 x번 나온다고 하면 뒷면은 $(3-x)$번 나오므로 점 P가 -1의 위치에 있으려면

$(+1) \times x + (-1) \times (3-x) = -1$ ∴ $x = 1$

즉 앞면이 1번, 뒷면이 2번 나오는 경우는

(앞, 뒤, 뒤), (뒤, 앞, 뒤), (뒤, 뒤, 앞)의 3가지

이므로 구하는 확률은 $\dfrac{3}{8}$

답 $\dfrac{3}{8}$

STEP 3 **내신 마스터** p.206 ~ p.208

1146 전략 꺼낸 공이 흰 공일 확률이 $\dfrac{1}{3}$임을 이용하여 x에 대한 방정식을 세운다.

꺼낸 공이 흰 공일 확률이 $\dfrac{1}{3}$이므로 $\dfrac{5}{5+4+x} = \dfrac{1}{3}$

$9 + x = 15$ ∴ $x = 6$

답 ⑤

1147 전략 각각의 경우의 수를 구한 후 이를 이용하여 확률을 구한다.

모든 경우의 수는 $4 \times 4 = 16$

30 이상 40 이하인 경우는 30, 31, 32, 34, 40의 5가지

따라서 구하는 확률은 $\dfrac{5}{16}$　　　　답 ②

1148 전략 대표를 뽑는 경우의 수를 이용하여 확률을 구한다.

모든 경우의 수는 $\dfrac{4 \times 3 \times 2}{3 \times 2 \times 1} = 4$

뽑은 3장의 카드에 A가 적힌 카드가 포함되는 경우는 A를 제외한 3장의 카드 중에서 2장을 뽑는 경우의 수와 같으므로

$\dfrac{3 \times 2}{2 \times 1} = 3$

따라서 구하는 확률은 $\dfrac{3}{4}$　　　　답 $\dfrac{3}{4}$

1149 전략 확률의 성질을 정확히 이해한다.

③ $p + q = 1$이므로 $p = 1 - q$　　　　답 ③

1150 전략 ($3a - b \neq 2$일 확률)$= 1 -$($3a - b = 2$일 확률)

모든 경우의 수는 $6 \times 6 = 36$　　　　…… ㈎

$3a - b = 2$를 만족하는 순서쌍 (a, b)는 $(1, 1)$, $(2, 4)$의 2가지이므로 그 확률은 $\dfrac{2}{36} = \dfrac{1}{18}$　　　　…… ㈏

따라서 구하는 확률은

$1 - \dfrac{1}{18} = \dfrac{17}{18}$　　　　…… ㈐

답 $\dfrac{17}{18}$

채점 기준	비율
㈎ 모든 경우의 수 구하기	20 %
㈏ $3a - b = 2$일 확률 구하기	50 %
㈐ $3a - b \neq 2$일 확률 구하기	30 %

1151 전략 전체 학생 수를 구한 후 B형일 확률과 O형일 확률을 각각 구해 본다.

전체 학생 수는 $11 + 27 + 34 + 28 = 100$이므로

B형일 확률은 $\dfrac{27}{100}$, O형일 확률은 $\dfrac{28}{100}$

$\therefore$ (B형에게 수혈해 줄 수 있는 사람일 확률)

$=$ (B형 또는 O형일 확률)

$= \dfrac{27}{100} + \dfrac{28}{100} = \dfrac{11}{20}$　　　　답 ①

1152 전략 두 자연수의 곱이 홀수이려면 두 수가 모두 홀수이어야 한다.

(ab가 홀수일 확률)

$=$ (a가 홀수일 확률)$\times$(b가 홀수일 확률)

$= \left(1 - \dfrac{1}{3}\right) \times \left(1 - \dfrac{2}{3}\right)$

$= \dfrac{2}{3} \times \dfrac{1}{3} = \dfrac{2}{9}$　　　　답 $\dfrac{2}{9}$

Lecture

① (짝수)×(짝수)=(짝수)　　② (짝수)×(홀수)=(짝수)

③ (홀수)×(짝수)=(짝수)　　④ (홀수)×(홀수)=(홀수)

1153 전략 찬혁이가 합격할 확률을 p라 하고, 주어진 조건을 이용하여 p에 대한 방정식을 세운다.

찬혁이가 합격할 확률을 p라 하면

(적어도 한 명이 합격할 확률)

$= 1 -$ (두 명 모두 합격하지 못할 확률)

$= 1 - \left(1 - \dfrac{2}{3}\right) \times (1 - p)$

$= 1 - \dfrac{1 - p}{3} = \dfrac{2 + p}{3}$

즉 $\dfrac{2 + p}{3} = \dfrac{7}{10}$이므로 $2 + p = \dfrac{21}{10}$

$\therefore p = \dfrac{1}{10}$　　　　답 ①

1154 전략 (한 개는 흰 공, 한 개는 빨간 공일 확률)

$=$ (A 흰 공, B 빨간 공)$+$(A 빨간 공, B 흰 공)

A 주머니에서 흰 공, B 주머니에서 빨간 공을 꺼낼 확률은

$\dfrac{4}{6} \times \dfrac{4}{8} = \dfrac{1}{3}$

A 주머니에서 빨간 공, B 주머니에서 흰 공을 꺼낼 확률은

$\dfrac{2}{6} \times \dfrac{4}{8} = \dfrac{1}{6}$

따라서 구하는 확률은

$\dfrac{1}{3} + \dfrac{1}{6} = \dfrac{1}{2}$　　　　답 $\dfrac{1}{2}$

1155 전략 뽑은 제비를 다시 넣지 않으므로 전체 제비의 개수가 변함에 유의한다.

(적어도 한 개는 당첨 제비일 확률)

$= 1 -$ (2개 모두 당첨 제비가 아닐 확률)

$= 1 - \dfrac{13}{15} \times \dfrac{12}{14} = 1 - \dfrac{26}{35} = \dfrac{9}{35}$　　　　답 ③

Lecture

연속하여 뽑는 경우의 확률을 구할 때, 꺼낸 것을 다시 넣었는지 넣지 않았는지 항상 유의한다.

1156 전략 꺼낸 공이 모두 흰 공인 경우는 동전이 앞면이 나오고 A 주머니에서 흰 공 2개를 꺼내거나 동전이 뒷면이 나오고 B 주머니에서 흰 공 2개를 꺼내는 경우이다.

동전이 앞면이 나오고 A 주머니에서 흰 공 2개를 꺼낼 확률

은 $\dfrac{1}{2} \times \dfrac{5}{7} \times \dfrac{4}{6} = \dfrac{5}{21}$ ...... ㈎

동전이 뒷면이 나오고 B 주머니에서 흰 공 2개를 꺼낼 확률

은 $\dfrac{1}{2} \times \dfrac{3}{7} \times \dfrac{2}{6} = \dfrac{1}{14}$ ...... ㈏

따라서 구하는 확률은

$\dfrac{5}{21} + \dfrac{1}{14} = \dfrac{13}{42}$ ...... ㈐

답 $\dfrac{13}{42}$

채점 기준	비율
㈎ A 주머니에서 흰 공을 꺼낼 확률 구하기	40 %
㈏ B 주머니에서 흰 공을 꺼낼 확률 구하기	40 %
㈐ 답 구하기	20 %

1157 전략 정답이 1개인 오지선다형 문제 1문항의 정답을 맞힐 확률
은 $\dfrac{1}{5}$ 임을 이용한다.

오지선다형 문제 1문항의 정답을 맞힐 확률은 $\dfrac{1}{5}$ 이므로

틀릴 확률은 $1 - \dfrac{1}{5} = \dfrac{4}{5}$

∴ (적어도 한 문항은 정답을 맞힐 확률)

$= 1 - (4$문항 모두 틀릴 확률$)$

$= 1 - \dfrac{4}{5} \times \dfrac{4}{5} \times \dfrac{4}{5} \times \dfrac{4}{5}$

$= 1 - \dfrac{256}{625} = \dfrac{369}{625}$

답 $\dfrac{369}{625}$

1158 전략 (두 사람이 만날 확률)=(두 사람이 모두 약속을 지킬 확률)

(두 사람이 만날 확률)=(두 사람이 모두 약속을 지킬 확률)

$= \left(1 - \dfrac{3}{5}\right) \times \left(1 - \dfrac{2}{3}\right)$

$= \dfrac{2}{5} \times \dfrac{1}{3} = \dfrac{2}{15}$

답 $\dfrac{2}{15}$

1159 전략 물풍선이 터지는 경우는 세 사람 중 적어도 한 사람이 물
풍선을 맞히는 경우임을 파악한다.

(물풍선이 터질 확률)

$=$(세 사람 중 적어도 한 사람이 물풍선을 맞힐 확률)

$= 1 - $(세 사람 모두 물풍선을 맞히지 못할 확률) ...... ㈎

$= 1 - \left(1 - \dfrac{1}{5}\right) \times \left(1 - \dfrac{2}{3}\right) \times \left(1 - \dfrac{1}{2}\right)$

$= 1 - \dfrac{4}{5} \times \dfrac{1}{3} \times \dfrac{1}{2} = 1 - \dfrac{2}{15} = \dfrac{13}{15}$ ...... ㈏

답 $\dfrac{13}{15}$

채점 기준	비율
㈎ 구하는 확률을 어떤 사건이 일어나지 않을 확률을 이용하여 나타내기	30 %
㈏ 답 구하기	70 %

1160 전략 (승부가 날 확률)=1-(비길 확률)

모든 경우의 수는 $3 \times 3 = 9$

두 사람이 가위바위보를 한 번 할 때 비기는 경우는 두 사람
모두 가위 또는 바위 또는 보를 내는 경우의 3가지이므로 그

확률은 $\dfrac{3}{9} = \dfrac{1}{3}$

또 승부가 날 확률은

$1 - ($비길 확률$) = 1 - \dfrac{1}{3} = \dfrac{2}{3}$

따라서 구하는 확률은

$\dfrac{1}{3} \times \dfrac{1}{3} \times \dfrac{2}{3} = \dfrac{2}{27}$

답 ②

1161 전략 월요일에 비가 왔을 때, 같은 주 목요일에 비가 오는 경우
를 표로 나타내어 본다.

비가 온 날을 ○, 비가 오지 않은 날을 ×로 표시할 때

(i)

월	화	수	목
○	○	○	○

인 경우의 확률은

$\dfrac{1}{2} \times \dfrac{1}{2} \times \dfrac{1}{2} = \dfrac{1}{8}$

(ii)

월	화	수	목
○	○	×	

인 경우의 확률은

$\dfrac{1}{2} \times \left(1 - \dfrac{1}{2}\right) \times \dfrac{1}{3} = \dfrac{1}{2} \times \dfrac{1}{2} \times \dfrac{1}{3} = \dfrac{1}{12}$

(iii)

월	화	수	목
○	×	○	

인 경우의 확률은

$\left(1 - \dfrac{1}{2}\right) \times \dfrac{1}{3} \times \dfrac{1}{2} = \dfrac{1}{2} \times \dfrac{1}{3} \times \dfrac{1}{2} = \dfrac{1}{12}$

(iv)

월	화	수	목
○	×	×	○

인 경우의 확률은

$\left(1 - \dfrac{1}{2}\right) \times \left(1 - \dfrac{1}{3}\right) \times \dfrac{1}{3} = \dfrac{1}{2} \times \dfrac{2}{3} \times \dfrac{1}{3} = \dfrac{1}{9}$

따라서 구하는 확률은

$\dfrac{1}{8} + \dfrac{1}{12} + \dfrac{1}{12} + \dfrac{1}{9} = \dfrac{29}{72}$

답 $\dfrac{29}{72}$

1162 전략 앞면이 나온 횟수를 x번이라 하면 뒷면이 나온 횟수는
$(4-x)$번임을 이용하여 x에 대한 방정식을 세운다.

모든 경우의 수는 $2 \times 2 \times 2 \times 2 = 16$

동전을 4번 던질 때, 앞면이 x번 나온다고 하면 뒷면은

$(4-x)$번 나오므로 점수의 합이 1점이 되려면

$(-2) \times x + (+1) \times (4-x) = 1$ ∴ $x = 1$

즉 앞면이 1번, 뒷면이 3번 나오는 경우는 (앞, 뒤, 뒤, 뒤),
(뒤, 앞, 뒤, 뒤), (뒤, 뒤, 앞, 뒤), (뒤, 뒤, 뒤, 앞)의 4가지이

므로 구하는 확률은 $\dfrac{4}{16} = \dfrac{1}{4}$

답 ①

1163 [전략] 점 P가 꼭짓점 F에 오려면 두 눈의 수의 합이 5 또는 11 이어야 한다.

모든 경우의 수는 $6 \times 6 = 36$

점 P가 꼭짓점 F에 오려면 주사위를 두 번 던져서 나온 두 눈의 수의 합이 5 또는 11이어야 한다.

(ⅰ) 두 눈의 수의 합이 5인 경우는 $(1, 4)$, $(2, 3)$, $(3, 2)$, $(4, 1)$의 4가지이므로 그 확률은 $\dfrac{4}{36}$

(ⅱ) 두 눈의 수의 합이 11인 경우는 $(5, 6)$, $(6, 5)$의 2가지이므로 그 확률은 $\dfrac{2}{36}$

따라서 구하는 확률은 $\dfrac{4}{36} + \dfrac{2}{36} = \dfrac{1}{6}$ **답** $\dfrac{1}{6}$

1164 [전략] 먼저 A 팀이 3번을 이겨서 우승할 확률을 구해 본다.

A 팀이 이길 때를 a, B 팀이 이길 때를 b라 하면

A 팀이 우승하는 경우는 남은 경기의 결과가 aaa, $aaba$, $abaa$, $baaa$일 때이다.

따라서 A 팀이 우승할 확률은

$\dfrac{1}{8} + \dfrac{1}{16} + \dfrac{1}{16} + \dfrac{1}{16} = \dfrac{5}{16}$,

B 팀이 우승할 확률은

$1 - \dfrac{5}{16} = \dfrac{11}{16}$

답 A 팀: $\dfrac{5}{16}$, B 팀: $\dfrac{11}{16}$

MEMO